A-Z LIVERPO

CONTENTS

REFERENCE

Motorway	M57
A Road	A580
Proposed	
B Road	B5202
Dual Carriageway	
One-way Street Traffic flow on A Roads is indicated by a heavy line on the driver's left. All one-way streets are shown on Large Scale Pages 4-5	
Restricted Access	
Pedestrianized Road	
Track & Footpath	
Railway	Level Crossing / Station / Tunnel
Built-up Area	STONE ST.
Local Authority Boundary	
Postcode Boundary	
Map Continuation	18 Large Scale 4

Car Park	P
Church or Chapel	†
Fire Station	■
Hospital	H
House Numbers A & B Roads only	18 25
Information Centre	i
National Grid Reference	335
Police Station	▲
Post Office	★
Toilet with Disabled Facilities	▽ ♿
Educational Establishment	
Hospital or Hospice	
Industrial Building	
Leisure or Recreational Facility	
Place of Interest	
Public Building	
Shopping Centre or Market	
Other Selected Buildings	

SCALE

Map Pages 6-175 1:11060 5.7 inches to 1 mile	Map Pages 4-5 1:7373 8.6 inches to 1 mile
0 ¼ Mile	0 ⅛ ¼ Mile
0 250 Metres	0 100 200 300 Metres
9.04cm to 1km 14.55cm to 1 mile	13.57cm to 1km 21.84cm to 1 mile

Copyright of Geographers' A-Z Map Company Limited

Head Office:
Fairfield Road, Borough Green, Sevenoaks, Kent TN15 8PP
Tel: 01732 781000 (General Enquiries & Trade Sales)
Showrooms:
44 Gray's Inn Road, London WC1X 8HX
Tel: 020 7440 9500 (Retail Sales)
www.a-zmaps.co.uk

Formby

LIVERPOOL BAY

Hightown

Ince Blundell

Homer Green

Lydiate
6 **7**
MAGHULL

Little Crosby
8 **9**

Lunt Sefton
10 **11**
Thornton

Netherton
12 **13**

7

Crosby Channel

CROSBY
16 **17**
Waterloo

Great Crosby Buckley Hill
18 **19**
Litherland

20 **21**
Aintree

Seaforth
32 **33**

Orrell
34 **35**

Fazakerley
36 **37**

BOOTLE

Walton

LARGE SCALE
4 **5**
LIVERPOOL
CITY CENTRE

50 **51**

New Brighton
52 **53**

Kirkdale
54 **55**

Anfield
56 **57**

Everton

Norr
Gree

Wes
Der

WALLASEY
70 **71** **72** **73**
Moreton
Leasowe

Egremont
Liscard
74 **75**
(Kingsway)

LIVERPOOL
76 **77** **78** **79**

Mersey
Tunnels

Old
Swa

Meols
90 **91**
HOYLAKE

Bidston
2
Upton
94 **95**

Claughton
96 **97**

(Queensway)

98 **99**
Toxteth

Wavertree
100 **101**

Sefton Park

92 **93**
Greasby

BIRKENHEAD

Newton
112 **113**
West
Kirby
Grange
Caldy

Frankby
114 **115**

Woodchurch
116 **117**
3
M53

Oxton
118 **119**
Prenton

Tranmere
Rock Ferry
120 **121**
New Ferry

Dingle
122 **123**
Aigburth

Mossley Hill

134 **135**

Thurstaston
Irby
136 **137**
Pensby

Thingwall
138 **139**
Barnston

Storeton
140 **141**
4

BEBINGTON
142 **143**
Port Sunlight
Spital

RIVER

RIVER
MERSEY

HESWALL
156 **157**
Gayton

158 **159**

Thornton Hough
160 **161**

162 **163**
Brookhurst

Bromborough
Eastham Ferry
Eastham

Holywell Bank

Gayton Sands

Parkgate **NESTON**

Little Neston

170 **171**
Willaston

5
6
7 M53
8

Little Sutton

RIVER DEE (AFON DYFRDWY)

B5134 A540 B5133

ENGLAND
WALES

Burton

Ledsham

A550 B5132

Whitb

SCALE

0   1   2 Miles

0   1   2   3 Kilometres

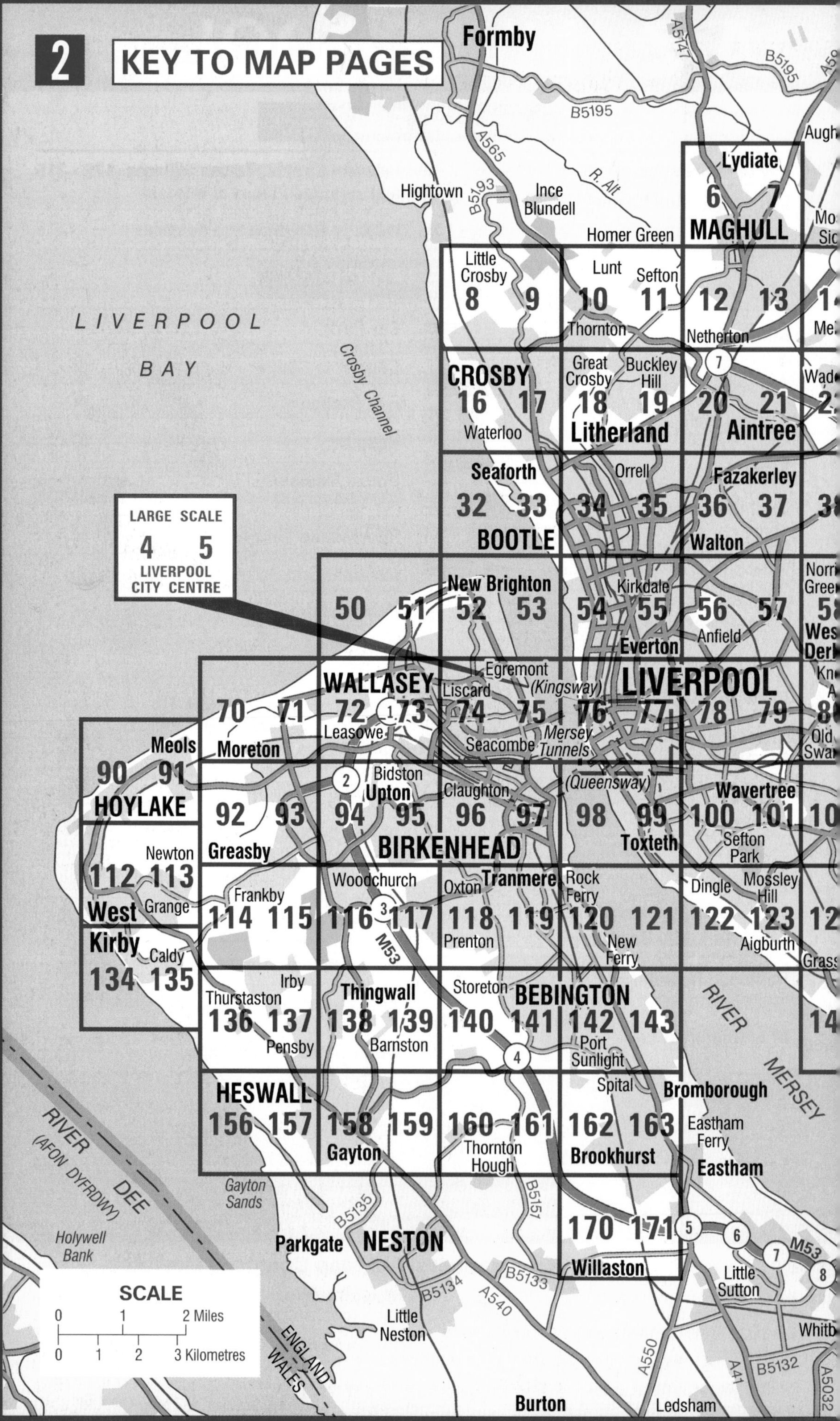

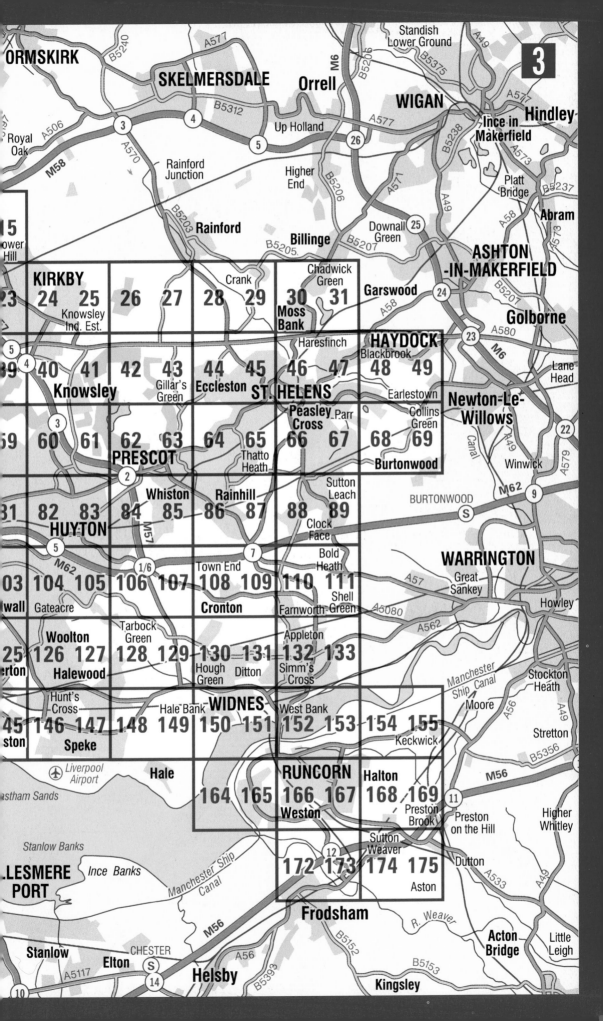

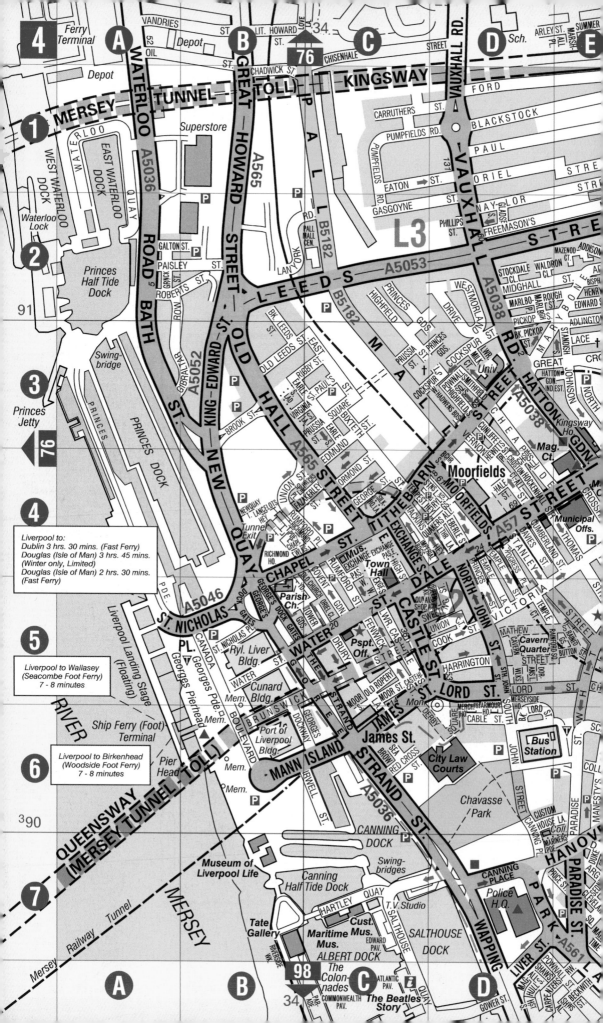

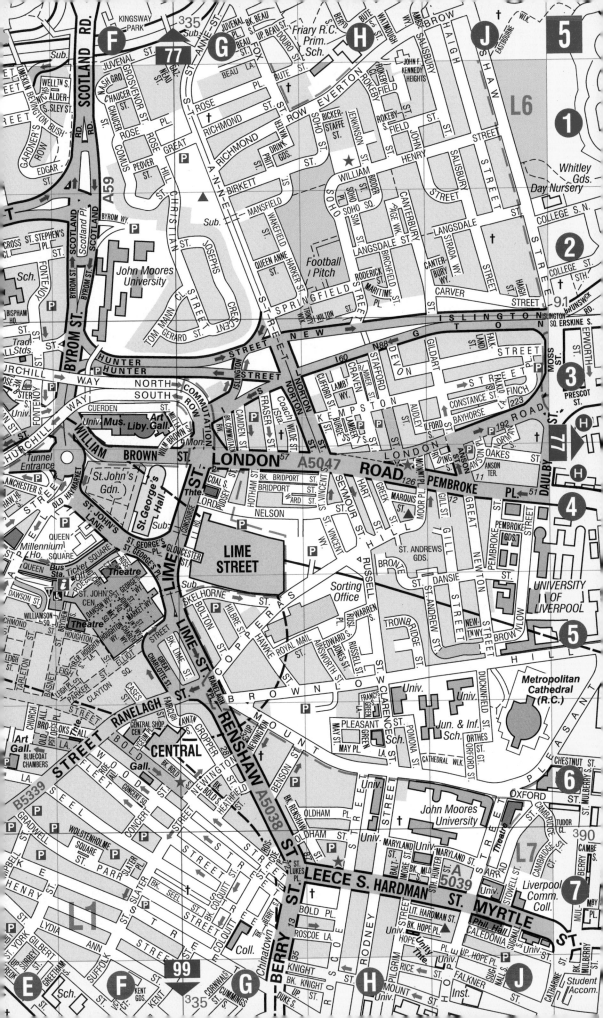

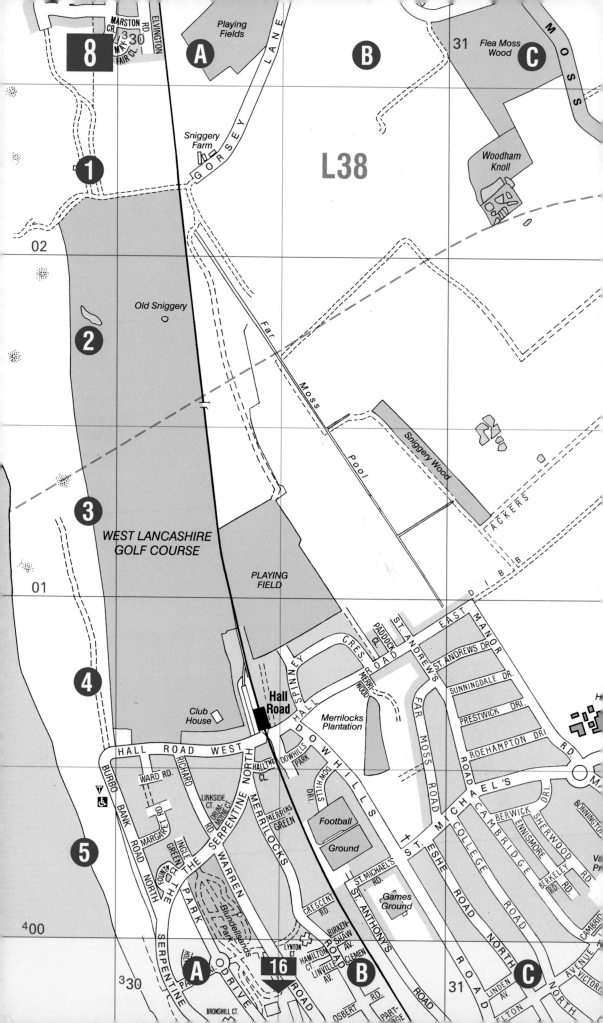

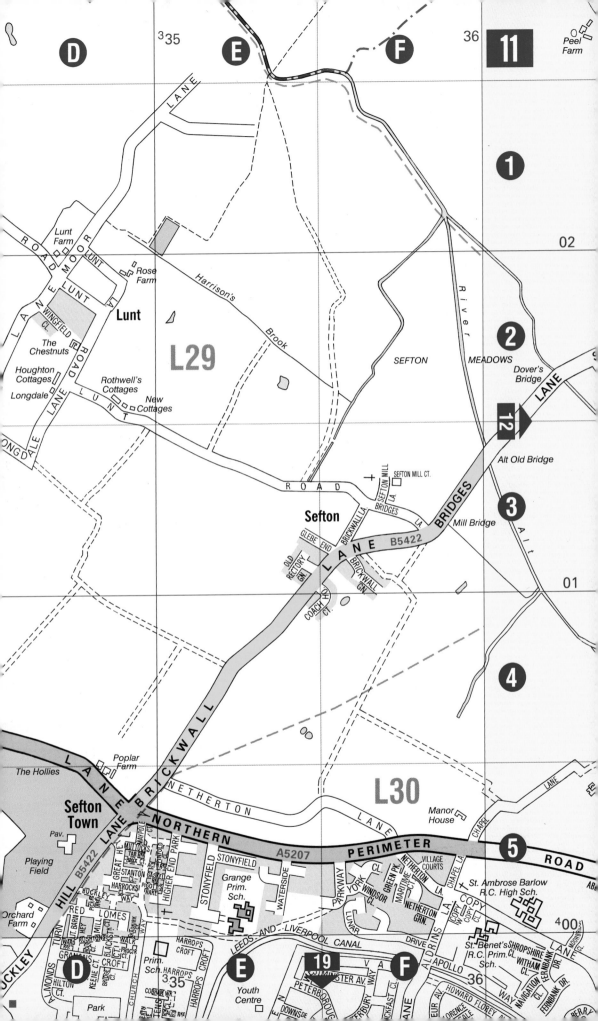

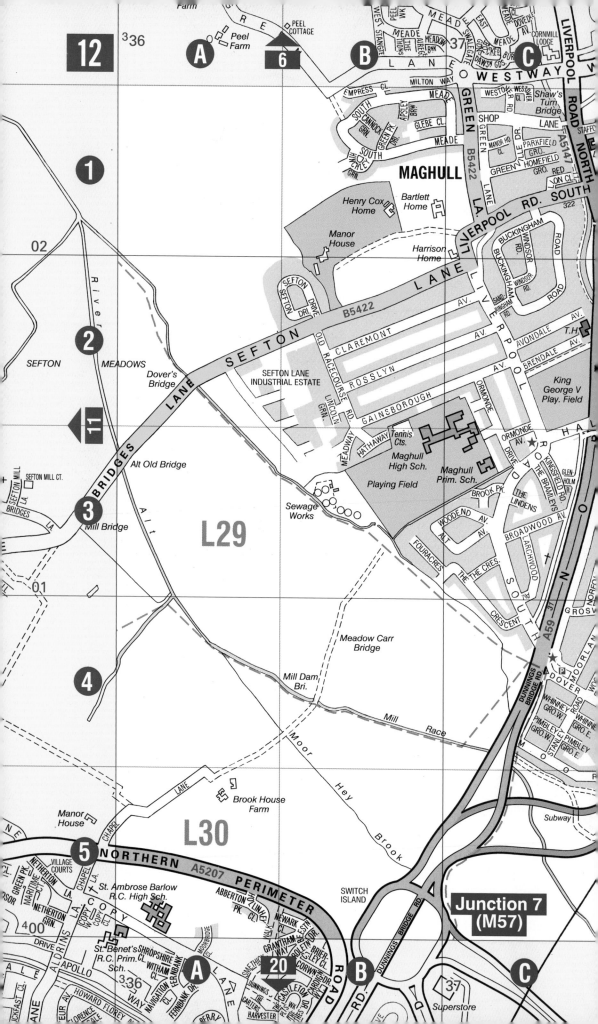

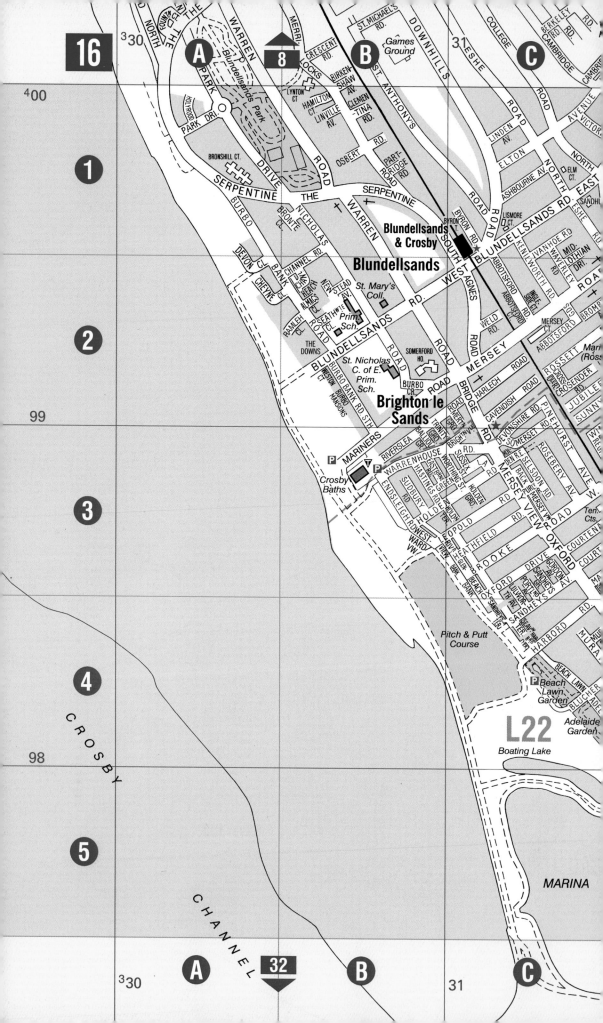

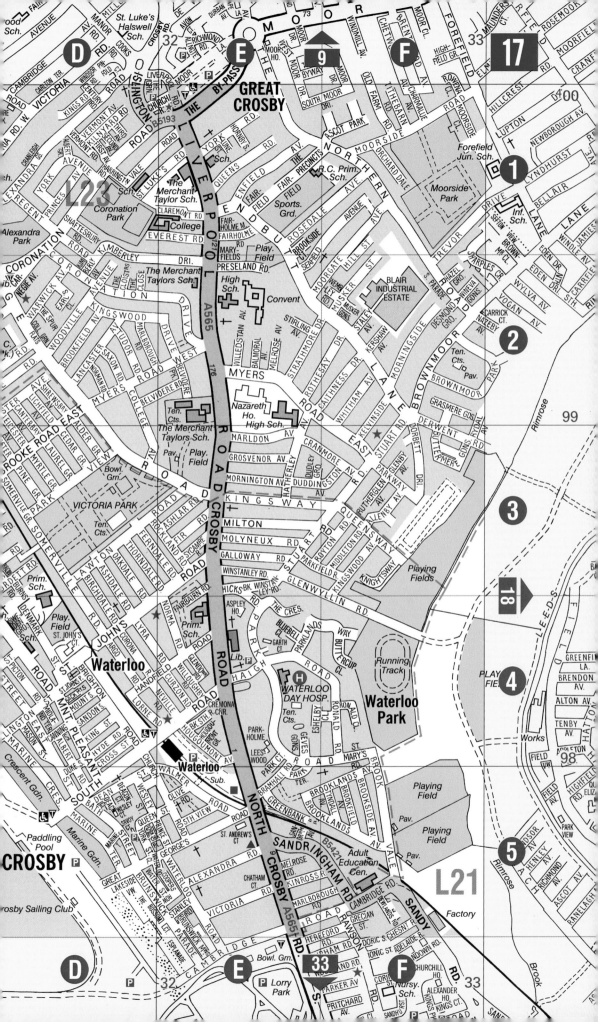

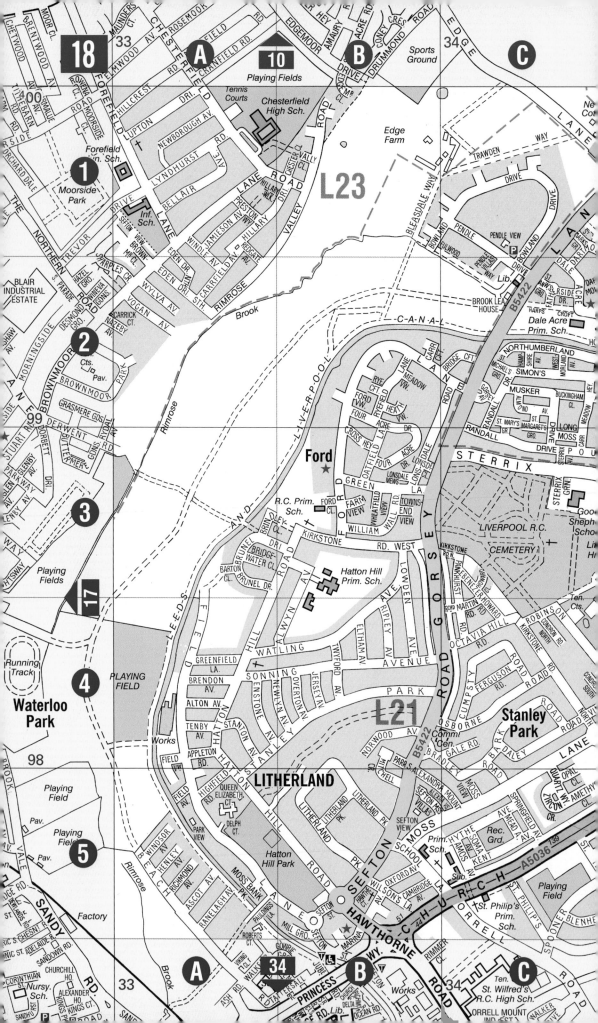

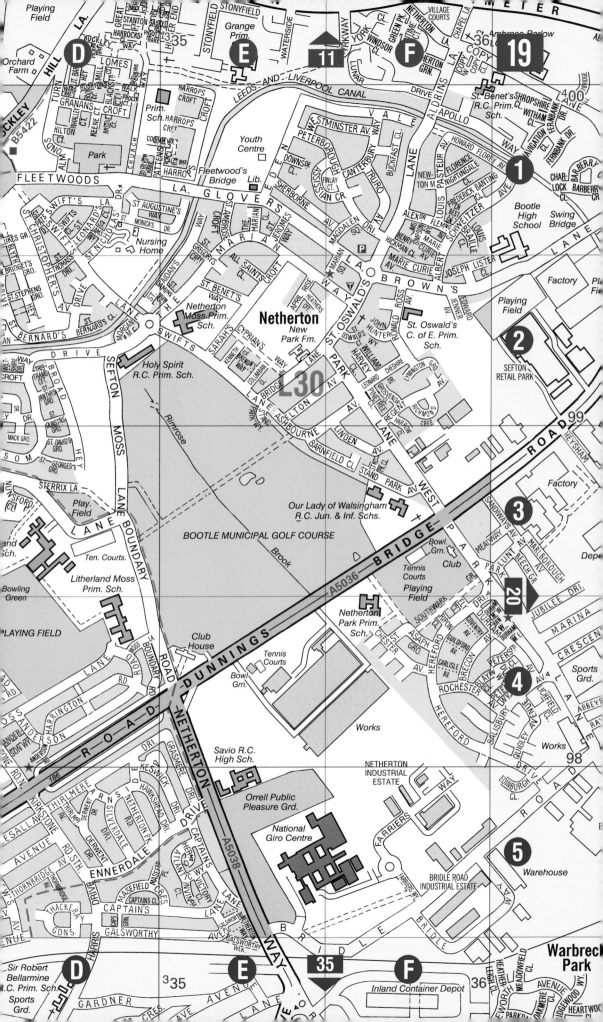

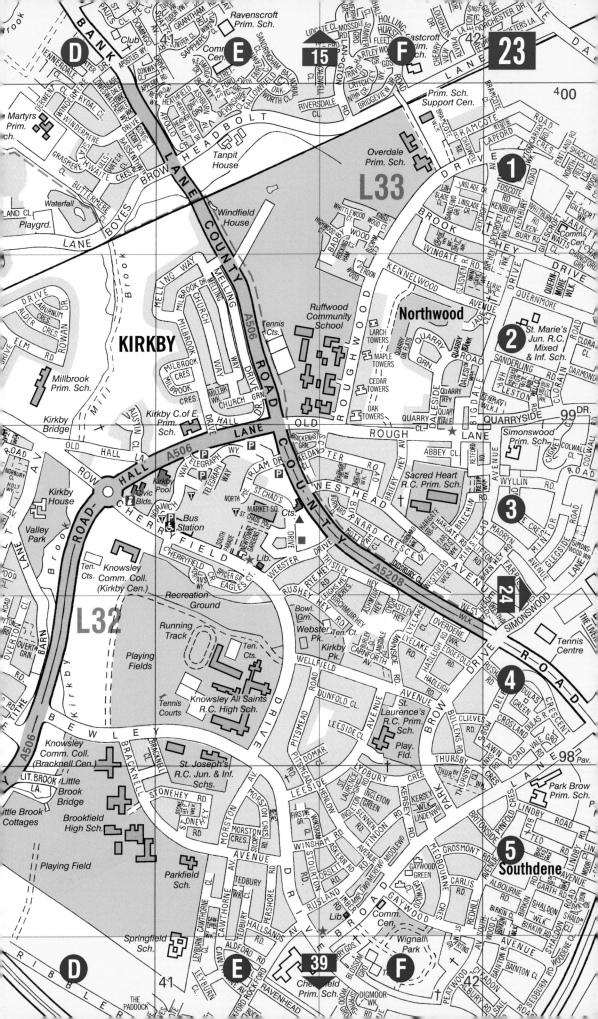

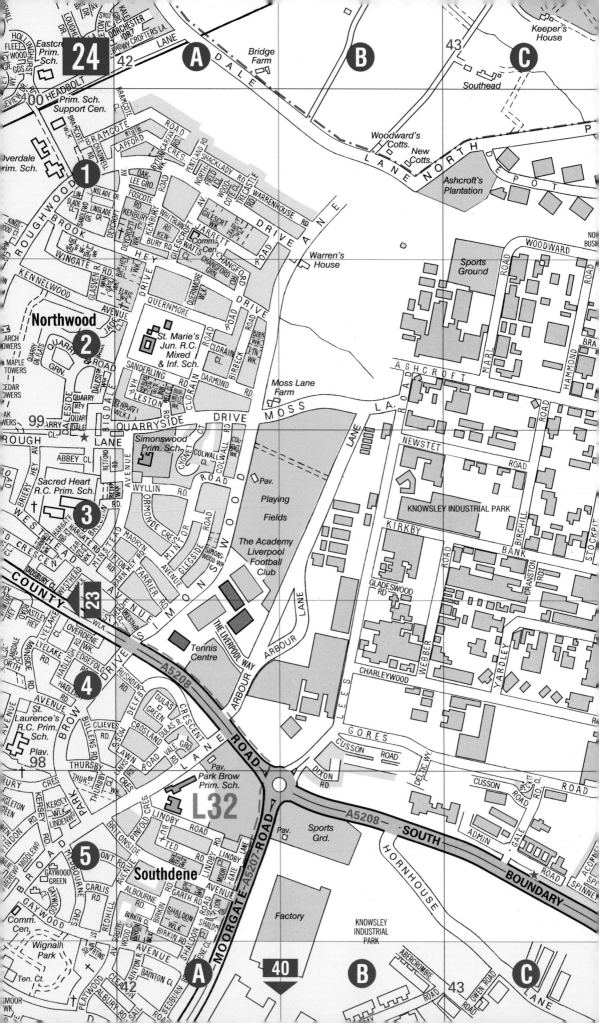

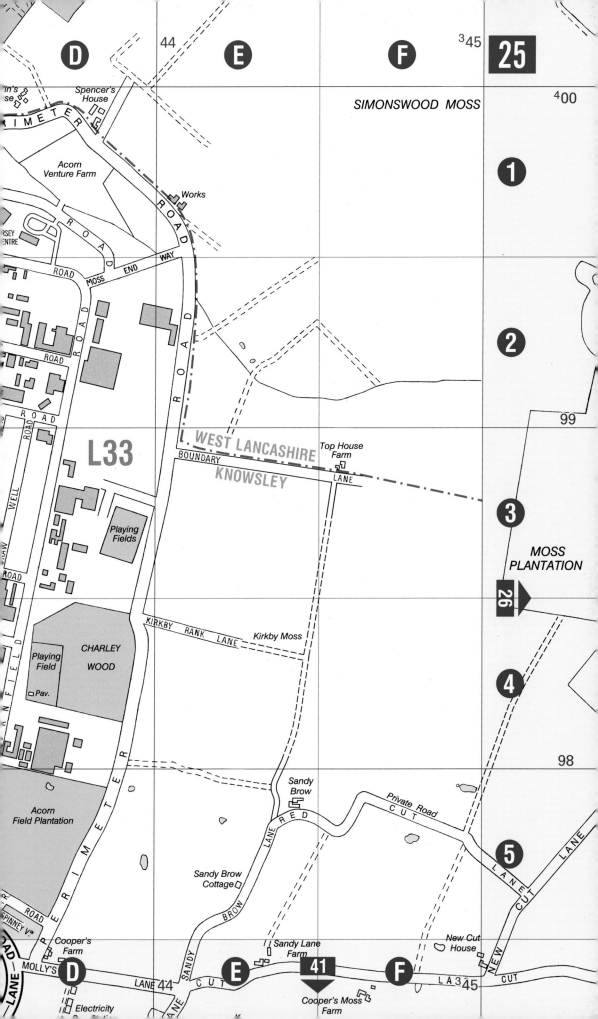

SIMONSWOOD MOSS

⁴00

1

Spencer's House

Acorn Venture Farm

Works

ROAD

MOSS END WAY

ROAD

ROAD

ROAD

ROAD

ROAD

2

99

WELL

ROAD

L33

WEST LANCASHIRE
BOUNDARY
KNOWSLEY   LANE

Top House Farm

3

MOSS PLANTATION

26

Playing Fields

KIRKBY RANK LANE   Kirkby Moss

Playing Field

CHARLEY WOOD

Pav.

4

98

Acorn Field Plantation

Sandy Brow

RED   LANE

Private Road

CUT

NEW CUT LANE

LANE

5

Sandy Brow Cottage

SANDY BROW

CUT

New Cut House

SPINNEY V

Cooper's Farm

MOLLY'S

D   LANE 44

SANDY CUT

E   Sandy Lane Farm

41

F   LA³45

NEW CUT

Electricity

Cooper's Moss Farm

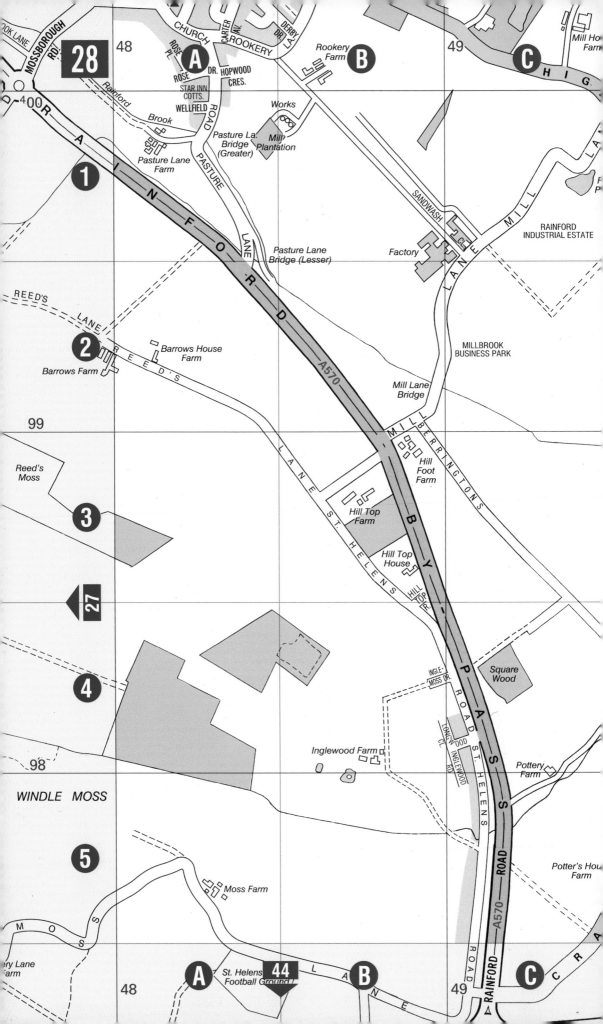

MOSSBOROUGH RD.

BROOK LANE

CHURCH ROAD

CARTER AV.

ROOKERY

DERBY LA.

DR.

48

A

Rookery Farm

B

49

Mill Ho Farm

C

HIG

ROSE PL.

ROSE

STAR INN COTTS.

DR. HOPWOOD CRES.

WELLFIELD

400

Rainford

Brook

Pasture Lane Farm

Pasture La. Bridge (Greater)

Works

Mill Plantation

1

R A I N F O R D

PASTURE LANE

Pasture Lane Bridge (Lesser)

SANDWASH LANE

Factory

MILL LANE

RAINFORD INDUSTRIAL ESTATE

REED'S

LANE

2

Barrows House Farm

Barrows Farm

REED'S

A570

MILL LANE

Mill Lane Bridge

MILLBROOK BUSINESS PARK

99

Reed's Moss

3

Hill Top Farm

Hill Foot Farm

LANE ST. HELENS

BERRINGTONS

27

Hill Top House

HILL TOP DR.

B Y - P A S S

4

Square Wood

INGLE-MOSS DR.

98

ROAD ST. HELENS

TONKIN WOOD CL.

INGLEWOOD RD.

Pottery Farm

WINDLE MOSS

Inglewood Farm

5

MOSS

Moss Farm

RAINFORD

A570

Potter's Hou Farm

A

St. Helens Football Ground

44

B

49

ROAD

C

CRA

D

Moss
Cottages
3 50

Moss Lane
Farm

E

B5205

RED CAT LA.

Rose
Farm

F

Aldersley
Farm

51

RE'S

Guild
Hall

WH.

Rainford Delph
Farm

4 00

B5205

R

LANE

MOSS LANE

ROAD

CRANK

HIGHFIELD DR.

CHAPEL VW.

CRANK HILL

ALDER LANE

Alder Lane
Farm

1

Rainford
Old Delph

B5201

HEYSOME CL.

Heysome
House

Bowling
Green

Crank

Delph
Cottage

Crank Hall
Farm

Crank Farm

High
Wood

2

99

Fairfield
Wood

WA11

Rainford

Brook

H FAIRFIELD
GS.
FAIRFIELD
HOSP.

FAIRFIELD
GS.

The Garage
Ho.

Rainford
Hall

RAINFORD
HALL COTTS.

Lion House
Wood

3

Nursery Wood

30

Grey Ho.
Farm

Fenny
Bank
Rough

Fenny Bank
Farm

Winstanley
Wood

Bowlin
Gree

4

ROAD

CRANK

Poverty
Plantation

SANDY

Dagnals
Bridge
Farm

LANE

B5201

Brook Wood

Windle Park
Wood

LANE

WOODSIDE AV.

BIRCH TREE AV.

Rainford Brook

Birch Tree
Farm

BANK

CITY VIEW

ROAD

98

HILLBRAE

SILVERDE

FEL
GRO

DEV.
AV.

AV.

KINGSWAY

BASSENTHWAITE AV.

5

AFRICANDER

QUEENS WAY

VICTORIA

PRINCES WAY

NEW

SCAFELL

DERBY

ROAD

K

Potter's
Wood

Windle
Hall Farm

D

Windle Hall
Bridge

3 50

Windle
Hall

E

EAST

LANCASHIRE

HALL

WASH

MOSS

F

ROAD

51 **Green Leach**

Windlehurst

Depot

Factory

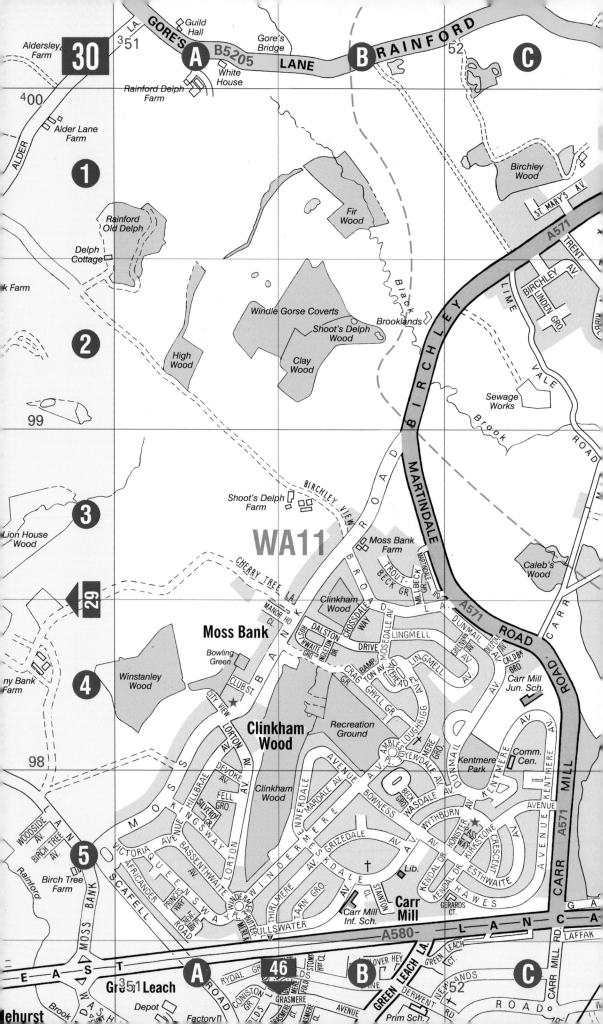

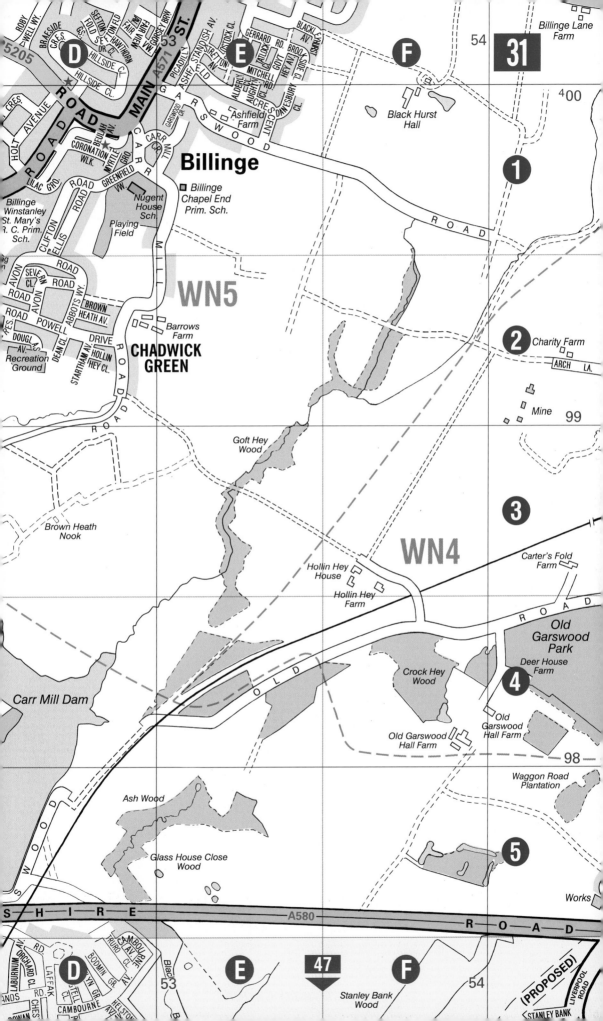

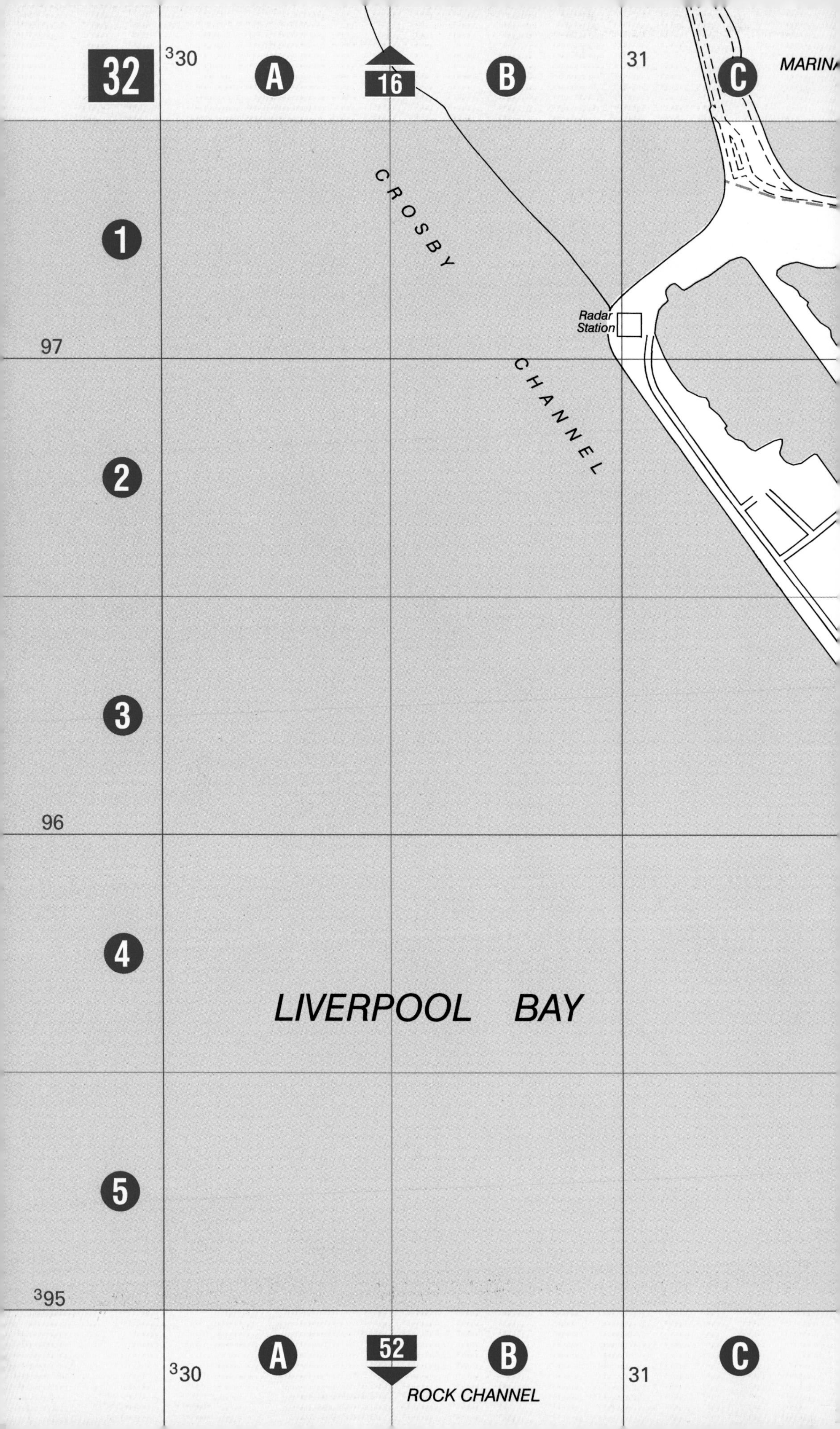

Ⓐ

Ⓑ

Ⓒ

❶

❷

❸

❹

❺

CROSBY

CHANNEL

Radar
Station

97

96

³95

LIVERPOOL   BAY

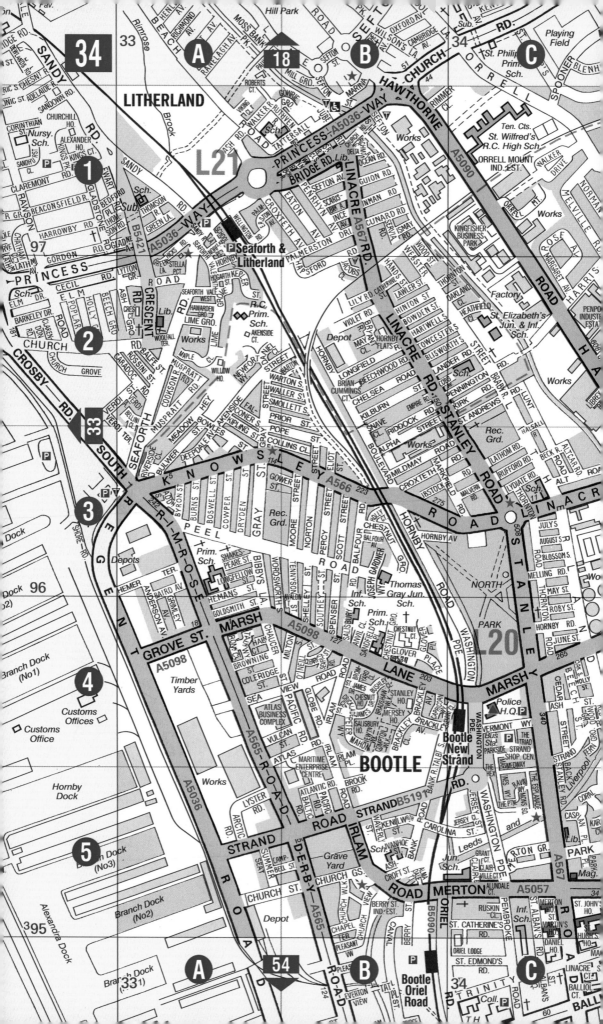

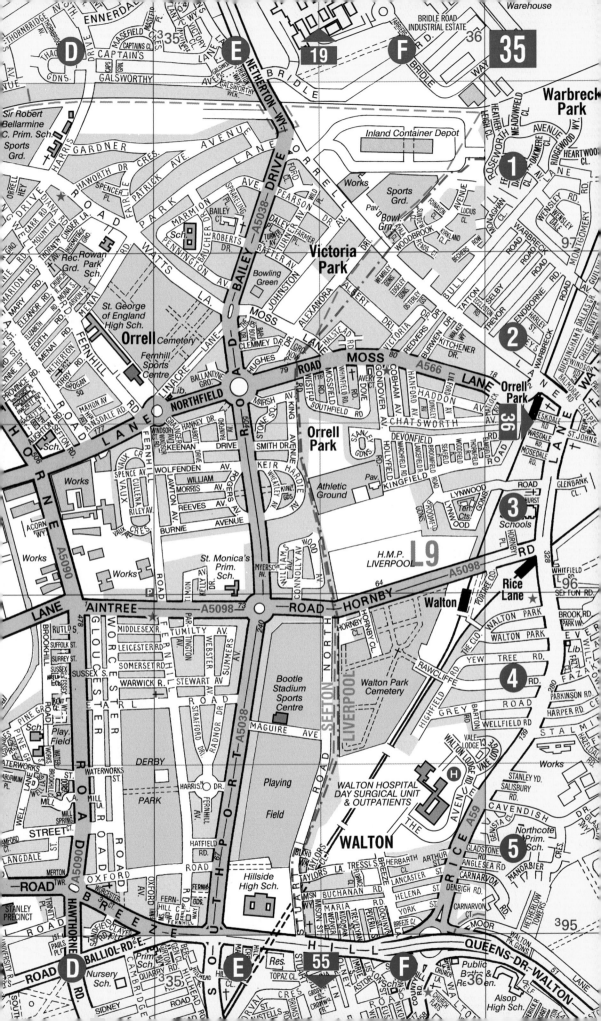

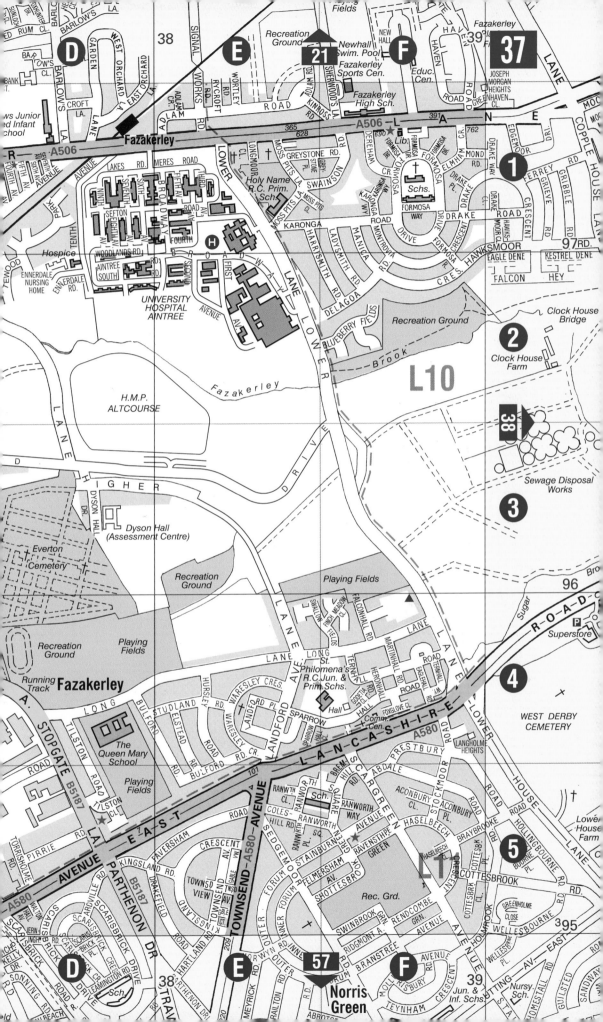

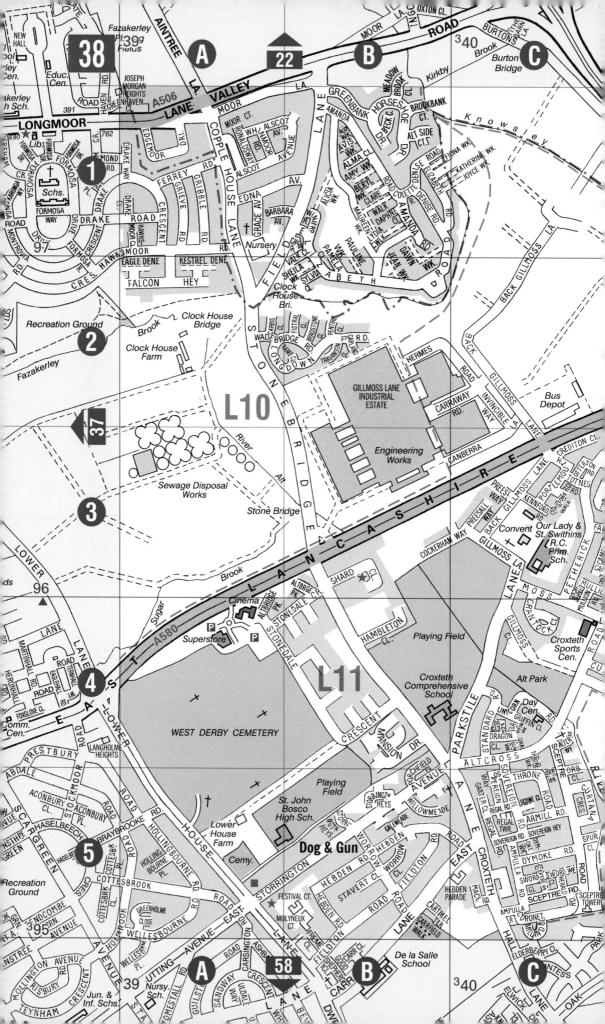

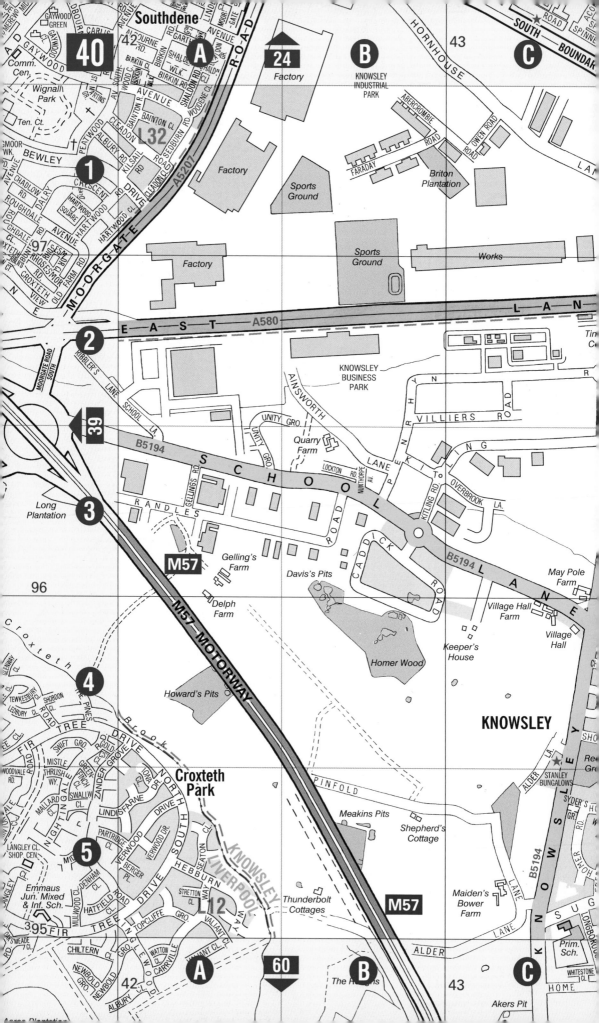

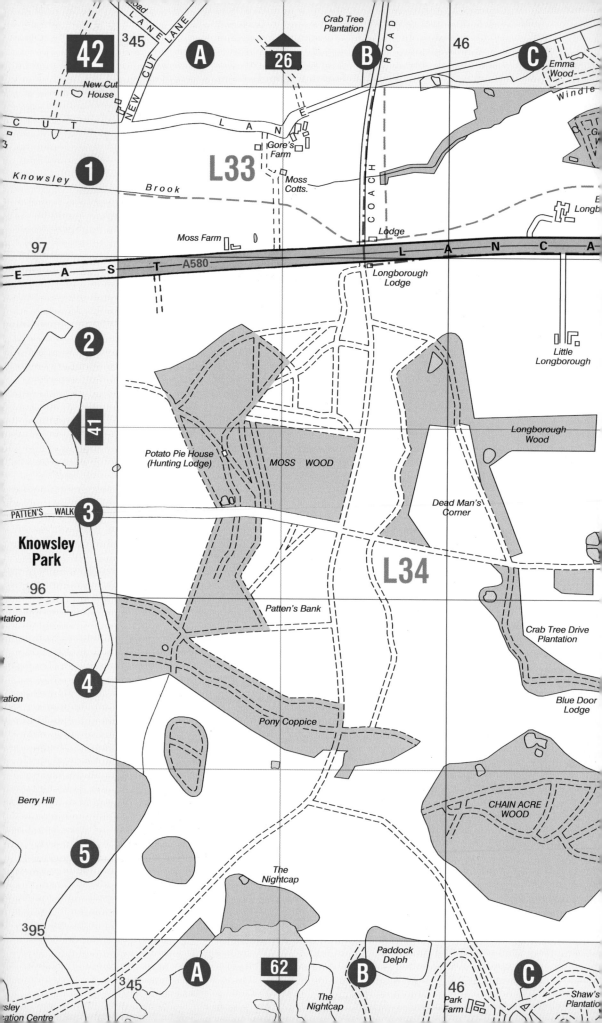

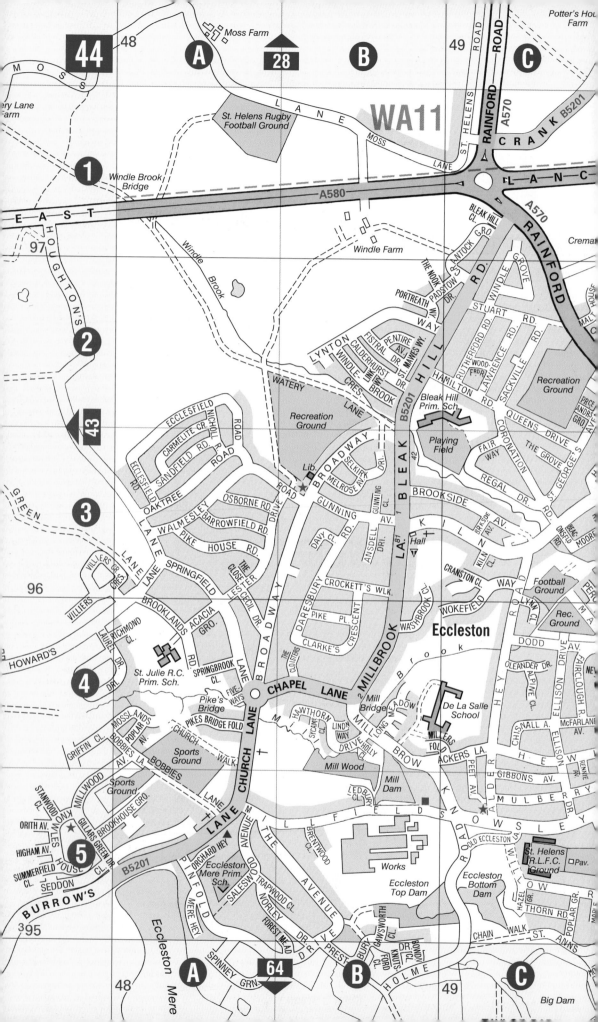

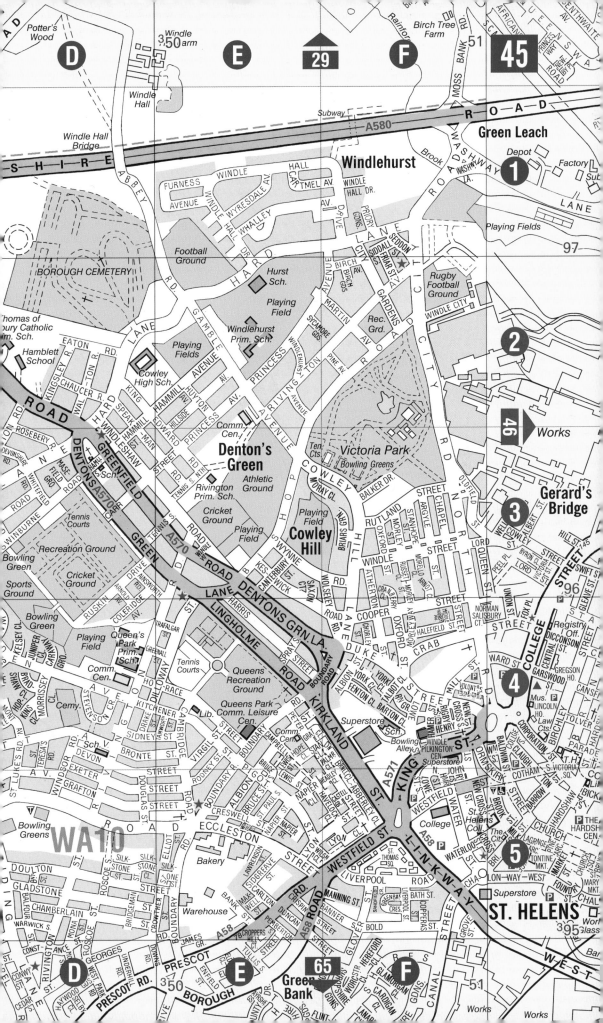

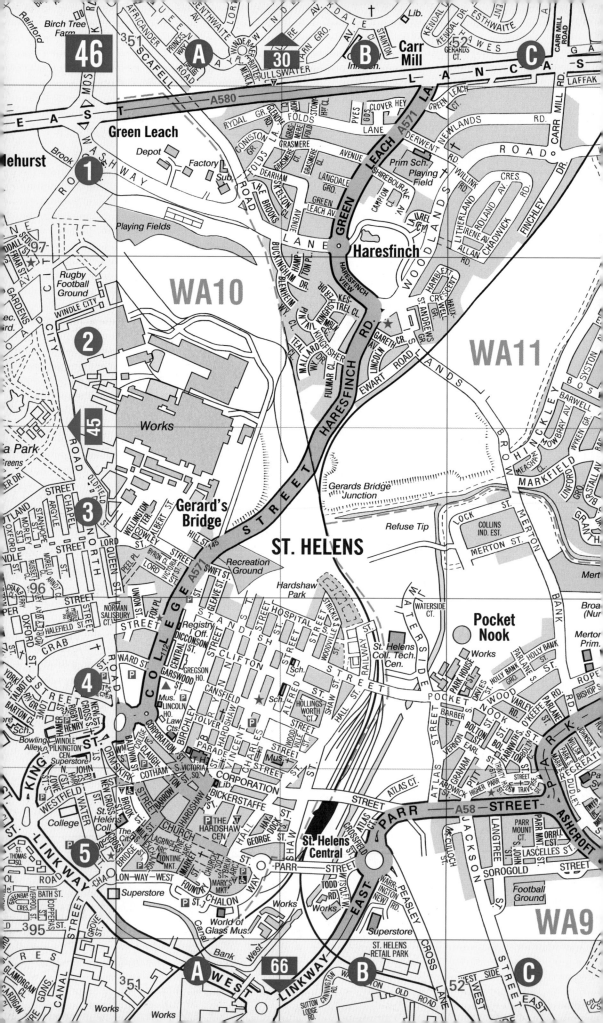

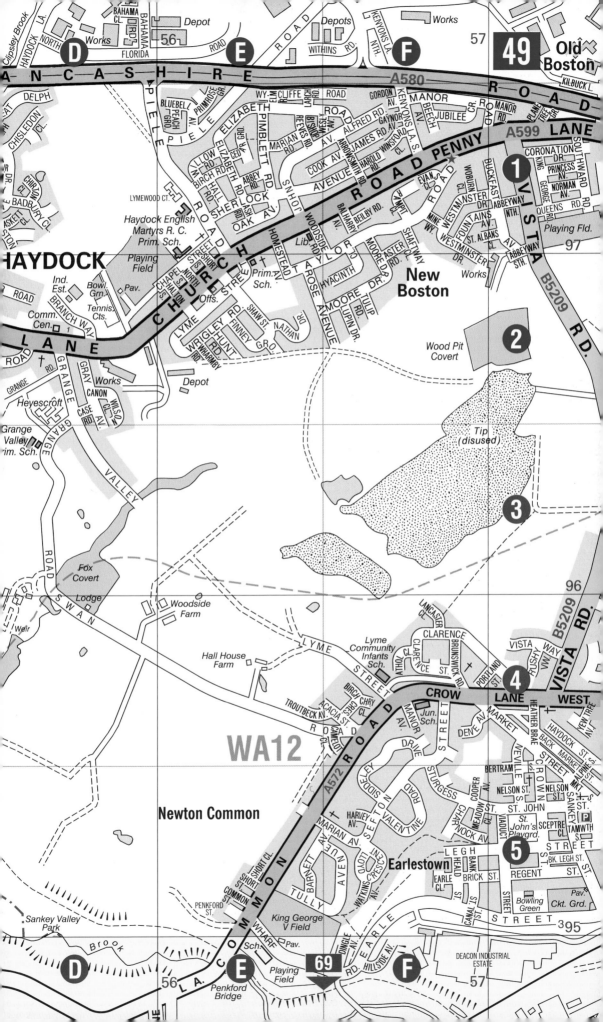

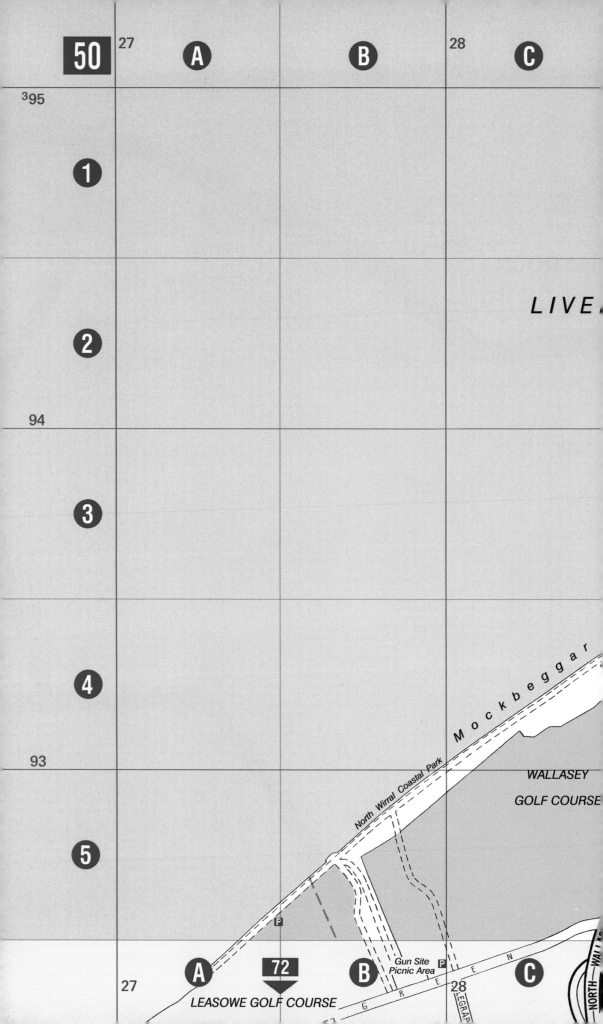

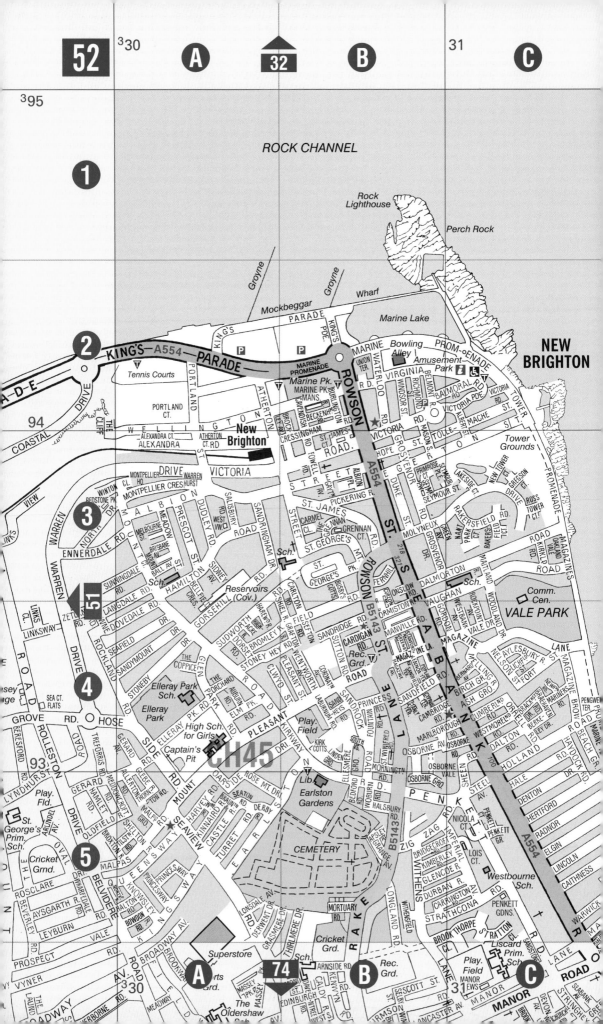

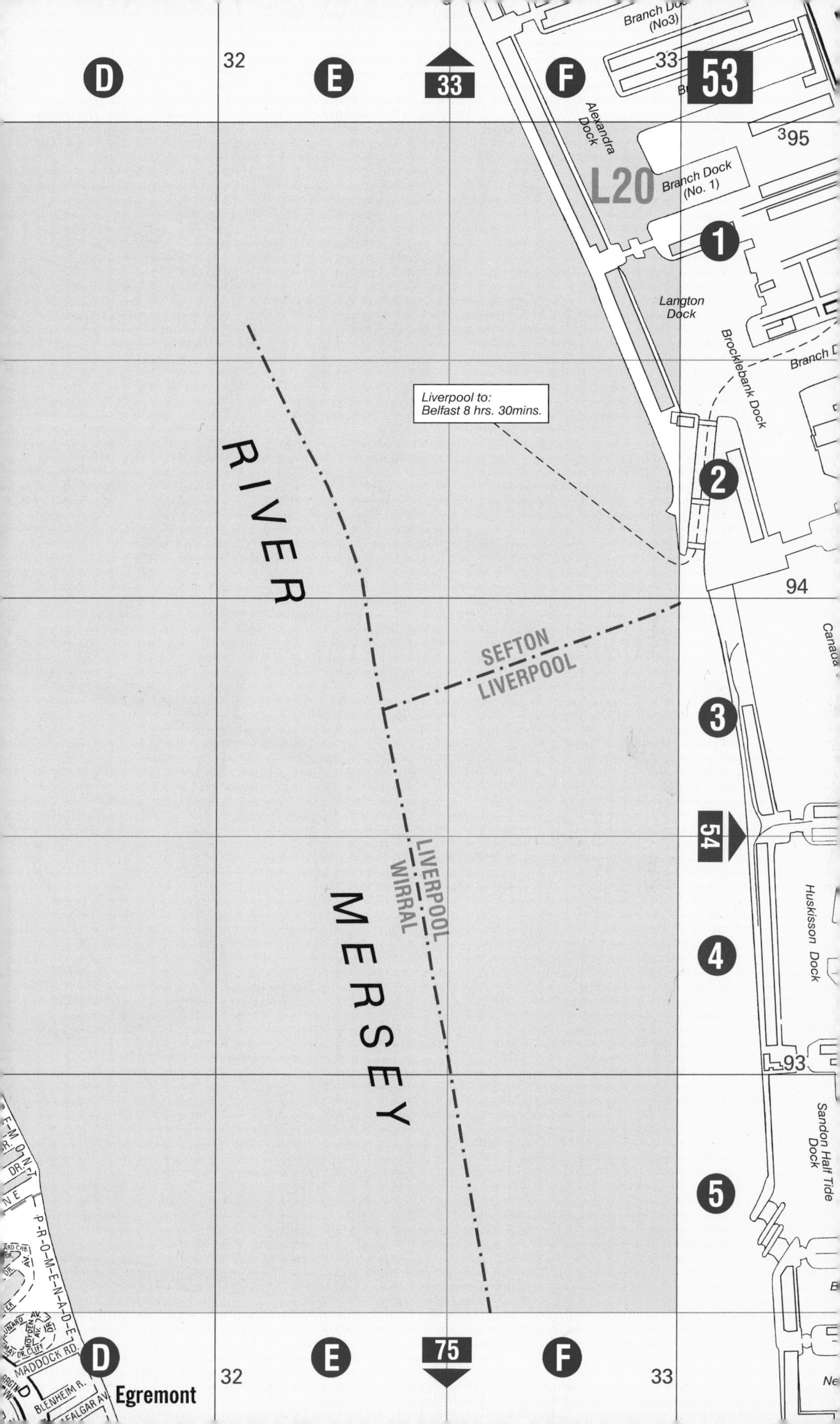

Branch Dock (No3)

33

B

Alexandra Dock

L20

Branch Dock (No. 1)

395

①

Langton Dock

Brocklebank Dock

Branch D

Liverpool to:
Belfast 8 hrs. 30mins.

②

94

RIVER

Canada

SEFTON
LIVERPOOL

③

54

MERSEY

LIVERPOOL
WIRRAL

Huskisson Dock

④

93

Sandon Half Tide Dock

⑤

F-M-O-N-T DR.

P-R-O-M-E-N-A-D-E

BLENHEIM R.

ARD CNR

DR. CLIFF

ARD CNR

RAFALGAR AV.

MADDOCK RD.

Ne

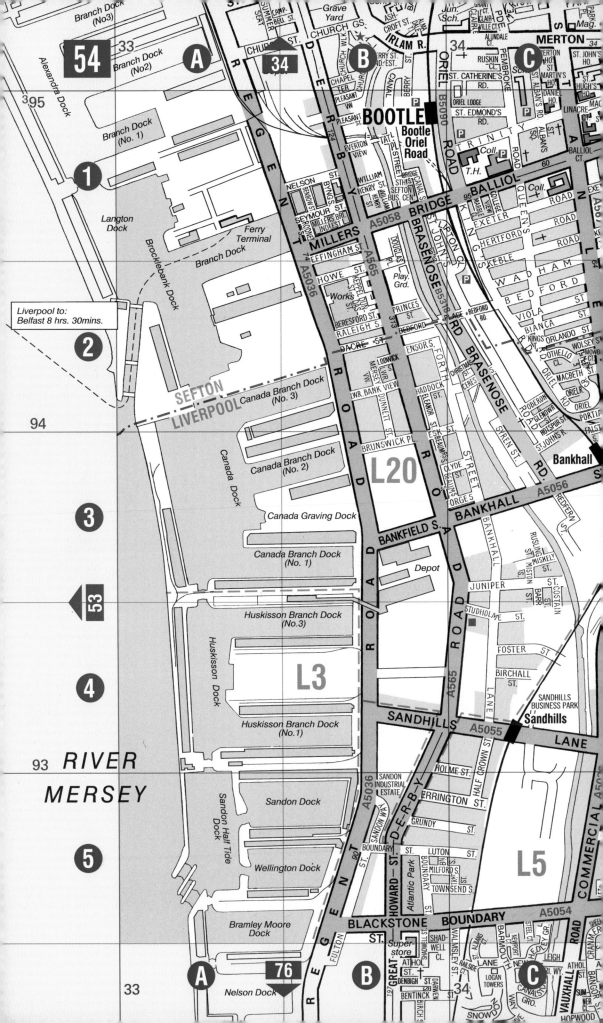

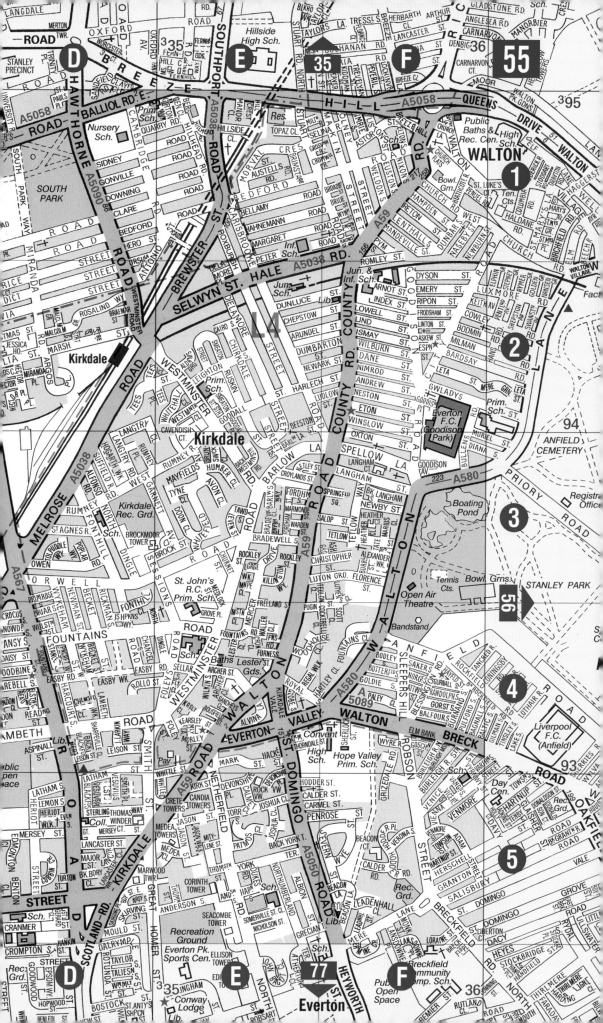

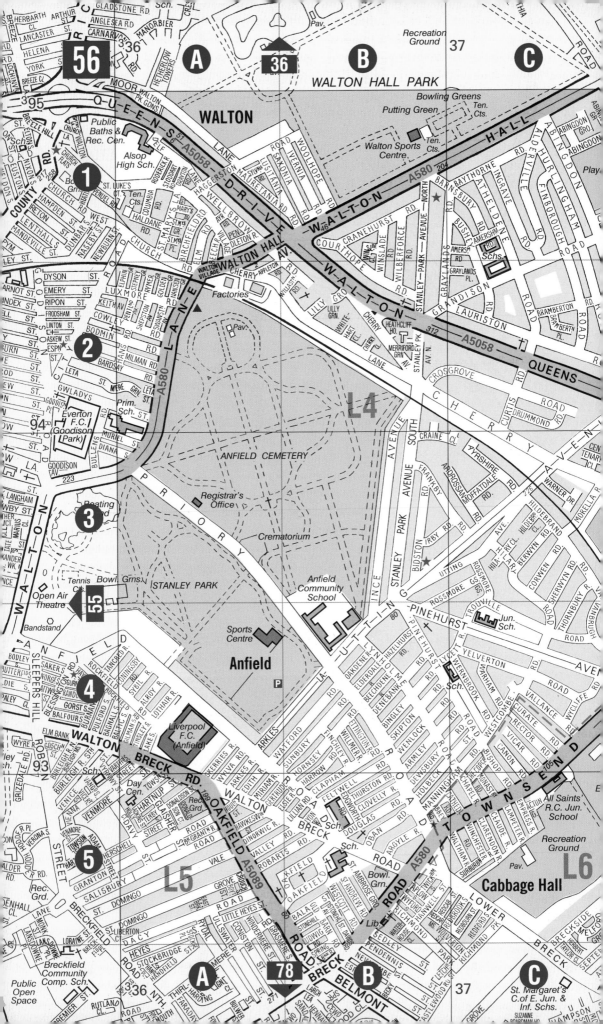

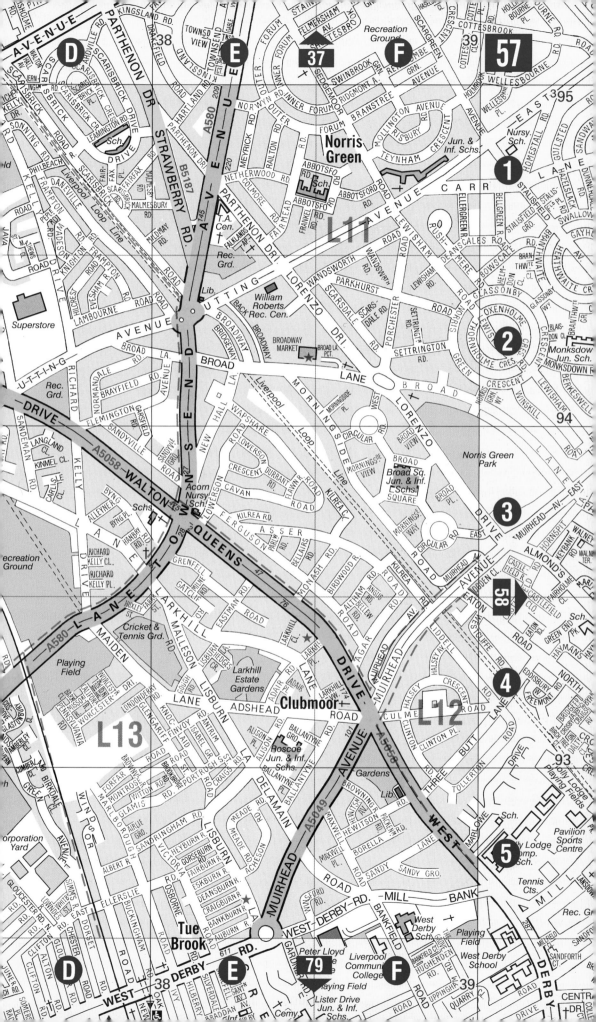

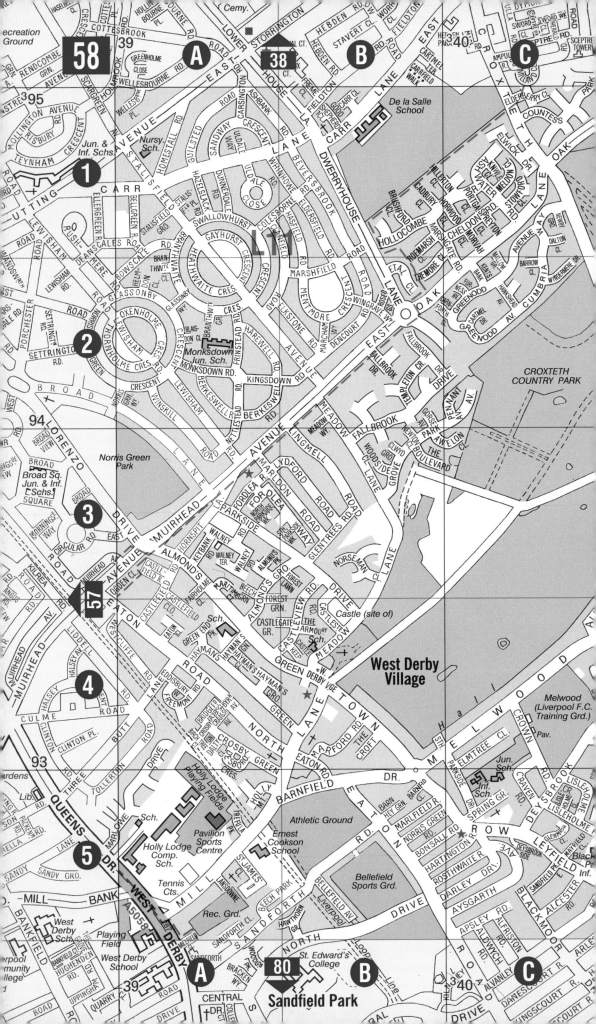

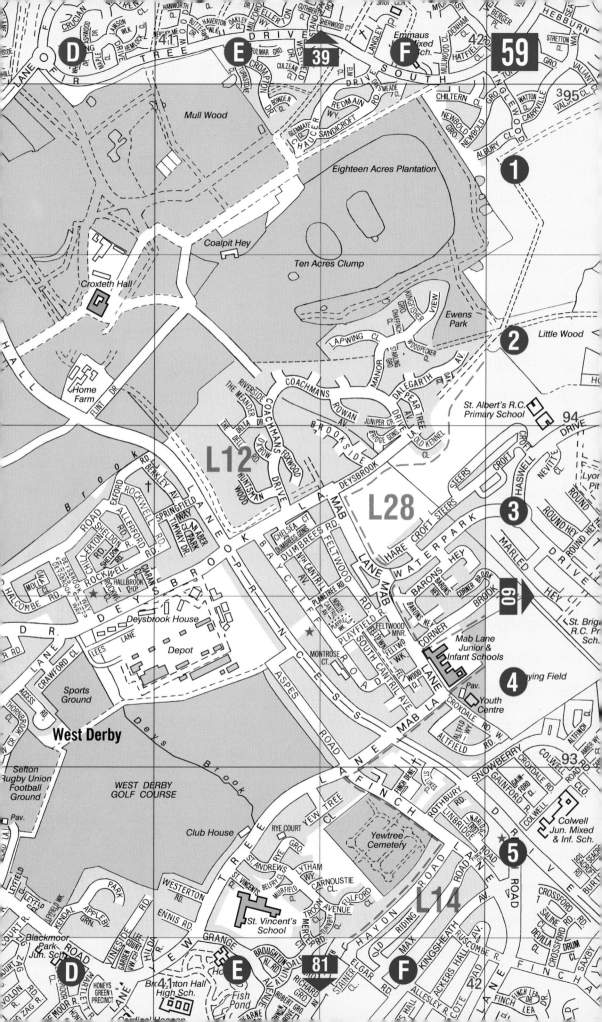

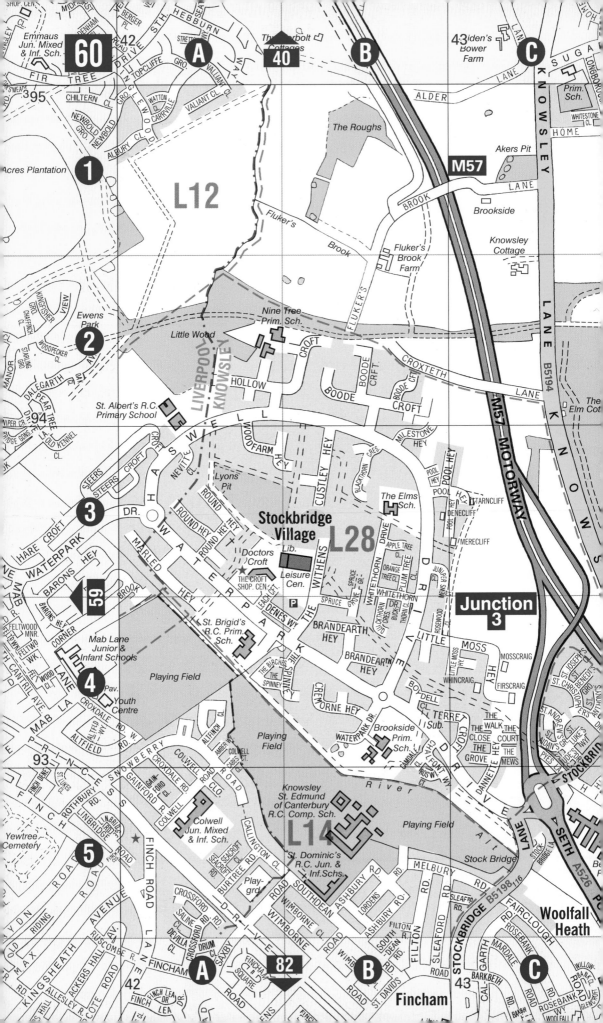

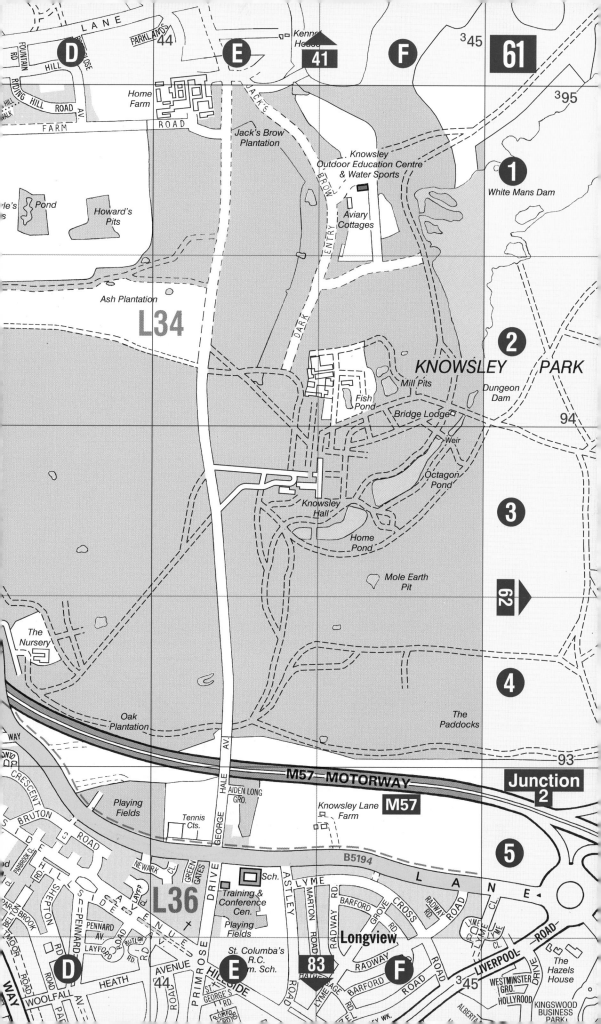

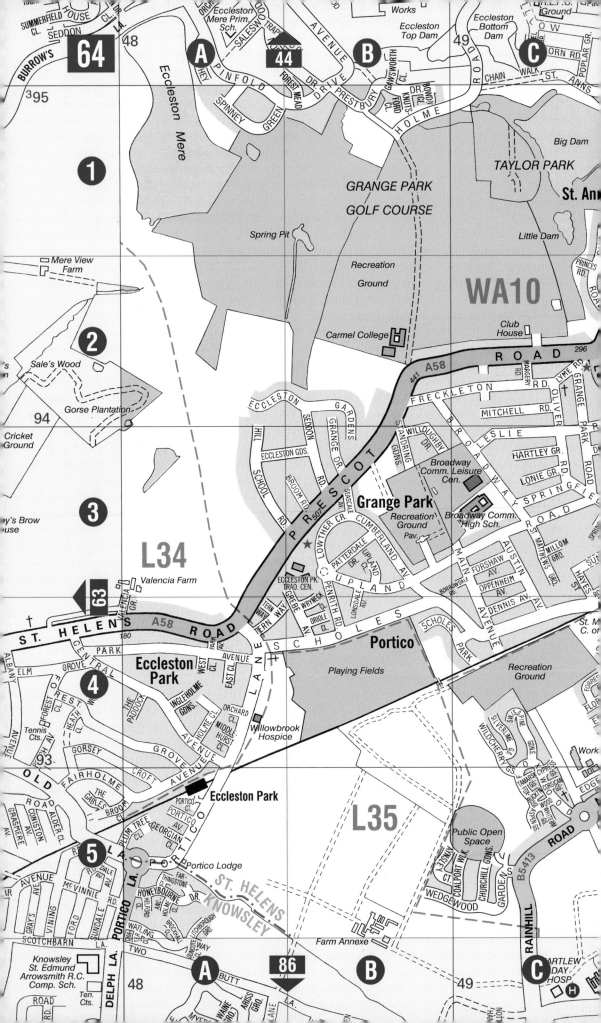

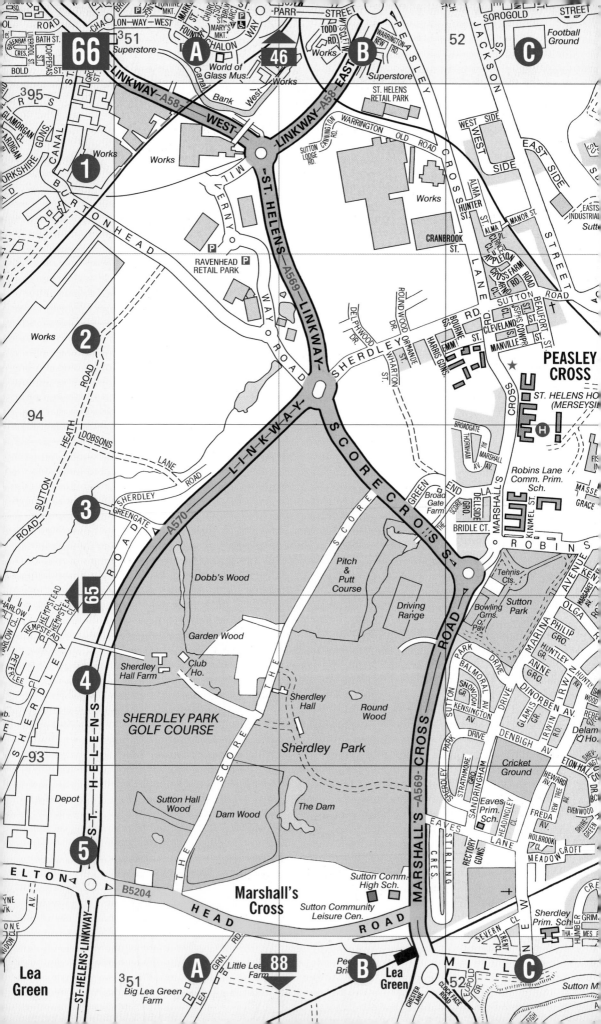

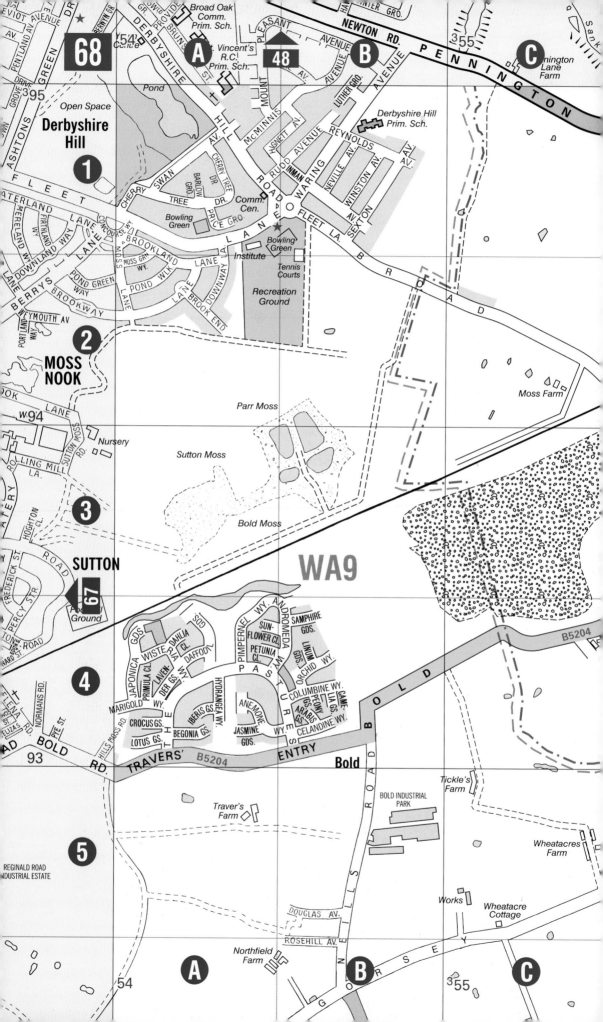

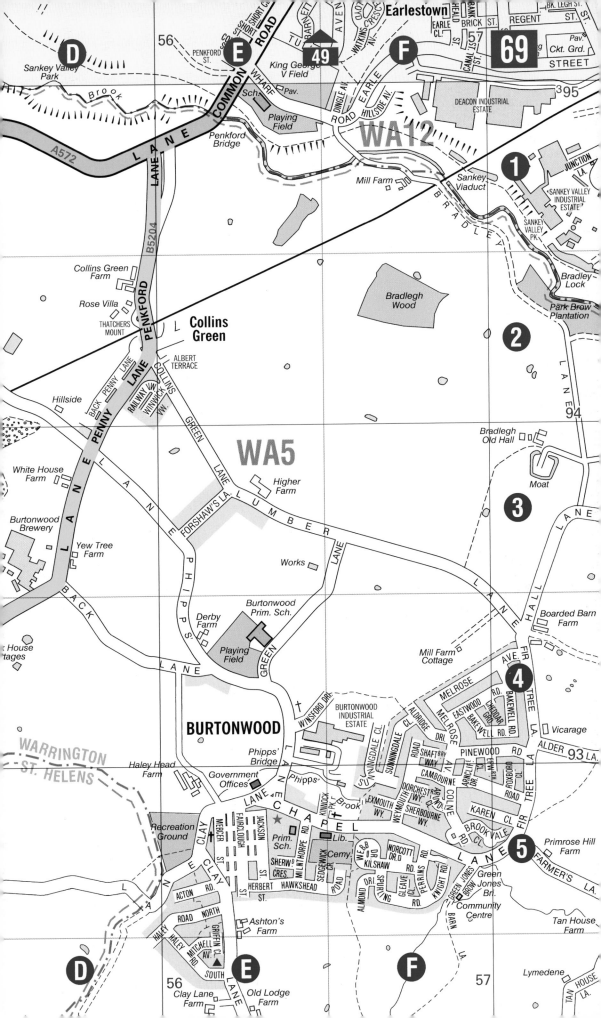

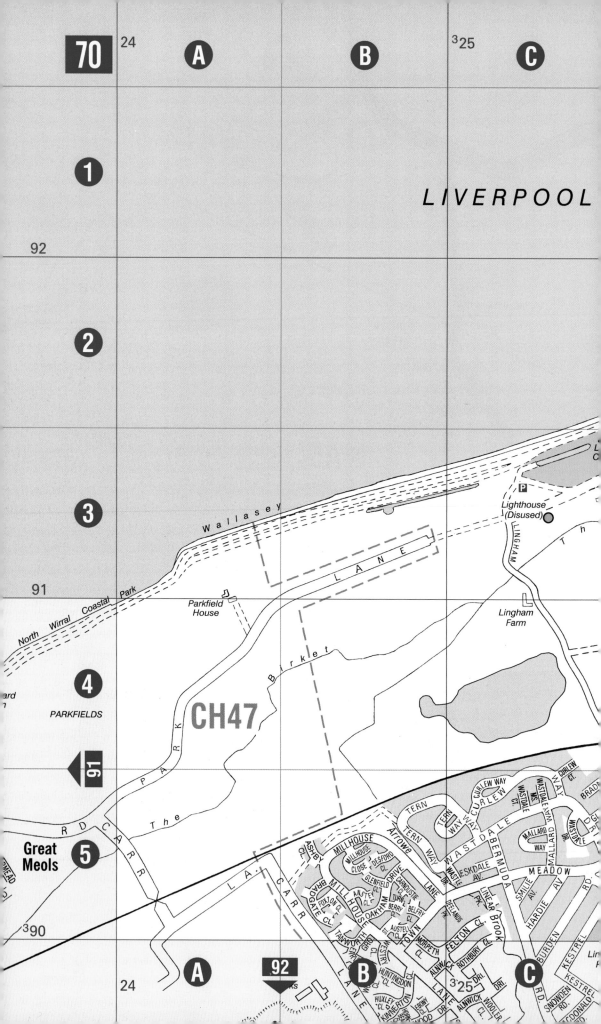

1

LIVERPOOL

92

2

3

Wallasey

LANE

Lighthouse
(Disused)

North Wirral Coastal Park

91

Parkfield
House

*Lingham
Farm*

4

Birket

CH47

PARKFIELDS

◄ **91**

PARK

The

**Great
Meols**

5

RD *CARR*

LA.

Arrowe

TERN

CURLEW WAY

CURLEW WAY

CURLEW CT.

WASTDALE

WAY

BRAD

TERN
WAY
DR.

TERN
WAY

WASTDALE
WAY

MS.

WASTDALE
CT.

MILLHOUSE
CLOSE

DESFORD
CL.

CARNOUSTIE
CL.

EARN

MALLARD
WAY

MALLARD
WAY

MEADOW

ASHBY
CL.

MILLHOUSE
DRIVE

GLENFIELD
CL.

WASTDALE
AV.

BERMUDA

MALLARD WAY

SMILIE
AV.

HARDIE
AV.

FOXTON
CL.

ANSTEY
CL.

BELFRY
CL.

ESKDALE
AV.

LINEAR
PK.

Brook

OGATE
CL.

OAKHAM

BERRY
CL.

DEELANDS

LINEAR

BURDEN

KESTREL
RD.

TANWORTH

GRO.

ST.

AUSTELL
CL.

FELTON
CL.

HARDIE
AV.

MORPETH
CL.

ROTHBURY
CL.

SNOWDEN
RD.

MCDONALD

KESTREL

HUXLEY
CL.

KINNERTON

ALNWICK

HUNTINGDON

ALNWICK
LANE

WOOLER

ALNWICK
DRI.

ALNWICK

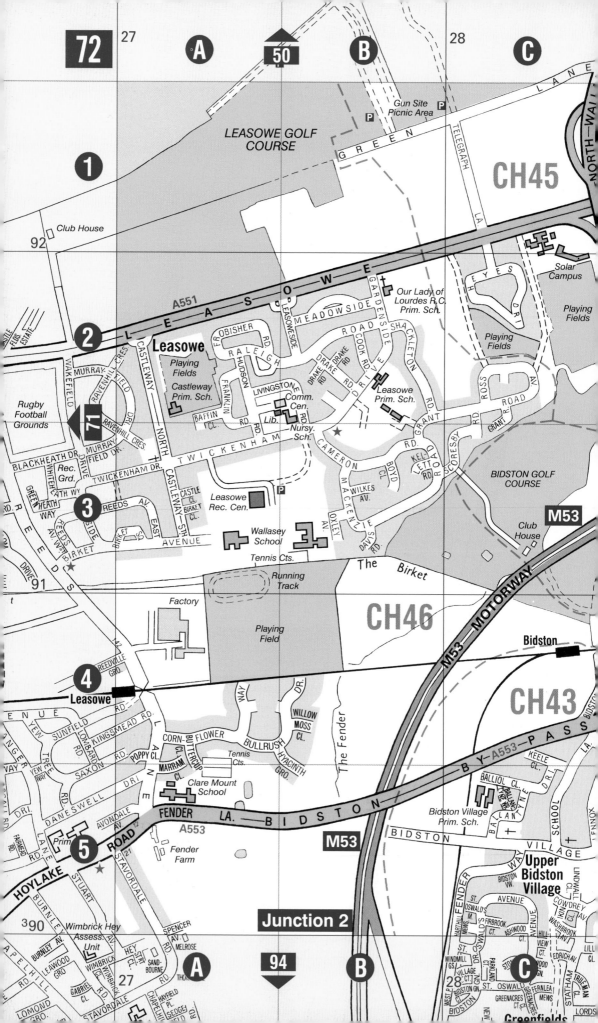

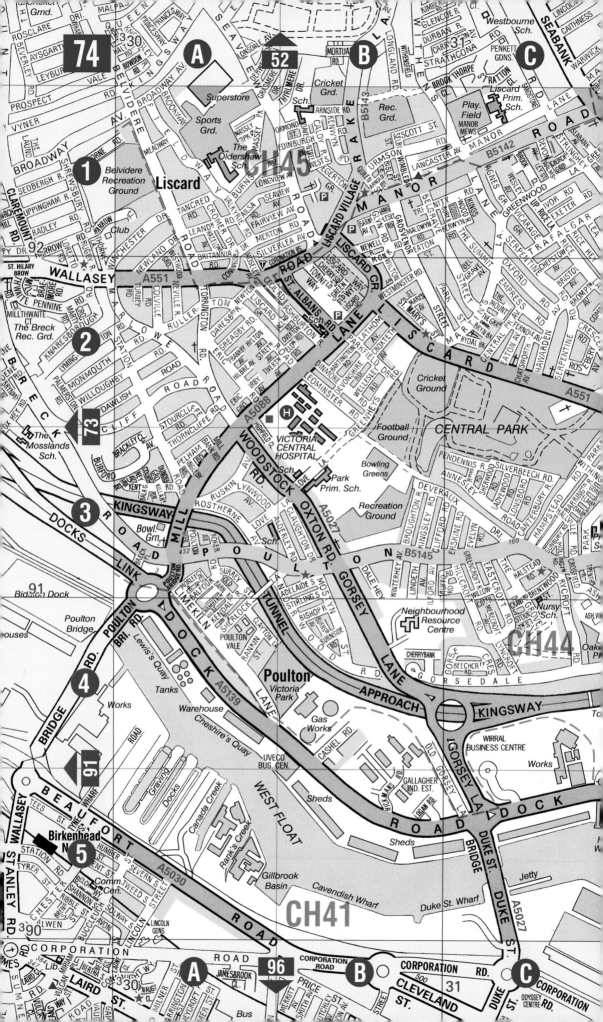

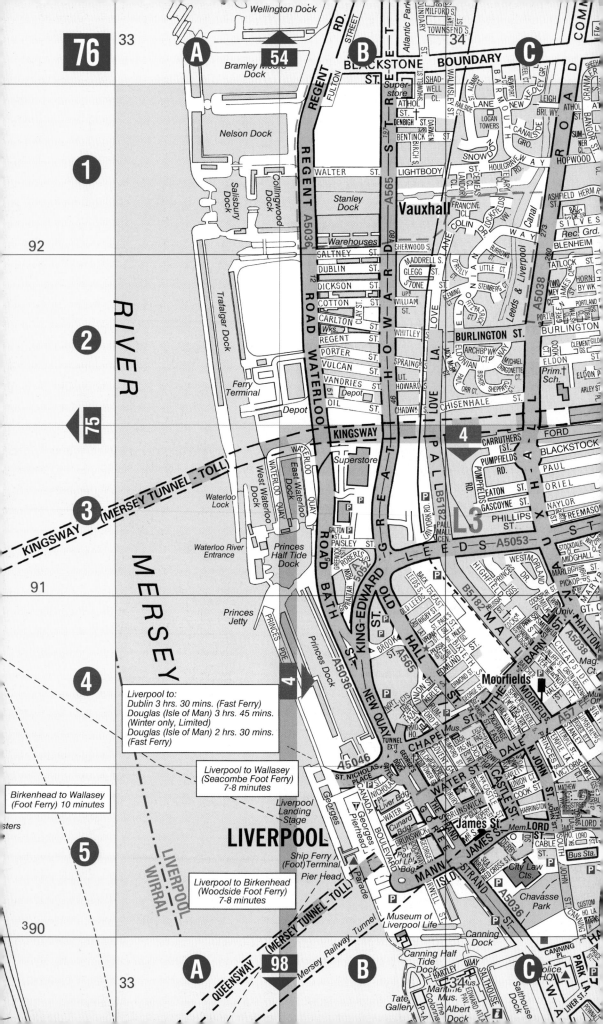

A | B | C

54

33 Wellington Dock

Bramley Moore Dock

1

92

Nelson Dock

Salisbury Dock

Collingwood Dock

WALTER ST.

Stanley Dock

Warehouses

Vauxhall

SALTNEY ST.

DUBLIN ST.

DICKSON ST.

2

Trafalgar Dock

COTTON ST.

CARLTON ST.

REGENT ST.

PORTER ST.

VULCAN ST.

Ferry Terminal

VANDRIES ST.

OIL ST.

Depot

Depot

BURLINGTON ST.

BURLINGTON

KINGSWAY

4

CARRUTHERS ST.

75

Superstore

PUMPFIELDS RD.

PAUL ST.

BLACKSTOCK ST.

3 (MERSEY TUNNEL - TOLL)

Waterloo Lock

West Waterloo Dock

East Waterloo Dock

Superstore

EATON ST.

ORIEL ST.

GASCOYNE ST.

NAYLOR ST.

L3

PHILLIPS ST.

KINGSWAY

Waterloo River Entrance

Princes Half Tide Dock

PAISLEY ST.

LEEDS — A5053

91

Princes Jetty

KING EDWARD ST.

Princes Dock

Moorfields

4

Liverpool to:
Dublin 3 hrs. 30 mins. (Fast Ferry)
Douglas (Isle of Man) 3 hrs. 45 mins.
(Winter only, Limited)
Douglas (Isle of Man) 2 hrs. 30 mins.
(Fast Ferry)

4

NEW QUAY

A5046

Liverpool to Wallasey
(Seacombe Foot Ferry)
7-8 minutes

ST. NICHOLAS PLACE

James St.

Birkenhead to Wallasey
(Foot Ferry) 10 minutes

5

Liverpool Landing Stage

LIVERPOOL

Georges Pierhead

Ship Ferry
(Foot) Terminal

Pier Head

LORD ST.

Liverpool to Birkenhead
(Woodside Foot Ferry)
7-8 minutes

City Law Cts.

Chavasse Park

Museum of Liverpool Life

Canning Dock

390

(MERSEY TUNNEL - TOLL)

Canning Half Tide Dock

98

Mersey Railway Tunnel

Tate Gallery

Albert Dock

33

A | QUEENSWAY | B | C

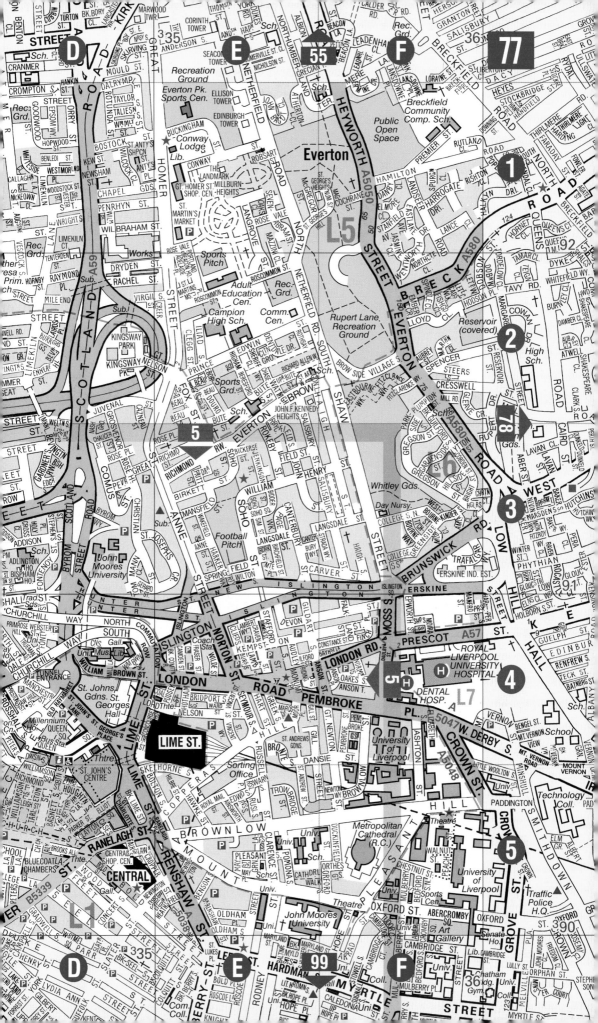

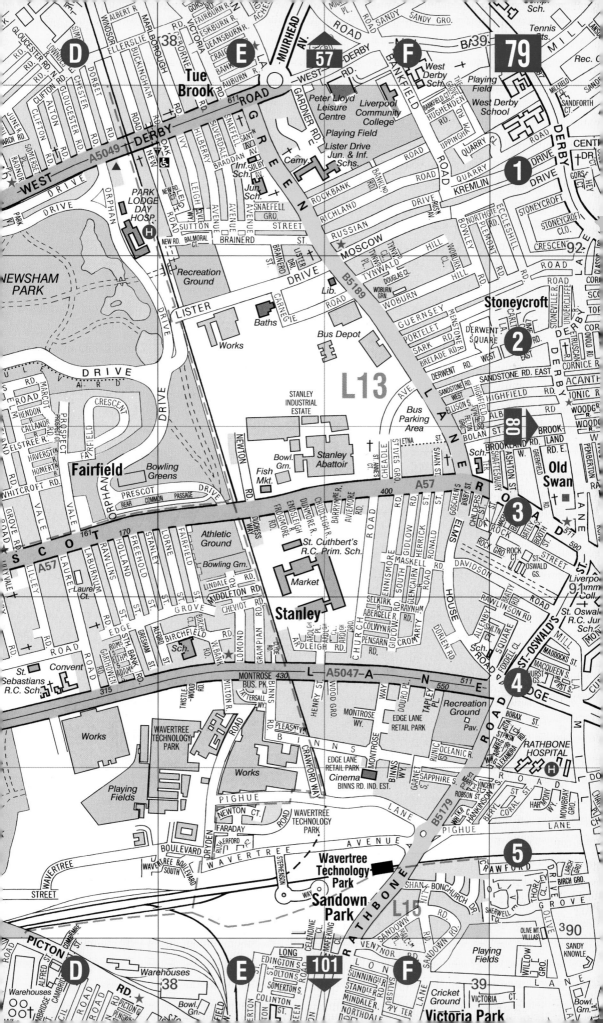

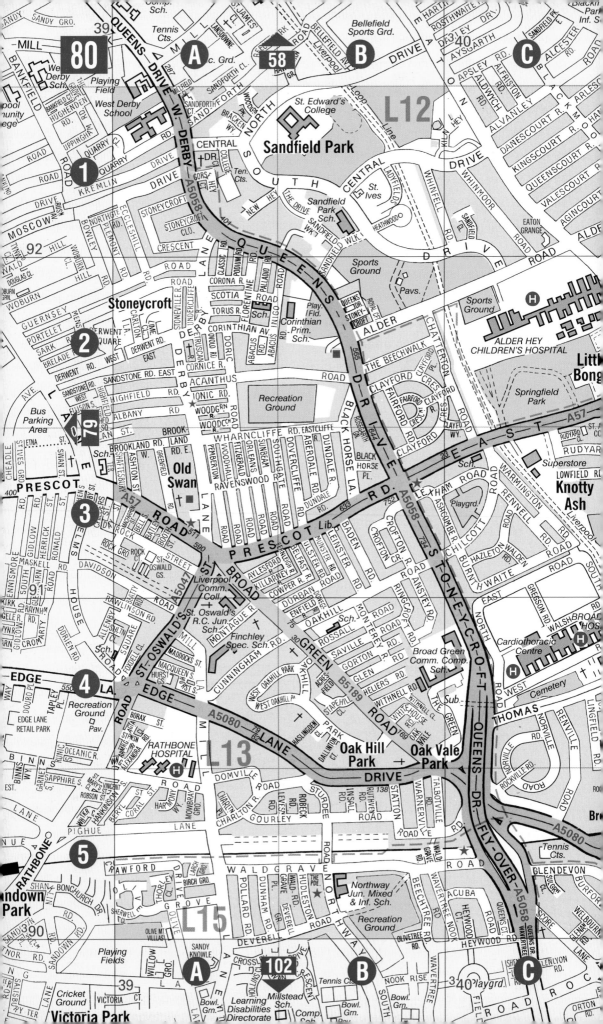

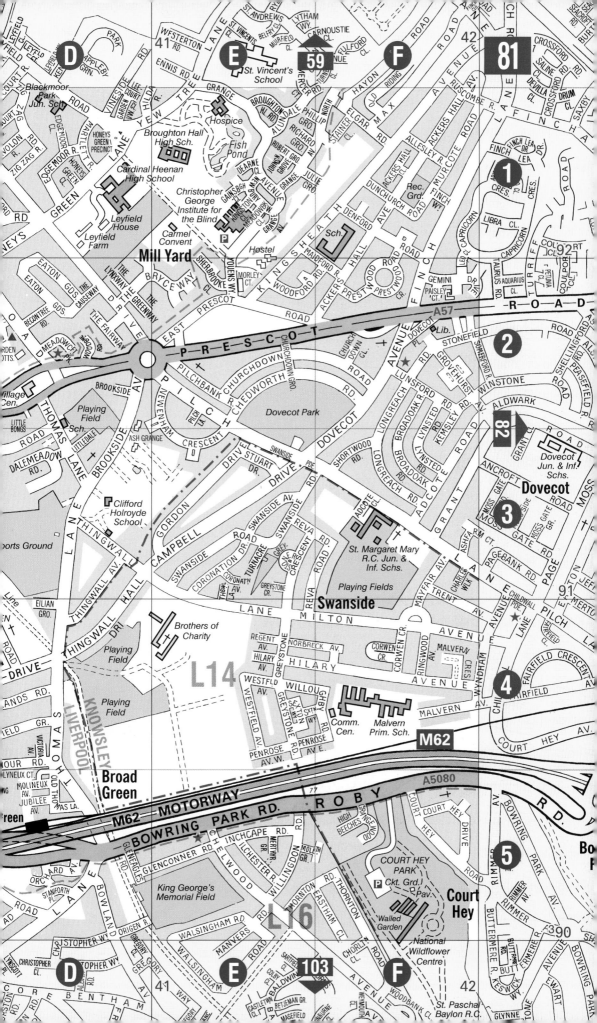

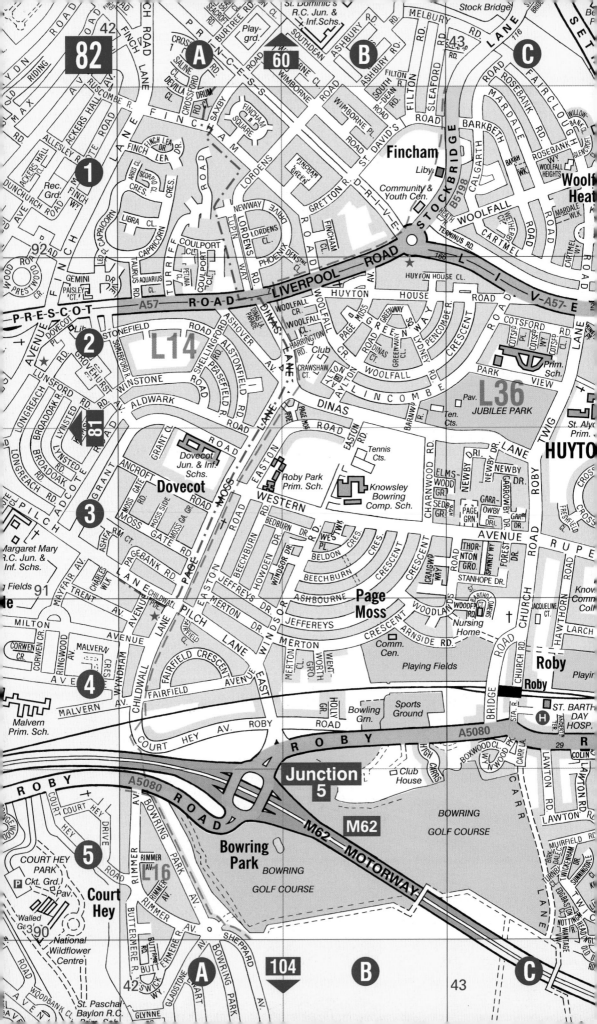

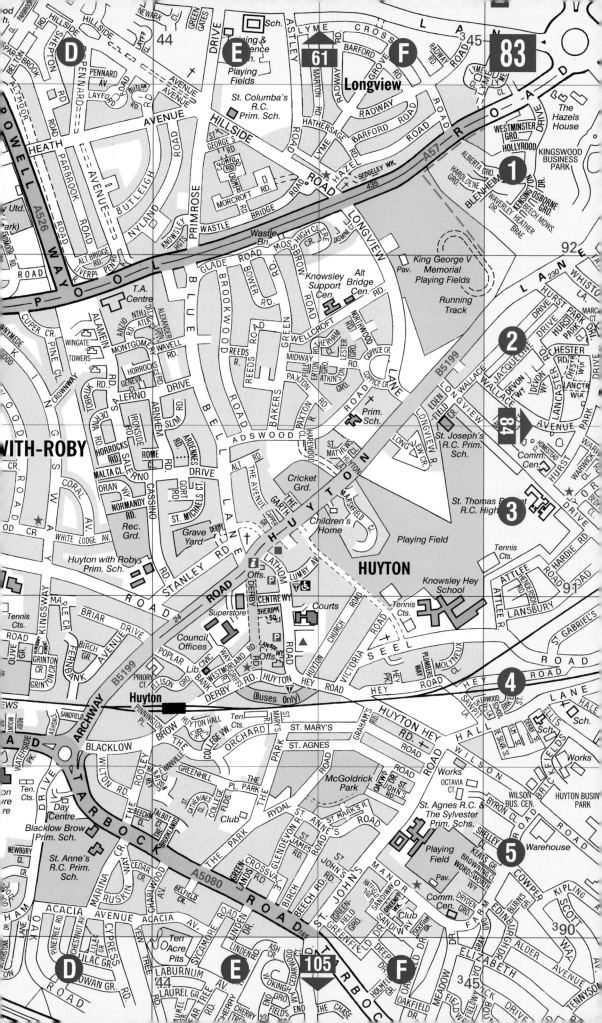

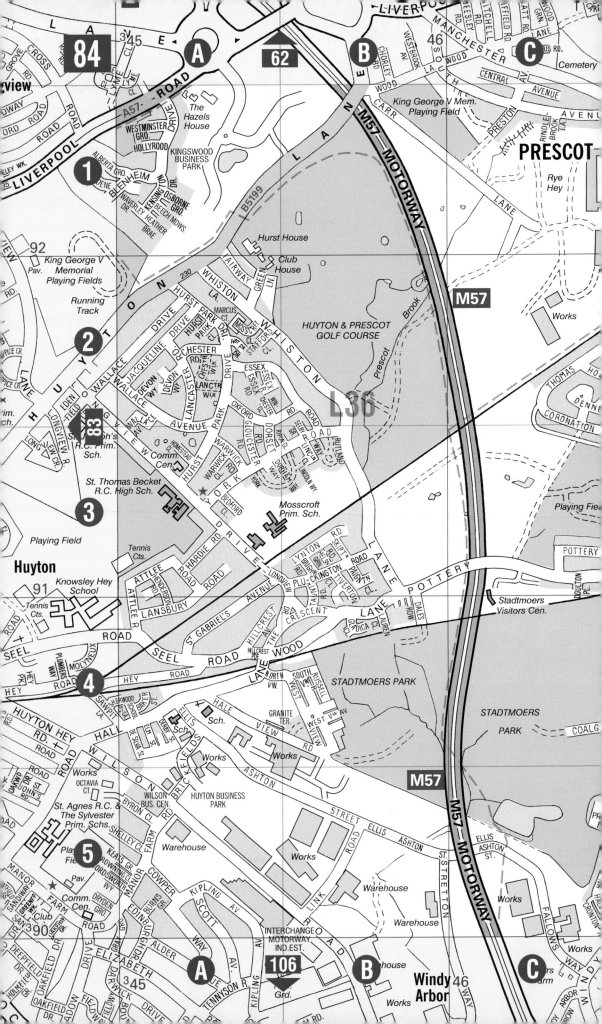

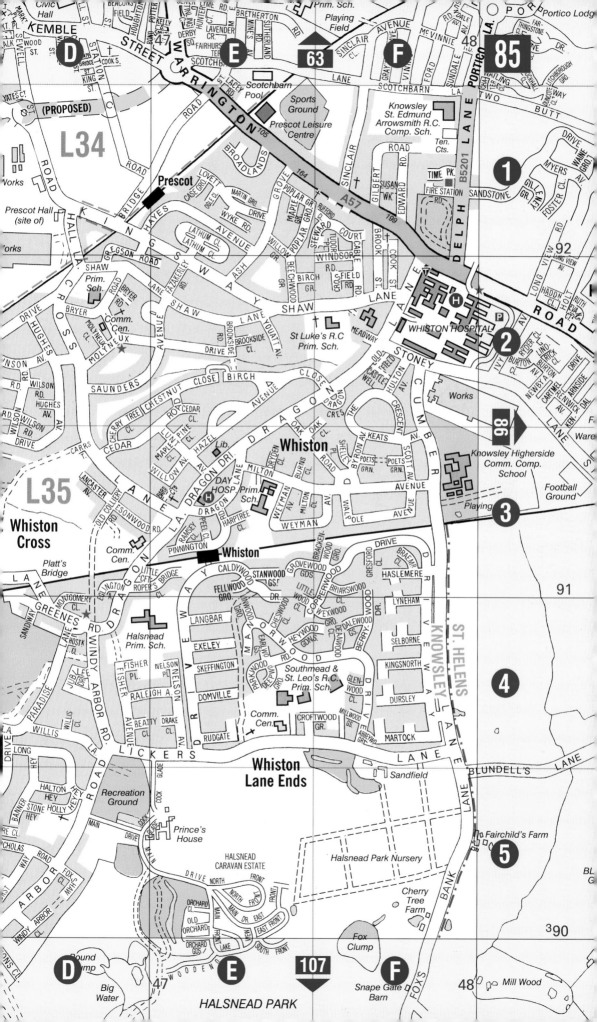

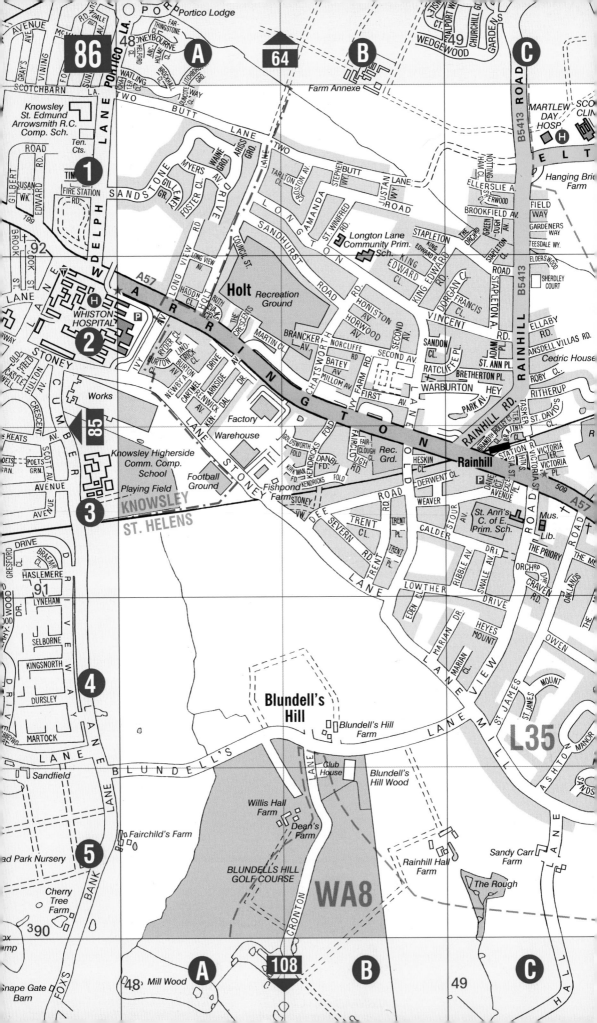

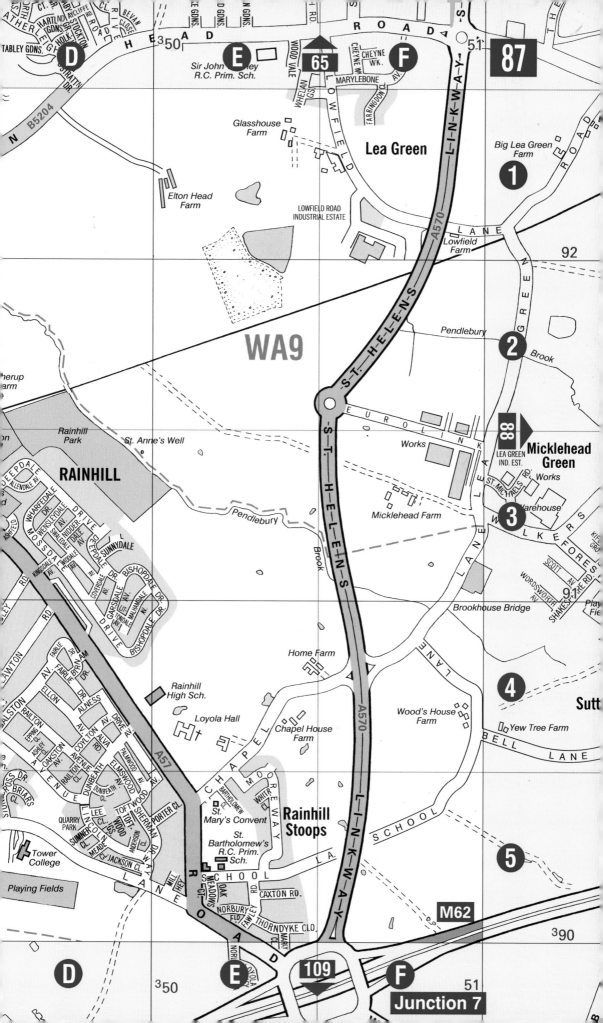

A   B   22   C

91

LIVERPOOL BAY

³90

HOYLAKE

Model
Boating Pond

Jetty

1

2

3

4

89

5

ROYAL LIVERPOOL
GOLF COURSE

Club House

HOYLAKE MUNICIPAL
GOLF COURSE

D 23 E F 24

Wal...

Parkfield
91se

Park

Coastal

Wirral

North

Coastguard
Station

PARKFIELDS

Dove Point

SEABANK
COTTS.

PARADE

DOVEPOINT ROAD

BENNET'S RD.

NEWLYN CL.

NEWLYN RD.

RAKE LANE

GUFFITTS CL.

Great Meols Prim. Sch.

CENTURY CL.

HAMIL CL.

Great
Meols

1

70

Birket

CARR RD

2

LANE

PARADE

ROMAN

SANDFIELD AV.

WOODLAND AV.

THE GLADE

EDGEWOOD RD.

SAND WAY

THE GOOSE GRN.

SHAWS DRI.

REDSTONE CL.

FOREST CL.

FOREST ROAD

BEACHCROFT RD.

MEADOWCROFT RD.

MUMFORDS LANE

MxSR

NORTH TER.

SCHOOL LA.

BROSTER'S

Rec.

Grd.

GUFFITTS RD.

BARNFIELD CL.

CENTURION DR.

CRANBORNE RD.

CELTIC RD.

PARK WAY

GREENWOOD FRD.

PARK ROAD

FLOWERMEAD CL.

LYNDHURST AV.

ASHLEY AV.

PARK

The

ROAD

90

N HEAD

A553

79

REDSTONE

KING'S AV.

GORSE RD.

BANK'S RD.

FOXFIELD RD.

ST. SNHO'S

72

FRANKBY AVENUE

NORTH AVENUE

LEIGHTON AV.

GLENHAM CL.

MANNINGTON RD.

RYCROFT RD.

CLEVELEY RD.

STATION AP.

P

DERWENT

P

Meols

Fish
Ponds

HEY. CRES.

SHERWOOD GRO.

SHERWOOD R.

3

BERTRAM RD.

QUEEN'S DRIVE

QUEENS AV.

Fields

Meols

BIRCH RD.

GREEN LANE

The Birket

FORNALS GREEN

THE BISPHAM DRI.

RIDGEWAY

FIELDWAY

ACRES

HERON RD.

BARN LANE

A553 ROAD

CH47

4

Carr Farm

92

89

5

ROAD

Oldfield

e Birket

D

CARR

23

Newton Brook

E

113

F

24

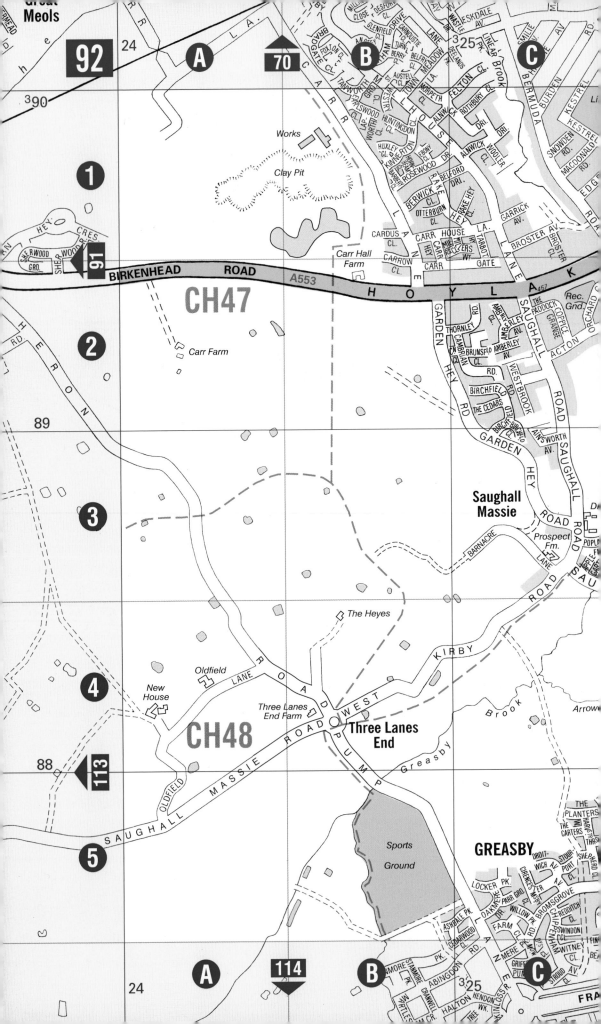

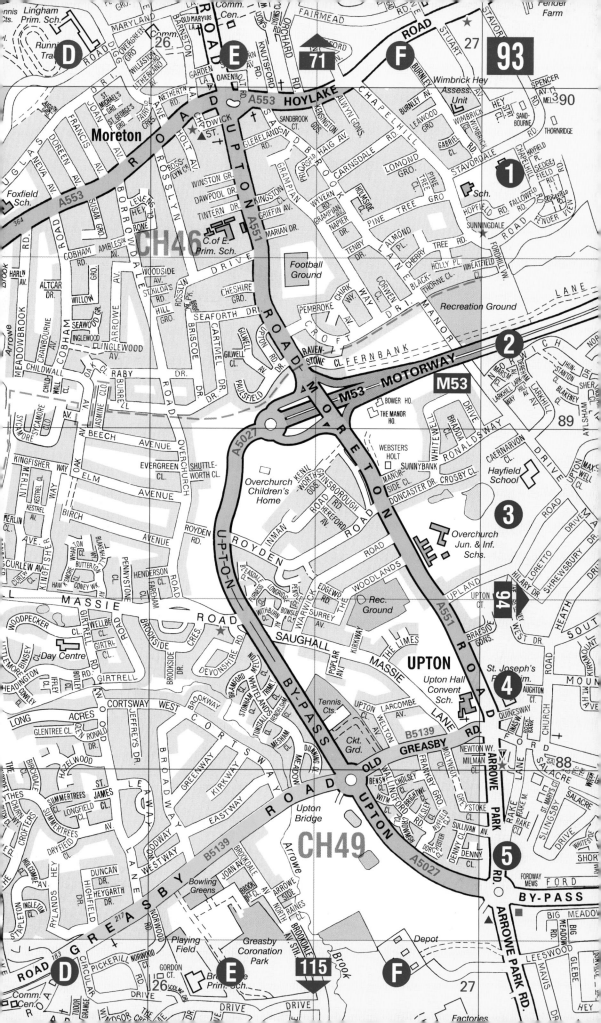

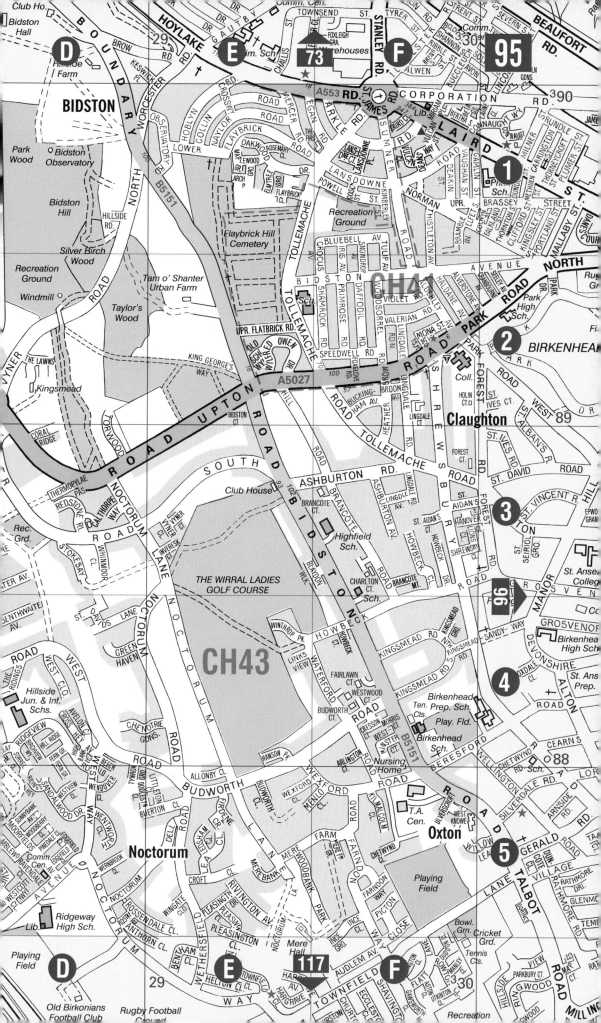

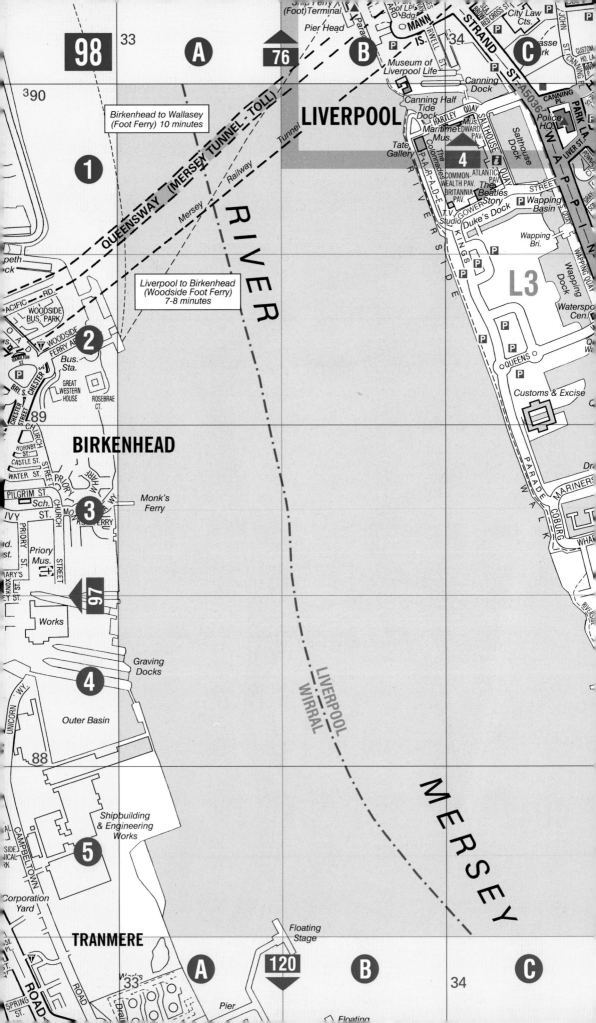

A

76

B

34 **STRAND** ST. A5036

C

390

Birkenhead to Wallasey
(Foot Ferry) 10 minutes

LIVERPOOL

Museum of
Liverpool Life

Canning
Dock

Canning Half
Tide Dock

Police
HQ

PARK LA.

1

Hartley Quay

Maritime
Mus.

EDWARD
PAV.

Tate
Gallery

The
Colonnades

Salthouse
Dock

Liverpool to Birkenhead
(Woodside Foot Ferry)
7-8 minutes

COMMON.
WEALTH PAV.

ATLANTIC
PAV.

4

BRITANNIA
PAV.

The
Beatles
Story

T.V.
Studio

Duke's Dock

Wapping
Basin

Wapping
Bri.

L3

Woodside
Bus. Park

2

Bus.
Sta.

GREAT
WESTERN
HOUSE

ROSEBRAE
CT.

Customs & Excise

89

BIRKENHEAD

3

Monk's
Ferry

Priory
Mus.

97

Works

MARINERS

COBURG

Graving
Docks

4

Outer Basin

**LIVERPOOL
WIRRAL**

88

Shipbuilding
& Engineering
Works

5

M E R S E Y

Corporation
Yard

TRANMERE

A

120

B

34

C

Floating
Stage

ROAD

33

Pier

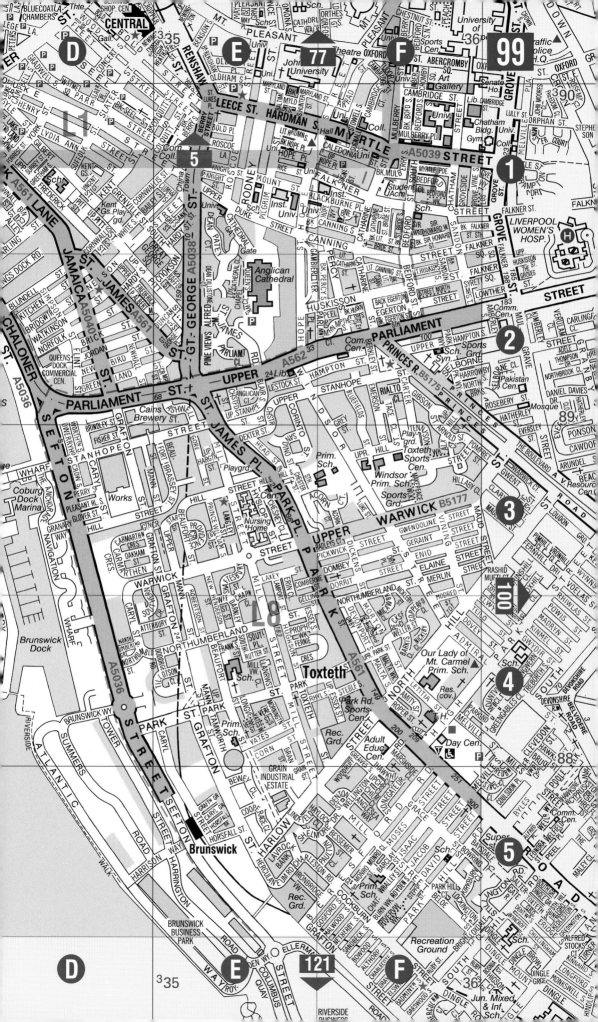

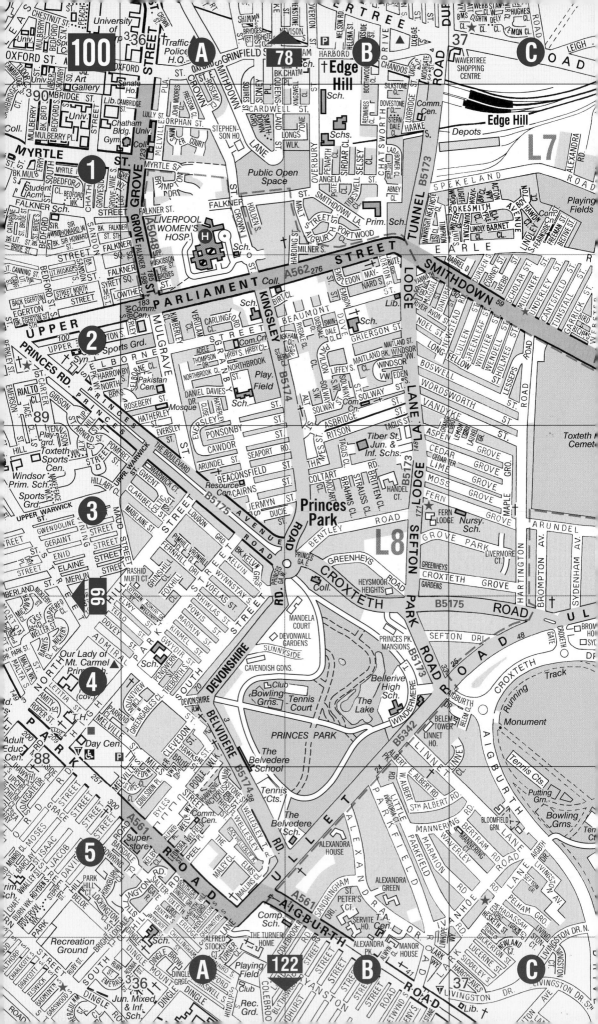

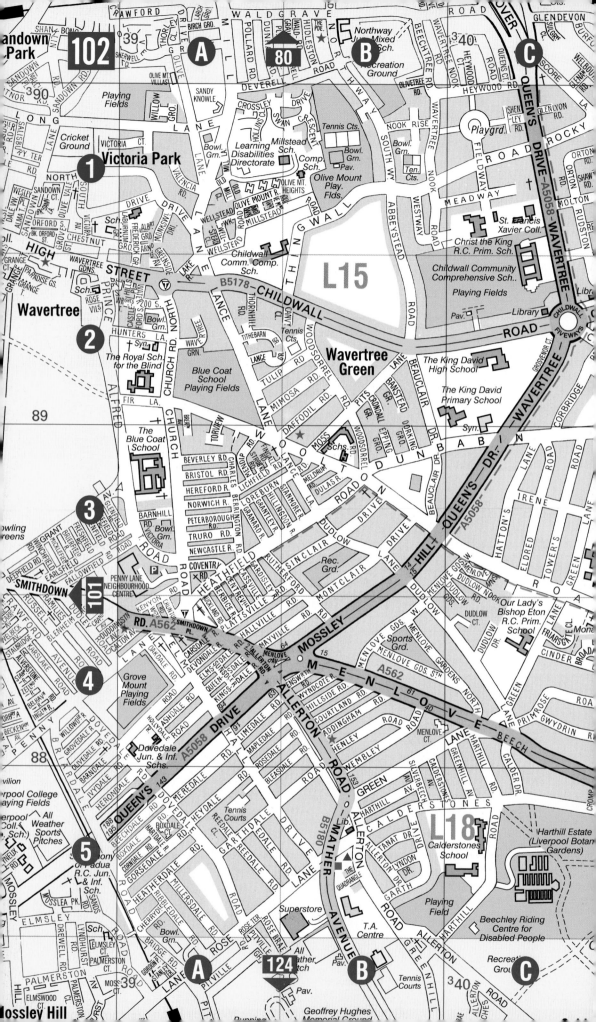

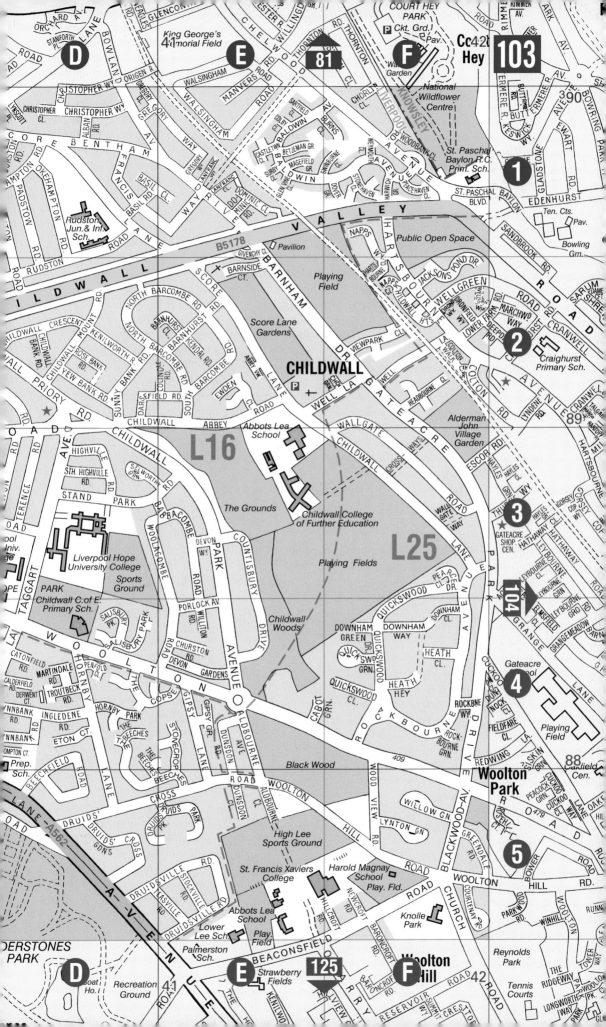

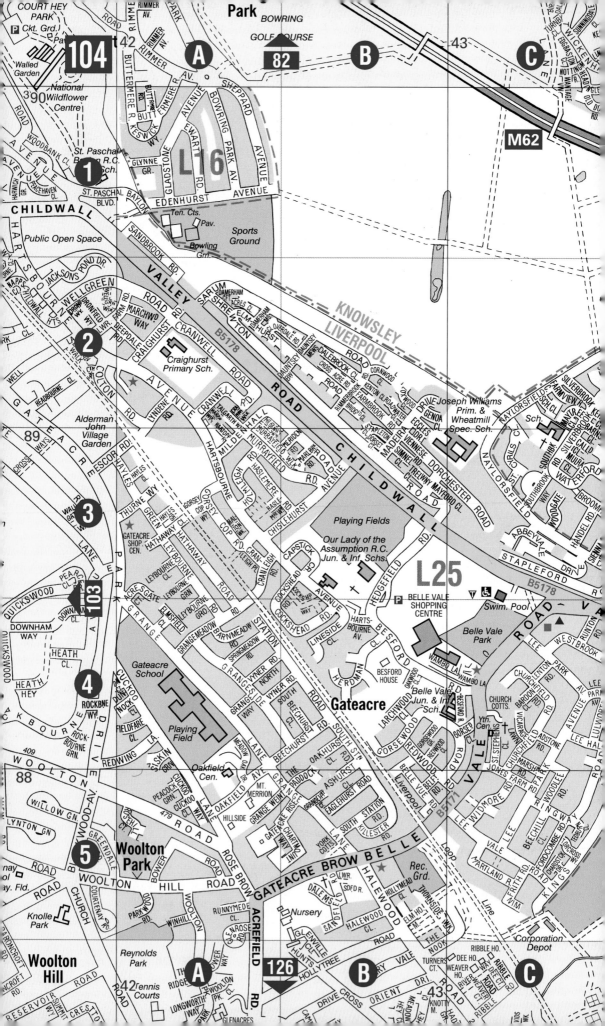

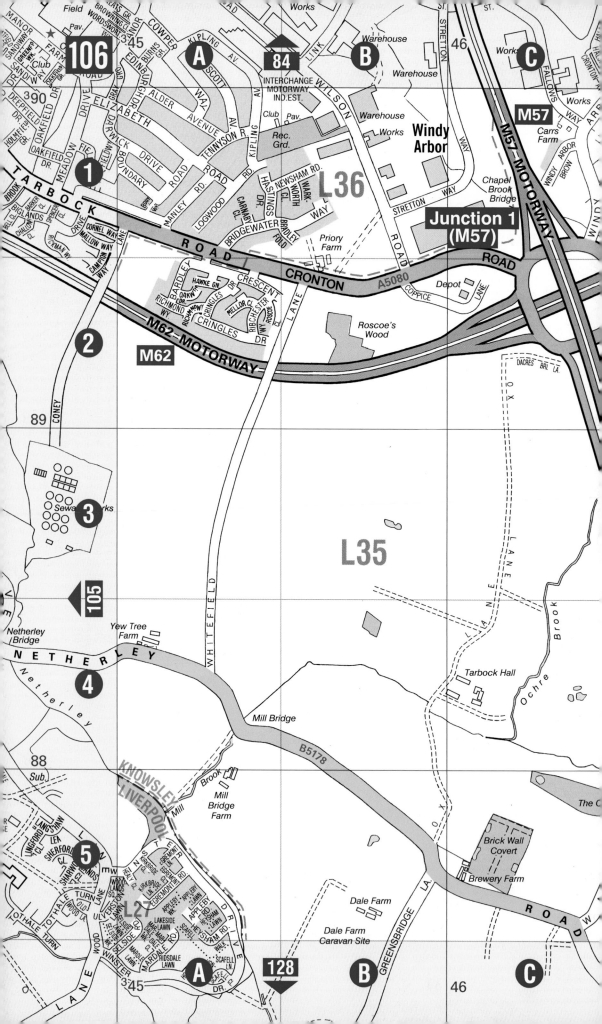

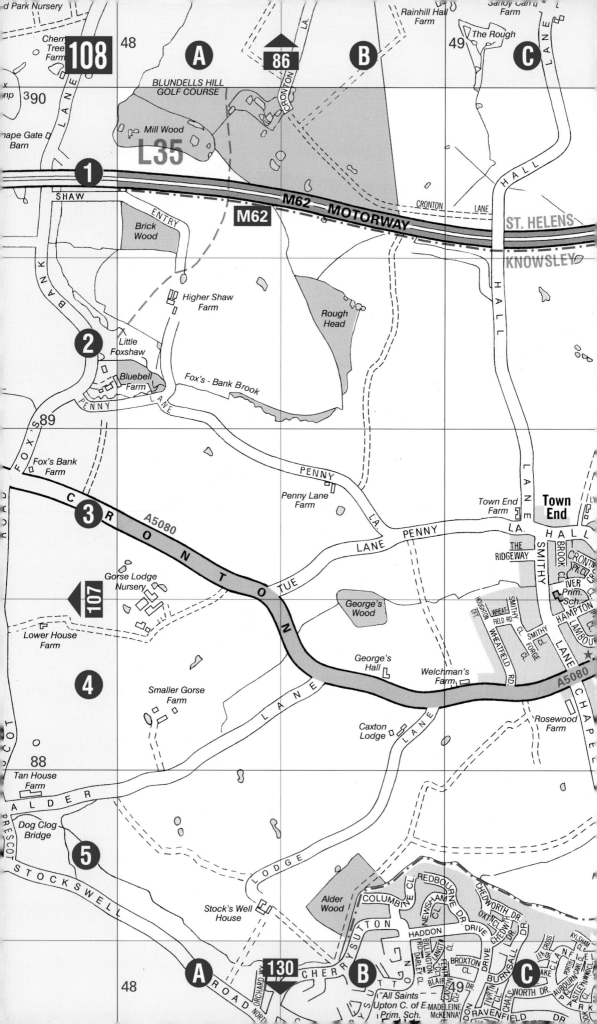

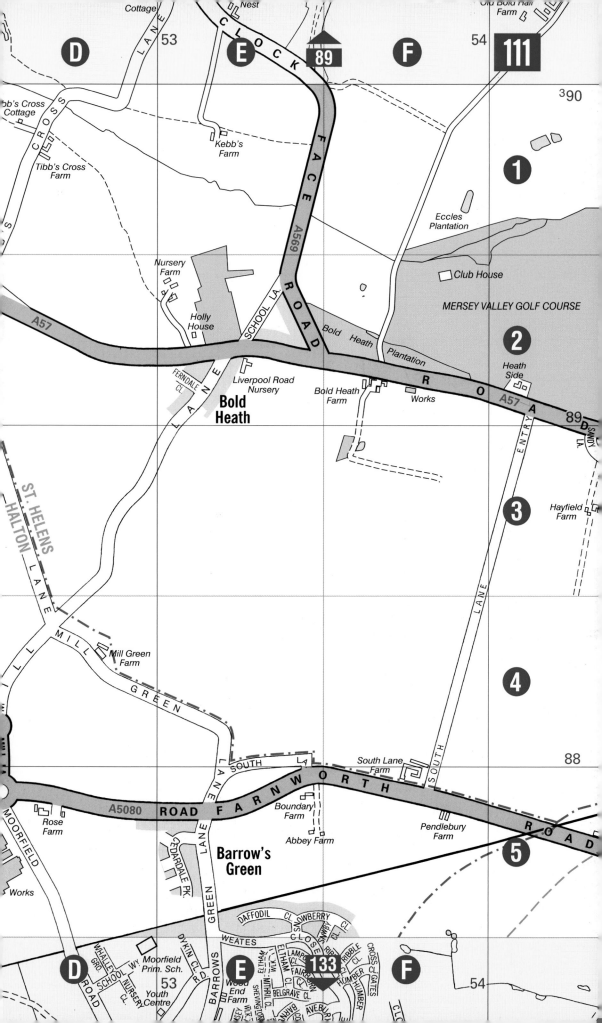

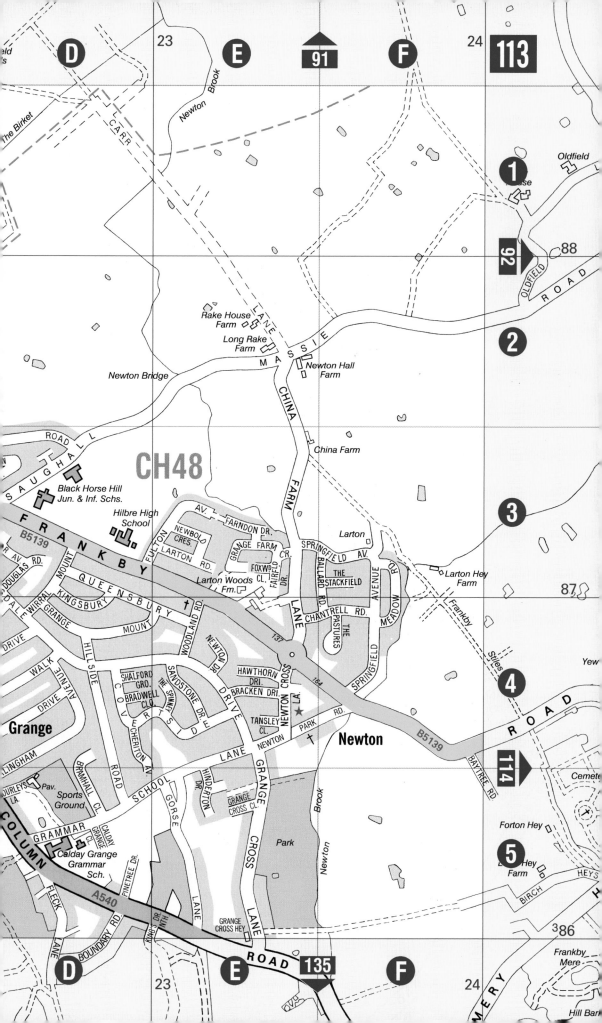

24

A

92

B

3 25

C

GREASBY

B5139 R

1

Larton Hey Farm

87

113

MEADOW RD.

AVENUE

KINGFIELD

Frankby

Greasby Bridge

Football Ground

COLEMAN DR.

HILLCREST

PADSTOW LANE

ELM DR.

COPPICE GRO.

MILES LA.

2

Manor Farm

Yew Tree Farm

Bay Tree Farm

Well Ho. Farm

Royden Hall

THE NOOK

FARMERS WY.

FRANKBY GRN.

Frankby

THORNESS

SHAW

THORNS RD.

FUCHSIA WLK.

GREEN ACRES ESTATE

DANE

B5139

FRA

N

K

B

Y

STILES

FORTON

FRANKTON

BAYTREE RD.

HILL BARK RD.

Cemetery

CH48

IRBYSIDE RD.

FERNDALE AV.

Greasby Brook

LOMBARDY AV.

WHITE-BEAM WLK.

ASHDOWN DR.

JUNIPER DR.

MAGNOLIA CT.

ALMOND WY.

ELMDENE CT.

SYCAMORE RI.

DRIVE

OAKDALE DR.

ACACIA

CHESTNUT CL.

3

Forton Hey

Birch Hey Farm

HEYS

BIRCH

HILL

B5140

86

Irbymill Hill Farm

HILL BARK ROAD

MILL

ROYDEN PARK

4

135

MONTGOMERY

PIKES HEY RD.

Frankby Mere

Hill Bark

P

Walled Garden

Roodee Mere

Hill Bark Farm

Quarry Farm

SANDY LANE NORTH

Irby Hill

HILL

5

TELE-GRAPH

D

Thurstaston Playing Field

THURSTASTON COMMON

SANDY

THORSTONE DR.

NORTON DR.

LESTER DR.

EDGE MOOR DR.

FROST RD.

385

Thurstaston Hill

Benty Farm

HILL VIEW

A

24

ROAD

136

Thurstaston Common Recreation Ground

B

Hillside Farm

3 25

C

MARTIN LANE

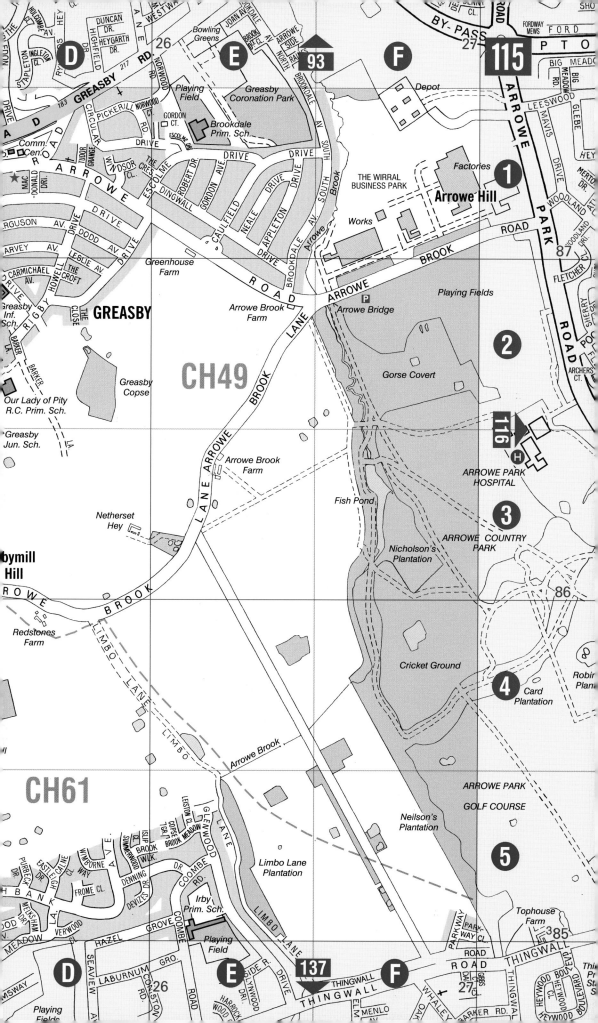

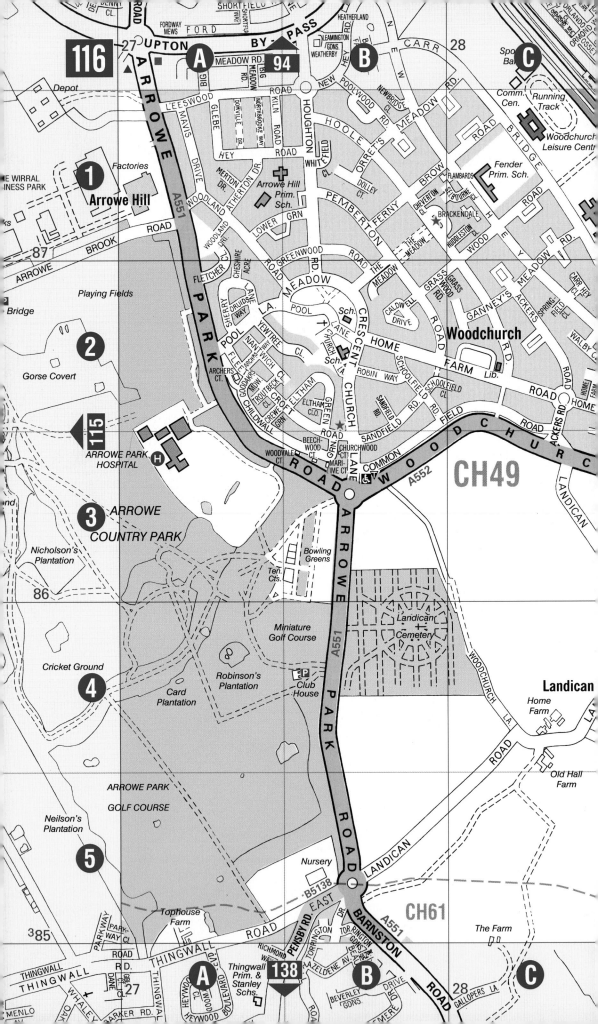

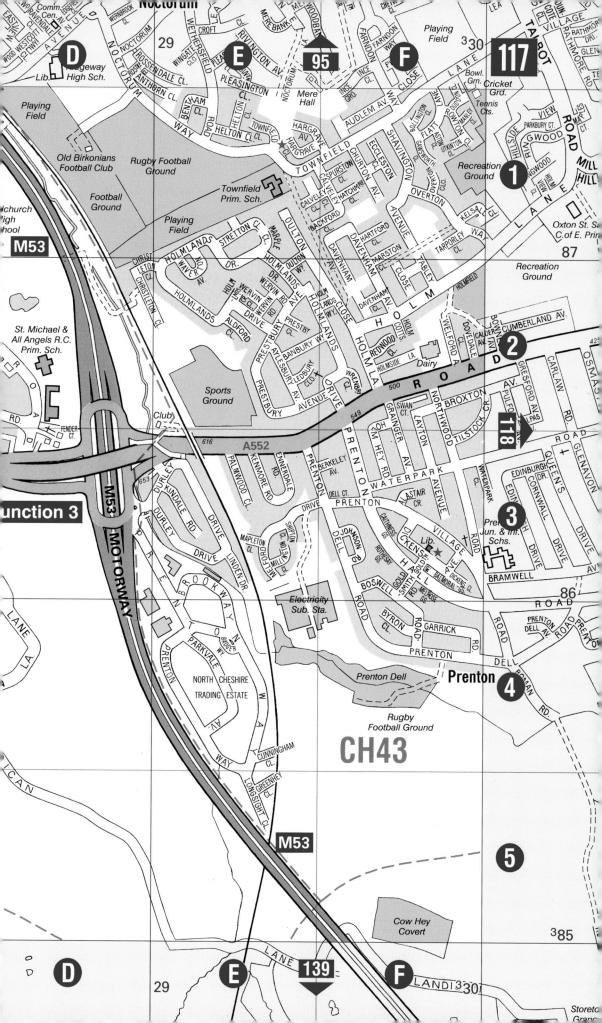

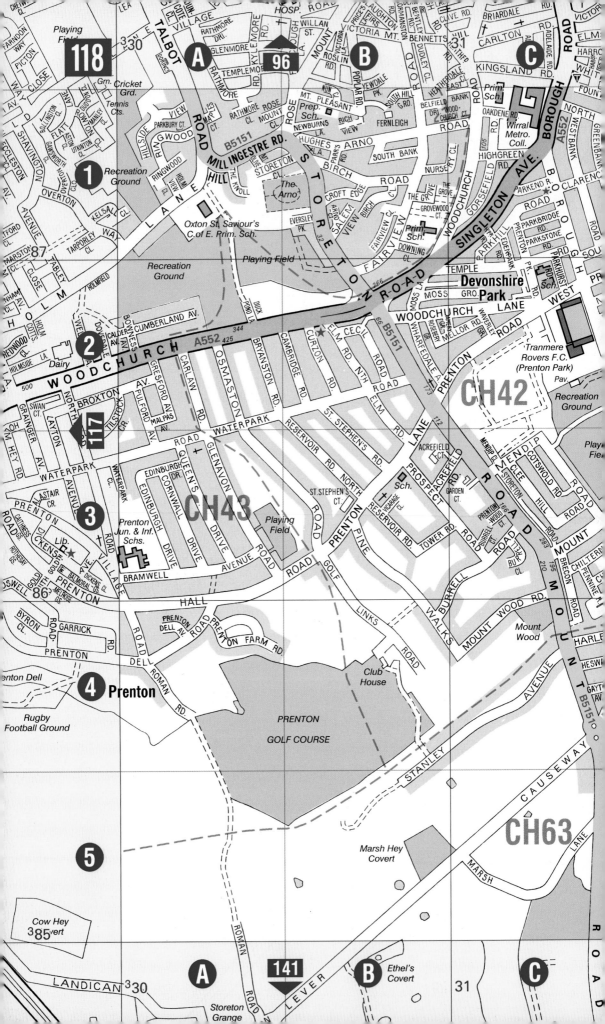

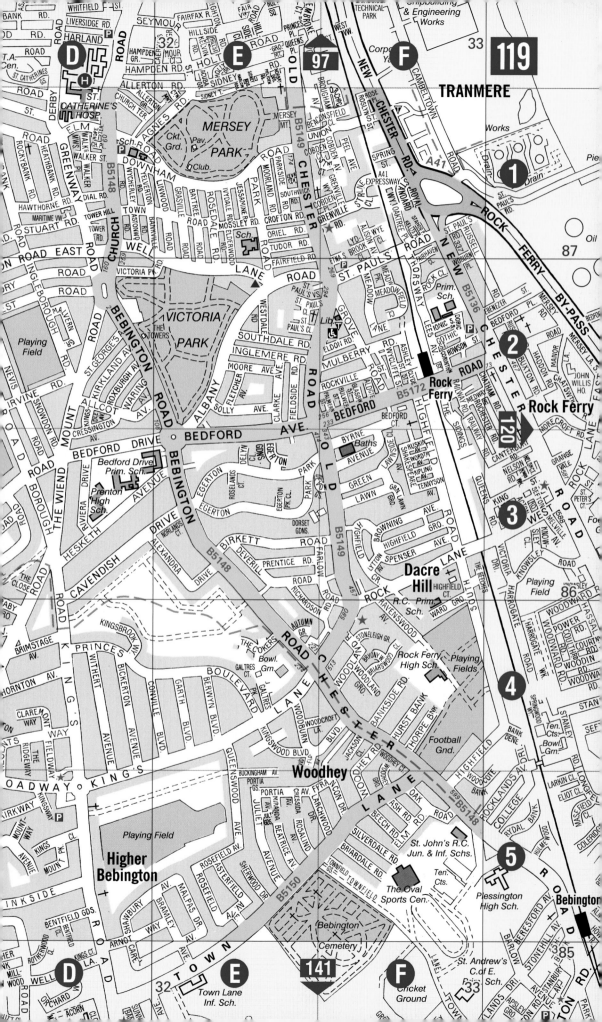

D

E

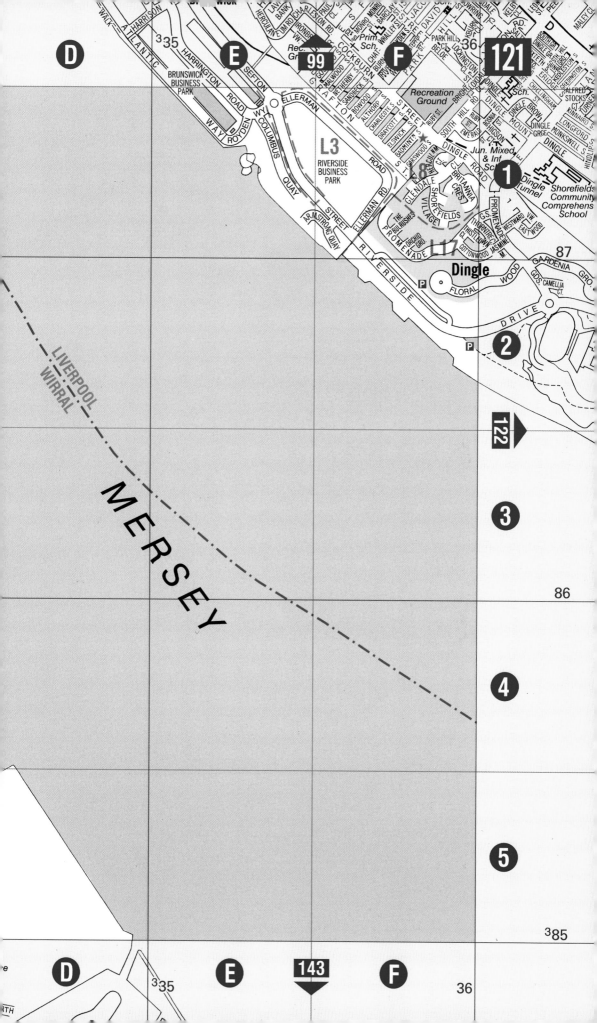

F

335

ATLANTIC WALK

HARRISON

BRUNSWICK BUSINESS PARK

HARRINGTON ROAD

SEFTON ST

COLUMBUS WAY

ROYDEN

ELLERMAN

ELLERMAN RD.

COLUMBUS QUAY

ARMSTRONG QUAY

L3 RIVERSIDE BUSINESS PARK

GRAFTON ST

Rec. Grd

COCKBURN

CHARLESTON RD

PAUL

BANK

HERCULAN

V'U M RD

IRONBR

HILL

Prim. Sch.

MALWOOD

NETHERBY

SANDBECK

BOWOOD

ALTHORP

DRAYCOTT

CHARLECOTE

ELSWICK ST

BADMINT'N

GARSWOOD

L8

GLENDALE

SHOREFIELDS

THE BULRUSHES

ORCHID GRO.

COTTONWOOD

SHOREFIELDS VILLAGE

THE PROMENADE

BRITANNIA CRES.

BURN

HORN

RUBY ST

EMERALD

SOUTH HILL

GS

THISTLE DWN

JASMINE

BONIA

Dingle

FLORAL

PARK DAVID

BRIGHT LOYAL

BONSON

PARK HILL

BELOE

DINGLE ROAD

WESTWARD VW

EASTWOOD

PROMENADE

Jun. Mixed & Inf. Sch.

L17

36

DINGLE MOUNT

DINGLE GRGE

Dingle Tunnel

Shorefields Community Comprehens School

Recreation Ground

LONGFORD

DINGLE BROW

DINGLE

MONKSWELL

SALFORD STOCKS

KINNAIRD

NUNNERY

GARDENIA GRO.

CAMELLIA CT.

GDS

WOOD

87

DRIVE

85

86

RIVERSIDE

P

P

P

1

2

122 ▶

3

4

5

MERSEY

LIVERPOOL

WIRRAL

D

335

E

36

F

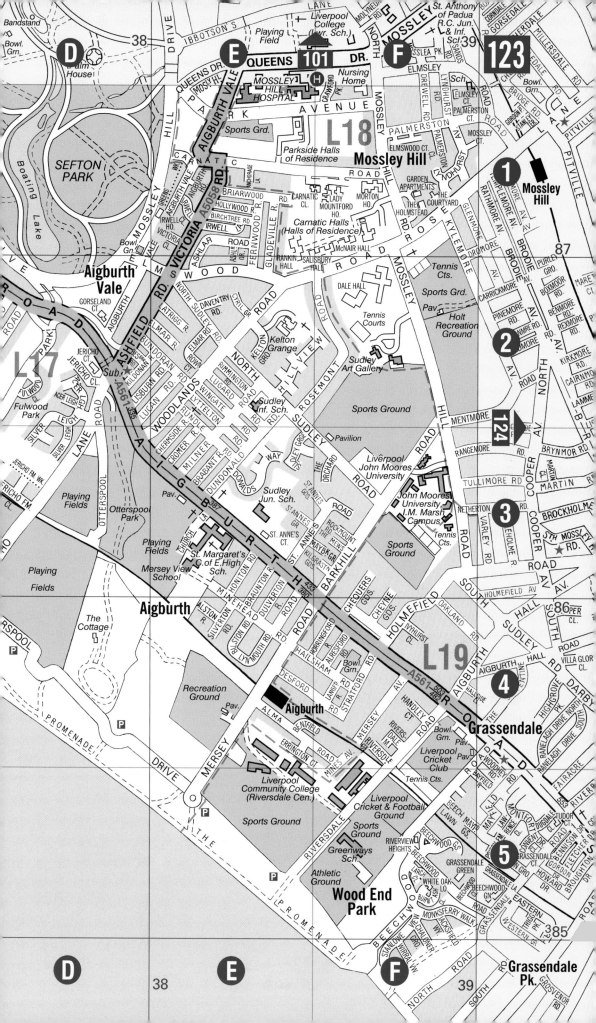

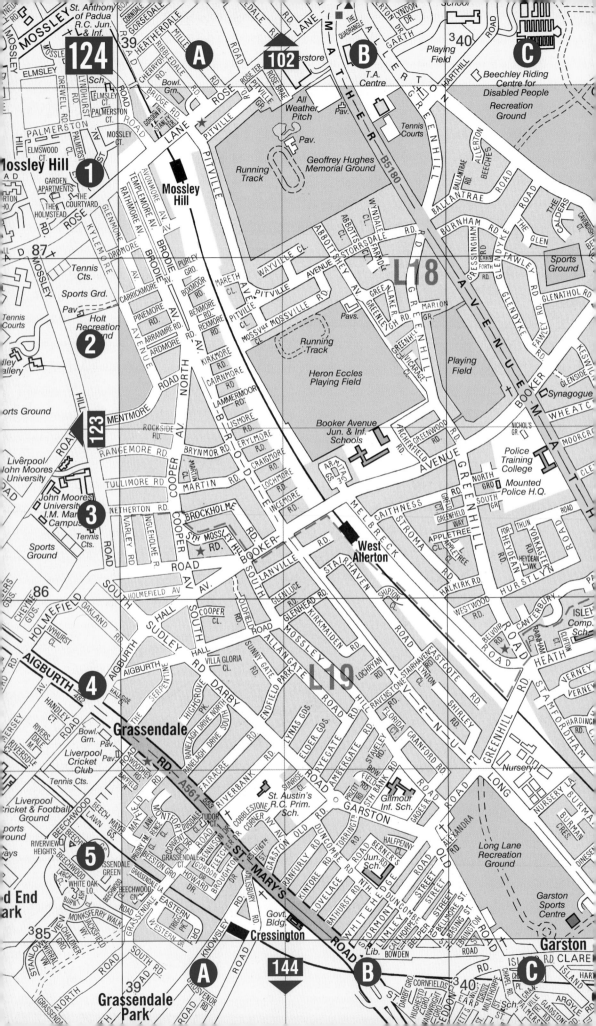

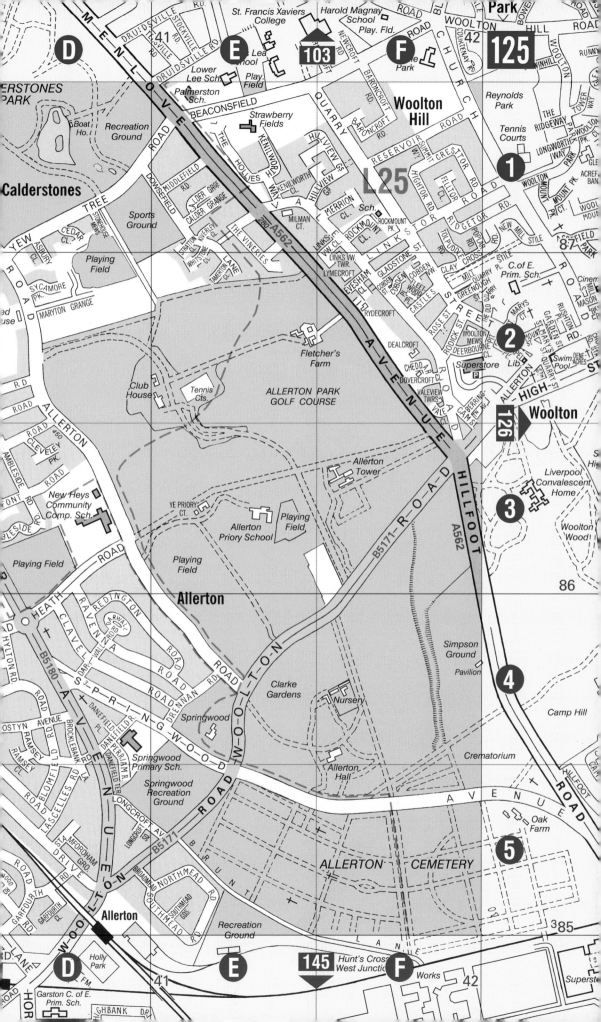

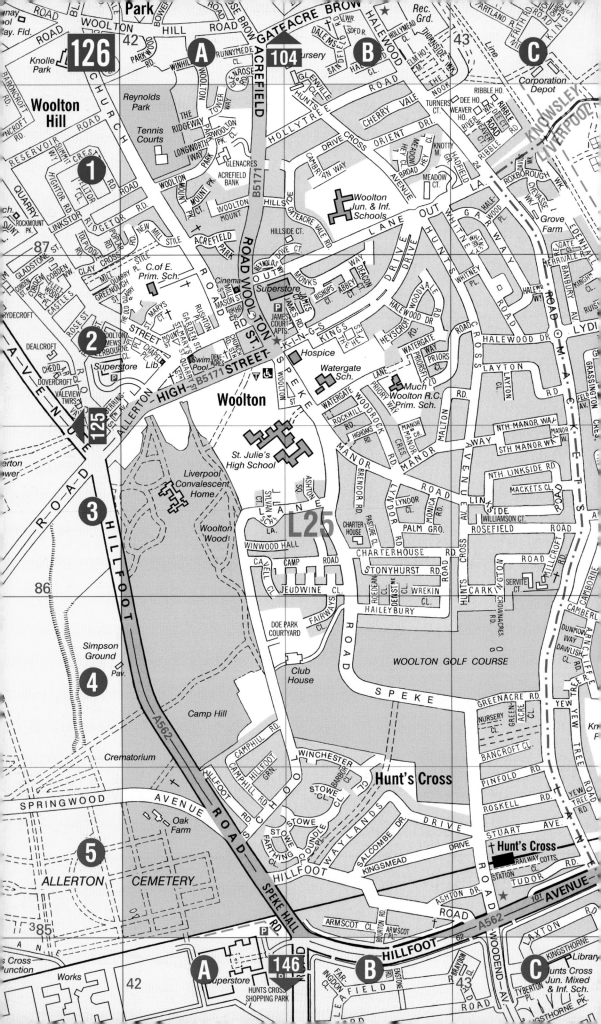

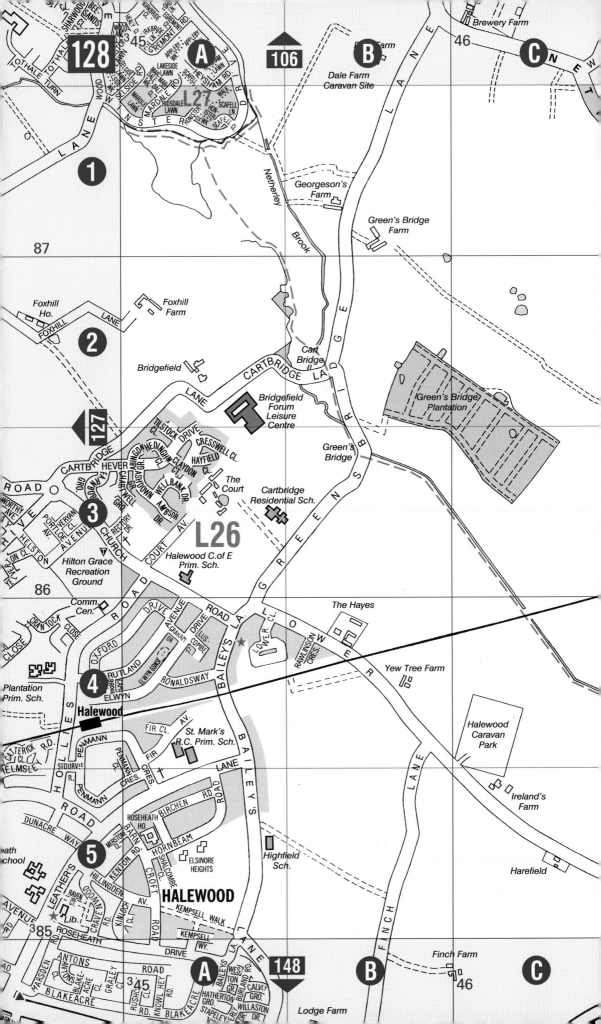

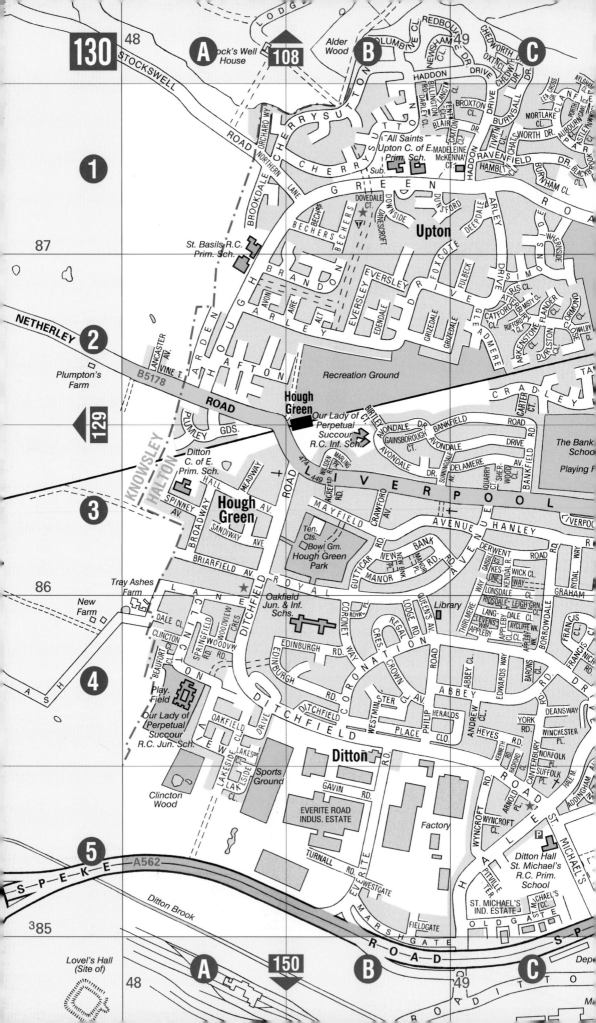

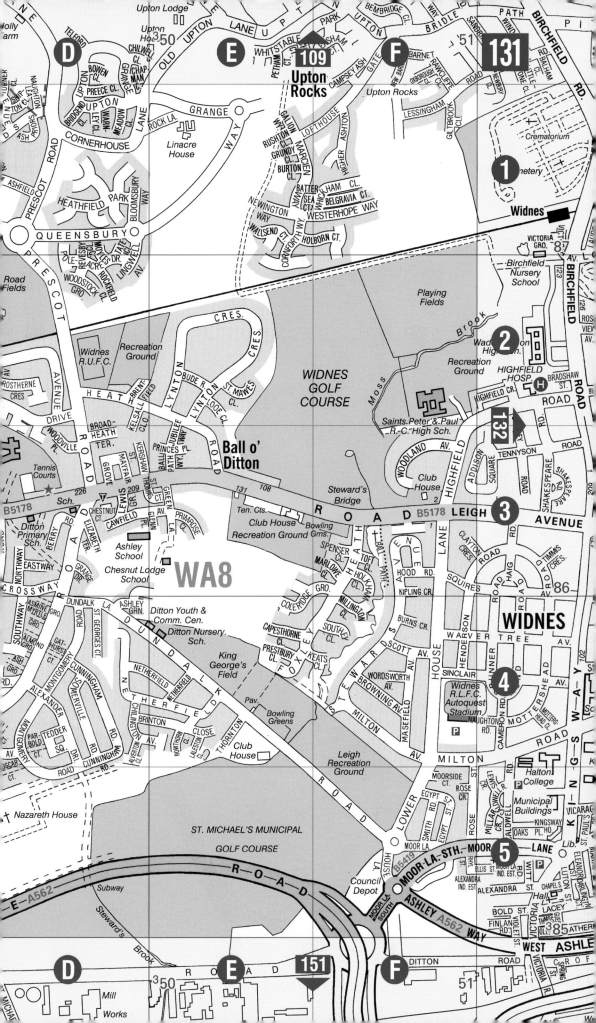

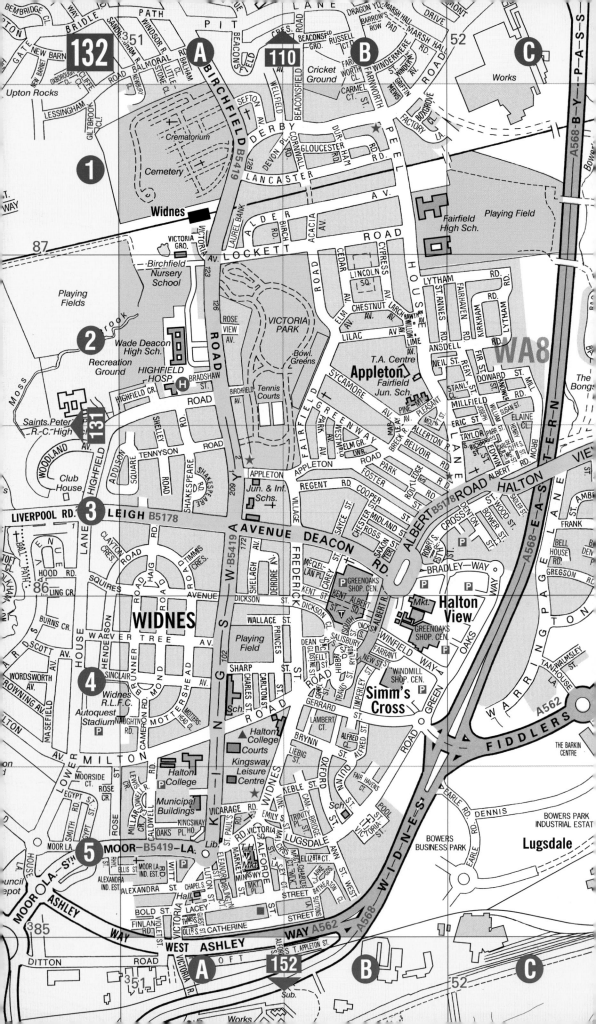

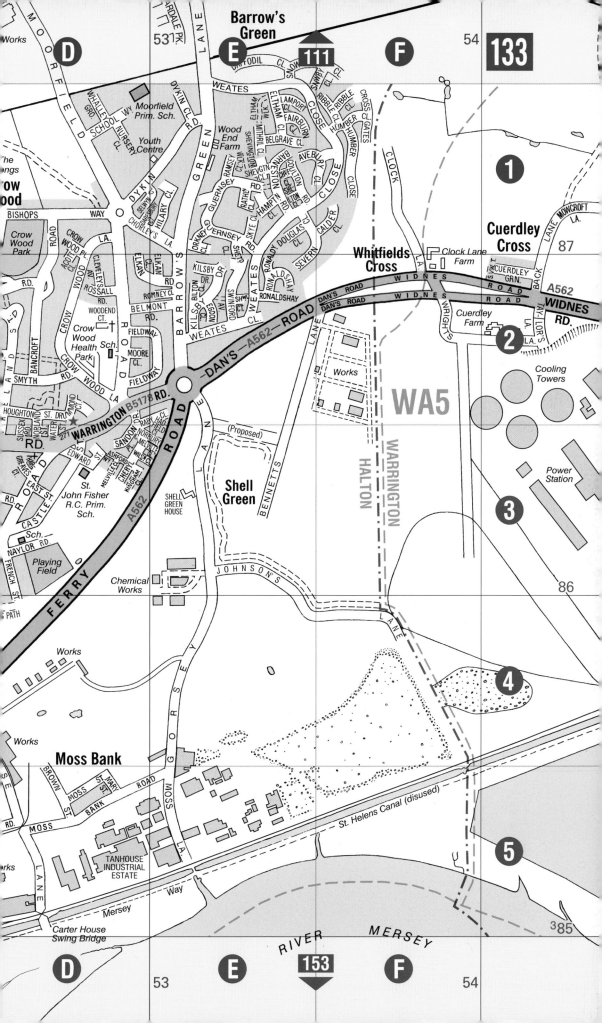

321

REDCOTE
CT.
SPINDRIFT
CT.

Gdns.

VICTORIA RD.
MOSTYN AV.

HYDRO AV.

SOUTH PARADE

112

HILLRISE
CT.

BANKS RD.

SANDY

ROAD

LANE

CALDY

KIRBY PK.

CRAMY

CALDY
CT.

YORK

MOUNT

KIRBY PARK RD.

Avalon
Prep.
Sch.

NORFOLK
DR.

STONEHEY DR.

SURREY

DRIVE

KIRBY MT.

86

RIVER SIDE

MACDONA

AVENUE

Warwick
DR.

CALDY

1

Tell's
Tower

BEACH
WALK

HEATH
CL.

WORDS-
WORTH
WLK.

Wirral

SHELLEY

WAY

DRIVE

MELLONCROFT
CL.

CARISBROOKS
CL.

B5141

CALDY

KING'S

2

Cubbins
Green

MELLONCROFT
DRI. WEST

Way

SHORE

CROFT

DRIVE
WEST

385

P

CROFT BAR

3

RIVER

ASHMORE
CL.

Caldy
Blacks

4

DEE

84

5

321

321

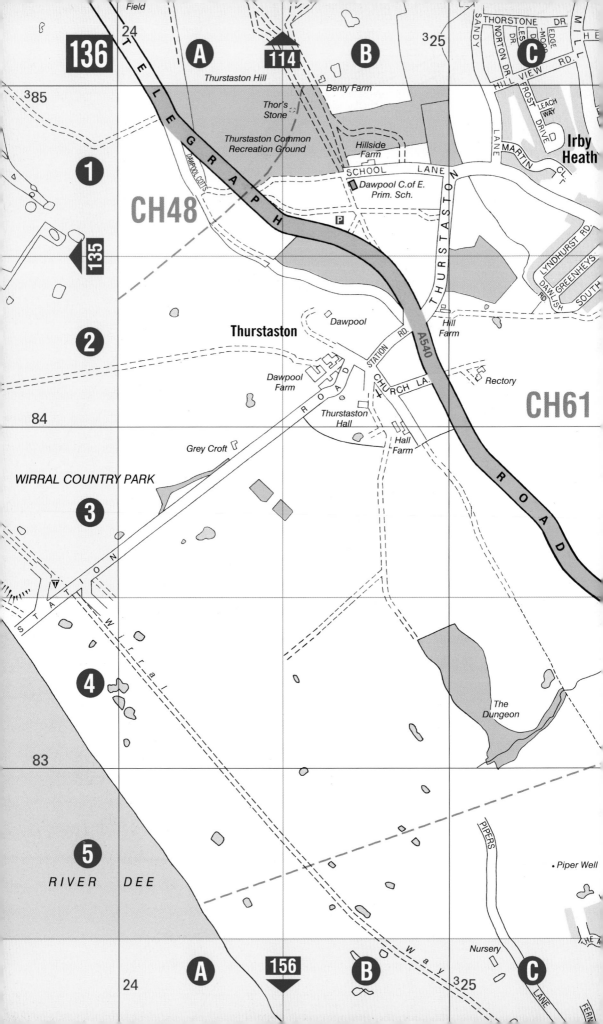

136

24

A

114

B

³25

C

Field

THORSTONE DR.

Thurstaston Hill

Benty Farm

NORTON DR.

SANDY LANE

LES DR.

EDGE MOOR RD.

VIEW

FROST DRIVE

LEACH WAY

MILL HE

³85

Thor's Stone

CH48

1

Thurstaston Common Recreation Ground

Hillside Farm

SCHOOL LANE

Dawpool C.of E. Prim. Sch.

THURSTASTON

MARTIN LANE

CLT.

Irby Heath

DAWPOOL COTTS.

135

P

P

LYNDHURST RD.

GREENHEYS

DAWLISH RD.

SOUTH

2

Dawpool

RD.

STATION RD.

Hill Farm

A540

CH61

Thurstaston

Dawpool Farm

ROAD

CHURCH LA.

Rectory

84

Grey Croft

Thurstaston Hall

Hall Farm

WIRRAL COUNTRY PARK

3

STATION

Wirral

ROAD

The Dungeon

4

83

PIPERS

5

Piper Well

RIVER DEE

PIPERS LANE

Nursery

A

156

B

³25

Way

C

24

FERN

THE A

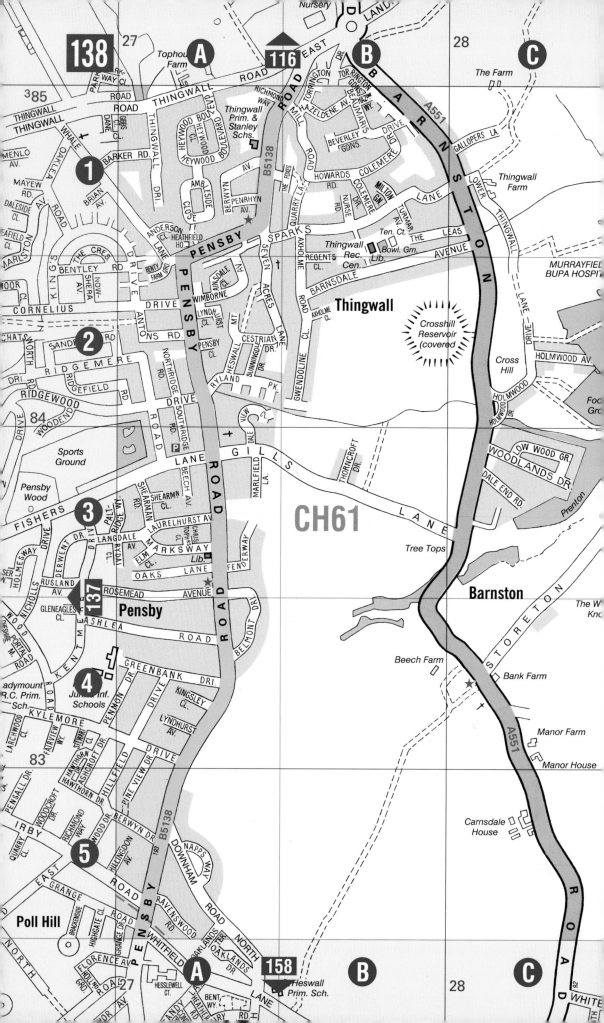

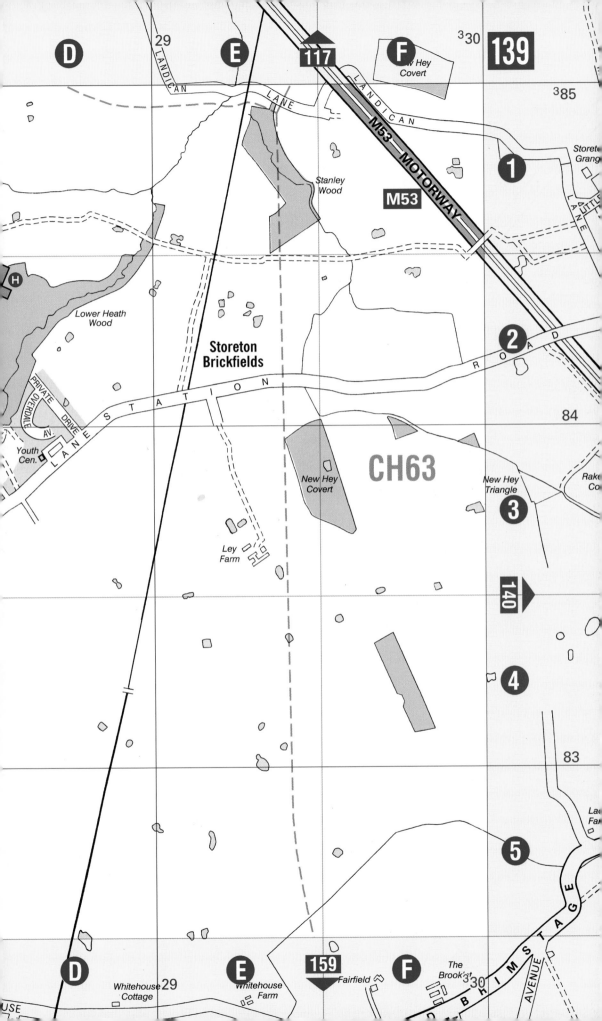

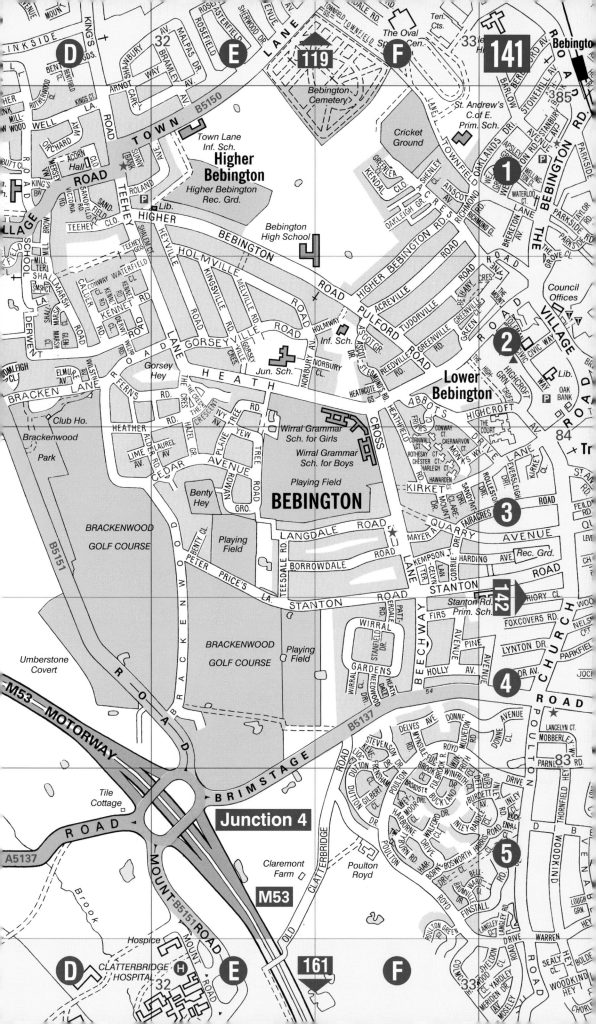

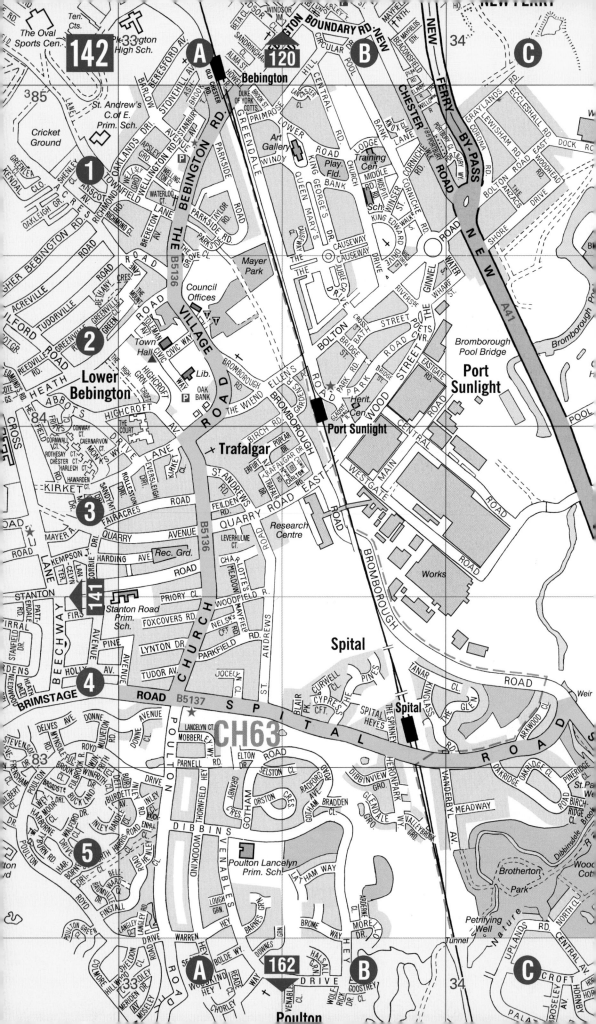

385

1

R I V E R

M E R S E Y

Bromborough
Dock

ROUGH DOCK
TATE

Depot

Works

romborough
Pool

CH62

YORK

MANOR
LANE

SOUTH

STREET
SOUTH
VIEW
THE

GREEN
SOUTH

PLACE
Sch.

Cricket
Gnd.

Bowl.
Grn.
Ten. Cts.

ROAD

DOCK

THERMAL

2

84

Works

DOCK RD.
SOUTH

3

Factories

PORT
FAIRWAY
CRES.
FAIRWAY
CROSSWAYS
S. WESTERN
NORTH
RINGWAYS
WAYS
GREEN
WAY
EASTERN AV.
CAUSEWAY

ROAD

Bromborough
Port

Works

NORTH
TERMINUS
CORON-
ATN DR.
MAGAZINE

WIRRAL
LEISURE PARK
GEORGIA AV.
STADIUM
GEORGIA   AV.

Works

4

Croft Grn.
FAIRWAY

RD.

SOUTH WIRRAL
RETAIL PARK

RD.

WELTON

ROAD

STADIUM

Oil Storage
Depot

COMMERCIAL   RD.

Power
Station

83

Superstore

WELTON

WELTON RD.

CROFT
BUSINESS
CEN

CALDBECK

CARROCK RD.
DINSDALE
RD.
BASSENDALE
RD.
MISSDALE
RD.

ROAD

STADIUM

Works

Works

dale

SILVANDALE
GR.

DENE

HEATHER
RD.

P B5137

Pav.
Sports
Gnd.

SUMMERFIELD

A41

P

ng

Prim.
Sch.

CROFT AV.
E. HEATH-
271 FIELD

AVENUE

ROAD

CROFT LA.

STANHOPE
DRIVE
STANHOPE
DR.
CH WOOD
STANHOPE DR.

RAKE

Works

BROMB

E

MARTINDALE RD.
SKIDDAW
RD.

HAWKSHEAD
ROAD

ROAD

▼163

HALL RD.

PLANTATION

Works

POWER

Slack
Wood

ROAD

5

RIVERVIEW RD.

ROAD

F

36

Rectory

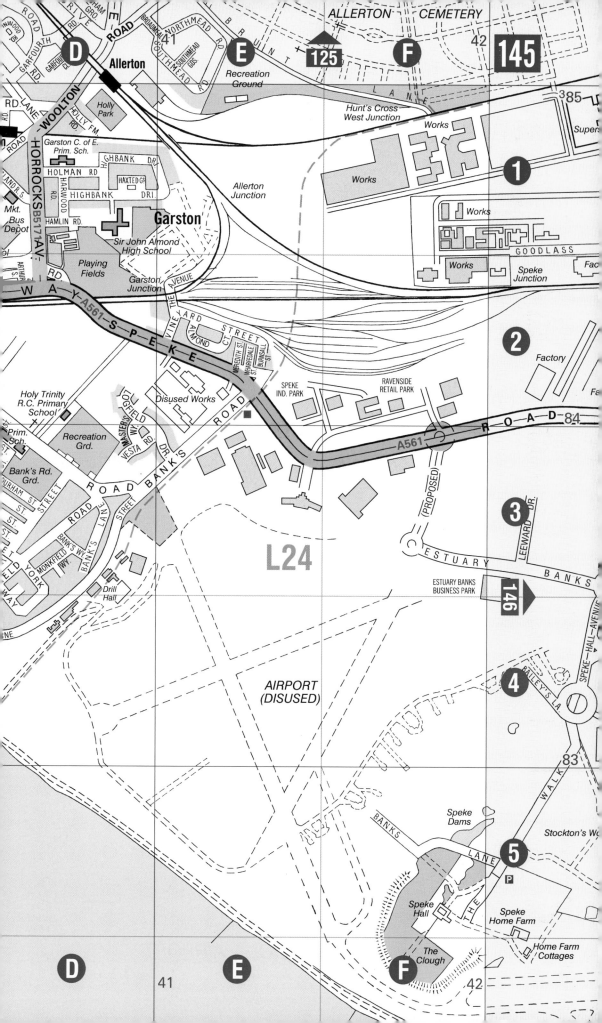

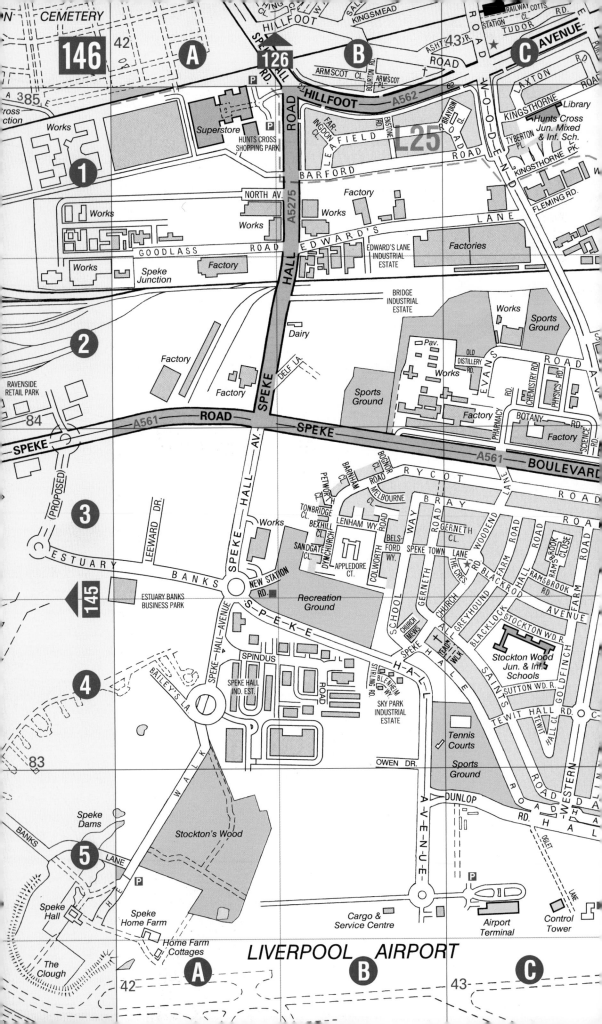

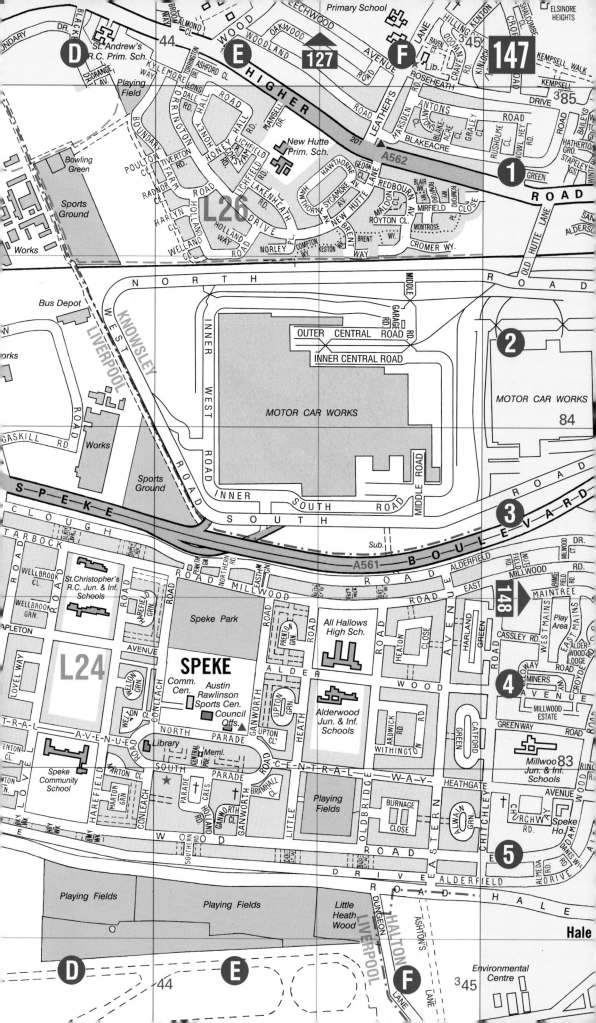

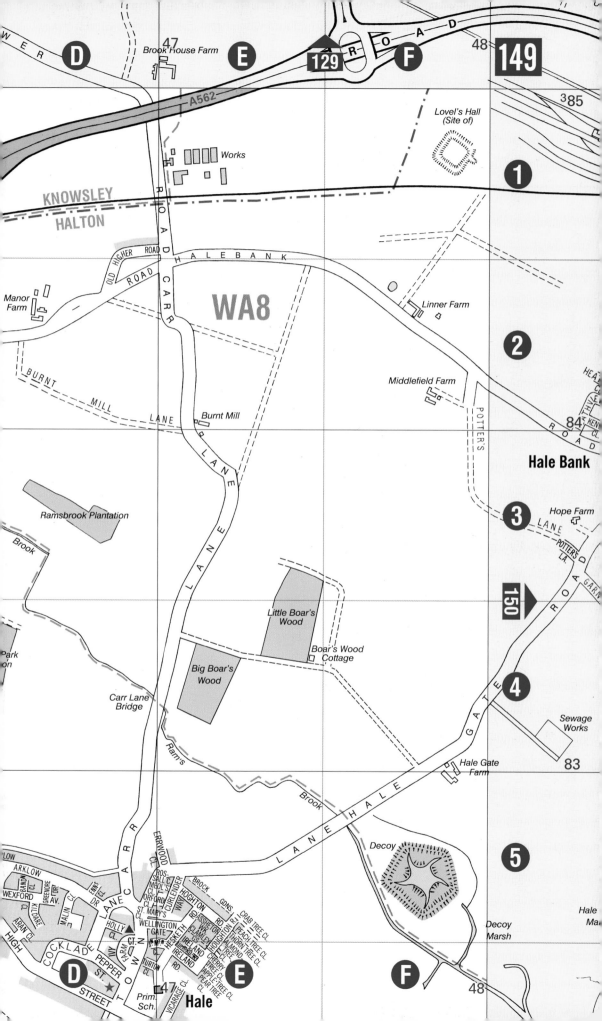

D

E

129

F

48

149

47
Brook House Farm

R O A D

385

Lovel's Hall
(Site of)

Works

1

KNOWSLEY

HALTON

OLD HIGHER ROAD

HALEBANK

Manor
Farm

ROAD CARR

WA8

Linner Farm

2

BURNT

MILL

LANE

Burnt Mill

Middlefield Farm

POTTER'S

ROAD

84

Hale Bank

L
A
N
E

Ramsbrook Plantation

3

Hope Farm

LANE

POTTER'S LA.

Brook

GARN

150

Little Boar's
Wood

ROAD

Big Boar's
Wood

Boar's Wood
Cottage

4

Carr Lane
Bridge

Ram's

G
A
T
E

Sewage
Works

83

Hale Gate
Farm

Brook

L
A
N
E
H
A
L
E

Decoy

5

LOW
ARKLOW
WEXFORD
KILDARE
ARAN CL.
HIGH

GREENORE AV.
MALIN CL.

ERRWOOD CL.

CARR LANE DR.

ROS-SALL CL.
MEOLS CL.
ORFORD CL.

BROCK GDNS.

HOGHTON WAY

ST. MARY'S

CURLENDER

HESKETH

WELLINGTON GATE

HOLLY CL.

YEW TREE CT. N

PEPPER ST.

TURTON CL.

VICARAGE CL.

ASHTON CL.
CLAWLEY
ICKLAND
IRELAND RD.
CHERRY

HOGHTON RD.
ALMOND CL.

APPLE-TREE CL.

PEACH TREE CL.
THORN TREE CL.

CRAB TREE CL.

Decoy
Marsh

Hale Ma

48

D

★

47

Prim.
Sch.

COCKLADE STREET

Hale

E

F

S P E K E

150 48 **A** **130** **ROAD**-A562 **B** S P E K E **C**

385

Lovel's Hall
(Site of)

Ditton Brook

Depot

1

D I T T O N

Mill

Mills

R O A D

WA8

HARRISON ST.

LOVEL TER.

CLAPGATE CRES.
CLAPGATE CRES.

STAPLETON WAY

HOLLINS WAY

GOLDEN TRIANGLE
INDUSTRIAL ESTATE

P

Superstore

H A L E B A N K

Linner Farm

2

Playing
Field

BLACKBURNE AV.

FOUNDRY

BROUGHTON WAY

FOUNDRY LA.

Ditton Brook

Middlefield Farm

84

BAGULEY AVENUE

HEATHVIEW CL.
HEATHVIEW
KENVIEW CL.

Halebank
Prim.
Sch.

CHURCH
MEADOW W.

HALE
CT.

HALE BK.T.

PICKERINGS
PICKERINGS

HALE ROAD
IND. EST.

HALE ROAD

R O A D

Works

P O T T E R ' S

ROAD

FREDERICK
TER.

COCK LANE
ENDS

Bank End
Farm

Hale Bank

3

Hope Farm

H A L E

MERSEY VIEW RD.

Shore House

Mersey Way

L A N E

POTTERS
LA.

R O A D

Pickering's Pasture
Local Nature Reserve

149

G A R N E T T ' S   L A.

4

Sewage
Works

R I V E R

83

H A L E

Hale Gate
Farm

Decoy

5

Decoy
Marsh

Hale Gate
Marsh

A **164** **B** 49 **C**

48

TURNALL RD.
EVERITE WESTGATE
FIELDGATE
MARSHGATE

RD.
PITVILLE TER.

Ditton Hall
St. Michael's
R.C. Prim.
School

49
ST. MICHAEL'S
IND. ESTATE

OLDGATE

ST. MICHAEL'S

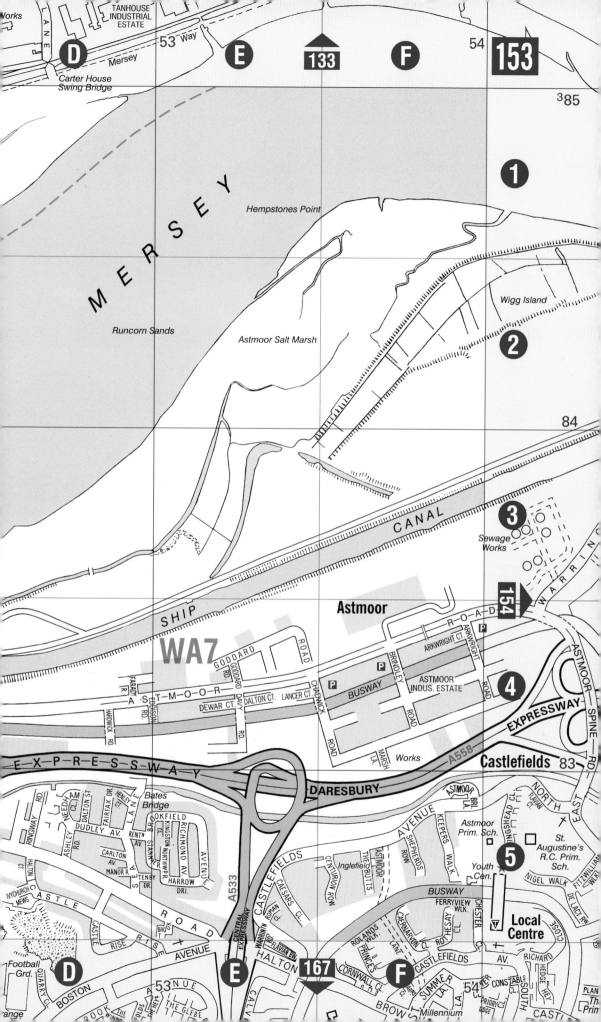

Works

TANHOUSE INDUSTRIAL ESTATE

53 Way

Mersey

1

Carter House Swing Bridge

M E R S E Y

Hempstones Point

Wigg Island

Runcorn Sands

2

Astmoor Salt Marsh

C A N A L

3

Sewage Works

S H I P

154

WARRING

Astmoor

ROAD

ARKWRIGHT CT.

GODDARD RD.

GODDARD

ROAD

BRINDLEY

ARKWRIGHT

WA7

FARADY RD.

EDISON RD.

DEWAR CT.

DAVY RD.

DALTON CT.

LANCER CT.

CHADWICK

BUSWAY

ASTMOOR INDUS. ESTATE

ROAD

4

HARDWICK RD.

A—STMOOR—ROAD

MARSH LA.

Works

EXPRESSWAY

ASTMOOR SPINE—ROAD

E X P R E S S W A Y

DARESBURY

A558

Castlefields 83

Bates Bridge

SEA LANE

BROKFIELD

HENLEY CT.

RINGWAY RD.

NEEDHAM CL.

DALTON ST.

FAIRFAX DR.

KINGSTON CL.

RICHMOND AV.

RENTN AV.

STANN R.

NORTHWR.

AVENUE

ASTMOOR BRI. LA.

ASHLEY RD.

DUDLEY AV.

CARLTON AV.

MANOR R.

TENBY DR.

HARROW DRI.

CASTLEFIELDS

AVENUE

SHEPHERDS ROW

KEEPERS WALK

DINGSHEAD CL.

FLAVIAN CT.

NORTH EAST

Astmoor Prim. Sch.

St. Augustine's R.C. Prim. Sch.

IVYCHURCH MEWS

CASTLE

A533

A533

BROS.

CENTURION ROW

CAESARS CL.

Inglefield

ASTMOOR

THE BUTTS

Youth Cen.

5

NIGEL WALK

FITZWILLIAM

DE LACY RD.

HALTON RISE

CASTLE

CASTLE RISE

QUARRY LA.

CT.

BOSTON

CENTRAL EXPRESSWAY

WARRIN RD.

ROMAN CL.

FLAVIAN BRI.

BUSWAY

FERRYVIEW WLK.

ROTHESAY CL.

CHESTER

Local Centre

RICHARD CL.

HEDGE HEY

CONSTABLS CL.

SOUTH CAST

ROAD

AVENUE

ROLANDS CL.

PRINCES CL.

CAERNARVON CL.

CORNWALL CL.

CASTLEFIELDS

SUMMER LA.

PRIORY

Football Grd.

BOSTON

CALV

BROW

Millennium

84

83

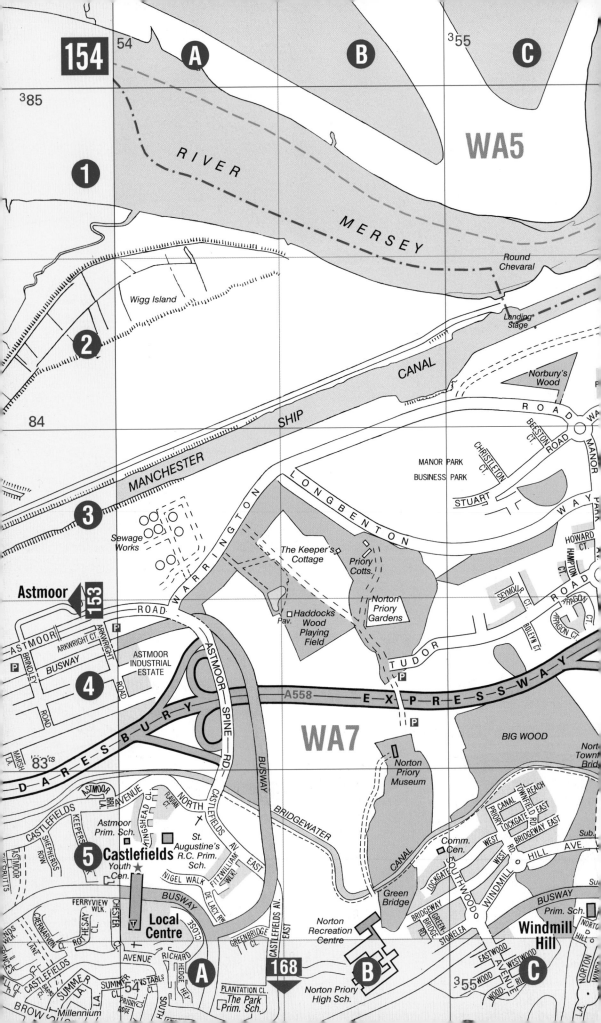

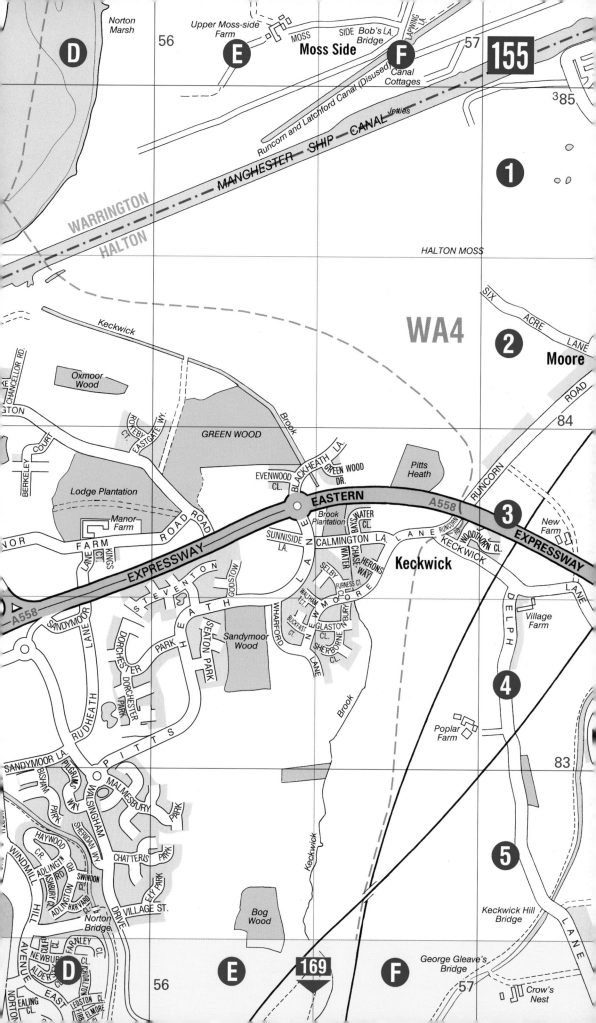

D   56   E   Upper Moss-side Farm   MOSS   SIDE   Bob's LA.   Bridge   LAPWING LA.   57   **155**

Norton Marsh

Moss Side   F

Canal Cottages

385

Runcorn and Latchford Canal (Disused)   Jetties

MANCHESTER SHIP CANAL

1

WARRINGTON

HALTON

HALTON MOSS

2   SIX ACRE LANE   **Moore**

WA4

Keckwick

ROAD

84

Oxmoor Wood

CHANCELLOR RD.   ROLEBY CT.   EASTGATE WY.

Brook

GREEN WOOD

BERKELEY COURT

Pitts Heath

RUNCORN

BLACKHEATH LA.   GREEN WOOD DR.

EVENWOOD CL.

3   New Farm

EASTERN   A558   **EXPRESSWAY**

Lodge Plantation

Brook Plantation   WATER CL.   BACK LANE   RUNCORN RD   WOODTHORN CL.

Manor Farm   KINGS   FARM LANE CT.   SUNNISIDE LA.   CALMINGTON LA.   WATER   HERONS CHASE WAY   **Keckwick**   KECKWICK

MANOR   ROAD ROAD   STEVENTON   GODSTOW   SELBY   FURNESS CT   MOORE LANE   DELPH LANE   Village Farm

A558   **EXPRESSWAY**   SANDYMOOR LANE   HEATH PARK   SEATON PARK   WHARFORD LANE   WALTHAM TCT.   GLASTON CL.   BUCKFAST CT.   JURBY CL.   SHERBORNE CL.

DORCHESTER PARK   DORCHESTER PARK

Sandymoor Wood

RUDHEATH

PITTS

Brook

Poplar Farm

4

83

SANDYMOOR LA.   BISHAM PARK   PILGRIMS WAY   WALSINGHAM WAY   MALMESBURY   PARK   PARK

Keckwick

5

WINDMILL HILL   HAYWOOD CR   ADLINGT   SHERIDAN WY.   SWINDON CL.   CHATTERIS PARK   ELY PARK

ASHBURY   ADLINGTON RD   HARVARD CL.   VILLAGE ST.   DRIVE

AVENUE   FARNLEY CL.   NEWBURY CL.   ALDER CL.   Norton Bridge

Keckwick Hill Bridge

Bog Wood

LANE

EAST   LEDSTON CL.   ELMORE CL.   EALING CL.

D   56   E   **169**   F   George Gleave's Bridge   57   Crow's Nest

A

▲ 136

B

325

C

Piper Well

Nursery

THE AK

FERNS

CL

RE

BROAD

DEESIDE

TARGET

ROAD

Playing F

1

Sewage
Works

Caravan
Park

82

R I V E R

THE

MOORIN

Sailing
Club

2

Slip

D E E

3

81

4

5

380

24

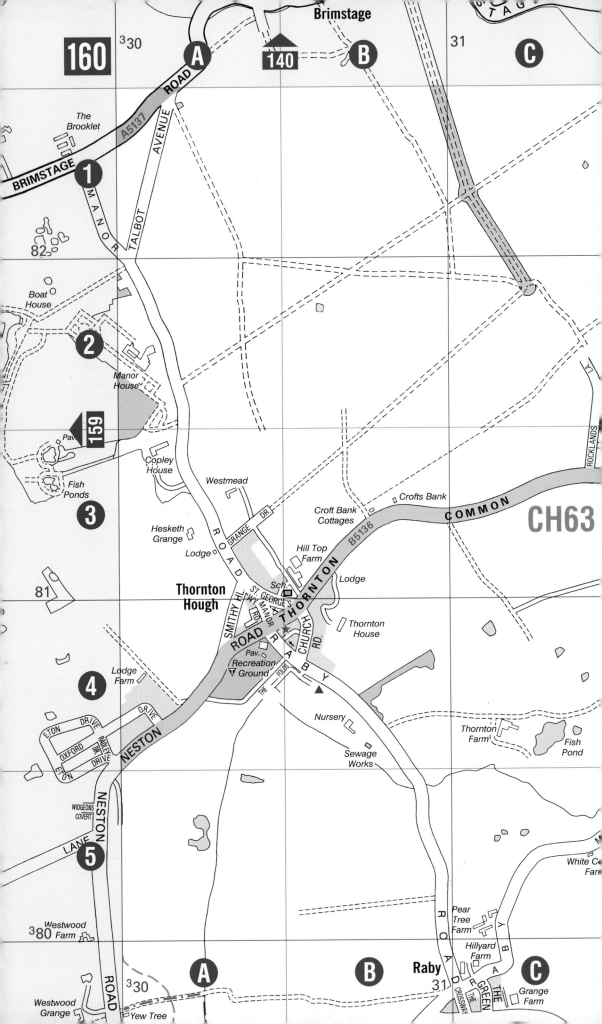

Brimstage

160 ³30 **A** 140 **B** 31 **C**

The Brooklet

BRIMSTAGE ROAD A5137

1

82

Boat House

2

Manor House

159 Pav.

Copley House

Westmead

Crofts Bank

Croft Bank Cottages

COMMON

CH63

Fish Ponds

3

Hesketh Grange

Lodge

Hill Top Farm

Lodge

B5136

ROAD

GRANGE DR.

THORNTON

ROCKLANDS

81

Thornton Hough

Sch.

St. George's

Thornton House

SMITHY H.

ROAD

CHURCH RD.

Lodge Farm

4

Pav. Recreation Ground

Nursery

Thornton Farm

Fish Pond

ETON DRIVE

OXFORD

RADLEY DR

DRIVE

ETON

NESTON

THE ROADS

RABY

Sewage Works

WIDGEONS COVERT

LANE

NESTON

5

White C. Farm

Westwood Farm

³80

ROAD

Pear Tree Farm

Hillyard Farm

RABY

THE GREEN

THE CROSSWAY

Westwood Grange

³30 **A** Yew Tree **B** **Raby** 31 Grange Farm **C**

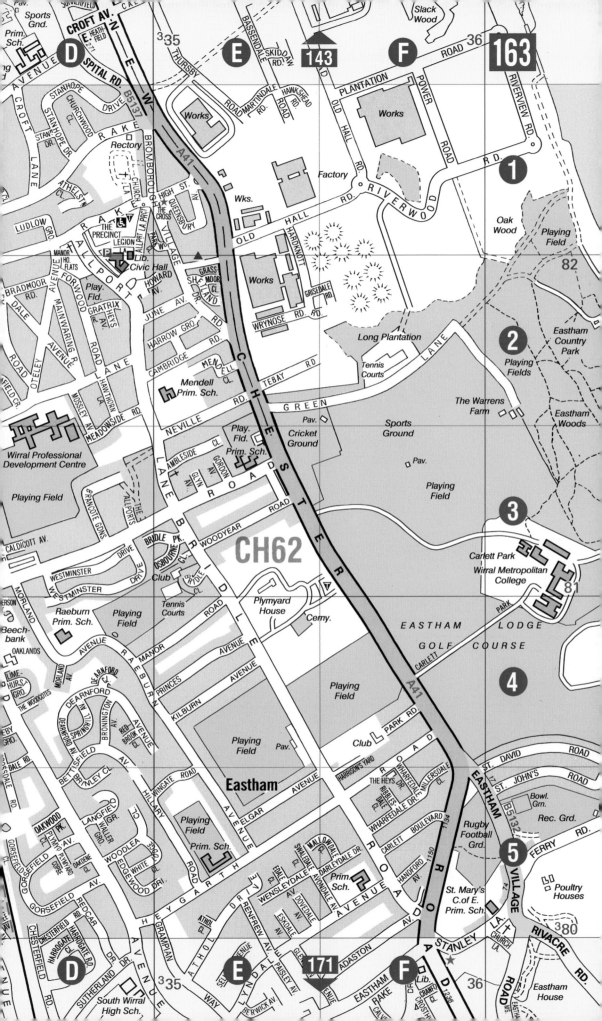

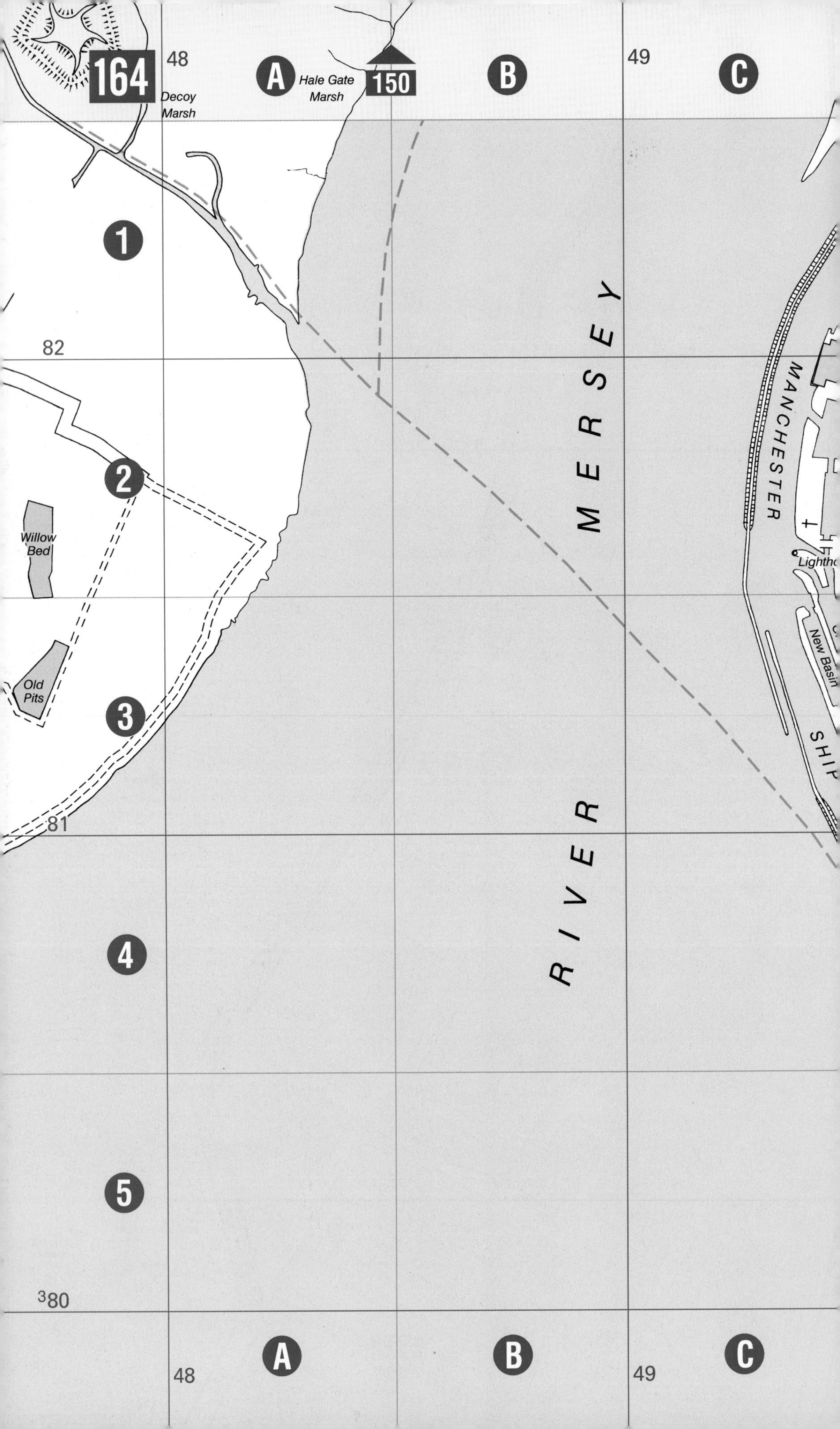

48

Hale Gate
Marsh

150

49

Decoy
Marsh

1

82

2

Willow
Bed

Old
Pits

3

81

4

M E R S E Y

R I V E R

MANCHESTER

Lighth

New Basin

SHIP

5

³80

48

49

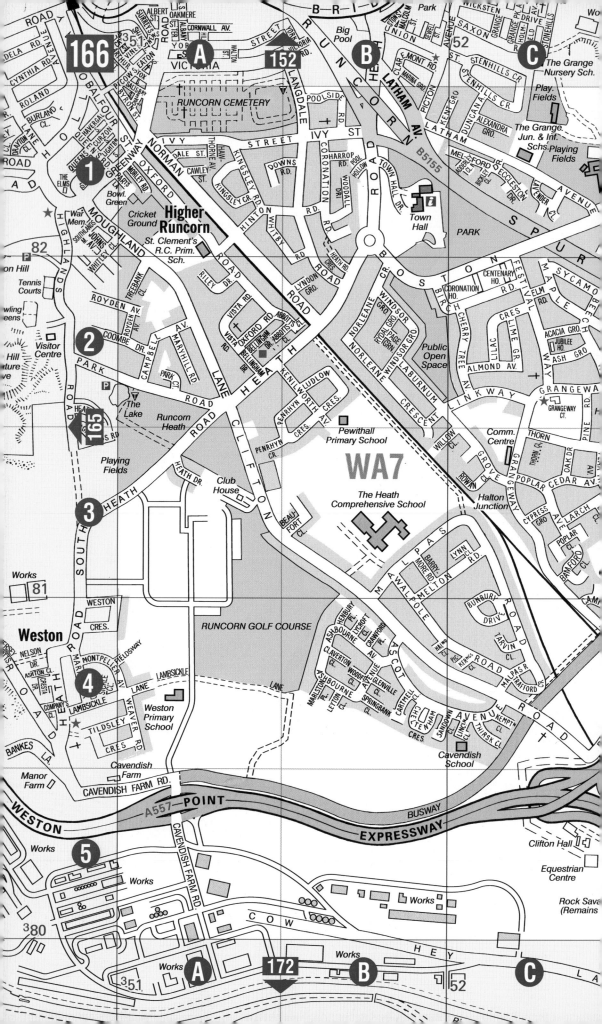

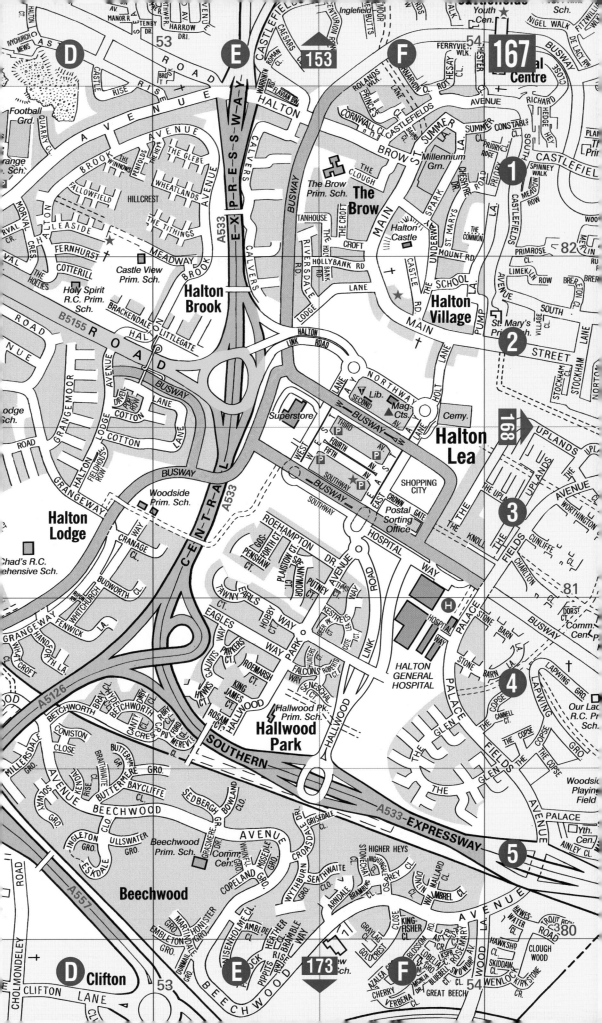

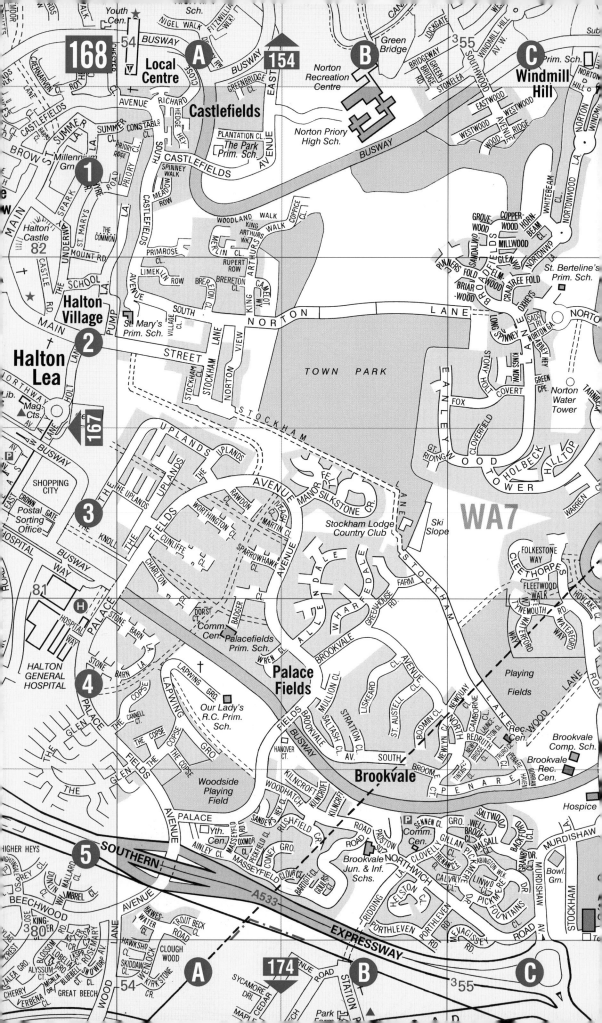

33

A

162

B

C

380

BROMBOROUGH
GOLF COURSE

BOWNESS

BROOKHURST

34

KESWICK
GS

KESWICK
AV.

CONISTON
AV.

KESWICK
AV.

CH63

1

KINTORE
CT.

DUNCA

Hargrave House Farm

Hargrave
Hall Farm

Hargrave
Lane Cotts.

Hargrave
Cottages

M53

Raby House
Farm

2

Raby
House

Raby
Nurseries

Glenmoriston
Home Farm

79

WIRRAL

ELLESMERE-PORT & NESTON

STREET

HEATH

3

CH64

Street Hey

HEY LANE

STREET

EASTHAM

Heath
Worthy

Ho
La

The Old
Mill

Nursery

HEY LANE

HEY LANE

BEECH LA.

Old Mill
Hey

4

OVERDALE RD.

WOOD LANE

LAUREL

HAWTHORNE DR

DRIVE

FIELD HEY LANE

FIELD HEY LANE

HEATH

B5133

Nursery

BARFORD
GRANGE

Rec.
Grd.**78**

BRIARDALE

THE KNOWE

THE KNOWE

ROAD

CHANGE

HOOT

PARK RD.

CROSBY GR.

Pav.

MILL GRN.

Vicarage

N

Nursery

Ten. Cts.

RD.

ELM GRN.

DELAMORE'S ACRE

LANE

NESTON

ELM CL.

CHURCH FARM CT.

Willaston

LANE

The
Orchard

5

B5133

ROAD

THE GREEN

OLD VICARAGE RD.

MOSS'S RD.

PEMBERTON CL.

Roseville
Cottage

BROAD
LAKE

MEWS CT.

WILLASTON GREEN MEWS

OLD HEY

BENNET
CL.

SMITHY

HADLOW

HADLOW LA.

HADLOW TER.

B5151

ASHTREE FARM CT.

INTAKE CL.

ASHTREE CROFT

A

WALLCROFT

B

LANE

C

Wa

Gra
Pic

33

Visitor Cen.

34

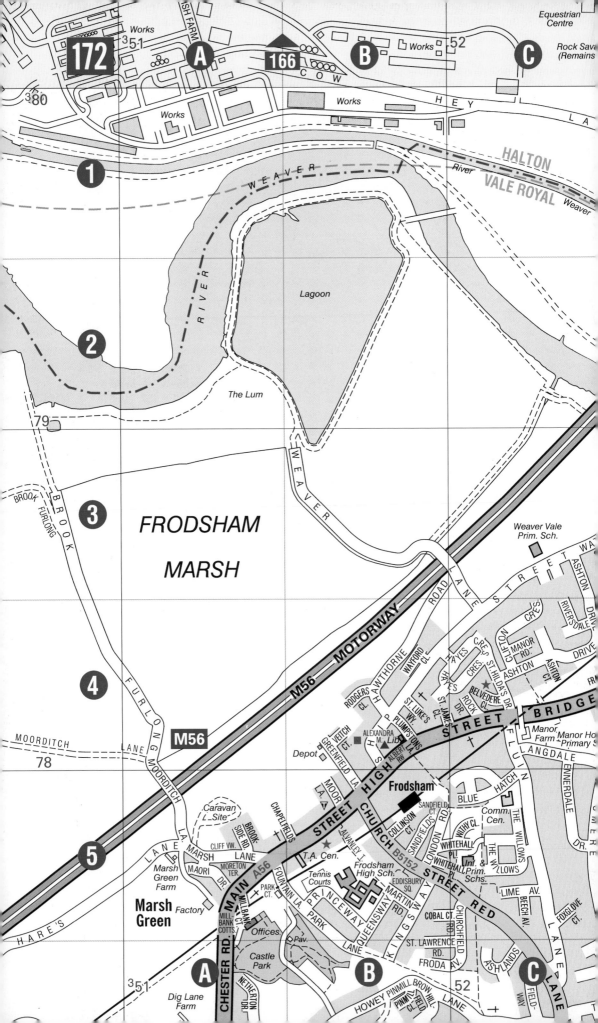

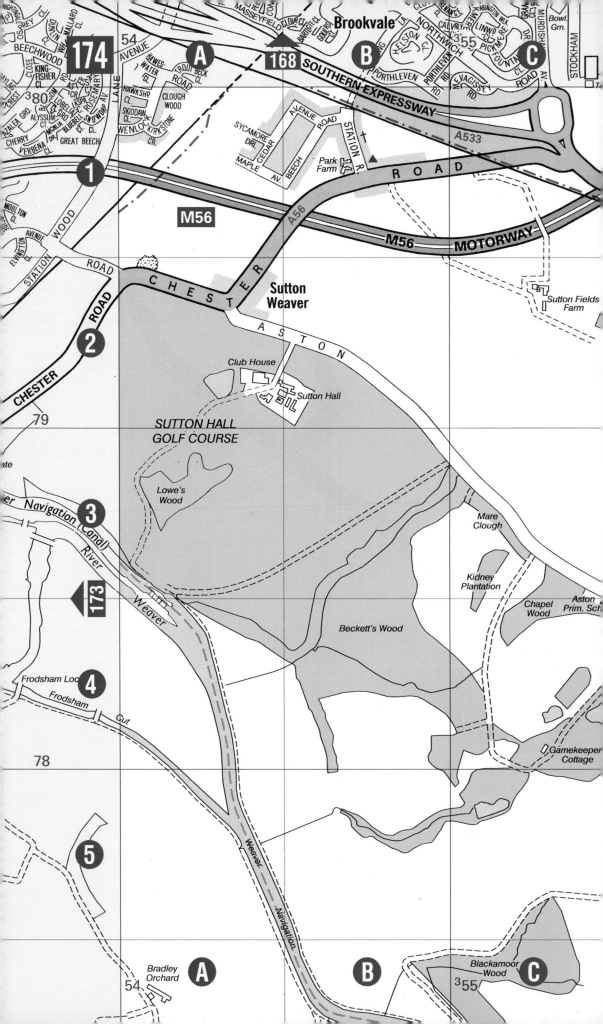

INDEX

Including Streets, Places & Areas, Industrial Estates, Selected Subsidiary Addresses
and Selected Places of Interest.

HOW TO USE THIS INDEX

1. Each street name is followed by its Posttown or Postal Locality and then by its map reference; e.g. Abberley Rd. *Liv* —5C **126** is in the Liverpool Posttown to be found in square 5C on page **126**. The page number being shown in bold type.
A strict alphabetical order is followed in which Av, Rd., St., etc. (though abbreviated) are read in full and as part of the street name; e.g. Adamson St. appears after Adam Rd. but before Adam St.

2. Streets and a selection of Subsidiary names not shown on the Maps, appear in the index in *Italics* with the thoroughfare to which it is connected shown in brackets; e.g. *Alexander Way. Liv* —5F **99** *(off Pk. Hill Rd.)*

3. The page references shown in brackets indicate those streets that appear on the large scale map pages 4-5; e.g. Addison St. *Liv* —3D **77** (2E **4**) appears in square 3D on page **77** also appears in the enlarged section in square 2E on page **4**.

3. Places and areas are shown in the index in **bold type**, the map reference referring to the actual map square in which the town or area is located and not to the place name; e.g. **Aigburth.** —4E **123**

4. An example of a selected place of interest is Academy, The. —3A **24** (Liverpool F.C.).

GENERAL ABBREVIATIONS

All : Alley	Cir : Circus	Gt : Great	M : Mews	Sq : Square
App : Approach	Clo : Close	Grn : Green	Mt : Mount	Sta : Station
Arc : Arcade	Comn : Common	Gro : Grove	Mus : Museum	St : Street
Av : Avenue	Cotts : Cottages	Ho : House	N : North	Ter : Terrace
Bk : Back	Ct : Court	Ind : Industrial	Pal : Palace	Trad : Trading
Boulevd : Boulevard	Cres : Crescent	Info : Information	Pde : Parade	Up : Upper
Bri : Bridge	Cft : Croft	Junct : Junction	Pk : Park	Va : Vale
B'way : Broadway	Dri : Drive	La : Lane	Pas : Passage	Vw : View
Bldgs : Buildings	E : East	Lit : Little	Pl : Place	Vs : Villas
Bus : Business	Embkmt : Embankment	Lwr : Lower	Quad : Quadrant	Vis : Visitors
Cvn : Caravan	Est : Estate	Mc : Mac	Res : Residential	Wlk : Walk
Cen : Centre	Fld : Field	Mnr : Manor	Ri : Rise	W : West
Chu : Church	Gdns : Gardens	Mans : Mansions	Rd : Road	Yd : Yard
Chyd : Churchyard	Gth : Garth	Mkt : Market	Shop : Shopping	
Circ : Circle	Ga : Gate	Mdw : Meadow	S : South	

POSTTOWN AND POSTAL LOCALITY ABBREVIATIONS

Aig : Aigburth	*Croft B* : Croft Bus. Pk.	*Hay I* : Haydock Ind. Est.	*N'ley* : Netherley	*Sim* : Simonswood
Ain : Aintree	*Cron* : Cronton	*Hel* : Helsby	*N'ton* : Netherton	*Speke* : Speke
Ain R : Aintree Racecourse	*Cros* : Crosby	*Hes* : Heswall	*Nest* : Neston	*Spit* : Spital
Retail & Bus. Pk.	*Crox* : Croxteth	*High* : Hightown	*New F* : New Ferry	*Stan* : Stanley
Aller : Allerton	*Cuer* : Cuerdley	*High B* : Higher Bebington	*Newt W* : Newton-le-Willows	*Stock V* : Stockbridge Village
Anf : Anfield	*Dar* : Daresbury	*Hoot* : Hooton	*Nor C* : North Cheshire Trad. Est.	*Ston* : Stoneycroft
Ash M : Ashton-in-Makerfield	*Dent G* : Dentons Green	*Hoy* : Hoylake	*Nor G* : Norris Green	*Sut L* : Sutton Leach
Ast : Astmoor	*Ding* : Dingle	*Hunts X* : Hunts Cross	*Norl* : Norley	*Sut M* : Sutton Manor
Ast I : Astmoor Ind. Est.	*Dove* : Dovecot	*Huy* : Huyton	*Nort* : Norton	*Sut W* : Sutton Weaver
Aston : Aston	*Down* : Downholland	*Ince B* : Ince Blundell	*Old I* : Old Hall Ind. Est.	*Tarb* : Tarbock
Augh : Aughton	*Dut* : Dutton	*Irby* : Irby	*Old R* : Old Roan	*Tarb G* : Tarbock Green
B Vale : Belle Vale	*East* : Eastham	*K Ash* : Knotty Ash	*Old S* : Old Swan	*Tarr I* : Tarran Ind. Est.
B'grn : Broadgreen	*Ecc* : Eccleston	*K'ley* : Kingsley	*Orr P* : Orrell Park	*That H* : Thatto Heath
Beb : Bebington	*Ecc L* : Eccleston Lane Ends	*Kens* : Kensington	*Padd M* : Paddock Moor	*Thing* : Thingwall
Beech : Beechwood	*Ecc P* : Eccleston Park	*Kirk* : Kirkdale	*Page M* : Page Moss	*Thor* : Thornton
Bic : Bickerstaffe	*Edg H* : Edge Hill	*Kirkby* : Kirkby	*Pal* : Palacefields	*Thor H* : Thornton Hough
Bil : Billinge	*Ersk* : Erskine Ind. Est.	*Know* : Knowsley	*Park* : Parkgate	*Thur* : Thurstaston
Birk : Birkenhead	*Eve* : Everton	*Know B* : Knowsley Bus. Pk.	*Parr* : Parr	*Tox* : Toxteth
Bold : Bold	*Fair* : Fairfield	*Know I* : Knowsley Ind. Pk.	*Parr I* : Parr Ind. Est.	*Tran* : Tranmere
Bold H : Bold Heath	*Faz* : Fazakerley	*Know I* : Knowsley Ind. Pk. N.	*Penk* : Penketh	*Tue* : Tuebrook
Boot : Bootle	*Ford* : Ford	*Know P* : Knowsley Park	*Pens* : Pensby	*Upt* : Upton
Bow P : Bowring Park	*Form* : Formby	*L Cro* : Little Crosby Village	*Port S* : Port Sunlight	*W Der* : West Derby
Brim : Brimstage	*Fran* : Frankby	*L Sut* : Little Sutton	*Pren* : Prenton	*W Kir* : West Kirby
Brom : Bromborough	*Frod* : Frodsham	*Laird T* : Lairdside	*Pres B* : Preston Brook	*W'chu* : Woodchurch
Brom P : Bromborough Pool	*Gars* : Garston	Technology Pk.	*Pres H* : Preston on the Hill	*W'tree* : Wavertree
Brook : Brookvale	*Gate* : Gateacre	*Lith* : Litherland	*Prin P* : Princes Park	*Wall* : Wallasey
Brun B : Brunswick Bus. Pk.	*Gil I* : Gilmoss Ind. Est.	*Liv* : Liverpool	*Prsct* : Prescot	*Walt* : Walton
Btnwd : Burtonwood	*Grass P* : Grassendale Park	*Liv A* : Liverpool Airport	*Raby M* : Raby Mere	*Wat* : Waterloo
Burt : Burton	*Grea* : Greasby	*Low H* : Low Hill	*Rain* : Rainhill	*West* : Weston
C Grn : Collins Green	*Gt Cro* : Great Crosby	*Lyd* : Lydiate	*Rainf* : Rainford	*West P* : Weston Point
Cald : Caldy	*Hale V* : Hale Village	*Mag* : Maghull	*Reg I* : Reginald Road Ind. Est.	*Whis* : Whiston
Cas : Castlefields	*Haleb* : Halebank	*Mell* : Melling	*Roby* : Roby	*White I* : Whitehouse Ind. Est.
Chil T : Childer Thornton	*Halew* : Halewood	*Meol* : Meols	*Run* : Runcorn	*Wid* : Widnes
Child : Childwall	*Hall P* : Hallwood Park	*Mil B* : Millers Bridge Ind. Est.	*St H* : St Helens	*Will* : Willaston
Clftn : Clifton	*Hals P* : Halsnead Park	*Mnr P* : Manor Park	*S'frth* : Seaforth	*Wind* : Windle
Clo F : Clock Face	*Halt* : Halton	*Moore* : Moore	*Sand* : Sandfield Park	*Wind H* : Windmill Hill
Club : Clubmoor	*Halt B* : Halton Brook	*More* : Moreton	*Seft* : Sefton	*Wir* : Wirral
Crank : Crank	*Halt L* : Halton Lodge	*Moss H* : Mossley Hill	*Seft P* : Sefton Park	*Wltn* : Woolton
Cress : Cressington	*Hay* : Haydock	*Murd* : Murdishaw	*Sher I* : Sherdley Road Ind. Est.	

INDEX

Acre La.—Apsley Av.

Acre La. *Hes* —1C **158**
Acres Clo. *Liv* —2A **104**
Acresfield. *Liv* —4B **80**
Acresgate Ct. *Liv* —3A **104**
Acres La. *Liv & Down* —1A **6**
Acres Rd. *Beb* —1F **141**
Acres Rd. *Meol* —4F **91**
Acreville Rd. *Wir* —2F **141**
Acton Clo. *Hay* —2C **48**
Acton Gro. *Liv* —5C **56**
Acton La. *Wir* —2C **92**
Acton Rake. *Boot* —5D **11**
Acton Rd. *Birk* —3A **120**
Acton Rd. *Btnwd* —5E **69**
Acton Rd. *Liv* —3C **22**
Acton Way. *Liv* —1C **100**
Acuba Gro. *Birk* —5E **97**
Acuba Rd. *Liv* —5C **80**
Adair Pl. *Liv* —4E **57**
Adair Rd. *Liv* —4E **57**
Adam Clo. *Liv* —2C **144**
Adam Rd. *St H* —2D **65**
Adamson St. *Liv* —4D **79**
Adam St. *Liv* —5F **55**
Adaston Av. *Wir* —1F **171**
Adcote Clo. *Liv* —3F **81**
Adcote Rd. *Liv* —3F **81**
Adderley Clo. *Run* —1C **166**
Adderley St. *Liv* —4B **78**
Addingham Av. *Wid* —5C **130**
Addingham Rd. *Liv* —4B **102**
Addington St. *Wall* —3D **75**
Addison Sq. *Wid* —3F **131**
Addison St. *Boot* —3A **34**
Addison St. *Liv* —3D **77** (2E **4**)
Addison Way. *Liv* —3D **77** (2E **4**)
Adelaide Av. *That H* —4E **65**
Adelaide Pl. *Liv* —2E **77**
Adelaide Rd. *Birk* —5C **96**
Adelaide Rd. *Kens* —4A **78**
Adelaide Rd. *S'frth* —1F **33**
Adelaide St. *Wall* —3B **74**
Adelaide Ter. *Liv* —4C **16**
Adela Rd. *Run* —5F **151**
Adele Thompson Dri. *Liv* —2A **100**
Adelphi St. *Birk* —3E **97**
Adkins St. *Liv* —5A **56**
Adlam Cres. *Liv* —1E **37**
Adlam Rd. *Liv* —1E **37**
Adlington Ho. *Liv* —3D **77** (2E **4**)
Adlington Rd. *Wind H* —5D **155**
Adlington St. *Liv* —3D **77** (2E **4**)
Admin Rd. *Know I* —5C **24**
Admiral Gro. *Liv* —4A **100**
Admiral St. *Liv* —4F **99**
Adrian's Way. *Liv* —3E **23**
Adshead Rd. *Liv* —4E **57**
Adstone Rd. *Liv* —4C **104**
Adswood Rd. *Liv* —3E **83**
A41 Expressway. *Birk* —1F **119**
Africander Rd. *St H* —5A **30**
Afton. *Wid* —2A **130**
Agar Rd. *Liv* —4F **57**
Agate St. *Liv* —1A **78**
Agincourt Rd. *Liv* —1C **80**
Agnes Gro. *Wall* —1C **74**
Agnes Rd. *Birk* —1D **119**
Agnes Rd. *Liv* —2C **16**
Agnes St. *Clo F* —3C **88**
Agnes Way. *Liv* —5B **78**
Aiden Long Gro. *Know P* —5E **61**
Aigburth. —4E **123**
Aigburth Dri. *Liv* —4C **100**
Aigburth Gro. *Wir* —1D **93**
Aigburth Hall Av. *Liv* —4F **123**
Aigburth Hall Rd. *Liv* —4A **124**
Aigburth Ho. *Liv* —1E **123**
Aigburth Rd. *Liv* —5B **100**
Aigburth St. *Liv* —1B **100**
Aigburth Vale. —2D **123**
Aigburth Va. *Liv* —2D **123**
(in two parts)
Ailsa Rd. *Wall* —1A **74**
Ainley Clo. *Brook* —5A **168**
Ainsdale Clo. *Brom* —5C **162**
Ainsdale Clo. *Liv* —5F **21**
Ainsdale Clo. *Thing* —2A **138**
Ainsdale Rd. *Boot* —2D **35**
Ainsworth Av. *Wir* —3C **92**
Ainsworth La. *Know B* —2B **40**
Ainsworth Rd. *Dent G* —3D **45**
Ainsworth St. *Liv* —5E **77** (5H **5**)
Aintree. —2C **20**
Aintree Clo. *Wir* —3F **71**
Aintree Ct. *Liv* —2C **20**
Aintree La. *Faz* —4F **21**
Aintree La. *Liv* —2C **20**
Aintree Racecourse. —4C **20**
Aintree Racecourse Retail Pk. *Ain R* —4B **20**
Aintree Rd. *Boot* —4D **35**
Aintree Rd. *Faz* —2D **37**
Aintree Way. *Ain R* —3C **20**
Airdale Clo. *Pren* —3C **94**
Airdale Rd. *Liv* —3E **101**
Airdrie Clo. *Wir* —2D **171**
Aire. *Wid* —2B **130**
Airegate. *Liv* —5B **6**
Airlie Gro. *Liv* —5D **57**
Airlie Rd. *Wir* —5B **90**
Aisthorpe Gro. *Liv* —3D **13**
Akbar, The. *Wir* —1C **156**
Akenside Ct. *Boot* —2A **34**
Akenside St. *Boot* —2A **34**
Alabama Way. *Birk* —3F **97**
Alamein Rd. *Liv* —2D **83**
Alan's Way. *Liv* —1E **23**
Alastair Cres. *Pren* —3F **117**
Alban Rd. *Liv* —1D **103**
Albany Av. *Ecc P* —4F **63**
Albany Rd. *Birk* —2E **119**
Albany Rd. *Kens* —4A **78**
Albany Rd. *Old S* —2A **80**
Albany Rd. *Prsct* —5E **63**
Albany Rd. *Walt* —1B **36**
Albany Ter. *Run* —5A **152**
Albemarle Rd. *Wall* —3D **75**
Alberta Gro. *Prsct* —1F **83**
Albert Dock. —1C 98 (7C 4)
Albert Dri. *Liv* —2F **35**
Albert Edward Rd. *Liv* —4A **78**
Albert Gro. *Cros* —1D **17**
Albert Gro. *W'tree* —1A **102**
Albert Pk. *Liv* —4B **100**
Albert Rd. *Birk* —5C **96**
Albert Rd. *Hoy* —5B **90**
Albert Rd. *Tue* —5D **57**
Albert Rd. *Wat* —4D **17**
Albert Rd. *W Kir* —5A **112**
Albert Rd. *Wid* —4B **132**
Albert Row. *Frod* —4B **172**
Albert Schweitzer Av. *Boot* —2F **19**
Albert Sq. *Wid* —4B **132**
Albert St. *Liv* —5A **78**
Albert St. *Run* —5A **152**
Albert St. *St H* —3A **46**
Albert St. *Wall* —2C **52**
Albert Ter. *C Grn* —2E **69**
Albion Pl. *Wall* —3B **52**
Albion St. *Birk* —3F **97**
(in two parts)
Albion St. *Liv* —5E **55**
Albion St. *St H* —5E **45**
(in two parts)
Albion St. *Wall* —3A **52**
Albourne Rd. *Liv* —5A **24**
Albury Clo. *Hay* —1C **48**
Albury Clo. *Liv* —1F **59**
Albury Rd. *Liv* —1F **39**
Alcester Rd. *Liv* —5C **58**
Alcock St. *Run* —4A **152**
Aldams Gro. *Liv* —2E **55**
Aldbourne Av. *Liv* —4E **103**
Aldbourne Clo. *Liv* —5E **103**
Alder Av. *Liv* —1A **106**
Alder Av. *Wid* —1A **132**
Alder Clo. *Prsct* —5F **63**
Alder Cres. *Liv* —2D **23**
Alderfield Dri. *Liv* —3F **147**
Alder Gro. *Liv* —3D **17**
Alder Hey Rd. *St H* —5C **44**
Alder La. *Btnwd* —4F **69**
Alder La. *Crank* —1F **29**
Alder La. *Know* —1B **60**
(in two parts)
Alder La. *Wid* —5F **107**
Alderley Av. *Birk* —2F **95**
Alderley Clo. *Bil* —1E **31**
Alderley Rd. *Wall* —3B **74**
Alderley Rd. *Wir* —4B **90**
Alderley Rd. N. *Wir* —4B **90**
Alderney Rd. *Liv* —1C **76**
Alder Rd. *Liv* —2B **80**
Alder Rd. *Prsct* —5F **63**
Alder Rd. *Wir* —3D **141**
Aldersey Clo. *Wind H* —1D **169**
Aldersgate. *Birk* —2F **119**
Aldersgate Av. *Murd* —3D **169**
Aldersgate Dri. *Liv* —1A **148**
Aldersley St. *Liv* —3D **77** (1F **5**)
Alderson Rd. *Liv* —2D **101**
Alderville Rd. *Liv* —1C **56**
Alder Wood Av. *Liv* —4E **147**
Alderwood Lodge. *Liv* —4A **148**
Aldford Clo. *Pren* —2E **117**
Aldford Clo. *Wir* —4B **162**
Aldford Rd. *Liv* —1E **39**
Aldridge Clo. *Liv* —5E **39**
Aldridge Dri. *Btnwd* —4F **69**
Aldrins La. *Boot* —1F **19**
Aldwark Rd. *Liv* —2A **82**
Aldwych Rd. *Liv* —5C **58**
Aldykes. *Liv* —2E **13**
Alexander Dri. *Liv* —4D **7**
Alexander Dri. *Wid* —4D **131**
Alexander Dri. *Wir* —4E **137**
Alexander Fleming Av. *Boot* —1F **19**
Alexander Grn. *Liv* —2E **83**
Alexander Ho. *S'frth* —1F **33**
Alexander Wlk. *Liv* —3F **55**
Alexander Way. Liv —5F 99
(off Pk. Hill Rd.)
Alexandra Clo. *Liv* —3B **78**
Alexandra Ct. *That H* —3D **65**
Alexandra Ct. *Wall* —3A **52**
Alexandra Dri. *Birk* —3E **119**
Alexandra Dri. *Boot* —2E **35**
Alexandra Dri. *Liv* —5B **100**
Alexandra Dri. *St H* —2D **65**
Alexandra Grn. *Liv* —5B **100**
Alexandra Gro. *Run* —1C **166**
Alexandra Ho. *Liv* —5B **100**
Alexandra Ind. Est. *Wid* —5F **131**
Alexandra M. *Frod* —4B **172**
Alexandra Mt. *Liv* —5B **18**
Alexandra Pk. *Liv* —1B **122**
Alexandra Rd. *Cros* —1D **17**
Alexandra Rd. *Edg H* —1C **100**
Alexandra Rd. *Gars* —5C **124**
Alexandra Rd. *Old S* —4A **80**
Alexandra Rd. *Pren* —4B **96**
Alexandra Rd. *Wall* —3A **52**
Alexandra Rd. *Wat* —5E **17**
Alexandra Rd. *Wir* —5A **112**
Alexandra St. *St H* —2D **65**
Alexandra St. *Wid* —5A **132**
Alexandra Vs. *Liv* —5B **18**
Alex Clo. *Liv* —3F **99**
Alfonso Rd. *Liv* —3D **55**
Alford Av. *Sut M* —2B **88**
Alforde St. *Wid* —5A **132**
(in two parts)
Alford St. *Liv* —4D **79**
Alfred Clo. *Wid* —4B **132**
Alfred M. *Liv* —2E **99**
Alfred Pl. *Liv* —5A **100**
Alfred Rd. *Hay* —1F **49**
Alfred Rd. *Pren* —4C **96**
Alfred Rd. *Wall* —5E **75**
Alfred Stocks Ct. *Liv* —1A **122**
Alfred St. *Liv* —1D **101**
Alfred St. *St H* —4B **46**
Alfred St. *Wid* —4B **132**
Alfriston Rd. *Liv* —5C **58**
Algernon St. *Run* —4F **151**
Alice Ct. *Wid* —3A **152**
Alice St. *St H* —3E **67**
Alicia Wlk. *Liv* —1B **38**
Alison Av. *Birk* —1F **119**
Alison Pl. *Liv* —4E **57**
Alison Rd. *Liv* —4E **57**
Alistair Dri. *Wir* —5C **162**
Allangate Clo. *Wir* —2C **114**
Allangate Rd. *Liv* —4A **124**
Allan Rd. *St H* —1C **46**
Allanson St. *St H* —1D **67**
Allcot Av. *Birk* —2D **119**
Allenby Av. *Liv* —3F **17**
Allenby Sq. *Liv* —4F **79**
Allendale. *Run* —4B **168**
Allendale Av. *Liv* —1B **36**
Allendale Av. *Rain* —3D **87**
Allen Ga. *Liv* —5E **9**
Allen Rd. *West P* —3D **165**
Allerford Rd. *Liv* —4C **58**
Allerton. —4E **125**
Allerton Beeches. *Liv* —1C **124**
Allerton Dri. *Liv* —5B **102**
Allerton Gro. *Birk* —1D **119**
Allerton Pk. Golf Course. —2E 125
Allerton Rd. *Aller & Moss H* —4A **102**
Allerton Rd. *Birk* —5D **97**
Allerton Rd. *Wall* —5A **52**
Allerton Rd. *Wid* —3B **132**
Allerton Rd. *Wltn* —2A **126**
Allesley Rd. *Liv* —1F **81**
Alleyne Rd. *Liv* —3D **57**
Allington St. *Liv* —1B **122**
Allonby Clo. *Pren* —5E **95**
Allport La. *Wir* —2D **163**
Allport La. Precinct. *Wir* —1D **163**
Allport Rd. *Wir* —4C **162**
Allports, The. *Wir* —3D **163**
All Saints Clo. *Boot* —2E **19**
All Saints Rd. *Liv* —4C **146**
Alma Clo. *Liv* —1B **38**
Almacs Clo. *Liv* —2B **16**
Alma Dale Ter. *Boot* —5B **34**
Alman Ct. *Liv* —1B **122**
Alma Pl. *St H* —1C **66**
Alma Rd. *Liv* —4E **123**
Alma St. *Birk* —3E **97**
Alma St. *St H* —1C **66**
Alma St. *Wir* —5A **120**
Alma Ter. *Liv* —1F **101**
Almeda Rd. *Liv* —5A **148**
Almond Av. *Boot* —2C **18**
Almond Av. *Run* —2C **166**
Almond Clo. *Hay* —3F **47**
Almond Clo. *Liv* —5E **127**
Almond Ct. *Liv* —2E **145**
Almond Dri. *Btnwd* —5F **69**
Almond Gro. *Wid* —4D **131**
Almond Pl. *Wir* —1F **93**
Almond's Grn. *Liv* —3A **58**
Almond's Gro. *Liv* —4A **58**
Almond's Pk. *W Der* —3A **58**
Almonds Turn. *Boot* —1D **19**
Almond Tree Clo. *Hale V* —5E **149**
Almond Way. *Wir* —2C **114**
Alness Dri. *Rain* —4D **87**
Alnwick Dri. *Wir* —1B **92**
Aloeswood Clo. *Liv* —1B **78**
Alpass Rd. *Liv* —1B **122**
Alpha Dri. *Birk* —3A **120**
Alpha St. *Liv* —3B **34**
Alpine Clo. *St H* —4C **44**
Alpine St. *Newt W* —5F **49**
Alresford Rd. *Liv* —4F **123**
Alroy Rd. *Liv* —4A **56**
Alscot Av. *Liv* —1A **38**
Alscot Clo. *Liv* —2D **13**
Alston Clo. *Wir* —1C **162**
Alstonfield Rd. *Liv* —2A **82**
Alston Rd. *Liv* —4E **123**
Alt. *Wid* —2B **130**
Alt Av. *Liv* —3C **12**
Altbridge Pk. *Liv* —4A **38**
(in two parts)
Altbridge Rd. *Liv* —2D **83**
Altcar Av. *Liv* —2C **100**
Altcar Dri. *Wir* —2D **93**
Altcar La. *Lyd* —2A **6**
Altcar Rd. *Boot* —3C **34**
Alt Ct. *Liv* —5E **15**
Altcross Rd. *Liv* —4C **38**
Altcross Way. *Liv* —4C **38**
Altfield Rd. *Liv* —4F **59**
Altfield Way. *Liv* —4F **59**
Altfinch Clo. *Liv* —4A **60**
Altham Rd. *Liv* —4F **57**
Althorp St. *Liv* —1F **121**
Altmoor Rd. *Liv* —1D **83**
Alton Av. *Liv* —4A **18**
Alton Rd. *Liv* —1D **79**
Alton Rd. *Pren* —4A **96**
Alt Pk. —1D 83
Alt Rd. *Boot* —3C **34**
Alt Rd. *Huy* —3E **83**
Altside Ct. *Liv* —1B **38**
Alt St. *Liv* —2B **100**
Altway. *Liv* —2C **20**
Altway Ct. Liv —2C 20
(off Altway)
Alundale Ct. *Boot* —5C **34**
Alundale Rd. *Liv* —1E **81**
Alvanley Grn. *Liv* —3C **22**
Alvanley Pl. *Pren* —3C **96**
Alvanley Rd. *Kirkby* —3C **22**
Alvanley Rd. *W Der* —1C **80**
Alvanley Ter. *Frod* —5B **172**
Alva Rd. *Rain* —4D **87**
Alvega Clo. *Wir* —5C **120**
Alverstone Av. *Birk* —2F **95**
Alverstone Rd. *Liv* —4F **101**
Alverstone Rd. *Wall* —3D **75**
Alverton Clo. *Wid* —4D **131**
Alvina La. *Kirkby* —5F **15**
Alvina La. *Kirk* —4E **55**
Alwain Grn. *Liv* —5F **147**
Alwen St. *Birk* —5F **73**
Alwyn Av. *Liv* —4B **18**
Alwyn Clo. *Liv* —1B **122**
Alwyn Gdns. *Wir* —1F **93**
Alwyn St. *Liv* —1B **122**
Alyssum Ct. *Beech* —1F **173**
Amanda Rd. *Liv* —1B **38**
Amanda Rd. *Rain* —1B **86**
Amanda Way. *Liv* —1B **22**
Amaury Clo. *Liv* —5B **10**
Amaury Rd. *Liv* —5B **10**
Ambassador Dri. *Liv* —3A **128**
Ambergate Clo. *St H* —4D **67**
Ambergate Rd. *Liv* —5B **124**
Amberley Av. *Wir* —2C **92**
Amberley Clo. *Liv* —4D **57**
Amberley Clo. *Wir* —2C **92**
Amberley St. *Liv* —2A **100**
Amber Way. *Liv* —4A **60**
Ambleside Av. *Wir* —1D **93**
Ambleside Clo. *Beech* —5E **167**
Ambleside Clo. *Brom* —3E **163**
Ambleside Clo. *Thing* —1A **138**
Ambleside Pl. *St H* —4B **30**
Ambleside Rd. *Aller* —3D **125**
Ambleside Rd. *Mag* —5D **7**
Amelia Clo. *Liv* —3F **77**
Amelia Clo. *Wid* —5B **110**
Amersham Rd. *Liv* —1C **56**
(in two parts)
Amery Gro. *Birk* —2B **118**
Amethyst Clo. *Eve* —2B **78**
Amethyst Clo. *Liv* —5C **18**
Amherst Rd. *Liv* —2C **122**
Amity St. *Liv* —4F **99**
Amos Av. *Liv* —5C **18**
Ampleforth Clo. *Liv* —4C **22**
Ampthill Rd. *Liv* —2C **122**
Ampulla Rd. *Liv* —5C **38**
Amusement Pk. —2B 52
(New Brighton)
Amy Wlk. *Liv* —1B **38**
Ancaster Rd. *Liv* —2C **122**
Ancholme Clo. *Whis* —5A **64**
Anchorage La. *Liv* —1E **123**
Anchorage, The. *Liv* —3D **99**
Anchor Clo. *Murd* —4D **169**
Ancient Meadows. *Liv* —1B **36**
Ancroft Rd. *Liv* —3A **82**
Ancrum Rd. *Liv* —4D **15**
Anders Dri. *Liv* —5F **15**
Anderson Av. *Boot* —3A **34**
Anderson Clo. *Rain* —5D **87**
Anderson Clo. *Wir* —1A **138**
Anderson Ct. *Brom* —4D **163**
Anderson Rd. *Liv* —4D **19**
Anderson St. *Liv* —5E **55**
(in two parts)
Anderson Way. *Liv* —4D **19**
Anderton Ter. *Liv* —4C **82**
Andover Way. *Liv* —5D **127**
Andrew Av. *Liv* —2A **22**
Andrew Clo. *Wid* —4C **130**
Andrew St. *Liv* —2F **55**
Andrew's Wlk. *Wir* —2B **158**
Andromeda Way. *St H* —4A **68**
Anemone Way. *St H* —4A **68**
Anfield. —4A **56**
Anfield. —4A 56
Anfield Rd. *Liv* —4F **55**
Angela St. *Liv* —1B **100**
Angers La. *Liv* —4B **14**
Anglesea Rd. *Liv* —5F **35**
Anglesea Way. *Liv* —5F **99**
Anglesey Rd. *Wall* —1B **74**
Anglesey Rd. *Wir* —3A **112**
Anglezark Clo. *Liv* —4B **78**
Anglican Ct. *Liv* —2E **99**
Anglo Clo. *Liv* —5C **20**
Angus Rd. *Liv* —3F **57**
Angus Rd. *Wir* —4C **162**
Annandale Clo. *Liv* —4D **15**
Anne Gro. *St H* —4C **66**
Annesley Rd. *Liv* —2C **122**
Annesley Rd. *Wall* —3C **74**
Anne St. *Clo F* —3D **89**
Annie Rd. *Boot* —2D **35**
Ann St. *Run* —4B **152**
Ann St. W. *Wid* —5B **132**
Anscot Av. *Wir* —1F **141**
Ansdell Dri. *Ecc* —3B **44**
Ansdell Rd. *Wid* —2B **132**
Ansdell Vs. Rd. *Rain* —2C **86**
Anson Pl. *Liv* —4F **77** (4J **5**)
Anson St. *Liv* —4E **77** (4J **5**)
Anson Ter. *Liv* —4F **77** (4J **5**)
Anstey Clo. *Wir* —5B **70**
Anstey Rd. *Liv* —3B **80**
Ansty Clo. *St H* —2D **47**
Anthony's Way. *Wir* —3A **158**
Anthorn Clo. *Pren* —5D **95**
Antonio St. *Boot* —2D **55**
Antons Clo. *Liv* —1F **147**
Antons Rd. *Liv* —1F **147**
Antons Rd. *Wir* —2A **138**
Antrim Clo. *Hay* —2C **48**
Antrim St. *Liv* —4E **57**
Anvil Clo. *Boot* —4B **34**
Anzacs, The. *Wir* —1C **142**
Anzio Rd. *Liv* —2D **83**
Apollo Cres. *Liv* —1E **23**
Apollo Way. *Boot* —1F **19**
Apostles Way. *Kirkby* —5D **15**
Appin Rd. *Birk* —4E **97**
Appleby Clo. *Wid* —4C **130**
Appleby Dri. *Boot* —2C **18**
Appleby Grn. *Liv* —5D **59**
Appleby Gro. *Wir* —4D **163**
Appleby Lawn. *Liv* —5A **106**
Appleby Rd. *Liv* —5A **106**
(L27)
Appleby Rd. *Liv* —1D **23**
(L33)
Appleby Rd. *Wid* —4C **130**
Appleby Wlk. *Liv* —5A **106**
Appleby Wlk. *Wid* —4C **130**
Applecorn Clo. *Sut L* —5D **67**
Apple Ct. Liv —3B 78
(off Coleridge St.)
Appledore Ct. *Liv* —3B **146**
Appledore Gro. *Sut L* —1C **88**
Apple Gth. *Wir* —3C **92**
Appleton. —3B **132**
Appleton Dri. *Wir* —1E **115**
Appleton Rd. *Lith* —4A **18**
Appleton Rd. *St H* —2C **66**
Appleton Rd. *Walt* —2A **56**
Appleton Rd. *Wid* —3B **132**
Appleton St. *Wid* —1B **152**
Appleton Village. *Wid* —3A **132**
Appletree Clo. *Aller* —3B **124**
Apple Tree Clo. *Hale V* —5E **149**
Apple Tree Clo. *Stock V* —3B **60**
April Gro. *Liv* —1D **79**
April Ri. *Boot* —2E **19**
Apsley Av. *Wall* —5B **52**

Baker St.—Belvedere Clo.

Baker St. Liv —3A 78
(L6)
Baker St. Liv —4A 84
(L36)
Baker St. St H —5C 46
Baker Way. Liv —3A 78
Bakewell Gro. Liv —1B 36
Bakewell Rd. Btnwd —4F 69
Bala Gro. Wall —3A 74
Bala St. Liv —5B 56
Balcarres Av. Liv —4F 101
Baldwin Av. Liv —1E 103
Baldwin St. St H —4A 46
Bales, The. Boot —1A 20
Balfe St. Liv —2A 34
Balfour Av. Boot —3B 34
Balfour Rd. Boot —3B 34
Balfour Rd. Pren —4B 96
Balfour Rd. Wall —3A 74
Balfour St. Liv —4F 55
Balfour St. Run —1F 165
Balfour St. St H —5D 45
Balham Clo. Wid —5A 110
Balharry Av. Hay —1F 49
Balker Dri. St H —3F 45
Ballantrae Rd. Liv —1B 124
Ballantyne Dri. Pren —5C 72
Ballantyne Gro. Boot —2E 35
Ballantyne Gro. Liv —4E 57
Ballantyne Pl. Liv —5E 57
Ballantyne Rd. Liv —5E 57
Ballantyne Wlk. Pren —5C 72
Ballard Rd. Wir —3F 113
Ball Av. Wall —3A 52
Balliol Clo. Pren —5C 72
Balliol Ct. Boot —1C 54
Balliol Gro. Liv —3B 16
Balliol Rd. Boot —1C 54
Balliol Rd. E. Boot —1D 55
Ball o' Ditton. —3D 131
Ball Path. Wid —3F 131
Ball Path Way. Wid —3E 131
Ball's Rd. Pren —5B 96
Balls Rd. E. Birk —4C 96
Ball St. St H —4D 47
Balmer St. That H —3D 65
Balmoral Av. Liv —2E 17
Balmoral Av. St H —4C 66
Balmoral Clo. Liv —5E 15
Balmoral Ct. Liv —1E 79
Balmoral Gdns. Pren —3F 117
Balmoral Rd. Fair —2C 78
Balmoral Rd. Wall —2B 52
Balmoral Rd. Walt —2A 36
Balmoral Rd. Wid —5A 110
Balm St. Liv —4B 78
Balniel St. Clo F —3D 89
Balsham Clo. Liv —5C 126
Baltic Rd. Boot —5B 34
Baltic St. Liv —4F 55
Baltimore St. Liv —1E 99 (7H 5)
Bamboo Clo. Liv —3E 105
Bamford Clo. Run —3C 166
Bampton Av. St H —4B 30
Bampton Rd. Liv —1D 103
Banbury Av. Liv —2C 126
Banbury Way. Pren —2E 117
Bancroft Clo. Liv —4C 126
Bancroft Rd. Wid —2D 133
Bandon Clo. Hale V —5D 149
Banff Av. Wir —5D 163
Bangor Rd. Wall —5D 51
Bangor St. Liv —1C 76
Bankburn Rd. Liv —5E 57
Bank Dene. Birk —4A 120
Bankes La. West & West P
(in two parts) —4E 165
Bankfield Ct. Liv —1F 79
Bankfield Rd. Liv —5F 57
Bankfield Rd. Wid —3B 130
Bankfield St. Liv —3B 54
Bankhall La. Liv —3C 54
Bankhall St. Liv —3C 54
Bankland Rd. Liv —1F 79
Bank La. Mell —3C 14
Bank Rd. Boot —5B 34
Bank's Av. Wir —3D 91
Bankside. Pres B —3E 169
Bankside Rd. Birk —4F 119
Bank's La. Gars —3D 145
Banks La. Speke —5F 145
Banks Rd. Hes —3D 157
Bank's Rd. Liv —2C 144
Banks Rd. W Kir —4A 112
Banks, The. Wall —4E 51
Bank St. Birk —3E 97
Bank St. Newt W —5F 49
Bank St. St H —5E 45
Bank St. Wid —3A 152
Bank's Way. Liv —3D 145
Bankville Rd. Birk —1D 119
Banner Hey. Whis —5D 85
Bannerman St. Liv —1C 100
Banner St. Liv —2D 101
Banner St. St H —5F 45
Banner Wlk. St H —5E 45
(off Banner St.)
Banning Clo. Birk —2D 97
Banstead Gro. Liv —2B 102
Barbara Av. Liv —1A 38
Barbara St. Clo F —3E 89
Barberry Clo. Wir —1B 92
Barberry Cres. Boot —1A 20
Barber St. St H —4C 46
Barbour Dri. Boot —2E 35
Barbrook Way. Liv —5B 36
Barchester Dri. Liv —3C 122
Barclay St. Liv —5F 99
Barcombe Rd. Wir —1D 159
Bardley Cres. Tarb G —2A 106
Bardon Clo. Liv —4C 104
Bardsay Rd. Liv —2F 55
Barford Clo. Pren —3B 94
Barford Grange. Will —5B 170
Barford Rd. Hunts X —1B 146
Barford Rd. Huy —5F 61
Barington Dri. Murd —3E 169
Barkbeth Rd. Liv —1C 82
Barkbeth Wlk. Liv —1C 82
Barkeley Dri. Liv —2F 33
Barker Clo. Liv —1F 105
Barker La. Wir —2C 114
(in three parts)
Barker Rd. Wir —1F 137
Barker's Hollow Rd.
Dut & Pres H —4F 169
Barkerville Clo. Liv —4D 57
Barker Way. Liv —1B 78
Barkhill Rd. Liv —3F 123
Barkin Cen., The. Wid —4C 132
Barkis Clo. Liv —4F 99
Bark Rd. Liv —4C 18
Barleyfield. Wir —3F 137
Barlow Av. Wir —1A 142
Barlow Gro. St H —1A 68
Barlow La. Liv —3E 55
Barlow's Clo. Liv —5D 21
Barlow's La. Liv —5D 21
Barlow St. Liv —3E 55
Barmouth Rd. Wall —5D 51
Barmouth Way. Liv —5C 54
Barnacre La. Wir —3C 92
Barnard Rd. Pren —4B 96
Barn Clo. Boot —1A 20
Barncroft. Nort —2D 169
Barncroft Pl. Liv —4E 9
Barn Cft. Rd. Liv —5A 128
Barncroft, The. Wir —5D 93
Barndale Rd. Liv —5F 101
Barnes Clo. Wid —2D 133
Barnes Dri. Liv —3C 6
Barnes Grn. Wir —5A 142
Barnes Rd. Wid —2C 132
Barnes St. Liv —1A 78
Barneston Rd. Wid —1E 133
Barnet Clo. Liv —1C 100
Barnett Av. Newt W —5E 49
Barnfield Av. Murd —5C 168
Barnfield Clo. Boot —3E 19
Barnfield Clo. Liv —5B 58
Barnfield Clo. Wir —2E 91
Barnfield Dri. Liv —5B 58
Barnham Clo. Liv —3B 146
Barnham Dri. Liv —2E 103
Barn Hey. Wir —1A 112
Barn Hey Cres. Wir —3F 91
Barn Hey Grn. Liv —5B 58
Barn Hey Rd. Liv —3A 24
Barnhill Rd. Liv —3A 102
Barnhurst Clo. Liv —2E 103
Barnhurst Rd. Liv —2E 103
Barn La. Btnwd —5F 69
Barnmeadow Rd. Liv —4A 104
Barnsbury Rd. Liv —1B 56
Barnsdale Av. Wir —2B 138
Barnside Ct. Liv —2E 103
Barnston. —3C 138
Barnston La. Wir —5E 71
Barnston Rd. Hes & Thing
—5B 116
Barnston Rd. Liv —1A 36
Barnston Towers Clo. Wir
—2C 158
Barnstream Clo. Liv —3C 104
Barn St. Wid —1A 152
Barnwell Av. Wall —1B 74
Barnwood Rd. Liv —2B 82
Baroncroft Rd. Liv —5F 103
Barons Clo. Cas —1F 167
Barons Clo. Wid —4C 130
Barons Hey. Liv —3F 59
Barren Gro. Pren —5B 96
Barrington Rd. Liv —3E 101
Barrington Rd. Wall —3C 74
Barrow Clo. Liv —2C 58
Barrowfield Rd. Ecc —3A 44
Barrows Cotts. Whis —3E 85
Barrow's Green. —5E 111
Barrows Grn. La. Wid —2E 133
Barrow's Row. Wid —5B 110
Barrow St. St H —5A 46
Barr St. Liv —3C 54
Barrymore Rd. Liv —3F 79
Barrymore Rd. Run —3B 166
Barrymore Way. Wir —4B 162
Bartholomew Clo. Rain —5E 87
Bartlegate Clo. Brook —5B 168
Bartlett St. Liv —2D 101
Barton Clo. Liv —3A 18
Barton Clo. Murd —3D 169
Barton Clo. St H —4F 45
Barton Clo. Wir —5A 90
Barton Clough. Bil —1E 31
Barton Hey Dri. Wir —3C 134
Barton Rd. Liv —4F 35
Barton Rd. Wir —5A 90
Barwell Av. St H —2C 46
Basil Clo. Liv —1D 103
Basildon Clo. St H —4E 65
Basil Rd. Liv —1D 103
Basing St. Liv —5C 124
Baskervyle Clo. Wir —4A 158
Baskervyle Rd. Wir —4A 158
Basnett St. Liv —5D 77 (5E 5)
Bassendale Rd. Croft B —5E 143
Bassenthwaite Av. Liv —1D 23
Bassenthwaite Av. Pren —4D 95
Bassenthwaite Av. St H —5A 30
Batchelor St. Liv —4C 76 (4D 4)
(in two parts)
Bates Cres. St H —3D 65
Batey Av. Rain —2B 86
Batherton Clo. Wid —5B 132
Bathgate Way. Liv —4D 15
Bath St. Liv —4B 76 (2A 4)
Bath St. St H —5F 45
Bath St. Wat —5D 17
Bath St. Wir —2B 142
Bathurst Rd. Liv —5B 124
Batley St. Liv —3A 80
Battenberg St. Liv —4A 78
Battersea Ct. Wid —1E 131
Battery Clo. Liv —2C 122
Baucher Dri. Boot —1E 35
Baumville Dri. Wir —5F 141
Baxter Clo. Murd —3D 169
(in two parts)
Baxters La. St H —3D 67
Baxters La. Ind. Est. St H
—3D 67
Baycliffe Clo. Beech —5D 167
Baycliff Rd. Liv —3E 59
Bayfield Rd. Liv —5A 124
Bayhorse La. Liv —4F 77 (3J 5)
Baysdale Clo. Liv —5F 99
Bayswater Clo. Run —3F 155
Bayswater Ct. Wall —5D 51
Bayswater Gdns. Wall —4D 51
Bayswater Rd. Wall —5D 51
Baythorne Rd. Liv —1C 56
Baytree Rd. Birk —1E 119
Baytree Rd. Wir —4F 113
Bay Vw. Dri. Wall —4D 51
Bayvil Clo. Murd —3E 169
Beach Bank. Liv —3C 16
Beachcroft Rd. Wir —2E 91
Beach Gro. Wall —4C 52
Beach Lawn. Liv —4C 16
Beach Rd. Liv —5A 18
(in two parts)
Beach Rd. Wir —5A 90
Beach Wlk. Wir —1B 134
Beacon Ct. Liv —5F 55
Beacon Dri. Wir —4C 112
Beacon Gro. St H —2D 47
Beacon Hill Vw. West P
—2D 165
Beacon Ho. Liv —2E 77
Beacon La. Liv —5F 55
Beacon La. Wir —2A 158
Beacon Pde. Wir —2A 158
Beaconsfield. Prsct —5D 63
Beaconsfield Clo. Birk —1E 119
Beaconsfield Cres. Wid —5A 110
Beaconsfield Gro. Wid —5B 110
Beaconsfield Rd. Dent G —3C 44
Beaconsfield Rd. Run —2E 165
Beaconsfield Rd. S'frth —1F 33
Beaconsfield Rd. Wid —1B 132
Beaconsfield Rd. Wir —5B 120
Beaconsfield Rd. Wltn —1E 125
Beaconsfield St. Liv —3A 100
Beacons, The. Wir —3A 158
Beames Clo. Liv —5C 78
Beamont St. Wid —3A 152
Beatles Story, The. —1C 98
Beatrice Av. Wir —5E 119
Beatrice St. Boot —2D 55
Beattock Clo. Liv —4D 15
Beatty Clo. Whis —4D 85
Beatty Clo. Wir —3C 134
Beatty Rd. Liv —3A 80
Beauclair Dri. Liv —2B 102
Beaufort Clo. Run —3B 166
Beaufort Clo. Wid —4A 130
Beaufort Dri. Wall —1E 73
Beaufort Rd. Birk —5F 73
Beaufort St. Liv —3E 99
(Hill St.)
Beaufort St. Liv —4E 99
(Northumberland St.)
Beaufort St. Liv —3E 99
(Stanhope St.)
Beaufort St. St H —2C 66
Beau La. Liv —2E 77 (1G 5)
Beaumaris Ct. Pren —4B 96
Beaumaris Dri. Hes —1B 138
Beaumaris Rd. Wall —5D 51
Beaumaris St. Liv —3B 54
(in two parts)
Beaumont Av. St H —4C 44
Beaumont Dri. Liv —4E 21
Beaumont St. Liv —2B 100
Beau St. Liv —2E 77 (1G 5)
Beauworth Av. Wir —1C 114
Beaver Gro. Liv —2A 36
Bebington. —5B 120
Bebington Rd. Beb —1A 142
Bebington Rd. Birk —2D 119
Bebington Rd. New F & Port S
(in two parts) —5A 120
Bechers. Wid —1B 130
Bechers Dri. Ain R —3B 20
Bechers Row. Liv —2F 35
Beck Clo. Liv —1B 38
Beckenham Av. Liv —4F 101
Beckenham Rd. Wall —2B 52
Becket St. Liv —3D 55
(in two parts)
Beckett Clo. Liv —5C 24
Beckett Gro. Wir —5D 119
Beck Gro. St H —5B 30
Beck Rd. Boot —3C 34
Beckwith St. Birk —1B 96
Beckwith St. Liv —1C 98 (7E 4)
Beckwith St. E. Birk —2D 97
Becky St. Liv —1B 78
Becontree Rd. Liv —2D 81
Bective St. Liv —1C 100
Bedale Wlk. Liv —1F 23
Bedburn Dri. Liv —3A 82
Bede Clo. Liv —4E 15
Bedford Av. Birk —3E 119
Bedford Av. Liv —4E 13
Bedford Clo. Edg H —1F 99
Bedford Clo. Huy —3A 84
Bedford Ct. Birk —2F 119
Bedford Dri. Birk —3D 119
Bedford Pl. Birk —2A 120
Bedford Pl. Boot —2B 54
Bedford Pl. Liv —1F 33
Bedford Rd. Birk —2F 119
Bedford Rd. Boot & Liv —2C 54
Bedford Rd. Wall —5B 52
Bedford Rd. E. Birk —2A 120
Bedford St. Parr I & St H
—1D 67
Bedford St. N. Liv —5F 77
Bedford St. S. Liv —1F 99
(in two parts)
Bedford Wlk. Liv —1F 99
Beecham Clo. Liv —5D 83
Beech Av. Aig —2A 122
Beech Av. Clo F —2C 88
Beech Av. Cros —4A 10
Beech Av. Ecc P —4F 63
Beech Av. Frod —5C 172
Beech Av. Hay —1F 49
Beech Av. Hes —3A 138
Beech Av. Mell —2A 22
Beech Av. Upt —3D 93
Beechbank Rd. Liv —4E 101
Beechburn Cres. Liv —3B 82
Beechburn Rd. Liv —3A 82
Beech Clo. Kirkby —2C 22
Beech Clo. W Der —5A 39
Beech Ct. Birk —5D 97
Beech Ct. Liv —1C 124
Beechcroft. Liv —1C 12
Beechcroft Rd. Wall —4C 74
Beechdale Rd. Liv —5A 102
Beechdene Rd. Liv —4B 56
Beeches, The. Birk —3F 119
Beeches, The. Liv —4D 103
Beeches, The. Wir —3E 71
Beechfield. Liv —1E 13
Beechfield Clo. Wir —3A 158
Beechfield Rd. Liv —5D 103
Beech Grn. Liv —3A 58
Beech Gro. Boot —3A 20
Beech Gro. S'frth —2F 33
Beech Gro. Walt —2B 36
Beech Hey La. Will —4B 170
Beechill Clo. Liv —5C 104
Beech La. Liv —4C 102
Beech Lawn. Liv —5F 123
Beech Lodge. Pren —4D 95
Beech Meadows. Prsct —1A 84
Beech Mt. Liv —4C 78
Beech Pk. Cros —4F 9
Beech Pk. W Der —5A 58
Beech Rd. Beb —5F 119
Beech Rd. Birk —5C 96
Beech Rd. Hes —2C 158
Beech Rd. Huy —5E 83
Beech Rd. Run —2C 166
Beech Rd. Sut W —1B 174
Beech Rd. Walt —1A 56
Beech St. Boot —4C 34
Beech St. Liv —4C 78
Beech St. St H —3D 65
Beech Ter. Liv —4C 78
Beech Ter. Wid —3A 152
Beechtree Rd. Liv —5B 80
Beechurst Clo. Liv —4B 104
Beechurst Rd. Liv —4B 104
Beechwalk, The. Liv —2B 80
Beechway. Liv —1B 14
Beechway. Wir —4F 141
Beechway Av. Liv —1B 14
Beechwood. —5D 167
(nr. Runcorn)
Beechwood. —1C 94
(nr. Wallasey)
Beechwood Av. Beech —4C 166
Beechwood Av. Liv —5E 127
Beechwood Av. Wall —1E 73
Beechwood Clo. Clo F —2C 88
Beechwood Clo. Liv —5F 123
Beechwood Ct. Liv —1E 13
Beechwood Ct. Wir —3B 116
Beechwood Dri. Pren —2C 94
Beechwood Gdns. Liv —5F 123
Beechwood Grn. Liv —5A 124
Beechwood Gro. Prsct —2E 85
Beechwood Rd. Cress —5F 123
Beechwood Rd. Lith —2B 34
Beechwood Rd. Wir —2C 162
Beesands Clo. Liv —5F 105
Beesley Rd. Prsct —5C 62
Beeston Clo. Pren —3C 94
Beeston Ct. Mnr P —3C 154
Beeston Dri. Boot —5B 12
Beeston Dri. Wir —3F 137
Beeston Gro. Liv —5A 124
Beeston St. Liv —2E 55
Begonia Gdns. St H —4A 68
Beilby Rd. Hay —1F 49
Beldale Pk. Liv —1B 22
Beldon Cres. Liv —3B 82
Belem Clo. Liv —4C 100
Belem Tower. Liv —4B 100
Belfast Rd. Liv —3B 80
Belfield Cres. Liv —5E 83
Belfield Dri. Pren —1B 118
Belford Dri. Wir —1B 92
Belfort Rd. Liv —5B 104
Belfry Clo. Liv —5E 59
Belfry Clo. Wir —5B 70
Belgrave Av. Wall —2C 74
Belgrave Clo. Wid —1E 133
Belgrave Rd. Aig —1B 122
Belgrave Rd. S'frth —1F 33
Belgrave St. Wall —1B 74
Belgravia Ct. Wid —1F 131
Belhaven Rd. Liv —4F 101
Bellair Av. Liv —1A 18
Bellairs Rd. Liv —3E 57
Bellamy Rd. Liv —1E 55
Bell Clo. Liv —1F 105
Belldene Gro. Wir —5F 137
Bellefield Av. Liv —5B 58
Belle Va. Rd. Liv —5B 104
Belle Va. Shop. Cen. Liv
—3B 104
Belle Vale Swimming Pool.
—4C 104
Belle Vw. Rd. Wall —4D 75
Belle Vue Rd. Liv —5B 104
Bellew Rd. Liv —4F 57
Bellfield Cres. Wall —3A 52
Bellgreen Rd. Liv —1A 58
Bell Ho. Rd. Wid —3C 132
Bellingham Dri. Run —2A 166
Bellini Clo. Liv —2A 34
Bellis Gro. Liv —5D 15
Bell La. Rain & Sut M —4A 88
Bellmore St. Liv —5B 124
Bell Rd. Wall —3D 75
Bell's Clo. Liv —3B 6
Bells La. Liv —4A 6
Bell St. Liv —3A 80
Bellward Clo. Wir —5F 141
Belmont. Birk —4C 96
Belmont Av. Wir —1C 162
Belmont Dri. Liv —1C 78
Belmont Dri. Wir —4A 138
Belmont Gro. Liv —1B 78
Belmont Gro. Pren —4C 96
Belmont Pl. Liv —1C 144
Belmont Rd. Liv —1B 78
Belmont Rd. Wall —2B 52
Belmont Rd. Wid —2D 133
Belmont Rd. Wir —3B 112
Belmont St. St H —5D 45
Belmont Vw. Liv —1C 78
(off Bk. Belmont Rd.)
Beloe St. Liv —5F 99
Belper St. Liv —1B 144
Belsford Way. Liv —3B 146
Belston Rd. Liv —1C 102
Belton Rd. Liv —5D 61
(in two parts)
Belvedere Av. Sut L —5D 67
Belvedere Clo. Frod —4C 172

Belvedere Clo.—Bournemouth Clo.

Belvedere Clo. Prsct —4E 63
Belvedere Ct. Wir —3A 116
(off Childwall Grn.)
Belvidere Pk. Liv —2E 17
Belvidere Rd. Cros —2D 17
Belvidere Rd. Prin P —4A 100
Belvidere Rd. Wall —5F 51
Belvoir Rd. Liv —4C 124
Belvoir Rd. Wid —3B 132
Bembridge Clo. Wid —5F 109
Bempton Rd. Liv —2B 122
Benbow St. Boot —1B 54
Benedict Ct. Boot —2D 55
Benedict St. Boot —2D 55
Bengel St. Liv —4A 78
Benledi St. Liv —1D 77
Benmore Rd. Liv —2A 124
Bennet's La. Wir —1E 91
Bennett Clo. Will —5A 170
Bennetts Hill. Pren —5B 96
Bennetts La. Wid —3E 133
Bennett St. Liv —1C 144
Bennett Wlk. Wir —4F 137
Ben Nevis Rd. Birk —2D 119
Bennison Dri. Liv —5A 124
Benson Clo. Wir —5F 93
Benson St. Liv —5E 77 (6G 5)
Bentfield. Liv —4E 123
Bentfield Clo. Wir —5D 119
Bentfield Gdns. Wir —5D 119
Bentham Clo. Pren —1E 117
Bentham Dri. Liv —1D 103
Bentinck Clo. Birk —3C 96
Bentinck Pl. Birk —3C 96
Bentinck St. Birk —3C 96
Bentinck St. Liv —1B 76
Bentinck St. Run —4F 151
Bentinck St. St H —2D 67
Bentley Rd. Liv —3B 100
Bentley Rd. Pren —5B 96
Bentley Rd. Wir —2F 137
Bentley St. Clo F —2C 88
Benton Clo. Liv —5D 55
Bent Way. Wir —1A 158
Benty Clo. Wir —3E 141
Benty Farm Gro. Wir —2A 138
Benty Heath La. Will —2A 170
Benwick Rd. Liv —3B 22
Berbice Rd. Liv —3A 102
Beresford Av. Wir —5A 120
Beresford Clo. Pren —4A 96
Beresford Rd. Liv —5F 99
Beresford Rd. Pren —4F 95
Beresford Rd. Wall —4F 51
Beresford St. Boot —2B 54
Beresford St. Liv —2E 77 (1H 5)
Beresford St. St H —4E 65
Bergen Clo. Boot —1E 55
Berkeley Av. Pren —3F 117
Berkeley Ct. Mnr P —3D 155
Berkeley Ct. Wir —3A 116
(off Childwall Grn.)
Berkeley Dri. Wall —4C 52
Berkeley Rd. Cros —5C 8
Berkeswell Rd. Liv —2A 58
Berkley Av. W Der —3D 59
Berkley St. Liv —2F 99
(in two parts)
Berkshire Gdns. St H —1E 65
Bermuda Rd. Wir —5C 70
Bernard Av. Wall —4C 52
Berner's Rd. Liv —5B 124
Berner St. Birk —1D 97
Berrington Av. Liv —2F 125
Berringtons La. Rainf —3B 28
Berry Hill Av. Know —5C 40
Berrylands Clo. Wir —5D 71
Berrylands Rd. Wir —4D 71
Berry Rd. Wid —3D 131
Berrys La. St H —2F 67
Berry St. Boot —5B 34
Berry St. Liv —1E 99 (7G 5)
Berry St. Ind. Est. Boot —5B 34
Berrywood Dri. Whis —4F 85
Bertha Gdns. Birk —1F 95
Bertha St. Birk —1F 95
Bertram Dri. Wir —3C 90
Bertram Dri. N. Wir —3D 91
Bertram Rd. Liv —5C 100
Bertram St. Newt W —5F 49
Berwick Av. Wir —1E 171
Berwick Clo. Liv —2B 78
Berwick Clo. Pren —3C 94
Berwick Clo. Wir —1B 92
Berwick Dri. Liv —5C 8
Berwick St. Liv —2B 78
Berwyn Av. Hoy —4C 90
Berwyn Av. Thing —1A 138
Berwyn Boulevd. Wir —4E 119
Berwyn Dri. Wir —5A 138
Berwyn Gro. St H —5F 47
Berwyn Rd. Liv —3C 56
Berwyn Rd. Wall —1C 74
Beryl Rd. Pren —4C 94
Beryl St. Liv —5A 80
Beryl Wlk. Liv —1B 38
Besford Ho. Liv —4B 104
Besford Rd. Liv —4B 104
Bessborough Rd. Pren —5B 96
Bessbrook Rd. Liv —2D 123
Bessemer St. Liv —5F 99
Beta Clo. Wir —5A 120
Betchworth Cres. Beech —4D 167
Bethany Clo. Hay —1A 48
Bethany Cres. Wir —2F 141
Betjeman Gro. Liv —1E 103
Betony Clo. Liv —3E 127
Bettisfield Av. Wir —5D 163
Betula Clo. Liv —4B 36
Beulah Av. Bil —1D 31
Bevan Clo. That H —5D 65
Bevan's La. Liv —4C 58
Beverley Dri. Wir —4B 158
Beverley Gdns. Wir —1B 138
Beverley Rd. Liv —3A 102
Beverley Rd. Wall —5F 51
Beverley Rd. Wir —4B 120
Beversbrook Rd. Liv —1B 58
Bevington Bush. Liv —3D 77 (1E 5)
Bevington Hill. Liv —2D 77
Bevington St. Liv —2D 77
Bewey Clo. Liv —5E 99
Bewley Dri. Liv —4D 23
Bewsey St. St H —2D 65
Bexhill Clo. Speke —3B 146
Bianca St. Boot —2C 54
Bibbys La. Boot —3A 34
Bibby St. Liv —3F 79
Bickerstaffe St. Liv —3E 77 (1H 5)
Bickerstaffe St. St H —5A 46
Bickerton Av. Wir —4D 119
Bickerton St. Liv —1C 122
Bickley Clo. Run —1C 166
Bidder St. Liv —3E 77 (1H 5)
Bideford Av. Sut L —1C 88
Bidston. —1D 95
Bidston Av. Birk —2F 95
Bidston Av. St H —3D 47
Bidston Av. Wall —5E 51
Bidston By-Pass. Wir —5B 72
Bidston Ct. Pren —2E 95
Bidston Golf Course. —3C 72
Bidston Grn. Ct. Pren —1C 94
Bidston Grn. Dri. Pren —1C 94
Bidston Ind. Est. Wall —3D 73
Bidston Link Rd. Pren —4D 73
Bidston Moss. Wall —3D 73
Bidston Moss Nature Reserve. —3C 72
Bidston Observatory. —1D 95
Bidston Rd. Liv —3B 56
Bidston Rd. Pren —3E 95
Bidston Sta. App. Pren —4C 72
Bidston Vw. Pren —5C 72
Bidston Village Rd. Pren —5B 72
Bidston Way. St H —3D 47
Bigdale Dri. Liv —2F 23
Bigham Rd. Liv —3C 78
Biglands Dri. Liv —1F 105
Big Mdw. Rd. Wir —5A 94
Billinge. —1D 31
Billinge Cres. St H —2D 47
Billingham Rd. St H —4D 65
Billings Clo. Liv —5C 54
Billington Rd. Wid —1B 130
Bilston Rd. Liv —4E 123
Bilton Clo. Wid —2E 133
Bingley Rd. Liv —4B 56
Binns Rd. Liv —4E 79
Binns Rd. Ind. Est. Liv —5F 79
Binns Way. Liv —5F 79
Binsey Clo. Wir —4D 93
Birbeck Rd. Liv —2A 24
Birbeck Wlk. Liv —2A 24
Birchall St. Liv —4C 54
Birch Av. Liv —2B 36
Birch Av. St H —2F 45
Birch Av. Wir —3D 93
Birch Clo. Mag —1F 13
Birch Clo. Pren —1B 118
Birch Clo. Whis —2E 85
Birch Ct. Liv —5A 100
(off Weller Way)
Birch Cres. Newt W —4F 49
Birchdale Clo. Wir —4D 93
Birchdale Rd. Walt —4A 36
Birchdale Rd. Wat —3D 17
Birchen Rd. Liv —5A 128
Birches Clo. Wir —2A 158
Birches, The. Stock V —4A 60
Birches, The. Wall —4E 75
Birchfield. Wir —2C 92
Birchfield Av. Wid —2A 132
Birchfield Clo. Liv —4E 79
Birchfield Clo. Wir —2C 92
Birchfield Rd. Edg H —4E 79
Birchfield Rd. Walt —1A 56
Birchfield Rd. Wid —4A 110
Birchfield St. Liv —3E 77 (2H 5)
Birchfield St. That H —4D 65
Birchfield Way. Liv —2B 6
Birch Gdns. St H —2F 45
Birch Gro. Huy —4D 83
Birch Gro. Prsct —2E 85
Birch Gro. Wall —4C 52
Birch Gro. W'tree —5A 80
Birch Heys. Wir —3A 114
Birchill Rd. Know I —3C 24
Birchley Av. Bil —2C 30
Birchley Rd. Bil —2B 30
Birchley St. St H —4A 46
Birchley Vw. St H —3B 30
Birchmere. Wir —5E 137
Birchmuir Hey. Liv —4F 23
Birchridge Clo. Wir —5C 142
Birch Rd. Beb —3A 142
Birch Rd. Hay —1E 49
Birch Rd. Liv —5E 83
Birch Rd. Meol —3E 91
Birch Rd. Pren —1B 118
Birch Rd. Run —2B 166
Birch Rd. Wid —1B 132
Birch St. Liv —1B 76
Birch Tree Av. St H —5F 29
Birch Tree Ct. Liv —4A 58
Birchtree Rd. Liv —1E 123
Birchview Way. Pren —4D 95
Birchway. Hes —5C 158
Birchwood Av. Birk —2D 97
Birchwood Clo. Birk —2D 97
Birchwood Way. Liv —5F 15
Birdcage Cotts. Hay —1E 49
(off Church Rd.)
Bird St. Liv —2C 100
Birdwood Rd. Liv —3F 57
Birkdale Av. Wir —4C 162
Birkdale Clo. Anf —5D 57
Birkdale Clo. Huy —5C 82
Birkdale Rd. Wid —4B 110
Birkenhead. —3F 97
Birkenhead Pk. —2A 96
Birkenhead Pk. Cricket Club Ground. —3B 96
Birkenhead Pk. R.F.C. Ground. —2A 96
Birkenhead Priory Mus. —3F 97
Birkenhead Rd. Hoy & Meol —3C 90
Birkenhead Rd. Wall —5E 75
Birkenhead Town Hall. —3F 97
Birkenshaw Av. Liv —5B 8
Birket Av. Wir —3F 71
Birket Clo. Wir —3A 72
Birket Ho. Birk —2D 97
Birket Sq. Wir —3A 72
Birkett Rd. Birk —3E 119
Birkett Rd. Wir —2B 112
Birkett St. Liv —3E 77 (1G 5)
Birkin Clo. Liv —5A 24
Birkin Rd. Liv —5A 24
Birkin Wlk. Liv —5A 24
Birley Ct. Liv —2F 99
Birnam Dri. Rain —4D 87
Birnam Rd. Wall —3D 75
Birstall Av. St H —3C 46
Birstall Ct. Run —3D 167
Birstall Rd. Liv —3B 78
Birt Clo. Liv —2A 100
Birtley Ct. Wid —2B 130
Bisham Pk. Run —5D 155
Bishopdale Dri. Rain —3D 87
Bishop Dri. Whis —5C 84
Bishopgate St. Liv —1D 101
Bishop Reeves Rd. Hay —1E 49
Bishop Rd. Liv —4C 56
Bishop Rd. St H —3E 45
Bishop Rd. Wall —4B 74
Bishop Row. St H —5D 65
Bishops Ct. Wltn —2B 126
Bishop Sheppard Ct. Liv —2C 76
Bishops Way. Wid —1D 133
Bisley St. Liv —2E 101
Bisley St. Wall —1B 74
Bispham Dri. Wir —4E 91
Bispham Ho. Liv —3D 77 (2E 5)
Bispham St. Liv —3D 77 (2E 4)
Bittern Clo. Nort —2D 169
Bixteth St. Liv —4C 76 (3C 4)
Blackberry Gro. Liv —2D 127
Blackboards La. Chil T —5F 171
Blackbrook. —2F 47
Blackbrook Clo. Liv —5A 36
Blackbrook Clo. Wid —1C 130
Blackbrook Rd. St H —3E 47
Blackburne Av. Wid —2B 150
Blackburne Dri. Liv —5D 127
Blackburne Pl. Liv —1F 99
Blackburne St. Liv —3C 144
Blackburne Ter. Liv —1F 99
Black Denton's Pl. Wid —3C 132
Blackdown Gro. St H —1F 67
Blackfield St. Liv —5D 55
Blackheath Dri. Wir —3F 71
Blackheath La. Mnr P —3E 155
Black Horse Clo. Wir —3C 112
Black Horse Hill. Wir —4C 112
Black Horse La. Liv —2B 80
Black Horse Pl. Liv —3B 80
Blackhorse St. St H —4D 47
Blackhouse Wlk. Liv —5E 35
Blackhurst Rd. Liv —2C 6
Blackley Gro. Liv —5F 15
(off Carl's Way)
Blackleyhurst Av. Bil —1E 31
Blacklock Hall Rd. Liv —4C 146
Blacklow Brow. Liv —4D 83
Blackmoor Dri. Liv —5C 58
Blackpool St. Birk —4E 97
Blackrod Av. Liv —3C 146
Blackstock Ct. Boot —1D 19
Blackstock St. Liv —3C 76 (1D 4)
Blackstone Av. St H —3D 47
Blackstone St. Liv —5B 54
Blackthorn Cres. Liv —3B 60
Blackthorne Clo. Wir —2F 93
Blackthorne Rd. Liv —4B 36
Blackwater Rd. Liv —4D 39
Blackwood Av. Liv —5F 103
Blair Dri. Wid —1B 130
Blair Ind. Est. Liv —2F 17
Blair Pk. Wir —4B 142
Blair St. Liv —2E 99
Blair Wlk. Liv —1F 147
Blaisdon Clo. Liv —2A 58
Blakeacre Clo. Liv —1F 147
Blakeacre Rd. Liv —1F 147
Blake Ct. Liv —2C 144
Blakefield Rd. Liv —4C 10
Blakeley Brow. Wir —4A 162
Blakeley Ct. Wir —4A 162
Blakeley Dell. Raby M —4B 162
Blakeley Dene. Wir —3B 162
Blakeley Rd. Wir —3A 162
Blakeney Clo. Wir —2A 94
Blakenhall Way. Wir —3D 93
Blaking Dri. Know —4D 41
Blantyre Rd. Liv —3D 101
Blantyre St. Run —4F 151
Blay Clo. Liv —4D 127
Blaydon Clo. Boot —4F 19
Blaydon Gro. That H —4D 65
Blaydon Wlk. Pren —3E 95
Bleak Hill Clo. Wind —1C 44
Bleak Hill Rd. St H & Wind —3B 44
Bleasdale Av. Liv —3E 21
Bleasdale Clo. Wir —3E 93
Bleasdale Rd. Liv —5A 102
Bleasdale Way. Liv —1B 18
Blenheim Av. Liv —5C 18
Blenheim Dri. Prsct —1A 84
Blenheim Rd. Liv —4F 101
Blenheim Rd. Wall —1D 75
Blenheim St. Liv —1C 76
Blenheim Way. Liv —4B 146
Blenheim Way. St H —2B 46
Blessington Rd. Liv —4F 55
Bletchley Av. Wall —2F 73
Bligh St. Liv —2D 101
Blindfoot Rd. Rainf & Wind —1D 43
Blisworth St. Liv —2B 34
Blomfield Rd. Liv —5D 125
Bloomfield Grn. Liv —5C 100
Bloomsbury Way. Wid —1D 131
Blossom Gro. Liv —1F 39
Blossom St. Boot —3C 34
Blucher St. Liv —4C 16
Bluebell Av. Birk —1F 95
Bluebell Av. Hay —1E 49
Bluebell Clo. Liv —4E 17
Bluebell Ct. Beech —1F 173
Blue Bell La. Liv —2E 83
Blueberry Fields. Liv —2F 37
Bluecoat Chambers. Liv —5D 77 (6E 5)
Bluecoat Chambers Art Gallery. —5D 77 (6E 5)
Bluefields St. Liv —2F 99
Blue Hatch. Frod —5C 172
Blue Jay Clo. Liv —4E 105
Bluestone La. Liv —1E 13
Bluewood Dri. Birk —5D 73
Blundell Rd. Wid —4C 130
Blundellsands. —1C 16
Blundellsands Rd. E. Liv —1C 16
Blundellsands Rd. W. Liv —2B 16
Blundells Dri. Wir —5F 71
Blundell's Hill. —4B 86
Blundells Hill Golf Course. —5A 86
Blundell's La. Rain —5A 86
Blundell St. Liv —2D 99
Blyth Clo. Murd —5D 169
Blythe Av. Wid —5B 110
Blyth Hey. Boot —1D 19
Blyth Rd. Wir —3C 162
Blythswood St. Liv —1A 122
Boaler St. Liv —3A 78
Boaler St. Ind. Est. Liv —2B 78
Boardmans La. St H —4E 47
Boathouse La. Park —5C 158
Bobbies La. Ecc —4A 44
(in two parts)
Bodden St. Clo F —2D 89
Bodley St. Liv —4F 55
Bodmin Clo. Brook —4B 168
Bodmin Gro. St H —1D 47
Bodmin Rd. Liv —2F 55
Bodmin Way. Liv —4E 127
Bognor Clo. Liv —3B 146
Bolan St. Liv —3F 79
Bold. —5B 68
Bolde Way. Wir —1A 162
Bold Heath. —2E 111
Bold Ind. Est. Wid —4C 110
Bold Ind. Pk. Bold —5B 68
Bold La. St H & C Grn —4B 68
Bold Pl. Liv —1E 99 (7G 5)
Bold Rd. St H —4F 67
Bold St. Liv —5D 77 (6F 5)
Bold St. Run —4B 152
(in two parts)
Bold St. St H —5F 45
Bold St. Wid —5A 132
Boleyn Ct. Mnr P —4C 154
Boleyn, The. Liv —4E 7
Bollington Clo. Pren —1F 117
Bolton Av. Liv —3C 22
Bolton Rd. Wir —2B 142
Bolton Rd. E. Wir —1C 142
Bolton St. Liv —5D 77 (5G 5)
Bolton St. St H —4C 46
(in two parts)
Bolton Wlk. Liv —3C 22
Bonchurch Dri. Liv —5F 79
Bond St. Liv —2D 77
Bond St. Prsct —5D 63
Bonnington Av. Liv —5C 8
Bonsall Rd. Liv —5B 58
Boode Cft. Liv —2B 60
Booker Av. Liv —3A 124
Booth St. Liv —3A 80
Booth St. St H —4D 65
Boothwood Clo. Liv —1B 100
Bootle. —4C 34
Bootle Municipal Golf Course. —3E 19
Bootle Stadium Sports Cen. —4E 35
Borax St. Liv —4A 80
Border Rd. Wir —2B 158
Borella Rd. Liv —5F 57
Borough Pavement. Birk —3D 97
Borough Pl. Birk —3E 97
Borough Rd. Birk —1C 118
Borough Rd. St H —1E 65
Borough Rd. Wall —3D 75
(in two parts)
Borough Rd. E. Birk —3E 97
(in two parts)
Borough Way. Wall —4E 75
Borrowdale Clo. Frod —5D 173
Borrowdale Rd. Beb —3E 141
Borrowdale Rd. Liv —3E 101
Borrowdale Rd. More —1D 93
Borrowdale Rd. St H —3C 64
Borrowdale Rd. Wid —4C 130
Boscow Cres. St H —4D 67
Bosnia St. Liv —1A 122
Bossom Ct. Liv —5D 17
Bostock St. Liv —1D 77
Boston Av. Run —2B 166
Boswell Rd. Pren —3F 117
Boswell St. Boot —3A 34
Boswell St. Liv —2B 100
Bosworth Clo. Wir —5F 141
Bosworth Rd. St H —2C 46
Botanic Gro. Liv —5C 78
Botanic Pl. Liv —4C 78
Botanic Rd. Liv —4C 78
Botany Rd. Liv —2C 146
Botley Clo. Wir —4D 93
Boulevard. Liv —2C 78
Boulevard, The. Liv —3A 100
(L8)
Boulevard, The. Liv —3B 58
(L12)
Boulton Av. New F —4B 120
Boulton Av. W Kir —2B 112
Boundary Dri. Cros —4D 9
Boundary Dri. Hunts X —5D 127
Boundary Farm Rd. Liv —1D 147
Boundary La. Eve —2A 78
Boundary La. Kirkby —3E 25
Boundary La. Wir —2A 158
Boundary Rd. Huy —1A 106
Boundary Rd. Lith —3D 19
(in two parts)
Boundary Rd. Port S —5B 120
Boundary Rd. Pren —5D 73
Boundary Rd. St H —5E 45
Boundary Rd. W Kir —1D 135
Boundary St. Liv —5B 54
Boundary St. E. Liv —5D 55
Boundary Wlk. Liv —1A 106
Bourne Gdns. St H —2C 66
Bournemouth Clo. Murd —4D 169

Bourne St.—Broom Hill

Bourne St. Liv —3B 78
Bourton Rd. Liv —5B 126
Bousfield St. Liv —4E 55
Bowden Clo. Liv —1E 59
Bowden Rd. Liv —1B 144
Bowden St. Liv —2B 34
Bowdon Clo. Ecc —1B 64
Bowdon Rd. Wall —5A 52
Bowen Clo. Wid —5D 109
Bower Gro. Liv —1F 33
Bower Ho. Wir —2F 93
Bower Rd. Huy —2E 83
Bower Rd. Wir —3C 158
Bower Rd. Wltn —5A 104
Bowers Bus. Pk. Wid —5B 132
Bowers Pk. Ind. Est. Wid —5C 132
Bower St. Wid —3C 132
Bowfell Clo. Wir —2D 171
Bowfield Rd. Liv —5B 124
Bowgreen Clo. Pren —2C 94
Bowland Av. Liv —5D 81
Bowland Av. Sut M —3B 88
Bowland Clo. Beech —5E 167
Bowland Clo. Wir —1C 162
Bowland Dri. Liv —1B 18
Bowles St. Boot —2A 34
Bowley Rd. Liv —1F 79
Bowness Av. Pren —2A 118
Bowness Av. St H —5B 30
Bowness Av. Wir —5C 162
Bowood St. Liv —1F 121
Bowring Golf Course. —5B 82
Bowring Park. —5A 82
Bowring Pk. Av. Liv —5A 82
Bowring Pk. Rd. Liv —5E 81
Bowring St. Liv —5F 99
Bowscale Clo. Wir —4E 93
Bowscale Rd. Liv —2A 58
Boxdale Ct. Liv —5A 102
Boxdale Rd. Liv —5A 102
Boxgrove Clo. Wid —1B 132
Boxmoor Rd. Liv —2A 124
Boxtree Clo. Liv —4F 39
Boxwood Clo. Liv —4C 82
Boycott St. Liv —5A 56
Boyd Clo. Wir —3B 72
Boydell Clo. Liv —4B 60
Boyer Av. Liv —3D 13
Boyes Brow. Liv —1D 23
Boyton Ct. Liv —1C 100
Brabant Rd. Liv —3E 123
Braby Rd. Liv —2C 34
Bracewell Clo. St H —5C 66
Bracken Ct. Clo F —2C 88
Brackendale. Halt B —2D 167
Brackendale. Wir —1C 116
Brackendale Av. Liv —1B 36
Bracken Dri. Wir —4E 113
Brackenhurst Dri. Wall —4C 52
Brackenhurst Grn. Liv —3E 23
Bracken La. Wir —2D 141
Brackenside. Wir —5F 137
Bracken Way. W Der —1A 80
Bracken Wood. Liv —4E 39
Brackenwood Golf Course. —3D 141
Brackenwood Gro. Whis —3F 85
Brackenwood Rd. Wir —4E 141
Brackley Av. Boot —4B 34
Brackley Clo. Boot —4B 34
Brackley Clo. Run —4F 151
Brackley Clo. Wall —3A 74
Brackley St. Run —4F 151
Bracknell Av. Liv —4D 23
Bracknell Clo. Liv —4D 23
Bradbourne Clo. Liv —5E 39
Bradda Clo. Wir —2F 93
Braddan Av. Liv —1E 79
Bradden Clo. Wir —5B 142
Bradewell Clo. Liv —3E 55
Bradewell St. Liv —3E 55
Bradfield Av. Liv —2C 20
Bradfield St. Liv —4C 78
Bradgate Clo. Wir —5B 70
Bradkirk Ct. Boot —5D 11
Bradley Fold. Liv —1B 106
Bradley La. Newt W —1F 69
Bradley Rd. Liv —4B 18
Bradley Way. Wid —3B 132
Bradman Rd. Know I —2C 24
Bradman Rd. Wir —5C 70
Bradmoor Rd. Wir —2D 163
Bradshaw Clo. St H —4D 45
Bradshaw Pl. Liv —3A 78
Bradshaw St. Wid —2A 132
Bradshaw Wlk. Boot —4B 34
Bradstone Clo. Liv —2B 38
Bradville Rd. Liv —1C 36
Bradwell Clo. Wir —4D 113
Braehaven Rd. Wall —4C 52
Braemar Clo. Whis —3F 85
Braemar St. Liv —2D 55
Braemore Rd. Wall —2F 73
Braeside Cres. Bil —1D 31
Braeside Gdns. Wir —4F 93
Brae St. Liv —4B 78
Brahms Clo. Liv —3B 100
Braid St. Birk —1D 97
Brainerd St. Liv —1E 79
Braithwaite Clo. Beech —4D 167
Braithwaite Clo. Rain —3C 86
Bramberton Pl. Liv —2C 56
Bramberton Rd. Liv —2C 56
Bramble Av. Birk —1F 95
Bramble Way. Padd M —1E 173
Bramble Way. Wir —4D 71
Bramblewood Clo. N'ley —4E 105
Bramblewood Clo. Pren —5D 95
Brambling Clo. Beech —5F 167
Brambling Pk. Liv —3E 127
Bramcote Av. St H —2C 46
Bramcote Clo. Liv —1A 24
Bramcote Rd. Liv —1F 23
Bramcote Wlk. Liv —1F 23
Bramerton Ct. Wir —3A 112
Bramford Clo. Wir —4E 93
Bramhall Clo. Wir —5D 113
Bramhall Dri. Wir —2F 171
Bramhall Rd. Liv —5E 17
Bramhill Clo. Liv —5E 147
Bramley Av. Wir —5E 119
Bramley Clo. Liv —4D 105
Bramleys, The. Liv —3C 12
Bramley Wlk. Liv —5D 147
Bramley Way. Liv —2C 22
Brampton Ct. St H —5B 48
Brampton Dri. Liv —1A 100
Bramwell Av. Pren —3A 118
Bramwell St. St H —2E 47
Branch Way. Hay —2D 49
Brancker Av. Rain —2B 86
Brancote Ct. Pren —3E 95
Brancote Gdns. Wir —3D 163
Brancote Mt. Pren —3F 95
Brancote Rd. Pren —3F 95
Brandearth Hey. Liv —4B 60
Brandon. Wid —2A 130
Brandon St. Birk —3F 97
Brandreth Clo. Rain —3C 86
Branfield Clo. Liv —4E 39
Branstree Av. Liv —1F 57
Bran St. Liv —4E 99
Branthwaite Clo. Liv —2A 58
Branthwaite Cres. Liv —1A 58
Branthwaite Gro. Liv —2A 58
Brasenose Rd. Boot & Liv —1B 54
Brassey St. Birk —1A 96
Brassey St. Liv —3E 99
Brattan Rd. Birk —5C 96
Braunton Rd. Liv —3E 123
Braunton Rd. Wall —5A 52
Braybrooke Rd. Liv —5F 37
Bray Clo. Beech —4D 167
Braydon Clo. Liv —1C 146
Brayfield Rd. Liv —2D 57
Bray Rd. Liv —3B 146
Bray St. Birk —1B 96
Brechin Rd. Liv —3F 23
Breckfield Pl. Liv —1F 77
Breckfield Rd. N. Liv —5F 55
Breckfield Rd. S. Liv —1A 78
Breck Pl. Wall —3A 74
Breck Rd. Eve & Anf —2F 77
Breck Rd. Wall —2F 73
Breck Rd. Wid —3B 132
Breckside Av. Wall —2E 73
Breckside Pk. Liv —5C 56
Brecon Av. Boot —4F 19
Brecon Rd. Birk —3C 118
Brecon Wlk. Boot —4A 20
Breeze Clo. Liv —5F 35
Breeze Hill. Boot & Liv —5D 35
Breeze La. Liv —5F 35
Brelade Rd. Liv —2F 79
Bremhill Rd. Liv —5F 37
Bremner Clo. Liv —5C 78
Brenda Cres. Thor —3A 10
Brendale Av. Liv —2C 12
Brendan's Way. Boot —2E 19
Brendon Av. Liv —4A 18
Brendon Gro. St H —4A 48
Brendor Rd. Liv —3B 126
Brenig St. Birk —5F 73
Brenka Av. Liv —4B 20
Brentfield. Wid —2D 131
Brent Way. Liv —1F 147
(in two parts)
Brentwood Av. Aig —1C 122
Brentwood Av. Cros —5F 9
Brentwood Clo. Ecc —5B 44
Brentwood Ct. Wir —2A 116
(off Childwall Grn.)
Brentwood St. Wall —3C 74
Brereton Av. Liv —2A 102
Brereton Av. Wir —1A 142
Brereton Clo. Cas —2A 168
(in two parts)
Bretherton Pl. Rain —2C 86
Bretherton Rd. Prsct —5E 63
Bretlands Rd. Liv —4B 10
Brett St. Birk —1B 96
Brewery La. Mell —1E 21
Brewster St. Liv & Boot —2E 55
Brian Av. Wir —1F 137
Brian Cummings Ct. Liv —2B 34
Briardale Rd. Beb —5F 119
Briardale Rd. Birk —5C 96
Briardale Rd. Liv —4F 101
Briardale Rd. Wall —4E 75
Briardale Rd. Will —4A 170
Briar Dri. Liv —4D 83
Briar Dri. Wir —2A 158
Briarfield Av. Wid —3A 130
Briarfield Rd. Hes —2B 158
Briars Clo. Rain —5D 87
Briars Grn. St H —3F 45
Briars La. Liv —1E 13
Briar St. Liv —4D 55
Briarswood Clo. Birk —4F 119
Briarswood Clo. Whis —3F 85
Briarwood. Nort —2C 168
Briarwood Rd. Liv —1E 123
Briary Clo. Wir —1B 158
Brickfields. Liv —5A 84
Brick St. Liv —2D 99
Brick St. Newt W —5F 49
Brickwall Grn. Liv —3F 11
Brickwall La. Liv —5D 11
Bride St. Liv —1F 55
Bridge Ct. Boot —1D 19
Bridge Ct. Wir —3A 112
Bridge Cft. Liv —2C 18
Bridgecroft Rd. Wall —5B 52
Bridge Farm Clo. Wir —5B 94
Bridge Farm Dri. Liv —5F 7
Bridgefield Clo. Liv —2B 104
Bridgefield Forum Leisure Cen. —2A 128
Bridgeford Av. Liv —4A 58
Bridge Gdns. Liv —3F 59
Bridge Ind. Est. Liv —2B 146
Bridge La. Boot —2E 19
Bridge La. Frod —4C 172
Bridgeman St. St H —5D 45
(in two parts)
Bridgend Clo. Wid —1D 131
Bridgenorth Rd. Wir —3E 137
Bridge Rd. Clo F —4D 89
Bridge Rd. Cros —2C 16
Bridge Rd. Edg H —1C 100
Bridge Rd. Huy —4C 82
Bridge Rd. Lith —1B 34
Bridge Rd. Mag —3D 13
Bridge Rd. Moss H —1A 124
Bridge Rd. Prsct —1D 85
Bridge Rd. Wir —3A 112
Bridges La. Liv —3F 11
Bridge St. Birk —2E 97
(in two parts)
Bridge St. Boot —1B 54
Bridge St. Port S —2B 142
(in two parts)
Bridge St. Run —4B 152
Bridge St. St H —5A 46
Bridge Vw. Clo. Wid —3A 152
Bridgeview Dri. Liv —1F 23
Bridgewater Clo. Liv —3A 18
Bridgewater Expressway. Run —5B 152
Bri. Water Grange. Pres B —5F 169
Bridgewater St. Liv —2D 99
Bridgewater St. Run —4A 152
Bridgewater Way. Liv —1A 106
Bridgeway. Liv —2E 57
Bridgeway E. Wind H —5C 154
Bridgeway W. Wind H —5B 154
Bridle Av. Wall —4E 75
Bridle Clo. Pren —3B 94
Bridle Clo. Wir —3E 163
Bridle Ct. St H —3C 66
Bridle Pk. Brom —3D 163
Bridle Rd. Boot —5E 19
Bridle Rd. Brom & East —3E 163
Bridle Rd. Wall —4E 75
Bridle Rd. Ind. Est. Boot —5F 19
Bridle Way. Boot —5F 19
Bridley Wharf. Pres H —5F 169
Bridport St. Liv —4E 77 (4G 5)
Brierfield Rd. Liv —3F 101
Brierley Clo. Boot —1B 20
Briery Hey Av. Liv —3F 23
Brightgate Clo. Liv —1B 100
Brighton le Sands. —3B 16
Brighton Rd. Huy —3B 84
Brighton Rd. Wat —4D 17
Brighton St. Wall —2D 75
Brighton Va. Liv —3C 16
Bright St. Birk —3C 96
(in two parts)
Bright St. Liv —3F 77
Bright Ter. Liv —1F 121
Brightwell Clo. Wir —5F 93
Brill St. Birk —1B 96
Brimstage. —5B 140
Brimstage Av. Wir —4D 119
Brimstage Clo. Wir —3C 158
Brimstage Grn. Wir —2D 159
Brimstage La. Wir —3B 140
Brimstage Rd. Beb & High B —5E 141
Brimstage Rd. Hes & Brim
(in two parts) —3C 158
Brimstage Rd. Liv —1E 55
Brimstage St. Birk —4C 96
Brindley Clo. Liv —3A 18
Brindley Rd. Ast I —4F 153
Brindley Rd. Liv —3C 22
Brindley Rd. Reg I —5E 67
Brindley St. Liv —3D 99
Brindley St. Run —4F 151
Brinley Clo. Wir —5D 163
Brinton Clo. Wid —4D 131
Brisbane Av. Wall —3A 52
Brisbane St. That H —4D 65
Briscoe Av. Wir —2E 93
Briscoe Dri. Wir —2E 93
Bristol Av. Murd —4E 169
Bristol Av. Wall —2C 74
Bristol Rd. Liv —3A 102
Britannia Av. Liv —2C 100
Britannia Cres. Liv —1F 121
Britannia Pavilion. Liv —1C 98
Britannia Rd. Wall —1A 74
Britonside Av. Liv —5F 23
Brittarge Brow. Liv —5E 105
Britten Clo. Liv —3B 100
Broadacre Clo. Liv —4C 102
Broadbelt St. Liv —1F 55
Broadbent Ho. Liv —3D 13
(off Boyer Av.)
Broadfield Av. Pren —2C 94
Broadfield Clo. Pren —2C 94
Broadfields. Run —2C 168
Broadgate Av. St H —3C 66
Broad Green. —5D 81
Broad Grn. Rd. Liv —3A 80
Broadheath Av. Pren —2C 94
Broadheath Ter. Wid —3D 131
Broad Hey. Boot —2D 19
Broad Hey Clo. Liv —1B 126
Broadhurst St. Liv —1B 122
Broadlake. Will —5A 170
Broadlands. Prsct —1E 85
Broad La. Btnwd & C Grn —2B 68
Broad La. Hes —1C 156
Broad La. Kirkby —5F 23
Broad La. Nor G —2D 57
Broad La. St H —3B 30
Broad La. Thor —1C 10
Broad La. Precinct. Liv —2F 57
Broadmead. Liv —5D 125
Broadmead. Wir —3C 158
Broad Oak. —5E 47
Broad Oak Av. Hay —2B 48
Broadoak Rd. Liv —3F 81
(L14)
Broadoak Rd. Liv —1E 13
(L31)
Broad Oak Rd. St H —5E 47
Broad Pl. Liv —3F 57
Broad Sq. Liv —3F 57
Broadstone Dri. Wir —5F 141
Broad Vw. Liv —3F 57
Broadway. Beb —5D 119
Broadway. Ecc —4A 44
Broadway. Faz —1E 37
Broadway. Grea —4E 93
Broadway. Liv —2E 57
Broadway. St H —3C 64
Broadway. Wall —1F 73
Broadway. Wid —3A 130
Broadway Av. Wall —1F 73
Broadway Community Leisure Cen. —3C 64
Broadway Mkt. Liv —2E 57
Broadwood Av. Liv —3C 12
Broadwood St. Liv —2E 101
Brock Av. Liv —5E 7
Brockenhurst Rd. Liv —3A 36
Brock Gdns. Hale V —5E 149
Brock Hall Clo. Clo F —2C 88
Brockhall Clo. Whis —5A 64
Brockholme Rd. Liv —3A 124
Brocklebank La. Liv —4D 125
Brockley Av. Wall —2B 52
Brockmoor Tower. Liv —3D 55
Brock St. Liv —3E 55
Brodie Av. Liv —1A 124
Bromborough. —1E 163
Bromborough Dock Est. Wir —1C 142
Bromborough Golf Course. —5A 162
Bromborough Pool. —2D 143
Bromborough Port. —3F 143
Bromborough Rd. Wir —2A 142
Bromborough Village Rd. Wir —1D 163
Brome Way. Wir —5B 142
Bromilow Rd. St H —1F 67
Bromley Av. Liv —4F 101
Bromley Clo. Wir —3E 157
Bromley Rd. Wall —4A 52
Brompton Av. Cros —2C 16
Brompton Av. Kirkby —5F 15
Brompton Av. Seft P —3C 100
Brompton Av. Wall —2C 74
Brompton Ho. Liv —4C 100
Bromsgrove Rd. Wir —5C 92
Bromyard Clo. Boot —4B 34
Bronington Av. Wir —4D 163
Bronshill Ct. Liv —1A 16
Bronte Clo. Liv —1B 16
Bronte St. Liv —4E 77 (4H 5)
Bronte St. St H —4D 45
Brookbank Ct. Liv —1B 38
Brookbridge Rd. Liv —5E 57
Brook Clo. Wall —1C 74
Brook Clo. Wid —3C 108
Brookdale. Wid —1A 130
Brookdale Av. N. Wir —5E 93
Brookdale Av. S. Wir —5E 93
Brookdale Clo. Wir —5E 93
Brookdale Rd. Liv —3E 101
Brook End. St H —2A 68
Brooke Rd. E. Liv —3D 17
Brooke Rd. W. Liv —3C 16
Brookfield Av. Cros —2D 17
Brookfield Av. Rain —1C 86
Brookfield Av. Run —5D 153
Brookfield Av. Wat —5F 17
Brookfield Dri. Liv —3C 36
Brookfield Gdns. Wir —4B 112
Brookfield La. Augh —3F 7
Brookfield Rd. Wir —4B 112
Brookfields Green. —2F 7
Brook Furlong. Frod —3A 172
Brook Hey Dri. Liv —1F 23
Brook Hey Wlk. Liv —2A 24
Brookhill Clo. Boot —5D 35
Brookhill Rd. Boot —4D 35
Brookhouse Gro. Ecc —5F 43
Brookhurst. —5C 162
Brookhurst Av. Wir —4C 162
Brookhurst Clo. Wir —5C 162
Brookhurst Rd. Wir —4C 162
Brookland La. St H —1A 68
Brookland Rd. Birk —4D 97
Brookland Rd. E. Liv —3A 80
Brookland Rd. W. Liv —3A 80
Brooklands. Birk —2D 97
Brooklands Av. Liv —5E 17
Brooklands Dri. Liv —2D 13
Brooklands Rd. Ecc —4A 44
Brooklands, The. Liv —5E 83
Brook Lea Ho. Liv —2C 18
Brooklet Rd. Wir —2C 158
Brook Mdw. Wir —5E 115
Brook Pk. Liv —3C 12
Brook Rd. Boot —5B 34
Brook Rd. Liv —2E 13
Brook Rd. Thor —4A 10
Brook Rd. Walt —4A 36
Brooks All. Liv —5D 77 (6E 5)
Brookside. K Ash —2D 81
Brookside. Mag —1E 13
Brookside. W Der —3F 59
Brookside Av. Ecc —3B 44
Brookside Av. K Ash —3D 81
Brookside Av. Wat —5F 17
Brookside Clo. Bil —1E 31
Brookside Clo. Hay —1B 48
Brookside Clo. Prsct —2E 85
Brookside Ct. Liv —1E 17
Brookside Cres. Wir —4D 93
Brookside Dri. Wir —4E 93
Brookside Rd. Frod —5A 172
Brookside Rd. Prsct —2E 85
Brookside Vw. Hay —1B 48
Brookside Way. Hay —1B 48
Brooks, The. St H —1A 46
Brook St. Birk —1C 96
Brook St. Liv —4B 76 (3B 4)
Brook St. Run —4A 152
Brook St. St H —5A 46
Brook St. Whis —1F 85
Brook St. Wir —1A 142
Brook St. E. Birk —2E 97
Brook Ter. Run —5E 153
Brook Ter. Wir —4B 112
Brookthorpe Clo. Wall —5B 52
Brookvale. —4B 168
Brook Va. Liv —5F 17
Brookvale Av. N. Run —4B 168
Brookvale Av. S. Brook —4B 168
Brookvale Clo. Btnwd —5F 69
Brookvale Recreation Cen. —5C 168
Brook Wlk. Wir —5D 115
Brookway. Nor C —3E 117
Brookway. Wall —1A 74
Brookway. Wir —4E 93
Brookway La. St H —2F 67
Brookwood Rd. Liv —2E 83
Broom Clo. Ecc P —5F 63
Broome Ct. Brook —4B 168
Broomfield Clo. Wir —1D 157
Broomfield Gdns. Liv —3F 35
Broomfield Rd. Liv —3F 35
Broom Hill. Pren —2F 95

Broomhill Clo.—Carlett Boulevd.

Broomhill Clo. Liv —3C 104
Broomlands. Wir —2F 157
Broomleigh Clo. Wir —2D 141
Broom Rd. St H —3B 64
Brooms Gro. Liv —3E 21
Broom Way. Liv —5E 127
Broseley Av. Wir —1C 162
Broster Av. Wir —1C 92
Broster Clo. Wir —1C 92
Brosters La. Wir —2E 91
Brotherton Clo. Wir —1C 162
Brotherton Pk. —5C 142
Brotherton Rd. Wall —4E 75
Brougham Av. Birk —5F 97
Brougham Rd. Wall —3D 75
Brougham Ter. Liv —3A 78
Broughton Av. Wir —3A 112
Broughton Dri. Liv —5A 124
Broughton Hall Rd. Liv —1E 81
Broughton Rd. Wall —3B 74
Broughton Way. Wid —2B 150
Brow La. Wir —3F 157
Brownbill Bank. Liv —4E 105
Brown Edge. —4D 65
Brownheath Av. Bil —2D 31
Browning Av. Birk —3F 119
Browning Av. Wid —4F 131
Browning Clo. Liv —5F 83
Browning Rd. Wall —1D 73
Browning Rd. Wat —3D 17
Browning Rd. W Der —5F 57
Browning St. Boot —4A 34
Brownlow Arc. St H —5A 46
Brownlow Hill. Liv —5E 77 (5G 5)
Brownlow Rd. Wir —5B 120
Brownlow St. Liv —5F 77 (5J 5)
Brownmoor Clo. Liv —1A 18
Brownmoor La. Liv —2F 17
Brownmoor Pk. Liv —2F 17
Brown's La. Boot —2F 19
Brown St. Wid —5D 133
Brownville Rd. Liv —4D 57
Brow Rd. Pren —5D 73
Brow Side. Liv —2F 77
Brow, The. —1F 167
Broxholme Way. Liv —3D 13
Broxton Av. Pren —2F 117
Broxton Av. Wir —3C 112
Broxton Clo. Wid —1C 130
Broxton Rd. Wall —5F 51
Broxton St. Liv —1E 101
Bruce Cres. Wir —4C 162
Bruce St. Liv —4A 100
Bruce St. St H —4E 45
Bruen Clo. Liv —3D 105
Brunel Dri. Liv —3A 18
Brunner Rd. Wid —4A 132
Brunsborough Clo. Wir —4C 162
Brunsfield Clo. Wir —2C 92
Brunstath Clo. Wir —1C 158
Brunswick. Run —4A 152
Brunswick Bus. Pk. Brun B —5E 99
Brunswick Clo. Liv —3E 55
Brunswick M. Birk —2E 97
Brunswick M. Liv —5E 17
Brunswick Pde. Liv —5D 17
Brunswick Pl. Liv —3B 54
Brunswick Rd. Liv —3F 77 (2J 5)
Brunswick Rd. Newt W —4F 49
Brunswick St. Gars —4C 144
Brunswick St. Liv —5B 76 (6B 4)
Brunswick St. St H —5A 48
Brunswick Way. Brun B —4D 99
Brunt La. Liv —5E 125
Brushford Clo. Liv —1B 58
Bruton Rd. Liv —5D 61
Bryanston Rd. Birk —2A 118
Bryanston Rd. Liv —1B 122
Bryant Rd. Liv —2B 34
Bryceway, The. Liv —2D 81
Brydges St. Liv —5A 78
Bryer Rd. Prsct —2D 85
Bryn Bank. Wall —2C 74
Brynmor Rd. Liv —3A 124
Brynmoss Av. Wall —2F 73
Brynn St. St H —4A 46
Brynn St. Wid —4B 132
Bryony Way. Birk —4F 119
Brythen St. Liv —5D 77 (5F 5)
Buccleuch St. Birk —5F 73
Buccleuch Way. Birk —5F 73
Buchanan Rd. Liv —5F 35
Buchanan Rd. Wall —3D 75
Buckfast Av. Hay —1F 49
Buckfast Clo. Boot —1F 19
Buckfast Ct. Run —4E 155
Buckingham Av. Liv —3D 101
Buckingham Av. Pren —2F 95
Buckingham Av. Wid —5A 110
Buckingham Av. Wir —5E 119
Buckingham Clo. Boot —2C 18
Buckingham Clo. St H —1E 65
Buckingham Ct. Liv —1F 23
Buckingham Dri. St H —1A 46
Buckingham Ho. Liv —4D 101
Buckingham Rd. Mag —1C 12
Buckingham Rd. Tue —5D 57
Buckingham Rd. Wall —2F 73
Buckingham Rd. Walt —2A 36
Buckingham St. Liv —1E 77
Buckland Clo. Wid —5C 130
Buckland Dri. Wir —5F 141
Buckland St. Liv —1B 122
Buckley Hill La. Liv —1D 19
Buckley Wlk. Liv —5D 147
Buckley Way. Boot —5D 11
Buckthorn Clo. Liv —4B 60
Buckthorn Gdns. St H —5C 64
Bude Clo. Pren —3C 94
Bude Rd. Wid —2E 131
Budworth Av. Sut M —3B 88
Budworth Av. Wid —2D 131
Budworth Clo. Halt L —3D 167
Budworth Clo. Pren —5E 95
Budworth Ct. Pren —4F 95
Budworth Dri. Liv —2C 126
Budworth Rd. Pren —5E 95
Buerton Clo. Pren —5E 95
Buffs La. Wir —1B 158
Bulford Rd. Liv —4D 37
Bulkeley Rd. Wall —3D 75
Bull Bri. La. Liv —3E 21
Bullens Rd. Kirkby —4F 23
Bullens Rd. Walt —3F 55
Bullfinch Ct. Liv —3E 127
Bull La. Liv —1A 36
(Caldy Rd.)
Bull La. Liv —2F 35
(Orrell La.)
Bullrush Dri. Wir —4A 72
Bulrushes, The. Liv —1F 121
Bulwer St. Birk —2F 119
Bulwer St. Boot —3A 34
Bulwer St. Liv —1A 78
Bunbury Dri. Run —4C 166
Bundoran Rd. Liv —2D 123
Bungalows, The. Thor H (off Raby Rd.) —4B 160
Bunter Rd. Liv —1F 39
Bunting Ct. Liv —2D 127
Burbo Bank Rd. Liv —1A 16
Burbo Bank Rd. N. Liv —5A 8
Burbo Bank Rd. S. Liv —2B 16
Burbo Cres. Liv —2B 16
Burbo Mans. Liv —2B 16
Burbo Way. Wall —3E 51
Burden Rd. Wir —1C 92
Burdett Av. Wir —5F 141
Burdett Clo. Wir —5A 142
Burdett Rd. Liv —3D 17
Burdett Rd. Wall —1D 73
Burdett St. Liv —1B 122
Burdon Clo. Wid —1D 131
Burford Av. Wall —3F 73
Burford Rd. Liv —5C 80
Burgess Gdns. Liv —5C 6
Burgess St. Liv —4E 77 (3H 5)
Burghill Rd. Liv —4F 39
Burgundy Clo. Liv —2C 122
Burland Clo. Run —1F 165
Burland Rd. Liv —1A 148
Burleigh M. Liv —4F 55
Burleigh Rd. N. Liv —4F 55
Burleigh Rd. S. Liv —5F 55
Burley Clo. Liv —4F 23
Burlingham Av. Wir —5D 113
Burlington Rd. Wall —2B 52
Burlington St. Birk —3E 97
Burlington St. Liv —2C 76
Burman Cres. Liv —5C 124
Burman Rd. Liv —5C 124
Burnage Av. Clo F —2C 88
Burnage Clo. Liv —5F 147
Burnand St. Liv —4F 55
Burnard Clo. Liv —3F 23
Burnard Cres. Liv —3F 23
Burnard Wlk. Liv —3F 23
Burnell Clo. St H —4F 45
Burnham Clo. Wid —1C 130
Burnham Rd. Liv —1C 124
Burnie Av. Boot —3E 35
Burnley Av. Wir —1F 93
Burnley Clo. Liv —2A 78
Burnley Rd. Wir —5F 71
Burnsall Dri. Wid —1C 130
Burnsall St. Liv —2E 145
Burns Av. Wall —1A 74
Burns Clo. Liv —1F 103
Burns Clo. Whis —3E 85
Burns Cres. Wid —4F 131
Burns Gro. Liv —5A 84
Burnside Av. Wall —4B 74
Burnside Rd. Wall —4B 74
Burns Rd. Sut M —3A 88
Burns St. Boot —3A 34
Burnt Ash Clo. Liv —5F 123
Burnthwaite Rd. Liv —3C 80
Burnt Mill La. Wid —2D 149
Burrell Clo. Birk —3C 118
Burrell Ct. Birk —3C 118
Burrell Dri. Wir —2D 93
Burrell Rd. Birk —4B 118
Burrell St. Liv —3F 55
Burroughs Gdns. Liv —2D 77
Burrow's Av. Hay —3F 47
Burrows Ct. Liv —1C 76
Burrows Ct. St H —5E 47
Burrow's La. Ecc L —4E 63
Burrows St. Hay —2A 48
Burton Av. Rain —2A 86
Burton Av. Wall —1E 73
Burton Clo. Liv —1D 99
Burton Clo. Rain —2A 86
Burton Clo. Wid —1E 131
Burtonhead Rd. St H —1F 65
Burton St. Liv —5B 54
Burtons Way. Liv —5C 22
Burtonwood. —5E 69
Burtonwood Ind. Est. Btnwd —4F 69
Burtree Rd. Liv —5A 60
Burwell Clo. Liv —2A 24
Burwell Wlk. Liv —2A 24
Burwen Dri. Liv —2F 35
Busby's Cotts. Wall —3B 52
Bushel's Dri. Clo F —3E 89
Bushey Rd. Liv —1C 56
Bushley Clo. Boot —4B 34
Bush Rd. Wid —2F 151
Bush Way. Wir —2E 157
Butcher's La. Augh —2F 7
Bute St. Liv —2E 77 (1G 5)
(in two parts)
Butleigh Rd. Liv —1D 83
Butler Cres. Liv —3B 78
Butler St. Liv —2B 78
(in two parts)
Buttercup Clo. Liv —4F 17
Buttercup Clo. Wir —4A 72
Buttercup Way. Liv —4B 36
Butterfield St. Liv —4F 55
Buttermere Av. Pren —3C 94
Buttermere Av. St H —5A 30
Buttermere Clo. Frod —5D 173
Buttermere Clo. Kirkby —1D 23
Buttermere Clo. Mag —1E 13
Buttermere Ct. Birk —4C 96 (off Penrith St.)
Buttermere Gdns. Liv —3F 17
Buttermere Gro. Beech —5D 167
Buttermere Rd. Liv —5A 82
Buttermere St. Liv —2B 100
Butterton Av. Wir —3D 93
Butterwick Dri. Liv —5E 39
Button St. Liv —5C 76 (5E 4)
Butts, The. Cas —5F 153
Buxted Rd. Liv —5A 24
Buxted Wlk. Liv —5A 24
Buxton La. Wall —1E 73
Buxton Rd. Birk —2A 120
Byerley St. Wall —4D 75
Byland Clo. Wid —4C 110
Byles St. Liv —5A 100
Byng Pl. Liv —3D 57
Byng Rd. Liv —3D 57
Byng St. Mil B —1B 54
By-Pass, The. Cros —1E 17
Byrne Av. Birk —3F 119
Byrom St. Liv —3D 77 (3F 5)
Byrom Way. Liv —3D 77 (2F 5)
Byron Av. Liv —4A 58
Byron Av. Whis —3F 85
Byron Clo. Huy —5A 84
Byron Clo. Pren —4F 117
Byron Clo. St H —3A 46
Byron Rd. Cros —1C 16
Byron Rd. Mag —4D 7
Byron St. Boot —3A 34
Byron St. Liv —2C 144
Byron St. Run —1A 166
Byron Ter. Liv —1C 16
Byton Wlk. Liv —1A 24
Byway, The. Liv —5E 9

Cabbage Hall. —5C 56
Cabes Clo. Liv —4A 60
Cable Rd. Whis —1F 85
Cable Rd. Wir —4B 90
Cable Rd. S. Wir —5B 90
Cable St. Liv —5C 76 (6D 4)
Cabot Grn. Liv —4E 103
Cadbury Clo. Liv —1B 58
Caddick Rd. Know B —3B 40
Cadmus Wlk. Liv —2F 77
Cadnam Rd. Liv —4D 105
Cadogan St. Liv —1D 101
Cadwell Rd. Liv —2B 6
Caernarvon Clo. Cas —5F 153
Caernarvon Clo. Wir —3A 94
Caernarvon Ct. Wir —3F 141
Caerwys Gro. Birk —5E 97
Caesars Clo. Cas —5E 153
Cains Brewery. —2D 99
Caird St. Liv —3A 78
Cairn Ct. That H —3D 65
Cairnmore Rd. Liv —2A 124
Cairns St. Liv —3A 100
Cairo St. Liv —2E 55
Cairo St. St H —2D 65
Caithness Ct. Run —5B 152
Caithness Dri. Liv —2F 17
Caithness Dri. Wall —5C 52
Caithness Gdns. Pren —3F 117
Caithness Rd. Liv —3B 124
Calcott Rake. Boot —1E 19
Calday Grange Clo. Wir —5D 113
Caldbeck Gro. St H —4C 30
Caldbeck Rd. Croft B —5D 143
Calder Av. Pren —2F 117
Calder Clo. Liv —4F 15
Calder Clo. Wid —1F 133
Calder Dri. Mag —5E 7
Calder Dri. Moss H —4C 102
Calder Dri. Rain —3B 86
Calderfield Rd. Liv —4D 103
Calder Grange. Liv —1E 125
Calderhurst Dri. Wind —2B 44
Calder Rd. Liv —5F 55
Calder Rd. Wir —2D 141
Calders, The. Liv —1C 124
Calderstones. —1C 124
Calderstones Av. Liv —4B 102
Calderstones Pk. —1D 125
Calderstones Rd. Liv —5B 102
Calder St. Liv —5E 55
Caldicott Av. Wir —3D 163
Caldway Dri. Liv —3D 105
Caldwell Clo. Liv —1F 23
Caldwell Dri. Wir —2B 116
Caldwell Rd. Liv —4C 124
Caldwell Rd. Wid —5A 132
Caldwell St. St H —5D 47
Caldy. —2D 135
Caldy Chase Dri. Wir —2D 135
Caldy Ct. Wir —5B 112
Caldy Golf Course. —4D 135
Caldy Gro. Hay —1A 48
Caldy Gro. St H —3D 47
Caldy Rd. Liv —1A 36
Caldy Rd. Wall —1B 74
Caldy Rd. Wir —5B 112
Caldy Wood. Wir —2D 135
Caldywood Dri. Whis —3E 85
Caledonia St. Liv —1F 99 (7J 5)
Calgarth Rd. Liv —1C 82
California Rd. Liv —4D 57
Callaghan Clo. Liv —1D 77
Callander Rd. Liv —3D 79
Callard Clo. Liv —3C 104
Callestock Clo. Liv —3C 38
Callington Clo. Liv —5A 60
Callon Av. St H —3E 47
Callow Rd. Liv —2D 101
Calmet Clo. Liv —5E 55
Calmington La. Run —3F 155
Calne Clo. Wir —5D 115
Calthorpe St. Liv —1B 144
Calthorpe Way. Pren —3D 95
Calvados Clo. Liv —3C 122
Calveley Av. Wir —1F 171
Calveley Clo. Pren —1F 117
Calveley Gro. Liv —1A 148
Calverley Clo. Brook —5B 168
Calvers. Run —1E 167
Camberley Dri. Liv —4C 126
Camborne Av. Liv —3C 126
Camborne Clo. Brook —4C 168
Cambourne Av. St H —1D 47
Cambourne Rd. Btnwd —5F 69
Cambrian Clo. Wir —2C 92
Cambrian Rd. Wir —2C 92
Cambrian Way. Liv —1B 126
Cambria St. Liv —3B 78
Cambridge Av. Cros —5D 9
Cambridge Av. Lith —5B 18
Cambridge Ct. Liv —1F 99 (7J 5)
Cambridge Dri. Cros —5C 8
Cambridge Dri. Halew —4F 127
Cambridge Rd. Birk —2B 118
Cambridge Rd. Boot —1D 55
Cambridge Rd. Brom —2E 163
Cambridge Rd. Cros —5C 8
Cambridge Rd. St H —4E 45
Cambridge Rd. Wall —4B 52
Cambridge Rd. Walt —5B 20
Cambridge Rd. Wat & S'frth —1E 33
Cambridge St. Liv —5F 77 (6J 5)
(L7, in three parts)
Cambridge St. Liv —1D 101
(L15, in two parts)
Cambridge St. Prsct —5D 63
Cambridge St. Run —5C 152
Cambridge St. Wid —5B 132
Camdale Clo. Liv —4B 60
Camden Ct. Nort —1D 169
Camden St. Birk —2E 97
Camden St. Liv —4E 77 (3G 5)
Camelford Rd. Liv —3C 38
Camellia Ct. Liv —2A 122
Camellia Gdns. St H —4B 68
Camelot Clo. Newt W —4F 49
Camelot Ter. Boot —4B 34 (off Tennyson St.)
Camelot Way. Cas —2A 168
Cameo Clo. Liv —2B 78
Cameron Av. Run —2E 165
Cameron Rd. Wid —4A 132
Cameron Rd. Wir —3B 72
Cameron St. Liv —4C 78
Cammell Ct. Pren —3B 96
Campania St. Liv —3C 144
Campbell Av. Run —2A 166
Campbell Dri. Liv —3E 81
Campbell St. Boot —5A 34
Campbell St. Liv —1D 99 (7E 5)
Campbell St. St H —4E 45
Campbeltown Rd. Birk —4F 97
Camperdown St. Birk —3F 97
Camphill Rd. Liv —4A 126
Campion Clo. St H —1B 46
Campion Way. Liv —2F 105
Camp Rd. Liv —3B 126
Campsey Ash. Wid —5F 109
Camrose Clo. Run —4C 166
Cam St. Wltn —2F 125
Canada Boulevd. Liv —5B 76 (5B 4)
Canal Reach. Wind H —5C 154
Canalside. West P —3D 165
Canalside Gro. Liv —1C 76
Canal St. Boot —5B 34
(in two parts)
Canal St. Newt W —5F 49
Canal St. Run —4B 152
Canal St. St H —1F 65
Canal Vw. Mell —2A 22
Canberra Av. That H —4E 65
Canberra La. Gil I —3C 38
Candia Towers. Liv —5E 55
Cannell Ct. Pal —4A 168
Canning Pl. Liv —5C 76 (7D 4)
(in two parts)
Canning St. Birk —2E 97
Canning St. Liv —1F 99
Canning St. Wat —4D 17
Cannington Rd. St H —1B 66
Canniswood Rd. Hay —2A 48
Cannock Grn. Liv —1B 12
Cannon Hill. Pren —3B 96
Cannon Mt. Pren —3B 96
Cannon St. Clo F —3C 88
Canon Rd. Liv —4C 56
Canon St. Run —4A 152
Canon Wilson Clo. Hay —2D 49
Canrow La. Know —3D 41
Cansfield St. St H —4A 46
Canterbury Av. Liv —2D 17
Canterbury Clo. Ain —3E 21
Canterbury Clo. Prsct —4E 63
Canterbury Pk. Liv —4C 124
Canterbury Rd. Birk —3A 120
Canterbury Rd. Wall —3C 74
Canterbury Rd. Wid —5C 130
Canterbury St. Gars —3C 144
Canterbury St. Liv —3E 77 (2H 5)
Canterbury St. St H —3E 45
Canterbury Way. Boot —1F 19
Canterbury Way. Liv —3E 77 (2J 5)
Canter Clo. Liv —5D 21
Cantley Clo. Beech —4D 167
Cantsfield St. Liv —2C 100
Canvey Clo. Liv —2B 102
Cape Rd. Liv —2C 36
Capesthorne Clo. Wid —4E 131
Capper Gro. Liv —3E 83
Capricorn Cres. Liv —1F 81
Capricorn Way. Boot —4B 34
Capstick Cres. Liv —3B 104
Captains Clo. Boot —5D 19
Captains Grn. Boot —5D 19
Captains La. Boot —5E 19
Caradoc Rd. Liv —2A 34
Caraway Clo. Liv —5B 10
Caraway Gro. St H —4D 45
Carbis Clo. Liv —2A 38
Carden Clo. Liv —4E 55
Cardeston Clo. Sut W —2F 173
Cardigan Av. Birk —3D 97
Cardigan Clo. St H —1F 65
Cardigan Rd. Wall —4B 52
Cardigan St. Liv —1D 101
Cardigan Way. Boot —1B 20
Cardigan Way. Liv —2B 78
Cardus Clo. Wir —1B 92
Cardwell Rd. Liv —1C 144
Cardwell St. Liv —1A 100
Carey Av. Wir —1D 141
Carey St. Wid —3B 132
Carfax Rd. Liv —1A 24
Cargill Gro. Birk —4B 120
Carham Rd. Hoy —5C 90
Carisbrooke Clo. Wir —1C 134
Carisbrooke Rd. Boot & Liv —1E 55
Carkington Rd. Liv —3C 126
Carland Clo. Liv —2B 38
Carlaw Rd. Birk —2A 118
Carleen Clo. Liv —2B 122
Carlett Boulevd. Wir —5F 163

Carlett Pk.—Chester Rd.

Carlett Pk. Wir —4F 163
Carley Wlk. Liv —5E 147
Carlile Way. Liv —4F 15
Carlingford Clo. Liv —2A 100
Carlisle Av. Boot —4F 19
Carlisle Clo. Liv —3D 57
Carlisle Clo. Pren —4C 96
Carlisle M. Pren —4C 96
Carlisle St. Wid —3C 132
Carlis Rd. Liv —5F 23
Carlow Clo. Hale V —5D 149
Carlow St. St H —2D 65
Carl's Way. Liv —4F 15
Carlton Av. Liv —4A 102
Carlton Av. Run —5D 153
Carlton La. Liv —2A 80
Carlton La. Wir —3C 90
Carlton Mt. Birk —1E 119
Carlton Rd. Birk —5C 96
Carlton Rd. Wall —3B 52
Carlton Rd. Wir —3B 142
Carlton St. Liv —2B 76
Carlton St. Prsct —4E 63
Carlton St. St H —5E 45
Carlton St. Wid —4A 132
Carlton Ter. Cros —1D 17
Carlton Ter. Wir —3C 90
Carlyon Way. Liv —3E 127
Carmarthen Cres. Liv —3D 99
Carmel Clo. Wall —3B 52
Carmel Ct. Wid —1B 132
Carmelite Cres. Ecc —3A 44
Carmel St. Liv —5E 55
Carmichael Av. Wir —2D 115
Carnaby Clo. Liv —1A 106
Carnarvon Ct. Liv —5F 35
Carnarvon Rd. Liv —5F 35
Carnarvon St. That H —4D 65
Carnatic Clo. Liv —1E 123
Carnatic Rd. Liv —1E 123
Carnation Rd. Liv —4B 36
Carnegie Av. Liv —2D 17
Carnegie Cres. St H —3E 67
Carnegie Rd. Liv —2E 79
Carnegie Wlk. St H —3F 67
Carnforth Av. Liv —4F 23
Carnforth Clo. Birk —4C 96
Carnforth Clo. Liv —2B 58
Carnforth Rd. Liv —2C 124
Carno St. Liv —1E 101
Carnoustie Clo. Liv —5F 59
Carnoustie Clo. Wir —5B 70
Carnoustie Gro. Hay —3B 48
Carnsdale Rd. Wir —1F 93
Carol Dri. Wir —2C 158
Carole Clo. Sut L —5E 67
Carolina St. Boot —5B 34
Caroline Pl. Pren —4B 96
Caronia St. Liv —3C 144
Carpathia St. Liv —3C 144
Carpenter's La. Wir —4B 112
Carpenters Row. Liv —1C 98
Carraway Rd. Gil I —2B 38
Carr Bri. Rd. Wir —5B 94
Carr Clo. Liv —1B 58
Carr Cft. Liv —2B 18
Carrfield Av. Liv —2A 18
Carrfield Wlk. Liv —5B 38
Carr Ga. Wir —2B 92
Carr Hey. Wir —1B 92
Carr Hey Clo. Wir —2C 116
Carr Ho. La. Wir —1B 92
Carrick Ct. Liv —2A 18
Carrickmore Av. Liv —2A 124
Carrington Rd. Wall —5B 52
Carrington St. Birk —1A 96
Carr La. Hoy —5B 90
Carr La. Huy —4C 82
Carr La. Mag —2A 6
Carr La. Meol & More —5A 70
Carr La. Prsct —1B 84
Carr La. W Der —1F 57
Carr La. W Kir —1D 113
Carr La. Wid & Hale V —2E 149
Carr La. E. Liv —1B 58
Carr La. Ind. Est. Hoy —5C 90
Carr Mdw. Hey. Boot —3C 18
Carr Mill. —5C 30
Carr Mill Cres. Bil —1E 31
Carr Mill Rd. Bil —1D 31 (in two parts)
Carr Mill Rd. St H —1C 46
Carrock Rd. Croft B —5E 143
Carrow Clo. Wir —2B 92
Carr Rd. Boot —1D 35
Carrs Ter. Whis —3D 85
Carr St. Dent G —3D 45
Carruthers St. Liv —3C 76 (1C 4)
Carrville Way. Liv —1A 60
Carrwood Clo. Hay —2A 48
Carsdale Rd. Liv —4A 102
Carsgoe Rd. Hoy —5C 90
Carsington Rd. Liv —1A 58
Carstairs Rd. Liv —2C 78
Carsthorne Rd. Hoy —5C 90
Cartbridge La. Liv —3F 127
Carter Av. Rainf —1A 28
Carters, The. Boot —1A 20
Carters, The. Wir —5C 92
Carter St. Liv —2F 99
Carterton Rd. Hoy —5C 90
Cartmel Av. Liv —5E 7
Cartmel Av. St H —1E 45
Cartmel Clo. Birk —4C 96
Cartmel Dri. Rain —2A 86
Cartmel Dri. W Der —2C 58
Cartmel Dri. Wir —2E 93
Cartmell Clo. Run —4B 166
Cartmel Rd. Liv —1C 82
Cartmel Ter. Liv —5B 38
Cartmel Way. Liv —2C 82
Cartwright St. Run —5C 152
Carver St. Liv —3F 77 (2J 5)
Caryl Gro. Liv —5E 99
Caryl St. Liv —4E 99 (Park St.)
Caryl St. Liv —3D 99 (Stanhope St.)
Caryl St. Liv —4D 99 (Warwick St.)
Case Gro. Prsct —1E 85
Case Rd. Hay —2D 49
Cases St. Liv —5D 77 (5F 5)
Cashel Rd. Birk —4B 74
Caspian Pl. Boot —5C 34
Caspian Rd. Liv —1C 56
Cassia Clo. Liv —4B 36
Cassino Rd. Liv —3D 83
Cassio St. Boot —1E 55
Cassley Rd. Liv —4A 148
Cassville Rd. Liv —3A 102
Castell Gro. St H —5F 45
Castle Av. St H —5E 47
Castle Clo. Wir —3A 72
Castle Dri. Hes —2F 157
Castlefield Clo. Liv —4A 58
Castlefield Rd. Liv —4A 58
Castlefields. —5A 154
Castlefields Av. E. Cas & Run —1A 168
Castlefields Av. N. Cas —5E 153
Castlefields Av. S. Cas —1F 167
Castle Fields Est. Wir —2F 71
Castleford Ri. Wir —3E 71
Castleford St. Liv —2A 102
Castlegate Gro. Liv —4A 58
Castlegrange Clo. Wir —2E 71
Castleheath Clo. Wir —3E 71
Castle Hill. Liv —5C 4
Castle Keep. Liv —4B 58
Castle Mt. Hes —2F 157
Castle Pk. —5A 172
Castle Ri. Run —5D 153
Castle Rd. Halt —2F 167
Castle Rd. Wall —5A 52
Castlesite Rd. Liv —4B 58
Castle St. Birk —3F 97
Castle St. Liv —5C 76 (5C 4)
Castle St. Wid —3D 133
Castle St. Wltn —2F 125
Castleton Dri. Boot —1B 20
Castletown Clo. Liv —1E 103
Castleview Rd. Liv —4B 58
Castleway N. Wir —2A 72
Castleway S. Wir —3A 72
Castlewell. Whis —2F 85
Castlewood Rd. Liv —1B 78
Castner Av. West P —3E 165
Castor St. Liv —1B 78
Catalyst Mus., The. —2A 152
Catchdale Moss La. St H —4E 43
Catford Clo. Wid —2C 130
Catford Grn. Liv —4F 147
Catharine St. Liv —2F 99 (7J 5)
Cathcart St. Birk —2D 97
Cathedral Clo. Liv —2E 99
Cathedral Ga. Liv —1E 99
Cathedral Rd. Liv —5C 56
Cathedral Wlk. Liv —5E 77 (6H 5)
Catherine Ct. Liv —2B 34 (off Linacre Rd.)
Catherine St. Birk —3D 97
Catherine St. Liv —2B 34
Catherine St. Wid —5A 132
Catherine Way. Hay —2F 47
Catkin Rd. Liv —2D 127
Catonfield Rd. Liv —4D 103
Catterall Av. St H —5D 67
Catterick Clo. Liv —4F 127
Caulfield Dri. Wir —1E 115
Caunce Av. Hay —2B 48
Causeway Clo. Wir —1B 142
Causeway, The. Liv —2D 81
Causeway, The. Wir —2B 142 (in two parts)
Cavan Rd. Liv —3E 57
Cavell Clo. Liv —3A 126
Cavendish Ct. Liv —1C 124 (Allerton Rd.)
Cavendish Ct. Liv —2E 55 (Rumney Rd.)
Cavendish Dri. Birk —3D 119
Cavendish Dri. Liv —5A 36
Cavendish Farm Rd. West —5F 165
Cavendish Gdns. Liv —4A 100
Cavendish Rd. Birk —2B 96
Cavendish Rd. Cros —2C 16
Cavendish Rd. Wall —2B 52
Cavendish St. Birk —1B 96
Cavendish St. Run —5F 151 (in two parts)
Cavern Ct. Liv —3B 78 (off Coleridge St.)
Cavern Quarter. —5C 76 (5D 4)
Cavern Walks. Liv —5C 76 (5D 4)
Cawdor St. Liv —3A 100
Cawdor St. Run —4F 151
Cawfield Av. Wid —3D 131
Cawley St. Run —1A 166
Cawthorne Av. Liv —5E 23
Cawthorne Clo. Liv —5E 23
Cawthorne Wlk. Liv —5E 23
Caxton Clo. Pren —3C 94
Caxton Clo. Wid —1C 130
Caxton Rd. Rain —5E 87
Cazneau St. Liv —2D 77 (1F 5)
Cearns Rd. Pren —4A 96
Cecil Dri. Ecc —3A 44
Cecil Rd. Birk —2B 118
Cecil Rd. Liv —2F 33
Cecil Rd. Wall —2A 74
Cecil Rd. Wir —4B 120
Cecil St. Liv —1D 101
Cecil St. St H —4F 67
Cedar Av. Beb —3E 141
Cedar Av. Run —3C 166
Cedar Av. Sut W —1A 174
Cedar Av. Wid —2B 132
Cedar Clo. Liv —1D 125
Cedar Clo. Whis —2E 85
Cedar Cres. Liv —5D 83
Cedar Dale Pk. Wid —5E 111
Cedardale Rd. Liv —4A 36
Cedar Gro. Hay —1E 49
Cedar Gro. Mag —4D 13
Cedar Gro. Tox —3B 100
Cedar Gro. Wat —3D 17
Cedar Rd. Liv —2B 36
Cedar Rd. Whis —3D 85
Cedars, The. Liv —5F 39
Cedars, The. Wir —2C 92
Cedar St. Birk —4D 97
Cedar St. Boot —4C 34
Cedar St. St H —1D 65
Cedar Ter. Liv —3B 100
Cedar Towers. Liv —2F 23
Cedarway. Wir —5B 158
Cedarwood Clo. Wir —5C 92
Cedarwood Ct. Liv —1E 105
Celandine Way. St H —4B 68
Celebration Dri. Liv —1C 78
Celendine Clo. Liv —1E 101
Celia St. Liv —2D 55
Celtic Rd. Wir —2E 91
Celtic St. Liv —3A 100
Celt St. Liv —2B 78
Cemeas Clo. Liv —1C 76
Centenary Clo. Liv —3C 56
Centenary Ho. Run —2C 166
Central Av. Ecc P —4F 63
Central Av. Liv —4C 146
Central Av. Prsct —5C 62
Central Av. Wir —1C 162
Central Dri. Hay —2B 48
Central Dri. Liv —1B 80
Central Dri. Sand P —1A 80
Central Expressway. Halt L —3E 167
Central Library. —4D 77 (3F 5)
Central Pde. Liv —4E 147
Central Pk. —3B 74
Central Pk. Av. Wall —2C 74
Central Rd. Port S —3B 142
Central Rd. Wir —5B 120
Central Shop. Cen. Liv —5D 77 (6F 5)
Central Sq. Liv —5D 7
Central St. St H —4A 46
Central Way. Liv —4E 147
Centreville Rd. Liv —3A 102
Centre Way. Huy —4E 83
Centurion Clo. Wir —2E 91
Centurion Dri. Wir —2E 91
Centurion Row. Cas —5F 153
Century Rd. Liv —1D 17
Ceres Ct. Pren —2C 94
Ceres St. Liv —2C 54
Cestrian Dri. Wir —2A 138
Chadlow Rd. Liv —1F 39
Chadwell Rd. Liv —1F 23
Chadwick Green. —2D 31
Chadwick Rd. Ast I —4E 153
Chadwick Rd. St H —1C 46
Chadwick St. Liv —2B 76 (1B 4)
Chadwick St. Wir —1E 93
Chaffinch Clo. Liv —2F 59
Chaffinch Glade. Liv —3E 127
Chainhurst Clo. Liv —4D 105
Chain La. St H —1D 47
Chain Wlk. Ecc —5C 44
Chalfont Rd. Liv —3D 125
Chalfont Way. Liv —4B 60
Chalgrave Clo. Wid —1E 133
Chalkwell Dri. Wir —3C 158
Challis St. Birk —5E 73
Challoner Clo. Liv —1F 105
Chaloner Gro. Liv —5F 123
Chaloner St. Liv —2D 99
Chalon Way. St H —5A 46
Chalon Way W. St H —5F 45
Chamberlain Dri. Liv —5F 15
Chamberlain St. Birk —5E 97
Chamberlain St. St H —5D 45
Chamberlain St. Wall —4A 74
Chancellor Rd. Mnr P —2D 155
Chancel St. Liv —4D 55
Chancery La. St H —5E 47
Chandos St. Liv —5B 78
Change La. Will —5B 170
Changford Grn. Liv —2A 24
Changford Rd. Liv —2A 24
Channell Rd. Fair —3C 78
Channel Reach. Liv —2B 16
Channel Rd. Cros —2B 16
Channel, The. Wall —4E 51
Chantrell Rd. Wir —4E 113
Chantry Clo. Pren —3C 94
Chantry Wlk. Wir —4A 158
Chapel Av. Liv —2A 36
Chapel Ct. St H —2D 65
Chapelfields. Frod —5A 172
Chapel Gdns. Liv —1D 77
Chapelhill Rd. Wir —1F 93
Chapel La. Boot —5F 11
Chapel La. Btnwd —5E 69
Chapel La. Cron & Wid —4C 108
Chapel La. Ecc —4B 44
Chapel La. Mell —1A 22
Chapel La. Rain —5E 87
Chapel Pl. Gars —1C 144
Chapel Pl. Liv —2A 126
Chapel Rd. Anf —5C 56
Chapel Rd. Gars —1C 144
Chapel Rd. Wir —3C 90
Chapel St. Hay —2E 49
Chapel St. Liv —4B 76 (4B 4)
Chapel St. Prsct —5D 63
Chapel St. Run —5A 152
Chapel St. St H —3F 45
Chapel St. Wid —5A 132
Chapel Ter. Boot —5B 34
Chapel Vw. Crank —1F 29
Chapel Walks. Liv —4B 4
Chapman Clo. Liv —4E 99
Chapman Clo. Wid —5D 109
Chapman Gro. Prsct —4E 63
Chardstock Dri. Liv —5C 104
Charing Cross. Birk —3C 96
Charlcombe St. Birk —5D 97
Charlecote St. Liv —1F 121
Charles Berrington Rd. Liv —3A 102
Charles Best Grn. Boot —1F 19
Charles Rd. Hoy —5B 90
Charles St. Birk —2D 97
Charles St. St H —4A 46
Charles St. Wid —4A 132
Charleston Rd. Liv —5E 99
Charlesville. Pren —4B 96
Charlesville Ct. Pren —4B 96
Charles Wlk. Liv —3F 81
Charlesworth Clo. Liv —2B 6
Charleywood Rd. Know I —4B 24
Charlock Clo. Boot —1A 20
Charlotte Rd. Wall —1C 74
Charlotte's Mdw. Wir —3A 142
Charlotte Wlk. Wid —5B 132
Charlotte Way. Liv —5F 5
Charlton Clo. Pal —3A 168
Charlton Ct. Pren —3F 95
Charlton Pl. Liv —5A 80
Charlton Rd. Liv —5A 80
Charlwood Av. Liv —5D 83
Charlwood Clo. Pren —3C 94
Charmalue Av. Liv —1F 17
Charmouth Clo. Liv —4E 39
Charnock Av. Newt W —5F 49
Charnock Rd. Liv —5C 36
Charnwood Rd. Liv —3B 82
Charnwood St. St H —4E 47
Charterhouse. Liv —3B 126
Charter Ho. Wall —2D 75
Charterhouse Dri. Liv —3E 21
Charterhouse Rd. Liv —3B 126
Chartmount Way. Liv —5B 104
Chartwell Gro. Liv —3A 128
Chaser Clo. Liv —5C 20
Chase, The. Liv —1F 105
Chase, The. Wir —5C 162
Chasewater. Run —3F 155
Chase Way. Liv —2E 77
Chatburn Wlk. Liv —5F 99
Chater Clo. Whis —5A 64
Chatham Clo. Liv —1F 33
Chatham Ct. Wat —5E 17
Chatham Pl. Liv —5B 78
Chatham Rd. Birk —2A 120
Chatham St. Liv —1F 99
Chatsworth Av. Liv —2F 35
Chatsworth Av. Wall —2C 74
Chatsworth Dri. Liv —1B 100
Chatsworth Dri. Wid —1C 130
Chatsworth Rd. Birk —2A 120
Chatsworth Rd. Rain —2B 86
Chatsworth Rd. Wir —2F 137
Chatteris Pk. Run —5D 155
Chatterton Dri. Murd —2E 169
Chatterton Rd. Liv —2B 80
Chaucer Dri. Liv —1E 59
Chaucer Rd. Dent G —2D 45
Chaucer St. Boot —4A 34
Chaucer St. Liv —3D 77 (1F 5)
Chaucer St. Run —1A 166
Chavasse Pk. —5C 76
Cheadle Av. Liv —3F 79
Cheapside. Liv —4C 76 (3D 4)
Cheapside All. Liv —4D 4
Cheddar Clo. Liv —2F 125
Cheddar Gro. Btnwd —4F 69
Cheddar Gro. Liv —1E 39
Cheddon Way. Wir —3E 137
Chedworth Dri. Wid —5C 108
Chedworth Rd. Liv —2E 81
Cheldon Rd. Liv —1C 58
Chelford Clo. Pren —2C 94
Chellow Dene. Liv —4A 10
Chelmsford Clo. Liv —4D 55
Chelsea Ct. Liv —3E 59
Chelsea Rd. Lith —2B 34
Chelsea Rd. Walt —2A 36
Cheltenham Av. Liv —3D 101
Cheltenham Clo. Liv —4E 21
Cheltenham Cres. Liv —5C 82
Cheltenham Cres. Run —4B 166
Cheltenham Cres. Wir —3E 71
Cheltenham Rd. Wall —5E 51
Chelwood Av. Liv —5E 81
Chemistry Rd. Liv —2C 146
Chenotrie Gdns. Pren —4D 95
Chepstow Av. Wall —2C 74
Chepstow St. Liv —2E 55
Chequers Gdns. Liv —4F 123
Cheriton Av. Wir —4D 113
Cheriton Clo. Liv —4E 127
Chermside Rd. Liv —3E 123
Cherry Av. Liv —2B 56
Cherrybank. Wall —4B 74
Cherry Blossom Rd. Beech —1F 173
Cherry Brow Ter. Will —5A 170 (off Hadlow Rd.)
Cherry Clo. Liv —2B 56
Cherry Clo. Newt W —4F 49
Cherrydale Rd. Liv —5A 102
Cherryfield Cres. Liv —3E 23
Cherryfield Dri. Liv —3D 23
Cherry Gdns. Liv —1F 39
Cherry La. Liv —2A 56
Cherry Sq. Wall —2B 74
Cherrysutton. Wid —1A 130
Cherry Tree Av. Run —2C 166
Cherry Tree Clo. Hale V —5E 149
Cherry Tree Clo. Hay —3A 48
Cherry Tree Clo. Whis —3D 85
Cherry Tree Dri. St H —1A 68
Cherry Tree La. St H —3A 30
Cherry Tree Rd. Liv —1E 105
Cherry Tree Rd. Wir —2F 93
Cherry Va. Liv —1B 126
Cherry Vw. Liv —5F 15
Cheryl Dri. Wid —3D 133
Cheshire Acre. Wir —2A 116
Cheshire Av. Liv —1B 38
Cheshire Gdns. St H —1E 65
Cheshire Gro. Wir —2E 93
Cheshire Way. Wir —4F 137
Cheshyre Dri. Halt —1F 167
Cheshyres La. West —3E 165 (in two parts)
Chesnell Gro. Liv —5F 15
Chesney Clo. Liv —3E 99
Chesnut Gro. Birk —5D 97
Chesnut Rd. Liv —5F 17
Chester Av. Boot —4F 19
Chester Clo. Cas —5F 153
Chester Clo. Liv —1B 18
Chester Ct. Wir —3F 141
Chesterfield Dri. Liv —5E 15
Chesterfield Rd. Liv —5A 10
Chesterfield Rd. Wir —1D 171
Chesterfield St. Liv —2E 99
Chester High Rd. Burt & Nest —5D 159
Chester La. St H & Sut M —2B 88
Chester Rd. Anf —1D 79
Chester Rd. Dar —3F 169
Chester Rd. Hel & Frod —5A 172
Chester Rd. Hes —3B 158
Chester Rd. Huy —2A 84

Chester Rd.—Colmore Av.

Chester Rd. Sut W & Pres B —3F 173
Chester St. Birk —4F 97
Chester St. Liv —2E 99
Chester St. Prsct —5D 63
Chester St. Wall —3A 74
Chester St. Wid —3B 132
Chesterton St. Liv —3C 144
Chester Wlk. Liv —2A 84
Chestnut Av. Cros —4F 9
Chestnut Av. Hay —3F 47
Chestnut Av. Huy —1D 105
Chestnut Av. Wid —2B 132
Chestnut Clo. Whis —2E 85
Chestnut Clo. Wir —3C 114
Chestnut Ct. Boot —4B 34
Chestnut Ct. Wid —3D 131
Chestnut Gro. Boot —3B 34
(Balfour Rd.)
Chestnut Gro. Boot —4B 34
(Marsh La.)
Chestnut Gro. Brom —2C 162
Chestnut Gro. St H —1D 47
Chestnut Gro. W'tree —1F 101
Chestnut Ho. Boot —4B 34
Chestnut Rd. Walt —5B 36
Chestnut St. Liv —5F 77 (6J 5)
Cheswood Clo. Whis —4E 85
Cheswood Ct. Wir —3A 116
(off Childwall Grn.)
Chetton Dri. Murd —3D 169
Chetwood Av. Liv —5F 9
Chetwood Dri. Wid —4F 109
Chetwynd Clo. Pren —5F 95
Chetwynd Rd. Pren —4A 96
Chetwynd St. Liv —1B 122
Chevasse Wlk. Liv —1C 126
Cheverton Clo. Wir —1B 116
Chevin Rd. Liv —3A 36
Cheviot Av. St H —5F 47
Cheviot Clo. Birk —3D 119
Cheviot Rd. Birk —3C 118
Cheviot Rd. Liv —4E 79
Cheviot Way. Liv —4F 15
Cheyne Clo. Liv —2A 16
Cheyne Gdns. Liv —4F 123
Cheyne Wlk. St H —5F 65
Chichester Clo. Liv —1D 101
Chichester Clo. Murd —4D 169
Chidden Clo. Wir —1C 114
Chidlow Clo. Wid —2A 152
Chigwell Clo. Liv —5E 39
Chilcott Rd. Liv —3C 80
Childers St. Liv —3F 79
Childer Thornton. —5F 171
Childwall. —2D 103
Childwall Abbey Rd. Liv —2D 103
Childwall Av. Liv —2C 100
Childwall Av. Wir —2D 93
Childwall Bank Rd. Liv —2D 103
Childwall Clo. Wir —2D 93
Childwall Cres. Liv —2D 103
Childwall Fiveways. Liv —2C 102
Childwall Golf Course. —2E 105
Childwall Grn. Wir —2A 116
Childwall Heights. Liv —2F 103
Childwall La. Bow P —4A 82
Childwall La. Child —3F 103
Childwall Mt. Rd. Liv —2D 103
Childwall Pde. Liv —3A 82
Childwall Pk. Av. Liv —3D 103
Childwall Priory Rd. Liv —2C 102
Childwall Rd. Liv —2A 102
Childwall Valley Rd. Liv —2D 103
Chilhem Clo. Liv —5F 99
Chilington Av. Wid —4D 131
Chillerton Rd. Liv —3D 59
Chillingham St. Liv —5A 100
Chiltern Clo. Kirkby —1C 22
Chiltern Clo. W Der —1F 59
Chiltern Dri. Liv —1C 22
Chiltern Rd. Birk —3C 118
Chiltern Rd. St H —5F 47
Chilton Clo. Liv —1D 13
Chilton M. Liv —1D 13
Chilwell Clo. Wid —5D 109
China Farm La. Wir —2E 113
Chippenham Av. Wir —5C 92
Chirkdale St. Liv —2E 55
Chirk Way. Wir —2F 93
Chirton Clo. Hay —1D 49
Chisenhale St. Liv —2C 76 (1C 4)
Chisledon Clo. Hay —1D 49
Chislehurst Av. Liv —3A 104
Chislet Ct. Wid —5E 109
Chisnall Av. St H —4C 44
Chiswell St. Liv —4C 78
Chiswick Clo. Murd —3D 169
Cholmondeley Rd. Clftn —1D 173
Cholmondeley Rd. W Kir —4B 112
Cholmondeley St. Wid —3A 152
Cholsey Clo. Wir —5F 93
Chorley Rd. Prsct —5B 62
Chorley's La. Wid —1D 133
Chorley St. St H —4F 45
Chorley Way. Wir —1A 162
Chorlton Clo. Liv —1F 103
Chorlton Clo. Wind H —1D 169
Chorlton Gro. Wall —1D 73
Christchurch Rd. Pren —5B 96
Christian St. Liv —3D 77 (2F 5)
Christie St. Wid —3D 133
Christleton Clo. Pren —2D 117
Christleton Ct. Mnr P —3C 154
Christmas St. Liv —2C 54
(Brasenose Rd.)
Christmas St. Liv —2D 55
(Stanley Rd.)
Christopher Clo. Liv —1D 103
Christophers Clo. Wir —3A 138
Christopher St. Liv —3F 55
Christopher Taylor Ho. Mag —3D 13
Christopher Way. Liv —1D 103
Christowe Wlk. Liv —3C 38
Chrisward Clo. Liv —5C 78
Chudleigh Clo. Liv —3E 127
Chudleigh Rd. Liv —3E 79
Church All. Liv —5D 77 (6E 5)
Church Av. Liv —1B 36
Church Clo. Wall —2D 75
Church Cotts. Liv —4C 104
Church Cres. Wall —4E 75
Churchdown Clo. Liv —2F 81
Churchdown Gro. Liv —2E 81
Churchdown Rd. Liv —2E 81
Church Dri. Wir —1B 142
Church Farm Ct. Will —5A 170
Church Farm Ct. Wir —3F 157
Churchfield Rd. Frod —5C 172
Churchfield Rd. Liv —4C 104
Churchfields. Clo F —2C 88
Churchfields. Wid —4B 110
Church Flats. Liv —1F 55
Church Gdns. Boot —5B 34
Church Gdns. Wall —2D 75
Church Grn. Child —2F 103
Church Grn. Kirkby —2E 23
Church Gro. Liv —2F 33
Church Hill. Wall —1F 73
Churchill Av. Birk —2B 96
Churchill Gdns. St H —5C 64
Churchill Gro. Wall —1C 74
Churchill Ho. S'frth —1F 33
Churchill Ind. Est. Liv —5C 20
Churchill Way N. Liv —4D 77 (3E 4)
Churchill Way S. Liv —4D 77 (4E 5)
Churchlands. Wall —4E 75
(off Bridle Rd.)
Church La. Aig —3E 123
Church La. Augh —1F 7
Church La. East —5F 163
Church La. Ecc —5A 44
Church La. Know —4C 40
Church La. Thur —2B 136
Church La. Upt —2B 116
Church La. Wall —2D 75
(in two parts)
Church La. Walt —1F 55
Church La. Wir —1D 163
Churchmeadow Clo. Wall —2D 75
Church Mdw. La. Wir —3E 157
Church Mdw. Wlk. Wid —2B 150
Church M. Liv —4B 146
Church Mt. Liv —5B 78
Church Pl. Birk —1D 119
Church Rd. Beb —4A 142
Church Rd. Birk —1D 119
Church Rd. Boot —2D 35
Church Rd. Cros —1E 17
Church Rd. Gars —2C 144
Church Rd. Halew —2E 127
Church Rd. Hay —2E 49
Church Rd. Lith —1B 34
(in two parts)
Church Rd. Mag —3D 13
Church Rd. Rainf —1A 28
Church Rd. S'frth —2F 33
Church Rd. Stan —4F 79
Church Rd. Thor H —4B 160
Church Rd. Upt —4A 94
Church Rd. Wall —4E 75
Church Rd. Walt —1A 56
Church Rd. Wat —4D 17
Church Rd. W'tree —3A 102
Church Rd. W Kir —5A 112
Church Rd. Wltn —5F 103
Church Rd. N. Liv —2A 102
Church Rd. Roby. Roby —4C 82
Church Rd. S. Liv —2A 126
Church Rd. W. Liv —1F 55
Church Sq. St H —5A 46
Church St. Birk —3F 97
(in two parts)
Church St. Boot —5A 34
Church St. Frod —5B 172
Church St. Liv —5D 77 (5E 4)
Church St. Prsct —5D 63
Church St. Run —4A 152
Church St. St H —5A 46
Church St. Wall —2D 75
Church St. Wid —2A 152
Church Ter. Birk —1D 119
Church Vw. Boot —5B 34
Churchview Rd. Birk —1B 96
Church Wlk. Boot —5B 34
Church Wlk. Ecc —4A 44
Church Wlk. Wir —5B 112
Church Way. Boot —1D 19
Church Way. Kirkby —2E 23
Churchway Rd. Liv —5A 148
Churchwood Clo. Wir —1D 163
Churchwood Ct. Wir —3B 116
Churnet St. Liv —3E 55
Churn Way. Wir —5D 93
Churston Rd. Liv —4E 103
Churton Av. Pren —1F 117
Churton Ct. Liv —3F 77
Ciaran Clo. Liv —3D 59
Cicely St. Liv —5B 78
Cinder La. Boot —1D 35
Cinder La. Liv —4C 102
Circular Dri. Grea —1D 115
Circular Dri. Hes —1F 157
Circular Dri. Port S —5B 120
Circular Rd. Birk —4D 97
Circular Rd. E. Liv —3F 57
Circular Rd. W. Liv —3F 57
Cirencester Av. Wir —5C 92
Citrine Rd. Wall —4D 75
Citron Clo. Liv —4B 36
City Gdns. St H —1F 45
City Rd. Liv —2F 55
City Rd. St H —2F 45
City Vw. St H —4A 30
Civic Way. Beb —2A 142
Civic Way. Liv —4E 83
Clairville Clo. Boot —5C 34
Clairville Ct. Boot —5C 34
Clairville Way. Liv —1E 79
Clamley Ct. Liv —4A 148
Clamley Gdns. Hale V —5E 149
Clandon Rd. Liv —3C 124
Clanfield Av. Wid —1C 130
Clanfield Rd. Liv —1A 58
Clapgate Cres. Wid —2B 150
Clapham Rd. Liv —5B 56
Clare Clo. St H —4E 65
Clare Cres. Wall —1F 73
Claremont Av. Liv —2B 12
Claremont Av. Wid —5C 110
Claremont Clo. S'frth —1F 33
Claremont Dri. Wid —5B 110
Claremont Rd. Cros —1E 17
Claremont Rd. Run —5B 152
Claremont Rd. S'frth —1F 33
Claremont Rd. W'tree —3E 101
Claremont Rd. Wir —3B 112
Claremont Way. Wir —4D 119
Claremount Dri. Wir —3F 141
Claremount Rd. Wall —4F 51
Clarence Av. Wid —5A 110
Clarence Clo. St H —1C 66
Clarence Rd. Birk —1C 118
Clarence Rd. Wall —4D 75
Clarence St. Liv —5E 77 (5H 5)
Clarence St. Newt W —4F 49
Clarence St. Run —4F 151
Clarence Ter. Run —4A 152
Clarendon Clo. Murd —3D 169
Clarendon Clo. Pren —4C 96
Clarendon Gro. Liv —2C 6
Clarendon Rd. Anf —5C 56
Clarendon Rd. Gars —1C 144
Clarendon Rd. S'frth —2F 33
Clarendon Rd. Wall —3D 75
Clare Rd. Boot —1D 55
Claret Clo. Liv —3C 122
Clare Wlk. Liv —1B 38
Clare Way. Wall —1F 73
Claribel St. Liv —3A 100
Clarke Av. Birk —2E 119
Clarke Gdns. Wid —5B 132
Clarke's Cres. Ecc —4B 44
Clarks Ter. West P —2D 165
Classic Rd. Liv —2A 80
Clatterbridge Rd. Wir —2D 161
(in two parts)
Claude Rd. Liv —5C 56
Claughton Clo. Liv —5C 78
Claughton Dri. Wall —3B 74
Claughton Firs. Pren —5B 96
Claughton Grn. Pren —4A 96
Claughton Pl. Birk —3C 96
Claughton Rd. Birk —3C 96
Claughton St. St H —4A 46
Clavell Rd. Liv —4D 125
Claverton Clo. Run —4B 166
Clay Cross Rd. Liv —2F 125
Claydon Ct. Liv —3A 128
Clayfield Clo. Boot —5D 35
Clayford Cres. Liv —2B 80
Clayford Pl. Liv —2B 80
Clayford Rd. Liv —2B 80
Clayford Way. Liv —2C 80
Clay La. Btnwd —5E 69
Clay La. St H —5D 43
Claypole Clo. Liv —1C 100
Clay St. Liv —2B 76
Clayton Cres. Run —1F 165
Clayton Cres. Wid —3F 131
Clayton La. Wall —4A 74
Clayton Pl. Birk —4C 96
Clayton Sq. Liv —5D 77 (5F 5)
Clayton St. Birk —4C 96
Cleadon Clo. Liv —1A 40
Cleadon Rd. Liv —1F 39
Clearwater Clo. Liv —4B 78
Cleary St. Boot —4B 34
Clee Hill Rd. Birk —3C 118
Cleethorpes Rd. Murd —3C 168
Clegg St. Liv —2E 77
Clematis Rd. Liv —3E 105
Clement Gdns. Liv —2C 76
(in two parts)
Clementina Rd. Liv —1B 16
Clemmey Dri. Boot —2E 35
Clent Av. Liv —4C 6
Clent Gdns. Liv —4C 6
Clent Rd. Liv —4C 6
Cleopas St. Liv —5F 99
Clevedon St. Liv —4A 100
Cleveland Clo. Liv —1C 22
Cleveland Sq. Liv —1D 99 (7E 4)
Cleveland St. Birk —1B 96
Cleveland St. St H —2C 66
Cleveley Pk. Liv —3D 125
Cleveley Rd. Liv —3C 124
Cleveley Rd. Wir —3E 91
Cleveleys Av. Wid —2D 133
Cleves, The. Liv —4E 7
Clieves Rd. Liv —4F 23
Cliff Dri. Wall —1D 75
Cliffe St. Wid —3C 132
Clifford Rd. Wall —3B 74
Clifford St. Birk —1A 96
Clifford St. Liv —4E 77 (3H 5)
Cliff Rd. Wall —3F 73
Cliff St. Liv —4C 78
Cliff, The. Wall —2F 51
Cliff Vw. Frod —5A 172
Clifton. —1D 173
Clifton Av. Liv —3E 127
Clifton Av. Wir —2E 171
Clifton Ct. Birk —4D 97
Clifton Ct. Liv —4C 124
Clifton Cres. Birk —3E 97
Clifton Cres. Frod —4C 172
Clifton Cres. St H —1D 65
Clifton Dri. Liv —3D 21
Clifton Gro. Liv —2E 77
Clifton Gro. Wall —2C 74
Clifton La. Clftn —1D 173
Clifton Rd. Anf —1D 79
Clifton Rd. Bil —1D 31
Clifton Rd. Birk —4D 97
Clifton Rd. Run —3A 166
Clifton Rd. Sut W —2E 173
Clifton Rd. E. Liv —1D 79
Clifton St. Liv —1C 144
Clifton St. St H —4A 46
Clifton Ter. St H —1D 65
Cliftonville Rd. Prsct —5E 63
Clincton Clo. Wid —4A 130
Clincton Vw. Wid —4A 130
Clinkham Wood. —5A 30
Clinton Pl. Liv —4F 57
Clinton Rd. Liv —4F 57
Clint Rd. Liv —5C 78
(in two parts)
Clint Way. Liv —5C 78
Clipper Vw. Wir —4B 120
Clipsley Brook Vw. Hay —2F 47
Clipsley Cres. Hay —1A 48
Clipsley La. Hay —2B 48
Clive Rd. Pren —5B 96
Clock Face. —3D 89
Clock Face Rd. Clo F & Wid —1C 88
Clock La. Wid —1F 133
Cloisters, The. Cros —2D 17
Cloisters, The. Ecc —4B 44
Clorain Clo. Liv —2A 24
Clorain Rd. Liv —2A 24
Closeburn Av. Wir —4E 157
Close St. St H —4E 65
Close, The. Beb —3D 119
Close, The. Cros —2D 17
Close, The. Ecc —3A 44
Close, The. Grea —2D 115
Close, The. Hay —3F 47
Close, The. Irby —1D 137
Close, The. Liv —4C 60
Close, The. Walt —4F 35
Cloudberry Clo. Liv —3E 105
Clough Rd. Liv —3D 147
Clough, The. Halt —1F 167
Clough Wood. Beech —1A 174
Clovelly Av. St H —5D 67
Clovelly Gro. Brook —5B 168
Clovelly Rd. Liv —5B 56
Clover Av. Liv —2D 127
Clover Ct. Brook —5B 168
Cloverdale Rd. Liv —2A 104
Clover Dri. Birk —5E 73
Cloverfield. Nort —3C 168
Clover Hey. St H —1B 46
Clubmoor. —4E 57
Club St. St H —4A 30
Clwyd Gro. Liv —3B 58
Clwyd St. Birk —3D 97
(in two parts)
Clwyd St. Wall —4A 52
Clyde Rd. Liv —4E 79
Clydesdale Rd. Wall —1D 75
Clydesdale Rd. Wir —3B 90
Clyde St. Birk —2F 119
Clyde St. Boot —3C 54
Coach Ho. Ct. Seft —4E 11
Coachmans Dri. Liv —2E 59
Coach Rd. Bic & Rainf —1B 26
Coach Rd. Liv —1B 42
Coalgate La. Whis —4C 84
Coalport Wlk. St H —5C 64
Coal St. Liv —4E 77 (4G 5)
Coalville Rd. St H —2D 47
Coastal Dri. Wall —3D 51
Cobal Ct. Frod —5B 172
Cobb Av. Liv —2B 34
Cobbles, The. Liv —2D 127
Cobblestone Corner. Liv —5A 124
Cobden Av. Birk —1F 119
Cobden Ct. Birk —1E 119
Cobden Pl. Birk —1F 119
Cobden Pl. Liv —2F 125
Cobden St. Liv —3F 77
Cobden St. Wltn —2F 125
Cobden Vw. Liv —2F 125
Cobham Av. Liv —2F 35
Cobham Rd. Wir —2D 93
Cobham Wlk. Boot —1D 19
Coburg Dock Marina. —3D 99
Coburg St. Birk —3D 97
Coburg Wharf. Liv —3C 98
Cochrane St. Liv —1F 77
Cockburn St. Liv —5F 99
Cockerell Clo. Liv —4F 55
Cockerham Way. Liv —3B 38
Cock Glade. Hals P —5D 85
(in two parts)
Cocklade La. Hale V —5D 149
Cock La. Ends. Wid —3B 150
Cockshead Rd. Liv —3B 104
Cockshead Way. Liv —3B 104
Cockspur St. Liv —4C 76 (3D 4)
Cockspur St. W. Liv —4C 76 (3C 4)
Coerton Rd. Liv —1B 36
Cokers, The. Birk —4E 119
Colbern Clo. Liv —1E 13
Colby Clo. Liv —1E 103
Colebrooke Rd. Liv —1A 122
Coleman Dri. Wir —1C 114
Colemere Dri. Wir —1B 138
Coleridge Av. Dent G —4D 45
Coleridge Dri. Wir —5A 120
Coleridge Gro. Wid —4E 131
Coleridge St. Boot —4A 34
Coleridge St. Liv —3B 78
Colesborne Rd. Liv —1A 58
Coles Cres. Liv —4B 10
Coleshill Rd. Liv —5E 37
Cole St. Pren —3C 96
Colette Rd. Liv —1B 38
Coleus Clo. Liv —4B 36
Colin Clo. Liv —4C 82
Colindale Rd. Liv —2E 103
Colin Dri. Liv —1C 76
Colinton St. Liv —1E 101
College Av. Cros —2D 17
College Clo. Pren —3B 94
College Clo. Wall —5E 51
College Ct. Liv —1A 80
College Dri. Wir —5A 120
College Fields. Liv —5E 83
College Grn. Flats. Liv —2D 17
College La. Liv —5D 77 (6E 4)
College Rd. Liv —1C 16
College Rd. N. Liv —5C 8
College St. St H —4A 46
(in two parts)
College St. N. Liv —3F 77 (2J 5)
College St. S. Liv —3F 77 (2J 5)
College Vw. Boot —1C 54
College Vw. Liv —4E 83
Collier's Row. Run —3E 165
Collier St. Run —4F 151
Collingwood Rd. Wir —3B 142
Collin Rd. Pren —1E 95
Collins Clo. Boot —3A 34
Collins Green. —2D 69
Collins Green La. C Grn —2E 69
Collins Ind. Est. St H —3C 46
Collinson Ct. Frod —5B 172
Colmoor Clo. Liv —4F 15
Colmore Av. Wir —1F 161

Cross Hey—Deverell Gro.

Cross Hey. Liv—3E 13
Cross Hey Av. Pren—4D 95
Cross Hillocks La. Wid—2E 129
Cross La. Prsct & Whis—2D 85
Cross La. Wall—1D 73
Cross La. Wir—3F 141
Crossley Dri. Liv—1A 102
Crossley Dri. Wir—2D 157
Crossley Rd. St H—3D 65
Cross Mdw. Ct. St H—2C 66
(off Appleton Rd.)
Cross St. Birk—3F 97
Cross St. Liv—4D 17
Cross St. Port S—2B 142
Cross St. Prsct—4D 63
Cross St. Run—4A 152
Cross St. St H—5F 45
Cross St. Wid—3C 132
Cross, The. Brom—1E 163
Crossvale Rd. Liv—5E 83
Crossway. Pren—1E 95
Crossway. Wid—3D 131
Crossways. Liv—3F 103
Crossways. Wir—4D 143
Crossway, The. Wir—5C 160
Crosswood Cres. Liv—3C 82
Crosthwaite Av. Wir—1F 171
Croston Av. Rain—1B 86
Croston Clo. Wid—1C 130
Croston Ct. Liv—4C 76 (4D 4)
Crouch St. Liv—5A 56
Crouch St. St H—3D 67
Crow La. W. Newt W—4F 49
Crowmarsh Clo. Wir—5F 93
Crownacres Rd. Liv—4C 126
Crown Av. Wid—4B 130
Crown Ga. Run—3F 167
Crown Rd. Liv—4C 58
Crown St. Liv—4F 77
(in two parts)
Crown St. Newt W—5F 49
Crown St. That H—4D 65
Crownway. Liv—2D 83
Crow St. Liv—3D 99
Crowther St. St H—5D 45
Crow Wood. —2D 133
Crow Wood La. Wid—2D 133
Crow Wood Pl. Wid—1D 133
Croxdale Rd. Liv—4A 60
Croxdale Rd. W. Liv—4F 59
Croxeth Ga. Liv—4C 100
Croxteth. —3D 39
Croxteth Av. Liv—1A 34
Croxteth Av. Wall—2B 74
Croxteth Clo. Liv—4E 7
Croxteth Country Pk. —2C 58
Croxteth Dri. Liv—4C 100
Croxteth Gro. Liv—3B 100
Croxteth Hall. —2D 59
Croxteth Hall La. Crox & W Der—5C 38
Croxteth La. Know—2B 60
Croxteth Park. —5A 40
Croxteth Rd. Boot—3B 34
Croxteth Rd. Liv—3B 100
Croxteth Sports Cen. —4C 38
Croxteth Vw. Liv—1F 39
(in two parts)
Croyde Pl. Sut L—2C 88
Croyde Rd. Liv—4A 148
Croydon Av. Liv—4F 101
Croylands St. Liv—3E 55
Crucian Way. Liv—5D 39
Crump St. Liv—2E 99
Crutchley Av. Birk—1B 96
Cubbin Cres. Liv—5D 55
Cubert Rd. Liv—4C 38
Cuckoo Clo. Liv—5A 104
Cuckoo La. Liv—4A 104
Cuckoo Way. Liv—5A 104
Cuerden St. Liv—4D 77 (3F 5)
Cuerdley Cross. —2F 133
Cuerdley Grn. Cuer—2F 133
Culford Clo. Wind H—1D 169
Cullen Av. Boot—3D 35
Cullen Clo. Wir—1C 170
Cullen Rd. West P—3D 165
Cullen St. Liv—2C 100
Culme Rd. Liv—4F 57
Culzean Clo. Liv—5E 39
Cumberland Av. Boot—2C 18
Cumberland Av. Liv—3D 101
Cumberland Av. Pren—2A 118
Cumberland Av. St H—3B 64
Cumberland Clo. Liv—5D 57
Cumberland Cres. Hay—2A 48
Cumberland Ga. Boot—1A 20
Cumberland Rd. Wall—4C 52
Cumberland St. Liv—4C 76 (4D 4)
Cumber La. Whis—2F 85
Cumbria Way. Liv—2C 58
Cummings St. Liv—1E 99 (7G 5)
Cumpsty Rd. Liv—4C 18
Cunard Av. Wall—1D 75
Cunard Building. —5B 76 (5B 4)
Cunard Clo. Pren—3C 94
Cunard Rd. Liv—1B 34
Cunliffe Clo. Pal—3A 168
Cunliffe St. Liv—4C 76 (3D 4)
Cunningham Clo. Pren—4E 117
Cunningham Clo. Wir—3C 134
Cunningham Dri. Run—2E 165
Cunningham Dri. Wir—2C 162
Cunningham Rd. Liv—4A 80
Cunningham Rd. Wid—4D 131
Cuper Cres. Liv—2D 83
Curate Rd. Liv—4C 56
Curlender Clo. Birk—5E 73
Curlender Way. Hale V—5E 149
Curlew Av. Upt—3D 93
Curlew Clo. Upt—3D 93
Curlew Ct. Wir—5C 70
Curlew Gro. Liv—3E 127
Curlew Way. Wir—5C 70
Curtana Cres. Liv—5C 38
Curtis Rd. Liv—2C 56
Curwell Clo. Wir—4B 142
Curzon Av. Birk—2B 96
Curzon Av. Wall—3B 52
Curzon Rd. Birk—2B 118
Curzon Rd. Liv—4E 17
Curzon Rd. Wir—4A 90
Curzon St. Run—1F 165
Cusson Rd. Know I—5C 24
(Gale Rd.)
Cusson Rd. Know I—4B 24
(Lees Rd.)
Custley Hey. Liv—3B 60
Custom Ho. La. Liv—5C 76 (6D 4)
Cut La. Liv—1E 41
Cygnet Ct. Liv—3A 24
Cynthia Rd. Run—5F 151
Cypress Av. Wid—1B 132
Cypress Clo. Liv—2A 22
Cypress Cft. Wir—4B 142
Cypress Gdns. St H—5C 64
Cypress Gro. Run—3C 166
Cypress Rd. Liv—1D 105
Cyprian's Way. Boot—2E 19
Cyprus Gro. Liv—5A 100
Cyprus St. Prsct—5D 63
Cyprus Ter. Wall—4B 52
Cyril Gro. Liv—2E 123

Dacre Hill. —3F 119
Dacres Bri. La. Tarb G—2C 106
Dacre's Bri. La. Tarb G—2D 107
Dacre St. Birk—3E 97
Dacre St. Boot—2B 54
Dacy Rd. Liv—5A 56
Daffodil Clo. Wid—5E 111
Daffodil Gdns. St H—4A 68
Daffodil Rd. Birk—2F 95
Daffodil Rd. Liv—2B 102
Dagnall Rd. Liv—4C 22
Dahlia Clo. Liv—4B 36
Dahlia Clo. St H—4A 68
Daisy Gro. Liv—5B 78
Daisy Mt. Liv—2E 13
Daisy St. Liv—4D 55
Dakin Wlk. Liv—3F 23
Dalby Clo. St H—3C 46
Dale Acre Dri. Boot—2C 18
Dale Av. Brom—2D 163
Dale Av. Hes—1F 157
Dalebrook Clo. Liv—2B 104
Dale Clo. Liv—5C 6
Dale Clo. Wid—4A 130
Dale Cres. St H—5D 67
Dale End Rd. Wir—3C 138
Dale Gdns. Wir—1D 157
Dalegarth Av. Liv—2F 59
Dale Hall. Liv—2F 123
Dalehead Pl. St H—4B 30
Dale Hey. Hoot—3E 171
Dale Hey. Wall—3B 74
Dalehurst Clo. Wall—2D 75
Dale La. Liv—5F 15
Dalemeadow Rd. Liv—3D 81
Dale M. Liv—5B 104
Dale Rd. Wir—4D 163
Daleside Clo. Wir—1F 137
Daleside Rd. Liv—2F 23
Daleside Wlk. Liv—2F 23
Dales Row. Whis—4B 84
Dales, The. —2E 157
Dale St. Gars—2C 144
Dale St. Liv—4C 76 (5C 4)
Dale St. Run—1A 166
Dalesway. Wir—2E 157
Dale Vw. Clo. Hes—3A 138
Dalewood. W Der—5E 39
Dalewood Gdns. Whis—4F 85
Daley Pl. Boot—1E 35
Daley Rd. Liv—4C 18
Dallas Gro. Liv—2A 36
Dallinton Ct. Liv—4B 80
Dalmeny St. Liv—1B 122
Dalmorton Rd. Wall—3B 52
Dalry Cres. Liv—1F 39
Dalrymple St. Liv—1D 77
Dalry Wlk. Liv—1F 39
Dalston Dri. St H—4B 30
Dalton Clo. Liv—1C 58
Dalton Ct. Ast I—4E 153
Dalton Rd. Wall—4C 52
Dalton St. Run—5D 153
Daltry Clo. Liv—4A 58
Dalwood Clo. Murd—3E 169
Damerham Cft. Liv—2A 104
Damerham M. Liv—2A 104
Damfield La. Liv—1D 13
Dam Row. St H—1E 65
Damson Rd. Liv—3E 105
Dam Wood Rd. Liv—5C 146
Danby Clo. Beech—4D 167
Danby Clo. Liv—1F 77
Danby Fold. Rain—3B 86
Dane Clo. Wir—1F 137
Dane Ct. Rain—3C 86
Danefield Pl. Liv—4D 125
Danefield Rd. Liv—4D 125
Danefield Rd. Wir—2C 114
Danefield Ter. Liv—4D 125
Danehurst Rd. Liv—1B 36
Danehurst Rd. Wall—4F 51
Danesbury Clo. Bil—1E 31
Danescourt Rd. Birk—1A 96
Danescourt Rd. Liv—1C 80
Danescroft. Wid—1B 130
Dane St. Liv—2F 55
Daneswell Dri. Wir—5F 71
Danes Well Rd. Liv—5A 148
Daneville Rd. Liv—1D 57
Danger La. Wir—4F 71
Daniel Clo. Boot—2A 34
Daniel Davies Dri. Liv—2A 100
Daniel Ho. Boot—1C 54
Dannette Hey. Liv—5C 60
Dansie St. Liv—4E 77 (5J 5)
Dan's Rd. Wid—2E 133
Dante Clo. Liv—5C 20
Danube St. Liv—2B 100
Daphne Clo. Liv—1B 38
Darby Gro. Liv—1B 144
Darby Rd. Liv—4A 124
D'Arcy Cotts. Wir—4B 160
(off Raby Rd.)
Darent Rd. Hay—1B 48
Daresbury Clo. Liv—3C 22
Daresbury Ct. Wid—1D 133
Daresbury Expressway. Cas—5F 153
Daresbury Rd. Ecc—4B 44
Daresbury Rd. Wall—2A 74
Dark Entry. Know P—2E 61
Dark La. Liv—1D 13
Darley Clo. Wid—1B 130
Darleydale Dri. Wir—5F 163
Darley Dri. Liv—5C 58
Darlington Clo. Wall—2D 75
Darlington Ct. Wid—5A 132
Darlington St. Wall—2D 75
Darmond Rd. Liv—2A 24
Darmond's Grn. Wir—3B 112
Darmonds Grn. Av. Liv—4C 56
Darnley St. Liv—4E 99
Darrel Dri. Liv—2C 100
Darsefield Rd. Liv—2D 103
Dartington Rd. Liv—1C 102
Dartmouth Av. Liv—3C 20
Dartmouth Dri. Boot—1C 18
Darwall Rd. Liv—4D 125
Darwen St. Liv—1B 76
Darwick Dri. Liv—1F 105
Darwin Gro. That H—4E 65
Daryl Rd. Wir—1A 158
Daulby St. Liv—4F 77 (4J 5)
Dauntsey Brow. Liv—2B 104
Dauntsey M. Liv—2B 104
Davenham Av. Pren—1F 117
Davenham Clo. Pren—2F 117
Davenhill Pk. Liv—3C 20
Davenport Clo. Wir—3D 135
Davenport Gro. Liv—1E 23
Davenport Rd. Wir—3E 157
Davenport Row. Halt L—2D 167
Daventree Rd. Wall—1B 74
Daventry Rd. Liv—2E 123
Davidson Rd. Liv—3F 79
David St. Liv—5F 99
Davids Wlk. Liv—1C 126
Davies Clo. Wid—3A 152
Davies St. Boot—4D 35
Davies St. Liv—4C 76 (4D 4)
Davies St. St H—4C 46
Davis Rd. Wir—3B 72
Davy Clo. Ecc—3B 44
Davy Rd. Ast I—4E 153
Davy St. Liv—5A 56
Dawber Clo. Liv—2A 78
Dawlish Clo. Liv—4C 126
Dawlish Rd. Wall—2F 73
Dawlish Rd. Wir—2C 136
Dawn Clo. St H—4E 65
Dawn Wlk. Liv—1B 38
Dawpool Cotts. Wir—1A 136
Dawpool Dri. Brom—3C 162
Dawpool Dri. More—1E 93
Dawson Av. Birk—1B 96
Dawson Av. St H—4D 67
Dawson Gdns. Liv—5C 6
Dawson St. Liv—4D 77 (5E 5)
Dawson Way. Liv—5F 5
Dawstone Ri. Wir—3F 157
Dawstone Rd. Wir—3F 157
Days Mdw. Wir—1C 114
Day St. Liv—3F 79
Deacon Clo. Liv—5D 17
Deacon Ct. Wat—5D 17
Deacon Ct. Wltn—2B 126
Deacon Ind. Est. Newt W—1F 69
Deacon Rd. Wid—3B 132
Deakin St. Birk—1F 95
Dealcroft. Liv—2F 125
Dean Av. Wall—5E 51
Dean Clo. Bil—2D 31
Dean Clo. Wid—4B 132
Dean Dillistone Ct. Liv—2E 99
Deane Rd. Liv—4C 78
Dean Patey Ct. Liv—1E 99
Deansburn Rd. Liv—5E 57
Deanscales Rd. Liv—1F 57
Dean St. Liv—5D 17
Dean St. Wid—4B 132
Deans Way. Birk—1F 95
Deansway. Wid—4C 130
Dean Way. Sut M—4B 88
Deanwood Clo. Whis—4F 85
Dearham Av. St H—1A 46
Dearne Clo. Liv—1E 81
Dearnford Av. Wir—4D 163
Dearnford Clo. Wir—4D 163
Dearnley Av. St H—3E 47
Deauville Rd. Liv—1C 36
Debra Clo. Liv—1B 22
Dee Clo. Liv—4F 15
Dee Ct. Liv—1C 126
Dee Ho. Liv—1C 126
Deelands Pk. Wir—5C 70
Dee La. Wir—4A 112
Deeley Clo. Liv—5C 78
Dee Pk. Clo. Wir—4B 158
Dee Pk. Rd. Wir—4B 158
Deepdale. Wid—1C 130
Deepdale Av. Boot—3A 34
Deepdale Av. St H—4C 30
Deepdale Clo. Pren—3C 94
Deepdale Dri. Rain—3D 87
Deepdale Rd. Liv—2A 104
Deepfield Dri. Liv—1F 105
Deepfield Rd. Liv—3F 101
Deepwood Gro. Whis—4E 85
Deerbarn Dri. Boot—1B 20
Deerbolt Clo. Liv—2C 22
Deerbolt Cres. Liv—2C 22
Deerbolt Way. Liv—2C 22
Deerbourne Clo. Liv—2F 125
Dee Rd. Rain—3B 86
Deer Pk. Ct. Hall P—4F 167
Deeside. Hes—2C 156
Deeside Clo. Pren—3B 94
Dee Vw. Rd. Wir—2F 157
De Grouchy St. Wir—3B 112
Deirdre Av. Wid—3A 132
Delabole Rd. Liv—3D 39
De Lacy Row. Cas—5A 154
Delagoa Rd. Liv—2F 37
Delamain Rd. Liv—5E 57
Delamere Av. East—1E 171
Delamere Av. Sut M—3A 88
Delamere Av. Wid—3C 130
Delamere Clo. Liv—5D 39
Delamere Clo. Pren—3C 94
Delamere Clo. Wir—1E 171
Delamere Gro. Wall—3E 75
Delamore Pl. Liv—2E 55
Delamore's Acre. Wil—5A 170
Delamore St. Liv—2E 55
Delavor Clo. Wir—2E 157
Delavor Rd. Wir—2E 157
Delaware Cres. Liv—2C 22
Delfby Cres. Liv—4A 24
Delf La. Liv—2B 146
Delf La. Walt—1A 56
Dell Clo. Wir—4B 162
Dell Ct. Pren—3F 117
Dellfield La. Liv—1E 13
Dell Gro. Birk—4A 120
Dell La. Wir—3B 158
Dellside Gro. St H—3C 66
Dell St. Liv—4C 78
Dell, The. Birk—3A 120
Dell, The. Liv—3E 59
Delph Ct. Liv—5A 18
Delphfield. Nort—2D 169
Delph La. Dar—4F 155
Delph La. Whis—1F 85
Delph Rd. Liv—2D 9
Delphwood Dri. Sher I—2B 66
Delta Dri. Liv—3E 59
Delta Rd. Liv—1B 34
Delta Rd. St H—4F 47
Delta Rd. E. Birk—3B 120
Delta Rd. W. Birk—3B 120
Deltic Way. Kirkby—5B 24
Deltic Way. N'ton—5B 20
Delves Av. Wir—4F 141
Delyn Clo. Birk—3E 119
Demesne St. Wall—3E 75
Denbigh Av. St H—4C 66
Denbigh Rd. Liv—5F 35
Denbigh Rd. Wall—3C 74
Denbigh St. Liv—1B 76
Dencourt Rd. Liv—2B 58
Deneacres. Liv—2A 126
Dene Av. Newt W—4F 49
Denebank Rd. Liv—4B 56
Denecliff. Liv—3C 60
Deneshey Rd. Wir—3C 90
Denes Way. Liv—4A 60
Denford Rd. Liv—1F 81
Denham Clo. Liv—5F 39
Denise Rd. Liv—1B 38
Denison Gro. That H—4E 65
Denman Dri. Liv—2C 78
Denman Gro. Wall—3E 75
Denman Rd. Liv—2C 78
Denman St. Liv—3B 78
Denmark St. Liv—4D 17
Dennett Clo. Liv—3D 13
Dennett Rd. Prsct—2C 84
Denning Dri. Wir—5D 115
Dennis Av. St H—4C 64
Dennis Rd. Wid—5C 132
Denny Clo. Wir—5F 93
Denston Clo. Pren—2B 94
Denstone Av. Liv—3D 21
Denstone Clo. Liv—2B 82
(L14)
Denstone Clo. Liv—4B 126
(L25)
Dentdale Dri. Liv—2E 77
Denton Dri. Wall—5C 52
Denton Gro. Liv—1C 78
Denton's Green. —3D 45
Dentons Grn. La. Dent G—3D 45
Denton St. Liv—5F 99
Denton St. Wid—3C 132
Dentwood St. Liv—5A 100
Denver Rd. Liv—4C 22
Depot Rd. Liv—1C 24
Derby & Rathbone Hall. Liv—5E 101
Derby Bldgs. Liv—5A 78
Derby Dri. Rainf—1B 28
Derby Gro. Mag—4D 13
Derby La. Liv—2A 80
Derby Rd. Birk—1D 119
Derby Rd. Boot & Kirk—5B 34
Derby Rd. Huy—3E 83
Derby Rd. Liv—5B 54
Derby Rd. Wall—5A 52
Derby Rd. Wid—1A 132
Derbyshire Hill. —1F 67
Derbyshire Hill Rd. St H—5F 47
Derby Sq. Liv—5C 76 (6C 4)
Derby Sq. Prsct—5E 63
Derby St. Gars—3C 144
Derby St. Huy—4A 84
Derby St. Prsct—5C 62
Derby Ter. Liv—3E 83
Dereham Av. Wir—2A 94
Dereham Cres. Liv—1F 37
Derna Rd. Liv—2D 83
Derringstone Clo. St H—2D 65
Derwent Av. Prsct—5F 63
Derwent Clo. Kirkby—1D 23
Derwent Clo. Mag—5F 7
Derwent Clo. Rain—3B 86
Derwent Clo. Wir—2D 141
Derwent Ct. Liv—4D 103
Derwent Dri. Hes—3F 137
Derwent Dri. Liv—5D 19
Derwent Dri. Wall—5A 52
Derwent Rd. Beb—2D 141
Derwent Rd. Cros—2F 17
Derwent Rd. Meol—3E 91
Derwent Rd. Pren—5B 96
Derwent Rd. St H—1B 46
Derwent Rd. Wid—3C 130
Derwent Rd. E. Liv—2A 80
Derwent Rd. W. Liv—2F 79
Derwent Sq. Liv—2F 79
Desborough Cres. Liv—4A 58
Desford Av. St H—2D 47
Desford Clo. Wir—5B 70
Desford Rd. Liv—4E 123
De Silva St. Liv—4A 84
Desmond Clo. Pren—2C 94
Desmond Gro. Liv—2F 17
Desoto Rd. Wid—2D 151
Desoto Rd. E. Wid—1F 151
(in two parts)
Desoto Rd. W. Wid—1F 151
Deva Clo. Liv—3E 15
Deva Rd. Wir—4A 112
Deveraux Dri. Wall—3B 74
Deverell Gro. Liv—5B 80

Eastleigh Dri.—Evans St.

Eastleigh Dri. Wir—5D 115
East Mains. Liv—4A 148
Eastman Rd. Liv—4E 57
East Meade. Liv—5C 6
E. Millwood Rd. Liv—3F 147
Easton Rd. Liv—3A 82
Easton Rd. Wir—4B 120
E. Orchard La. Liv—1D 37
Eastpark Ct. Wall—3E 75
E. Prescot Rd. Liv—3C 80
East Rd. Liv—4C 80 (L14)
East Rd. Liv—2A 148 (L24)
East Rd. Liv—1F 13 (L31)
East Side. St H—1C 66
Eastside Ind. Est. St H—1C 66
East St. Birk—4E 75
East St. Liv—4B 76 (3C 4)
East St. Wat—4D 17
East St. Wid—3D 133
Eastview Clo. Pren—5D 95
Eastway. Grea—5E 93
Eastway. Liv—5D 7 (in three parts)
East Way. More—5E 71
Eastway. Run—3F 167
Eastway. Wid—3D 131
Eastwood. Liv—1A 122
Eastwood. Wind H—1C 168
Eastwood Rd. Btnwd—4F 69
Eaton Av. Boot—2D 35
Eaton Av. Liv—1B 34
Eaton Av. Wall—2C 74
Eaton Clo. Huy—4C 82
Eaton Clo. W Der—4A 58
Eaton Gdns. Liv—2D 81
Eaton Grange. Liv—1C 80
Eaton Rd. Cress—1A 144
Eaton Rd. Dent G—2D 45
Eaton Rd. Mag—4D 13
Eaton Rd. Pren—4B 96
Eaton Rd. W Der—4B 58 (in two parts)
Eaton Rd. Wir—5A 112
Eaton Rd. N. Liv—4F 57
Eaton St. Liv—3C 76 (1C 4)
Eaton St. Prsct—4D 63
Eaton St. Run—5A 152
Eaton St. Wall—1B 74
Eaves La. St H—5B 66
Ebenezer Howard Rd. Liv—3C 18
Ebenezer Rd. Liv—4C 78
Ebenezer St. Birk—2A 120
Ebenezer St. Hay—2F 47
Eberle St. Liv—4C 76 (4D 4)
Ebony Clo. Wir—1B 92
Ebony Way. Kirkby & Liv—5E 15
Ebor La. Liv—2E 77
Ebrington St. Liv—5C 124
Ecclesall Av. Liv—5D 19
Eccles Dri. Liv—2B 104
Ecclesfield Rd. Ecc—2A 44
Eccles Gro. Clo F—3E 89
Eccleshall Rd. Wir—1C 142
Eccleshill Rd. Liv—1A 80
Eccleston. —3B 44
Eccleston Av. Brom—1C 162
Eccleston Clo. Pren—1F 117
Eccleston Dri. Run—1C 166
Eccleston Gdns. St H—2A 64 (in two parts)
Eccleston Park. —5A 64
Eccleston Pk. Trad. Cen. Ecc—3B 64
Eccleston Rd. Liv—2F 35
Eccleston St. Prsct—5D 63
Eccleston St. St H—5E 45
Echo La. Wir—5C 112
Edale Clo. Wir—5E 163
Edale Rd. Liv—5A 102
Eddarbridge Est. Wid—2F 151
Eddisbury Rd. Wall—1C 74
Eddisbury Rd. W Kir—2A 112
Eddisbury Sq. Frod—5B 172
Eddisbury Way. Liv—4A 58
Eddison Rd. Ast I—4D 153
Eden Clo. Liv—4F 15
Eden Clo. Rain—4B 86
Edendale. Wid—2B 130
Eden Dri. N. Liv—1A 18
Eden Dri. S. Liv—2A 18
Edenfield Cres. Liv—2F 83
Edenfield Rd. Liv—3F 101
Edenhall Dri. Liv—1C 126
Edenhurst Av. Liv—1A 104
Edenhurst Av. Wall—1C 74
Edenpark Rd. Birk—1C 118
Eden St. Liv—2B 100
Eden Va. Boot—1E 19
Edgar Ct. Birk—2D 97
Edgar St. Birk—2D 97
Edgar St. Liv—3D 77 (1E 5)
Edgbaston Clo. Liv—5C 82
Edgbaston Way. Pren—1C 94
Edgefield Clo. Pren—5D 95
Edgefold Rd. Liv—4F 23
Edge Gro. Liv—4D 79
Edge Hill. —5B 78
Edgehill Rd. Wir—1C 92
Edge La. Cros & Thor—4A 10
Edge La. Edg H & Fair—5B 78
Edge La. Old S—4E 79
Edge La. Dri. Liv—4A 80
Edge La. Retail Pk. Liv—4F 79 (in two parts)
Edgeley Gdns. Liv—2F 35
Edgemoor Clo. Cros—5B 10
Edgemoor Clo. Pren—2B 94
Edgemoor Clo. W Der—1D 81
Edgemoor Dri. Cros—4A 10
Edgemoor Dri. Faz—1A 38
Edgemoor Dri. Wir—5C 114
Edgemoor Rd. Liv—1D 81
Edge St. St H—5C 64
Edgewood Dri. Wir—5D 163
Edgewood Rd. Meol—2D 91
Edgewood Rd. Upt—3F 93
Edgeworth Clo. St H—3E 67
Edgeworth St. St H—4E 67
Edgworth Rd. Liv—5B 56
Edinburgh Clo. Boot—5A 20
Edinburgh Dri. Liv—5A 84
Edinburgh Dri. Pren—3A 118
Edinburgh Rd. Kens—4A 78
Edinburgh Rd. Wall—1B 74
Edinburgh Rd. Wid—4A 130
Edinburgh Tower. Liv—1E 77
Edington St. Liv—1E 101
Edith Rd. Boot—2D 35
Edith Rd. Liv—5A 56
Edith Rd. Wall—3D 75
Edith St. Run—4F 151
Edith St. St H—4F 67
Edmondson St. St H—5F 47
Edmonton Clo. Liv—5D 55
Edmund St. Liv—4B 76 (4C 4)
Edna Av. Liv—1A 38
Edrich Av. Pren—1C 94
Edward Jenner Av. Boot—2F 19
Edward Pavilion. Liv—1C 98 (7C 4)
Edward Rd. Whis—1F 85
Edward Rd. Wir—5C 90
Edward's La. Liv—1B 146
Edward's La. Ind. Est. Liv—1B 146
Edward St. Hay—2A 48
Edward St. Liv—5E 77 (5H 5)
Edward St. St H—2D 67
Edward St. Wid—3D 133
Edwards Way. Wid—4C 130
Edwin St. Wid—3C 132
Effingham St. Boot—1B 54
Egan Rd. Pren—1E 95
Egbert Rd. Wir—3C 90
Egdon Clo. Wid—2E 133
Egerton Dri. Wir—4B 112
Egerton Gdns. Birk—3E 119
Egerton Gro. Wall—1B 74
Egerton Pk. Birk—3E 119
Egerton Pk. Clo. Birk—3E 119
Egerton Rd. Liv—2D 101
Egerton Rd. Pren—3A 96
Egerton Rd. Prsct—4C 62
Egerton Rd. Wir—5B 120
Egerton St. Liv—2F 99
Egerton St. Run—4F 151
Egerton St. St H—2D 67
Egerton St. Wall—3B 52
Egerton Wharf. Birk—2E 97
Eglington Av. Whis—3D 85
Egremont. —1D 75
Egremont Clo. Liv—5A 106
Egremont Lawn. Liv—5A 106
Egremont Promenade. Wall—5D 53
Egremont Rd. Liv—5A 106
Egypt St. Wid—5F 131
Eighth Av. Faz—1D 37
Eilian Gro. Liv—4D 81
Elaine Clo. Wid—2C 132
Elaine St. Liv—3F 99
Elderberry Clo. Liv—1C 58
Elderdale Rd. Liv—4B 56
Elder Gdns. Liv—4B 124
Elder Gro. Wir—4B 112
Eldersfield Rd. Liv—1B 58
Elderswood. Rain—2C 86
Elderwood Rd. Birk—1E 119
Eldon Clo. St H—1E 65
Eldon Gro. Liv—2D 77
Eldonian Way. Liv—2C 76
Eldon Pl. Birk—3D 97
Eldon Pl. Liv—2C 76
Eldon Rd. Birk—2F 119
Eldon Rd. Wall—2B 74
Eldon St. Liv—2C 76
Eldon St. St H—1E 65
Eldred Rd. Liv—3C 102
Eleanor Rd. Boot—2D 35
Eleanor Rd. Pren—5D 73
Eleanor Rd. Wir—5D 71
Eleanor St. Liv—2B 54
Eleanor St. Wid—5A 132
Elephant La. St H & That H—4D 65
Elfet St. Birk—1F 95
Elgar Av. Wir—5E 163
Elgar Rd. Liv—1F 81
Elgin Dri. Wall—5C 52
Elgin Way. Birk—2E 97
Eliot Clo. Wir—5A 120
Eliot St. Boot—3B 34
Elizabeth Ct. Wid—5B 132
Elizabeth Rd. Boot—2D 35
Elizabeth Rd. Faz—1B 38
Elizabeth Rd. Hay—1E 49
Elizabeth Rd. Huy—1F 105
Elizabeth St. Clo F—3E 89
Elizabeth St. Liv—4F 77
Elizabeth St. St H—3E 67
Elizabeth Ter. Wid—3D 131
Eliza St. St H—4F 67
Elkan Clo. Wid—2E 133
Elkan Rd. Wid—2D 133
Elkstone Rd. Liv—2B 58
Ellaby Rd. Rain—2C 86
Ellams Bri. Rd. St H—3E 67
Ellel Gro. Liv—1C 78
Ellen Gdns. St H—4E 67
Ellens Clo. Liv—4A 78
Ellen's La. Wir—2A 142
Ellen St. St H—4E 67
Elleray Pk. Rd. Wall—4A 52
Ellerby Clo. Murd—3E 169
Ellergreen Rd. Liv—1F 57
Ellerman Rd. Liv—1E 121
Ellerslie Av. Rain—1C 86
Ellerslie Rd. Liv—5D 57
Ellerton Clo. Wid—1C 130
Ellerton Way. Liv—5E 39
Ellesmere Dri. Liv—3C 20
Ellesmere Gro. Wall—5B 52
Ellesmere St. Run—5B 152
Elliot St. Liv—5D 77 (5F 5)
Elliot St. St H—5E 45
Elliot St. Wid—4B 132
Ellis Ashton St. Liv—4A 84 (in two parts)
Ellis La. Frod—4D 173
Ellison Dri. St H—4C 44
Ellison Gro. Liv—4E 83
Ellison St. Liv—2F 79
Ellison Tower. Liv—1E 77
Ellis Pl. Liv—4F 99
Ellis Rd. Bil—1D 31
Ellis St. Wid—5A 132
Ellon Av. Rain—4D 87
Elloway Rd. Liv—4A 148
Elmar Rd. Liv—2E 123 (in two parts)
Elm Av. Liv—5F 9
Elm Av. Wid—2B 132
Elm Av. Wir—3D 93
Elm Bank. Liv—4F 55
Elmbank Rd. Liv—4E 101
Elmbank Rd. Wir—1B 142
Elmbank St. Wall—3C 74
Elm Clo. Liv—5F 39
Elm Clo. Wir—3A 138
Elm Ct. Liv—1C 16
Elmcroft Clo. Liv—2D 37
Elmdale Rd. Liv—4A 36
Elmdene Ct. Wir—2C 114
Elm Dri. S'frth—2F 33
Elm Dri. Wir—1C 114
Elmfield Clo. That H—3E 65
Elmfield Rd. Liv—3A 36
Elm Gdns. Liv—2A 34 (off Elm Rd.)
Elm Grn. Will—5A 170
Elm Gro. Birk—5D 97
Elm Gro. Ecc P—4F 63
Elm Gro. Hoy—4C 90
Elm Gro. Liv—5A 78
Elm Gro. Wid—3B 132
Elm Hall Dri. Liv—4A 102
Elmham Cres. Liv—1F 37
Elm Ho. Prsct—5C 62
Elm Ho. M. Liv—5B 104
Elmhurst Rd. Liv—2A 104
Elmore Clo. Liv—1F 77
Elmore Clo. Wind H—1D 169
Elm Park. —3C 78
Elm Pk. Rd. Wall—4A 52
Elm Rd. Beb—5F 119
Elm Rd. Birk—1D 119 (Derby Rd.)
Elm Rd. Birk—2B 118 (Waterpark Rd.)
Elm Rd. Hay—1E 49
Elm Rd. Irby—1F 137
Elm Rd. Kirkby—2D 23
Elm Rd. Run—2C 166
Elm Rd. St H—3D 65
Elm Rd. S'frth—2F 33
Elm Rd. Walt—1A 56
Elm Rd. Will—5A 170
Elm Rd. N. Birk—2B 118
Elmsdale Rd. Liv—4A 102
Elmsfield Clo. Liv—4A 104
Elmsfield Pk. Augh—1F 7
Elmsfield Rd. Liv—4B 10
Elms Ho. Rd. Liv—3F 79
Elmsley Ct. Liv—1F 123
Elmsley Rd. Liv—5F 101
Elms Rd. Liv—4C 12
Elms, The. Ding—5A 100
Elms, The. Lyd—4D 7
Elms, The. Run—1F 165
Elm St. Birk—3D 97
Elm St. Liv—4A 84
Elmswood Av. Rain—4D 87
Elmswood Ct. Liv—1F 123
Elmswood Gro. Liv—3B 82
Elmswood Rd. Birk—5C 96
Elmswood Rd. Liv—2D 123
Elmswood Rd. Wall—2D 75
Elm Ter. Liv—4C 78
Elm Ter. Wir—4C 90
Elmtree Clo. Liv—4C 58
Elmtree Gro. Pren—1E 95
Elmure Av. Wir—2D 141
Elm Va. Liv—2D 79
Elmwood. Nort—2C 168
Elmwood Av. Liv—5F 9
Elmwood Dri. Wir—5F 137
Elmworth Av. Wid—4A 110
Elphin Gro. Liv—2A 56
Elric Wlk. Liv—2A 24
Elsbeck Gro. St H—5D 67
Elsie Rd. Liv—5A 56
Elsinore Heights. Liv—5A 128
Elsmere Av. Liv—1C 122
Elstead Rd. Kirkby—4C 22
Elstead Rd. Walt—4E 37
Elstow St. Liv—4D 55
Elstree Rd. Liv—3D 79
Elswick St. Liv—1F 121
Eltham Av. Liv—4B 18
Eltham Clo. Wid—1E 133
Eltham Clo. Wir—2B 116
Eltham Grn. Wir—2B 116
Eltham St. Liv—4D 79
Eltham Wlk. Wid—1E 133
Elton Av. Boot—2E 19
Elton Av. Liv—1C 16
Elton Clo. Wir—2E 171
Elton Dri. Wir—4A 142
Elton Head Rd. St H—1C 86
Elton St. Liv—1F 55
Elvington Clo. Sut W—2F 173
Elvington Rd. Liv—1A 8
Elwick Dri. Liv—1C 58
Elwood Clo. Liv—4E 15
Elworthy Av. Liv—3F 127
Elwyn Dri. Liv—4F 127
Elwyn Gdns. Halew—4A 128
Elwyn Rd. Wir—2E 91
Elwy St. Liv—4A 100
Ely Av. Wir—1C 92
Ely Clo. Boot—4F 19
Ely Pk. Run—5E 155
Ember Cres. Liv—2F 77
Embledon St. Liv—2B 100 (in two parts)
Embleton Gro. Beech—5E 167
Emerald Clo. Boot—2B 20
Emerald St. Liv—1F 121
Emerson St. Liv—2F 99
Emery St. Liv—2F 55
Emily St. St H—4C 64
Emily St. Wid—5A 132
Emmett St. St H—2C 66
Empire Bri. Liv—4B 76 (4B 4) (off Union St.)
Empire Rd. Liv—2B 34
Empress Clo. Liv—1B 12
Empress Rd. Anf—5C 56
Empress Rd. Kens—4A 78
Empress Rd. Wall—2C 74
Emstry Wlk. Liv—3C 22
Endborne Rd. Liv—2A 36
Endbutt La. Liv—1E 17
Enderby Av. St H—2C 46
Endfield Pk. Liv—4A 124
Endmoor Rd. Liv—1D 83
Endsleigh Rd. Old S—3E 79
Endsleigh Rd. Wat—3B 16
Enerby Clo. Pren—2C 94
Enfield Av. Liv—1E 17
Enfield Rd. Liv—4B 80
Enfield St. St H—1E 65
Enfield Ter. Pren—4B 96
Enford Dri. St H—4D 67
Enid St. Liv—3F 99
Ennerdale Av. Liv—5E 7
Ennerdale Av. St H—5B 30
Ennerdale Av. Wir—1F 171
Ennerdale Clo. Kirkby—5D 15
Ennerdale Dri. Frod—5C 172
Ennerdale Dri. Liv—5D 19
Ennerdale Nursing Home. Liv—2D 37
Ennerdale Rd. Liv—2D 37
Ennerdale Rd. Pren—3E 117
Ennerdale Rd. Wall—3F 51
Ennerdale St. Liv—2D 77
Ennis Clo. Hale V—5D 149
Ennisdale Dri. Wir—3D 113
Ennismore Rd. Cros—5C 8
Ennismore Rd. Old S—3F 79
Ennis Rd. Liv—5E 59
Ensor St. Liv—2B 54
Enstone Av. Liv—4A 18
Enstone Rd. Liv—1B 146
Ensworth Rd. Liv—4B 102
Epping Av. Sut M—3B 88
Epping Clo. Rain—4D 87
Epping Ct. Wir—2A 158
Epping Gro. Liv—3B 102
Epsom Clo. Liv—4E 21
Epsom Dri. Wir—3F 71
Epsom Gro. Liv—5F 15
Epsom Rd. Wir—3F 71
Epsom St. St H—4E 47
Epsom Way. Liv—1D 77
Epstein Ct. Liv—3B 78 (off Coleridge St.)
Epworth Clo. Btnwd—5F 69
Epworth Grange. Pren—3A 96
Epworth St. Liv—4F 77 (3J 5)
Eremon Clo. Liv—5D 21
Erfurt Av. Wir—3A 142
Erica Ct. Wir—1E 157
Eric Gro. Wall—2A 74
Eric Rd. Wall—2A 74
Eric St. Wid—2C 132
Eridge St. Liv—5A 100
Erin Clo. Liv—3E 99
Erl St. Liv—2A 36
Ermine Cres. Liv—1F 77
Errington Ct. Liv—4E 123
Errington St. Liv—5B 54
Errol St. Liv—1B 122
Errwood Clo. Hale V—5E 149
Erskine Clo. St H—2E 47
Erskine Ind. Est. Liv—3F 77
Erskine Rd. Wall—3C 74
Erskine St. Liv—3F 77 (3J 5)
Erylmore Rd. Liv—3A 124
Escolme Dri. Wir—1D 115
Escor Rd. Liv—3F 103
Eshelby Clo. Liv—4E 17
Esher Clo. Pren—2C 94
Esher Clo. Wir—4B 120
Eshe Rd. Liv—1C 16
Eshe Rd. N. Liv—5B 8
Esher Rd. Liv—3C 78
Esher Rd. Wir—4B 120
Eskburn Rd. Liv—5E 57
Eskdale Av. East—5E 163
Eskdale Av. More—5C 70
Eskdale Av. St H—5B 30
Eskdale Clo. Beech—5D 167
Eskdale Dri. Mag—5E 7
Eskdale Rd. Liv—2A 36
Esk St. Liv—3B 54
Eslington St. Liv—5A 124
Esmond St. Liv—1B 78
Esonwood Rd. Whis—3D 85
Espin St. Liv—2F 55
Esplanade. Birk—2A 120
Esplanade, The. Boot—5C 34
Esplanade, The. Wat—5D 17
Esplanade, The. Wir—3B 120
Esplen Av. Liv—5F 9
Essex Rd. Liv—2A 84
Essex Rd. Wir—3C 112
Essex St. Liv—4E 99
Essex Way. Boot—4D 35
Esther St. Wid—3B 132
Esthwaite Av. St H—5C 30
Estuary Banks. Speke—3F 145
Estuary Banks Bus. Pk. Speke—3A 146
Etal Clo. Liv—2B 58
Ethelbert Rd. Wir—3C 90
Ethel Rd. Wall—3D 75
Etna St. Birk—2F 119
Etna St. Liv—3F 79
Eton Ct. Liv—4D 103
Eton Dri. Liv—3C 20
Eton Dri. Wir—4F 159
Etonhall Dri. St H—4C 66
Eton St. Liv—2F 55
Etruria St. Liv—3C 144
Etruscan Rd. Liv—2A 80
Ettington Rd. Liv—4B 56
Ettrick Clo. Liv—4D 15
Eurolink. St H—2F 87
Europa Boulevd. Birk—3E 97
Europa Pools Swimming Cen. —3D 97
Europa Sq. Birk—3D 97
Euston Gro. Pren—4B 96
Euston St. Liv—1F 55
Evans Clo. Hay—1F 49
Evans Rd. Liv—2C 146
Evans Rd. Wir—4B 90
Evans St. Prsct—4D 63

Evellynne Clo.—Ford Rd.

Evellynne Clo. Liv —3C 22
Evelyn Av. Prsct —5E 63
Evelyn Av. St H —5E 47
Evelyn Rd. Wall —3C 74
Evelyn St. Liv —5D 55
Evelyn St. St H —5E 47
Evenwood. St H —5C 66
Evenwood Clo. Mnr P & Run —3E 155
Everdon Wood. Liv —2F 23
Evered Av. Liv —4A 36
Everest Rd. Birk —2D 119
Everest Rd. Liv —1E 17
Evergreen Clo. Liv —3E 105
Evergreen Clo. Wir —3E 93
Everite Rd. Wid —5B 130
Everite Rd. Ind. Est. Wid —5B 130
Everleigh Clo. Pren —2C 94
Eversleigh Dri. Wir —3A 142
Eversley. Wid —2B 130
Eversley Pk. Pren —1B 118
Eversley St. Liv —3A 100
(in two parts)
Everton. —2F 77
Everton Brow. Liv —3E 77 (1H 5)
Everton F.C. —2F 55
Everton Gro. St H —3D 47
Everton Pk. Sports Cen. —4A 56
Everton Rd. Liv —2F 77
Everton Valley. Liv —4E 55
Everton Vw. Boot —1B 54
Every St. Liv —2B 78
Evesham Clo. Liv —2F 125
Evesham Rd. Liv —2D 57
Evesham Rd. Wall —5F 51
Ewanville. Liv —5E 83
Ewart Rd. B'grn —1A 104
Ewart Rd. St H —2B 46
Ewart Rd. S'frth —1F 33
Ewden Clo. Liv —2E 103
Exchange Pas. E. Liv —4C 76 (4C 4)
Exchange Pas. W. Liv —4C 76 (4C 4)
Exchange Pl. Rain —3C 86
Exchange St. St H —5A 46
Exchange St. E. Liv —4C 76 (4C 4)
Exchange St. W. Liv —4C 76 (5C 4)
Exeley. Whis —4E 85
Exeter Clo. Liv —4E 21
Exeter Rd. Boot —1C 54
Exeter Rd. Wall —1C 74
Exeter St. St H —4D 45
Exford Rd. Liv —3D 59
Exmoor Clo. Wir —2F 137
Exmouth Clo. Birk —3D 97
Exmouth Cres. Murd —4E 169
Exmouth Gdns. Birk —3D 97
Exmouth St. Birk —3D 97
Exmouth Way. Birk —3D 97
Exmouth Way. Btnwd —5F 69
Expressway. Run —3D 155
Extension Vw. St H —3D 67
Exwood Gro. Whis —4F 85

Factory La. Wid —1B 132
Factory Row. St H —2E 65
Fairacre Rd. Liv —5A 124
Fairacres Rd. Wir —3F 141
Fairbairn Rd. Liv —4E 17
Fairbank St. Liv —2E 101
Fairbeech Ct. Pren —2C 94
Fairbeech M. Pren —2C 94
Fairbrook Dri. Birk —5E 73
Fairburn Clo. Wid —1E 133
Fairburn Rd. Liv —5E 57
Fairclough Clo. Prsct —3B 86
Fairclough Cres. Hay —2A 48
Fairclough La. Pren —5B 96
Fairclough Rd. Liv —5C 60
Fairclough Rd. Rain —3B 86
Fairclough Rd. St H —4C 44
Fairclough St. Btnwd —5E 69
Fairclough St. Liv —5D 77 (6F 5)
Fairfax Dri. Run —5D 153
Fairfax Pl. Liv —1D 57
Fairfax Rd. Birk —5E 97
Fairfax Rd. Liv —1D 57
Fairfield. —3D 79
Fairfield. Liv —1E 17
(in two parts)
Fairfield Av. Liv —4A 82
Fairfield Clo. Liv —4A 82
Fairfield Cres. Fair —3D 79
Fairfield Cres. Huy —4A 82
Fairfield Cres. Wir —1D 93
Fairfield Dri. Wir —3E 113
Fairfield Gdns. Crank —3E 29
(in two parts)
Fairfield Rd. Birk —2E 119
Fairfield Rd. Dent G —3C 44
Fairfield Rd. Wid —3B 132
Fairfield St. Liv —3E 79
Fairford Cres. Liv —2B 80
Fairford Rd. Liv —2B 80
Fairhaven. Liv —5E 15
Fairhaven Clo. Birk —2F 119
Fairhaven Dri. Wir —5C 162
Fairhaven Rd. Wid —2C 132
Fair Havens Ct. Wid —5B 132
Fairholme Av. Ecc P —5F 63
Fairholme Clo. Liv —3A 58
Fairholme M. Liv —1E 17
Fairholme Rd. Liv —1E 17
Fairhurst Ter. Prsct —5E 63
Fairlawn Clo. Wir —4A 162
Fairlawn Ct. Pren —4F 95
Fairlawne Clo. Liv —5E 15
Fairlie Cres. Boot —1D 35
Fairlie Dri. Rain —4D 87
Fairmead Rd. Liv —1E 57
Fairmead Rd. Wir —5E 71
Fairoak Clo. Pren —2C 94
Fairoak Ct. White I —2F 175
Fairoak La. White I —2F 175
Fairoak M. Pren —2C 94
Fairthorn Wlk. Liv —2A 24
Fair Vw. Bil —1D 31
Fair Vw. Birk —5E 97
Fair Vw. Av. Bil —1D 31
Fairview Av. Wall —1A 74
Fairview Clo. Pren —1B 118
Fair Vw. Pl. Liv —4A 100
Fairview Rd. Pren —2B 118
Fairview Way. Wir —4F 137
Fairway. Huy —2A 84
Fair Way. Wind —3C 44
Fairway Cres. Wir —3D 143
Fairway N. Wir —3D 143
Fairways. Cros —5D 9
Fairways. Frod —5D 173
Fairways Clo. Liv —4B 126
Fairway S. Wir —4D 143
Fairways, The. Wir —3D 135
Fairways, The. Wltn —4D 127
Fairway, The. K Ash —2D 81
Falcon Cres. Liv —5F 105
Falconer St. Boot —2A 34
Falcongate Ind. Est. Wall (off Old Gorsey La.) —5C 74
Falconhall Rd. Liv —4F 37
Falcon Hey. Liv —2A 38
Falcon Rd. Birk —5C 96
Falcons Way. Hall P —4E 167
Falkland Rd. Wall —2D 75
Falklands App. Liv —1E 57
Falkland St. Birk —1A 96
Falkland St. Liv —4F 77 (3J 5)
(in two parts)
Falkner Sq. Liv —1F 99
Falkner St. Liv —1F 99 (7J 5)
(in two parts)
Fallbrook Dri. Liv —3B 58
(in two parts)
Fallow Clo. Clo F —2C 88
Fallowfield. Halt B —1D 167
Fallowfield. Liv —1E 23
Fallowfield Rd. Liv —3F 101
Fallowfield Rd. Wir —1A 94
Fallows Way. Whis —5C 84
Falls La. Liv —2E 127
Falmouth Pl. Murd —4E 169
Falmouth Rd. Liv —3C 38
Falstaff St. Boot —2C 54
Falstone Dri. Pres B —3E 169
Faraday Rd. Ast I —4D 153
Faraday Rd. Know I —1B 40
Faraday Rd. W'tree —5E 79
Faraday St. Liv —1A 78
Fareham Clo. Wir —3E 93
Fareham Rd. Liv —4C 78
Faringdon Clo. Liv —1B 146
Farley Av. Wir —1C 162
Farlow Rd. Birk —3F 119
Farmbrook Rd. Liv —2B 104
Farm Clo. Clo F —3D 89
Farm Clo. Wir —5C 92
Farmdale Clo. Liv —1B 124
Farmdale Dri. Liv —1E 13
Far Mdw. La. Wir —1C 136
Farmer Pl. Boot —1E 35
Farmer's La. Btnwd —5F 69
Farmfield Dri. Pren —2C 94
Far Moss Rd. Liv —4B 8
Farm Rd. Clo F —3D 89
Farmside. Wir —3F 71
Farm Vw. Liv —3B 18
Farmview Clo. Liv —2C 104
Farnborough Gro. Liv —3F 127
Farndale. Wid —4A 110
Farndon Av. Sut M —2B 88
Farndon Av. Wall —5E 51
Farndon Dri. Wir —3E 113
Farndon Way. Pren —5F 95
Farnhill Clo. Wind H —2D 169
Farnley Clo. Wind H —1D 169
Farnworth Av. Wir —2F 71
Farnworth Clo. Wid —5B 110
Farnworth Gro. Liv —5E 15
Farnworth Rd. Penk —5E 111
Farnworth St. Liv —3B 78
Farnworth St. St H —4C 46
Farnworth St. Wid —5B 110
Farrant St. Wid —4B 132
Farrar St. Liv —4D 57
Farrell Clo. Liv —1B 22
Farr Hall Dri. Wir —3E 157
Farr Hall Rd. Wir —2E 157
Farrier Rd. Liv —3A 24
Farriers Wlk. Clo F —2C 88
Farriers Way. Boot —5F 19
Farriers Way. Wir —2B 114
Farringdon Clo. St H —1F 87
Farthing Clo. Liv —5A 126
Farthingstone Clo. Whis —5A 64
Fatherside Dri. Boot —2C 18
Faversham Rd. Liv —5E 37
Fawcett Rd. Liv —4D 7
Fawley Rd. Liv —2C 124
Fawley Rd. Rain —5E 87
Fazakerley. —4D 37
Fazakerley Bri. Liv —4B 76 (4B 4) (off Fazakerley St.)
Fazakerley Clo. Liv —4A 36
Fazakerley Rd. Liv —4A 36
Fazakerley Rd. Prsct —2E 85
Fazakerley Sports Cen. —5F 21
Fazakerley St. Liv —4B 76 (4B 4)
Fearnley Hall. Birk —4D 97
Fearnley Rd. Birk —4D 97
Fearnside St. Liv —1C 100
Feather La. Wir —2F 157
(in two parts)
Feeny St. Sut M —4B 88
Feilden Rd. Wir —3A 142
Felicity Gro. Wir —5D 71
Fell Gro. St H —5A 30
Fell St. Liv —4B 78
Fell St. Wall —4E 75
Felltor Clo. Liv —1F 125
Fellwood Gro. Whis —3E 85
Felmersham Av. Liv —5E 37
Felspar Rd. Liv —1E 39
Felsted Av. Liv —2C 126
Felsted Dri. Liv —4E 21
Felthorpe Clo. Upt —2B 94
Felton Clo. Wir —1C 92
Felton Gro. Liv —2F 79
Feltree Ho. Pren —2C 94
Feltwell Rd. Liv —5B 56
Feltwood Clo. Liv —4F 59
Feltwood Mnr. Liv —4F 59
Feltwood Rd. Liv —3F 59
Feltwood Wlk. Liv —4F 59
Fender Ct. Wir —3D 117
Fender La. Wir —5A 72
Fenderside Rd. Pren —1C 94
Fender Vw. Rd. Wir —1A 94
Fender Way. Pren —2B 94
(in two parts)
Fenderway. Wir —3A 138
Fenton Clo. Boot —5B 20
Fenton Clo. Liv —4D 147
Fenton Clo. St H —4F 45
Fenton Clo. Wid —1B 130
Fenton Grn. Liv —5D 147
Fenwick La. Halt L —4D 167
Fenwick St. Liv —5C 76 (5C 4)
Ferguson Av. Wir —1D 115
Ferguson Rd. Lith —4C 18
Ferguson Rd. W Der —3E 57
Fern Bank. Liv —1D 13
Fernbank Av. Liv —4D 83
Fernbank Dri. Boot —1A 20
Fernbank La. Wir —2F 93
Fern Clo. Liv —5E 105
Ferndale Av. Wall —2C 74
Ferndale Av. Wir —3B 114
Ferndale Clo. Liv —1A 36
Ferndale Clo. Wid —2E 111
Ferndale Rd. Wat —3D 17
Ferndale Rd. W'tree —3E 101
Ferndale Rd. Wir —4B 90
Fern Gdns. Ecc L —4F 63
Fern Gro. Boot —4C 34
Fern Gro. Liv —3B 100
Fern Gro. Pren —4D 95
Fern Hey. Liv —5B 10
Fernhill. Wall —3B 52
Fernhill Av. Boot —5E 35
Fernhill Clo. Boot —5E 35
Fernhill Dri. Liv —3A 100
Fernhill Gdns. Boot —5E 35
Fernhill M. E. Boot —5E 35
Fernhill M. W. Boot —5E 35
Fernhill Rd. Boot —2D 35
Fernhill Sports Cen. —2D 35
Fernhill Wlk. Clo F —2C 88
Fernhill Way. Boot —5E 35
Fernhurst. Halt B —1D 167
Fernhurst Rd. Liv —4C 22
Fernie Cres. Liv —4E 99
Fernlea Av. That H —4D 65
Fernlea M. Pren —1C 94
Fernlea Rd. Wir —2A 158
Fernleigh. Pren —1B 118
Fernleigh Rd. Liv —3B 80
Fern Lodge. Liv —3B 100
Ferns Clo. Wir —1C 156
Ferns Rd. Wir —2D 141
Fernwood Dri. Liv —4E 127
Fernwood Rd. Liv —1E 123
Ferny Brow Rd. Wir —1B 116
Ferrey Rd. Liv —1A 38
Ferries Clo. Birk —4A 120
Ferry Rd. Wir —5F 163
Ferryside. Wall —4E 75
Ferry Vw. Rd. Wall —4E 75
Ferryview Wlk. Cas —5F 153
Festival Ct. Liv —5B 38
Festival Way. Run —2C 166
Ffrancon Dri. Wir —5F 119
Fiddlers Ferry Rd. Wid —4C 132
Fidler St. St H —2D 65
Field Av. Liv —5A 18
Field Clo. Clo F —3D 89
Field Clo. Wir —4B 120
Fieldfare Clo. Liv —4A 104
Fieldgate. Wid —5B 130
Field Hey La. Will —4B 170
(in two parts)
Fieldhouse Row. Halt L —3D 167
Fieldings, The. Liv —3B 6
Fielding St. Liv —3A 78
Field La. Faz —2A 38
Field La. Lith —4A 18
Field Rd. Clo F —3D 89
Field Rd. Wall —4B 52
Fields End. Liv —1E 105
Fieldsend Clo. Liv —5E 105
Fieldside Rd. Birk —2E 119
Field St. Liv —3E 77 (1H 5)
(in two parts)
Fieldsway. West —4A 166
Fieldton Rd. Liv —1B 58
Field Vw. Liv —4A 18
Field Wlk. Liv —5B 10
Fieldway. Beb —4D 119
Fieldway. Frod —5C 172
Fieldway. Hes —1C 158
Fieldway. Huy —1F 105
Fieldway. Mag —3D 13
Fieldway. Meol —4F 91
Field Way. Rain —1C 86
Fieldway. Wall —1A 74
Fieldway. W'tree —1C 102
Fieldway. Wid —2D 133
Fieldway Ct. Birk —1C 96
Fifth Av. Faz —1E 37
Fifth Av. Liv —1D 37
Fifth Av. Pren —2B 94
Fifth Av. Run —3F 167
Filbert Clo. Liv —4F 15
Filton Rd. Liv —1B 82
Finborough Rd. Liv —1C 56
Fincham. —1B 82
Fincham Clo. Liv —1B 82
Fincham Grn. Liv —1B 82
Fincham Rd. Liv —1A 82
Fincham Sq. Liv —1A 82
Finch Clo. Clo F —3D 89
Finch Clo. Liv —5F 59
Finch Ct. Birk —2D 97
Finchdean Clo. Wir —1C 114
Finch Dene. Liv —5F 59
Finch La. Halew —1B 148
Finch La. K Ash —5F 59
Finch Lea Dri. Liv —1A 82
Finchley Dri. St H —1C 46
Finchley Rd. Liv —4B 56
Finch Mdw. Clo. Liv —4F 37
Finch Pl. Liv —4F 77 (3J 5)
Finch Rd. Liv —5A 60
Finch Way. Liv —1F 81
Findley Dri. Wir —3F 71
Findon Rd. Liv —5F 23
Fingall Rd. Liv —3A 102
Finger Ho. La. Wid —5D 89
Fingland Rd. Liv —2E 101
Finlan Rd. Wid —5A 132
Finlay Ct. Boot —1F 19
Finlay St. Liv —3C 78
Finney Gro. Hay —2E 49
Finney, The. Cald —3D 135
Finsbury Pk. Wid —4C 110
Finstall Rd. Wir —5F 141
Finvoy Rd. Liv —4E 57
Fiona Wlk. Liv —1C 38
Fir Av. Liv —4A 128
Firbank Clo. Wind H —1D 169
Firbrook Ct. Pren —5C 72
Fir Clo. Liv —4A 128
Fir Cotes. Liv —1E 13
Firdale Rd. Liv —4A 36
Firdene Cres. Pren —5E 95
Fire Sta. Rd. Whis —1F 85
Firethorne Rd. Liv —2D 127
Fir Gro. Walt —5C 20
Fir La. Liv —2A 102
Fir Rd. Liv —3E 17
Firs Av. Wir —4F 141
Firscraig. Liv —4C 60
Firshaw Rd. Wir —2C 90
First Av. Cros —1D 17
First Av. Faz —2E 37
First Av. Liv —1C 36
First Av. Pren —3C 94
First Av. Rain —2B 86
Firs, The. Pren —1E 95
Firstone Gro. Liv —5E 23
Fir St. St H —3D 65
Fir St. Wid —2C 132
Firthland Way. St H —1F 67
Fir Tree Dri. N. Liv —5D 39
Fir Tree Dri. S. Liv —5D 39
Fir Tree La. Btnwd —4F 69
Fir Way. Wir —5B 158
Fisher Av. Whis —4D 85
Fisher Pl. Whis —4D 85
Fishers La. Wir —3E 137
Fisher St. Liv —3D 99
Fisher St. Run —4B 152
Fisher St. St H —3E 67
Fishguard Clo. Liv —2F 77
Fishwicks Ind. Est. St H —3C 66
Fistral Clo. Liv —2B 38
Fistral Dri. Wind —2B 44
Fitzclarence Wlk. Liv —2F 77
Fitzclarence Way. Liv —2F 77
Fitzgerald Rd. Liv —3A 80
Fitzpatrick Ct. Liv —2C 76
Fitzroy Way. Liv —3A 78
Fitzwilliam Wlk. Cas —5A 154
Fiveways. Ecc —4A 44
Flail Clo. Wir —5D 93
Flambards. Wir —1C 116
Flander Clo. Wid —2C 130
Flatfield Way. Liv —1E 13
Flatt La. Pren —1F 117
Flavian Brow. Cas —1E 167
Flavian Ct. Run —5A 154
Flawn Rd. Liv —3E 57
Flaxhill. Wir —5D 71
Flaxman St. Liv —4C 78
Flaybrick Clo. Pren —1E 95
Fleck La. Wir —5D 113
Fleet Cft. Rd. Wir —2A 116
Fleet La. St H —5E 47
Fleet St. Liv —5D 77 (6F 5)
Fleetwood Gdns. Liv —5F 15
(in two parts)
Fleetwood Pl. Liv —2F 125
Fleetwoods La. Boot —1D 19
Fleetwood Wlk. Murd —3C 168
Fleming Ct. Liv —2C 76
Fleming Rd. Liv —1C 146
Flemington Av. Liv —2D 57
Fletcher Av. Birk —2E 119
Fletcher Av. Prsct —4E 63
Fletcher Clo. Wir —2A 116
Fletcher Dri. Liv —5A 124
Flint Dri. Liv —2D 59
Flintshire Gdns. St H —1E 65
Flint St. Liv —2D 99
Floral Pavillion Theatre. —2C 52
Floral Wood. Liv —2F 121
Florence Av. Wir —1F 157
Florence Clo. Liv —5F 35
Florence Nightingale Clo. Boot —1F 19
Florence Rd. Wall —3E 75
Florence St. Birk —3D 97
Florence St. Liv —3F 55
Florence St. St H —4C 64
Florentine Rd. Liv —2A 80
Florida Ct. Liv —4B 124
Flowermead Clo. Wir —2F 91
Fluin La. Frod —4C 172
Fluker's Brook La. Know —2B 60
Foinavon Clo. Liv —1F 35
Folds La. St H —1A 46
Folds Rd. Hay —2F 47
Folds, The. Wir —4A 160
Foley Clo. Liv —4E 55
Foley St. Liv —4E 55
(in two parts)
Folkestone Way. Murd —3C 168
Folly La. Run —1D 165
Folly La. Wall —1E 73
Fontenoy St. Liv —4D 77 (2E 5)
Fonthill Clo. Liv —4D 55
Fonthill Rd. Liv —3D 55
Ford. —4B 94
(nr. Birkenhead)
Ford. —3B 18
(nr. Litherland)
Ford Clo. Boot —1E 35
Ford Clo. Liv —3B 18
Ford Clo. Wir —5B 94
Fordcombe Rd. Liv —5C 104
Ford Dri. Wir —4B 94
Fordham St. Liv —3E 55
Fordhill Vw. Wir —1A 94
Ford La. Liv —3B 18
Ford La. Wir —4B 94
Fordlea Rd. Liv —3A 58
Fordlea Way. Liv —3A 58
Ford Rd. Prsct —5F 63
Ford Rd. Wir —4A 94

Ford St.—Glendale Gro.

Ford St. Liv—3C 76 (1D 4)
Ford Vw. Liv—2B 18
Ford Way. Wir—5A 94
Fordway M. Wir—5A 94
Forefield La. Liv—5F 9
Forest Clo. Ecc P—4F 63
Forest Clo. Wir—2D 91
Forest Ct. Pren—3F 95
Forest Dri. Liv—3C 82
Forest Grn. Liv—3A 58
Forest Gro. Ecc P—4F 63
Forest Lawn. Liv—3B 58
Forest Mead. Ecc—5A 44
Forest Rd. Hes—1A 158
Forest Rd. Meol—2D 91
Forest Rd. Pren—2A 96
Forest Rd. Sut M—3A 88
Forfar Rd. Liv—5D 57
Forge Clo. Wid—4C 108
Forge Cotts. Liv—5C 100
Forge St. Boot—3C 54
Formby Av. St H—2D 65
Formosa Dri. Liv—1F 37
Formosa Rd. Liv—1F 37
Formosa Way. Liv—1F 37
Fornals Grn. La. Wir—4E 91
Forrester Av. St H—4C 64
Forrest St. Liv—1D 99 (7E 4)
Forshaw Av. St H—3C 64
Forshaw's La. Btnwd—3E 69
Forsythia Clo. Liv—5C 36
Forthlin Rd. Liv—3C 124
(in two parts)
Forth St. Liv—2B 54
Forton Lodge Flats. Liv—1C 16
(off Blundellsands Rd. E.)
Fort St. Wall—4C 52
Forwood Rd. Wir—2D 163
Foscote Rd. Liv—1A 24
Foster Clo. Whis—1A 86
Fosters Gro. Hay—2F 47
Fosters Rd. Hay—2F 47
Foster St. Liv—4C 54
Foster St. Wid—3B 132
Foundry La. Wid—2B 150
Foundry St. St H—5A 46
Fountain Ct. Cros—5A 8
Fountain La. Frod—5A 172
Fountain Rd. Know—5D 41
Fountain Rd. Wall—4B 52
Fountains Av. Hay—1F 49
Fountains Clo. Brook—5C 168
Fountains Clo. Liv—4F 55
Fountains Ct. Kirk—4D 55
Fountains Rd. Liv—4D 55
(in two parts)
Fountain St. Birk—1C 118
Fountain St. St H—5C 64
Four Acre Dri. Liv—2B 18
Four Acre La. Clo F—2B 88
Fouracres. Liv—3B 12
Four Bridges. Wall—5E 75
Fourth Av. Faz—1E 37
Fourth Av. Liv—1D 37
Fourth Av. Pren—2B 94
Fourth Av. Run—3F 167
Fowell Rd. Wall—3B 52
Fowler Clo. Liv—5C 78
Fowler St. Liv—1A 78
Foxcote. Wid—2B 130
Foxcover Rd. Hes—3C 158
Foxcovers Rd. Beb—4A 142
Fox Covert. Run—2C 168
Foxdale Clo. Pren—4A 96
Foxdale Rd. Liv—3E 101
Foxdell Clo. Liv—4A 80
Foxes, The. Wir—1B 138
Foxfield Rd. Wir—3D 91
Foxglove Av. Liv—3E 127
Foxglove Clo. Liv—4F 37
Foxglove Ct. Frod—5C 172
Foxglove Rd. Birk—2F 95
Fox Hey Rd. Wall—2F 73
Foxhill Clo. Tox—3A 100
Foxhill La. Liv—2E 127
Foxhouse La. Liv—2E 13
Foxhunter Dri. Liv—5C 20
Foxleigh. Liv—3D 127
Foxleigh Grange. Birk—5F 73
Foxley Heath. Wid—4E 131
Fox Pl. St H—4A 46
Fox's Bank La. Whis—1F 107
Foxshaw Clo. Whis—5D 85
Fox St. Birk—3C 96
Fox St. Liv—2E 77 (1G 5)
Fox St. Run—5A 152
Foxton Clo. St H—3D 47
Foxton Clo. Wir—5B 70
Foxwood. Liv—3E 59
Foxwood. St H—5C 64
Foxwood Clo. Wir—3E 113
Frampton Rd. Liv—1D 57
Franceys St. Liv—5E 77 (5H 5)
Francine Clo. Liv—1C 76
Francis Av. Pren—3B 96
Francis Av. Wir—1D 93
Francis Clo. Rain—2C 86
Francis Clo. Wid—4C 130
Francis Rd. Frod—4C 172
Francis St. St H—4F 67
Francis Way. Liv—1D 103
Frankby. —2B 114
Frankby Av. Wall—2A 74
Frankby Clo. Wir—1B 114
Frankby Grn. Wir—2B 114
Frankby Gro. Wir—4F 93
Frankby Rd. Grea & Wir —1B 114
Frankby Rd. Liv—3B 56
Frankby Rd. Meol—3D 91
Frankby Rd. W Kir & Fran —3D 113
Franklin Gro. Liv—4E 15
Franklin Pl. Liv—1B 78
Franklin Rd. Wir—2A 72
Frank St. Liv—4E 99
Frank St. Wid—3C 132
Franton Wlk. Liv—3C 22
Fraser St. Liv—4E 77 (3G 5)
Freckleton Dri. Liv—5F 15
Freckleton Rd. St H—2B 64
Freda Av. St H—5C 66
Frederick Banting Clo. Boot —1F 19
Frederick Gro. Liv—1A 102
Frederick Lunt Av. Know—5C 40
Frederick St. St H—3F 67
Frederick St. Wid—3B 132
Frederick Ter. Wid—3A 150
Fredric Pl. Run—4B 152
Freedom Clo. Liv—1A 100
Freehold St. Liv—3D 79
Freeland St. Liv—4E 55
Freeman St. Birk—2E 97
Freeman St. Liv—1C 100
Freemantle Av. That H—4E 65
Freemasons Row. Liv —3C 76 (2D 4)
Freemont Rd. Liv—4A 58
Freeport Gro. Liv—1B 36
Freesia Av. Liv—4B 36
Freme Clo. Liv—5B 38
Frenchfield St. Clo F—3D 89
French St. St H—2D 65
French St. Wid—3D 133
Frensham Clo. Wir—5F 141
Frensham Way. Liv—4D 127
Freshfield Clo. Liv—3C 82
Freshfield Rd. W'tree—3F 101
Freshford. St H—5D 67
Friars Clo. Wir—2F 141
Friarsgate Clo. Liv—4C 102
Friar St. St H—2F 45
Frinstead Rd. Liv—2A 58
Frobisher Rd. More—2A 72
Froda Av. Frod—5B 172
Frodsham. —5B 172
Frodsham Dri. St H—3D 47
Frodsham St. Birk—5E 97
(in two parts)
Frodsham St. Liv—2F 55
Frogmore Rd. Liv—3E 79
Frome Clo. Wir—5D 115
Frome Way. Liv—4D 127
Frontfield Ct. St H—1C 66
(off Appleton Rd.)
Frost Dri. Wir—1C 136
Frost St. Liv—4C 78
Fryer St. Run—4A 152
Fry St. St H—5E 47
(in two parts)
Fuchsia Wlk. Wir—2C 114
Fulbeck. Wid—2C 130
Fulbrook Clo. Wir—4F 141
Fulbrook Rd. Wir—5F 141
Fulford Clo. Liv—5F 59
Fullerton Gro. Liv—2E 83
Fulmar Clo. Liv—4E 105
Fulmar Clo. St H—2B 46
Fulmar Gro. Liv—5E 39
Fulshaw Clo. Liv—3D 105
Fulton Av. Wir—3E 113
Fulton St. Liv—1B 76
Fulwood Clo. Liv—2D 123
Fulwood Dri. Liv—2C 122
Fulwood Pk. Liv—3C 122
Fulwood Rd. Liv—2C 122
Fulwood Way. Liv—1C 18
Furlong Clo. Liv—5C 20
Furness Av. St H—1E 45
Furness Av. W Der—2C 58
Furness Clo. Wir—3E 93
Furness Ct. Run—3F 155
Furness St. Liv—4E 55
Furze Way. Wir—5E 71

Gable Ct. Liv—5E 37
Gables, The. Mag—3E 13
Gables, The. Prsct—5F 63
Gable Vw. Liv—5E 37
Gabriel Clo. Wir—1F 93
Gainford Clo. Liv—5A 60
Gainford Clo. Wid—1C 130
Gainford Rd. Liv—5A 60
Gainsborough Av. Liv—2B 12
Gainsborough Clo. Liv—1E 81
Gainsborough Ct. Wid—3B 130
Gainsborough Rd. Liv—3D 101
Gainsborough Rd. Wall—1E 73
Gainsborough Rd. Wir—3F 93
Gaisgill Ct. Wid—3C 130
Galemeade. Liv—5B 38
Gale Rd. Know I—5C 24
Gale Rd. Lith—4C 18
Galion Way. Wid—1E 131
Gallagher Ind. Est. Birk—5B 74
Gallopers La. Wir—1C 138
Galloway Rd. Liv—3E 17
Galloway St. Liv—1D 101
Galston Av. Rain—4D 87
Galston Clo. Liv—4D 15
Galsworthy Av. Boot—5D 19
Galsworthy Pl. Boot—5E 19
Galsworthy Wlk. Boot—1E 35
Galton St. Liv—3B 76 (2A 4)
Galtres Ct. Wir—4E 119
Galtres Pk. Wir—4E 119
Gambier Ter. Liv—2E 99
Gamble Av. St H—2E 45
Gamlin St. Birk—1F 95
Gamston Wood. Liv—4C 22
Ganney's Mdw. Rd. Wir —2C 116
Gannock St. Liv—4C 78
Ganton Clo. Wid—5B 110
Ganworth Clo. Liv—5E 147
Ganworth Rd. Liv—5E 147
Garage Rd. Liv—2F 147
Garden Apartments. Liv —1F 123
Garden Cotts. Liv—2D 81
Garden Ct. Birk—3C 118
Gardeners Vw. Liv—4F 15
Gardeners Way. Rain—1C 86
Garden Hey Rd. Meol—3C 90
Garden Hey Rd. More—2B 92
Gardenia Gro. Liv—2A 122
Garden La. Liv—2E 77
(L3)
Garden La. Liv—5D 21
(L9)
Garden La. Wir—5E 71
Garden Lodge Gro. Liv—4D 105
Gardenside. Wir—2B 72
Gardenside St. Liv—3F 77
Gardens Rd. Wir—2B 142
Garden St. Liv—2A 126
Garden Vw. Liv—1D 81
Garden Wlk. Prsct—1D 85
Gardiner Av. Hay—2C 48
Gardner Av. Boot—1D 35
Gardner Rd. Old S—1E 79
Gardners Dri. Liv—2C 78
Gardner's Row. Liv —3D 77 (1E 5)
Gareth Av. St H—2B 46
Garfield Ter. Wir—4A 94
Garfourth Clo. Liv—5D 125
Garfourth Rd. Liv—5D 125
Garmoyle Clo. Liv—2D 101
Garmoyle Rd. Liv—2E 101
Garnet St. Liv—5F 79
Garnet St. St H—4D 67
Garnett Av. Liv—3D 55
Garnetts La. Tarb G—3D 129
Garnett's La. Wid—3A 150
Garrick Av. Wir—1C 92
Garrick Rd. Pren—4F 117
Garrick St. Liv—2C 100
Garrigill Clo. Wid—4B 110
Garrowby Dri. Liv—3C 82
Garsdale Av. Rain—4D 87
Garsfield Rd. Liv—2D 57
Garside Pl. Ecc—5A 44
Garston. —1D 145
Garston Ind. Est. Liv—3C 144
Garston Old Rd. Liv—5A 124
Garston Recreation Cen. & Swimming Pool. —1C 144
Garston Sports Cen. —5C 124
Garston Way. Liv—1B 144
Garswood Clo. Liv—4E 7
Garswood Clo. Wir—2F 71
Garswood Cres. Bil—1E 31
Garswood Old Rd. St H & Ash M —5C 30
Garswood Rd. Bil—1E 31
Garswood St. Liv—1F 121
Garswood St. St H—4A 46
Garter Clo. Liv—5C 38
Garth Boulevd. Wir—4E 119
Garth Ct. Liv—4E 17
Garthdale Rd. Liv—5A 102
Garth Dri. Liv—5B 102
Garthowen Rd. Liv—4D 79
Garth Rd. Liv—5A 24
Garth, The. Liv—3E 83
Garth Wlk. Liv—5A 24
Gartons La. Clo F & Sut M —3B 88
Garway. Liv—1C 126
Gascoyne St. Liv—3C 76 (2C 4)
Gaskell Ct. St H—5F 47
Gaskell Pk. —5E 47
Gaskell Rake. Boot—5D 11
Gaskell St. St H—2C 66
Gaskill Rd. Liv—3D 147
Gas St. Run—5B 152
Gatclif Rd. Liv—3E 57
Gateacre. —4B 104
Gateacre Brow. Liv—5A 104
Gateacre Pk. Dri. Liv—2F 103
Gateacre Ri. Liv—5A 104
Gateacre Shop. Cen. Gate —3A 104
Gateacre Va. Rd. Liv—1B 126
Gateside Clo. Liv—2E 105
Gates La. Liv—2B 10
Gathurst Ct. Wid—4D 131
Gatley Dri. Liv—3E 13
Gatley Wlk. Liv—3F 147
Gaunts Way. Hall P—4E 167
Gautby Rd. Birk—5E 73
Gavin Rd. Wid—5B 130
Gawsworth Clo. Ecc—5B 44
Gawsworth Clo. Pren—1F 117
Gayhurst Cres. Liv—1A 58
Gaynor Av. Hay—1F 49
Gayton. —3B 158
Gayton Av. Wall—3B 52
Gayton Av. Wir—4C 118
Gayton Farm Rd. Wir—5A 158
Gayton La. Wir—4B 158
Gayton Mill Clo. Wir—3B 158
Gayton Parkway. Wir—5C 158
Gayton Rd. Hes—4F 157
Gaytree Ct. Pren—2C 94
Gaywood Av. Liv—5F 23
Gaywood Clo. Liv—5F 23
Gaywood Clo. Pren—2C 94
Gaywood Grn. Liv—5F 23
Gellings Rd. Know B—3A 40
Gelling St. Liv—4E 99
Gemini Clo. Boot—4B 34
Gemini Dri. Liv—2F 81
Geneva Clo. Liv—2D 83
Geneva Rd. Liv—3C 78
Geneva Rd. Wall—4D 75
Genoa Clo. Liv—2B 104
Gentwood Pde. Liv—2D 83
Gentwood Rd. Liv—2C 82
George Hale Av. Know P—5E 61
George Harrison Clo. Liv—3B 78
George Moore Ct. Liv—4C 10
George Rd. Wir—5C 90
George's Dock Gates. Liv —4B 76 (5B 4)
Georges Dockway. Liv —5B 76 (6B 4)
George's Rd. Liv—1B 78
George St. Birk—2E 97
George St. Liv—4C 76 (4C 4)
(L3)
George St. Liv—2A 78
(L6)
George St. St H—5A 46
Georgia Av. Liv—4D 15
Georgia Av. Wir—4E 143
Georgian Clo. Liv—1F 147
Georgian Clo. Prsct—5A 64
Geraint St. Liv—3F 99
Gerald Rd. Pren—5A 96
Gerard Av. Wall—4A 52
Gerard Rd. Wall—5F 51
Gerard Rd. Wir—3B 112
Gerard's Bridge. —3A 46
Gerards Ct. St H—5C 30
Gerards La. St H & Sut L —4D 67
Gerard St. Liv—3D 77 (3F 5)
Germander Clo. Liv—3E 127
Gerneth Clo. Liv—3C 146
Gerneth Rd. Liv—3B 146
Gerrard Rd. Bil—1E 31
Gerrard's La. Liv—2E 127
Gerrard St. Wid—4B 132
Gertrude Rd. Liv—5A 56
Gertrude St. Birk—3F 97
Gertrude St. St H—4C 64
Geves Gdns. Liv—4E 17
Ghyll Gro. St H—4B 30
Gibbons Av. St H—5C 44
Gibbs Ct. Wir—1A 138
Gibraltar Row. Liv —4B 76 (3B 4)
Gibson Clo. Wir—4F 137
Gibson St. Liv—2F 99
Giddygate La. Liv—1B 14
Gidlow Rd. Liv—3F 79
Gidlow Rd. S. Liv—4F 79
Gilbert Clo. Wir—5F 141
Gilbert Rd. Whis—1F 85
Gilbert St. Liv—1D 99 (7E 5)
Gildarts Gdns. Liv—2C 76
Gildart St. Liv—4E 77 (3J 5)
Gilead St. Liv—4B 78
Gilescroft Av. Liv—1A 24
Gilescroft Wlk. Liv—1A 24
Gillan Clo. Brook—5C 168
Gillar's Green. —1E 63
Gillars Grn. Dri. Ecc—5F 43
Gillars La. St H—3D 43
(in two parts)
Gillbrook Sq. Birk—1F 95
(off Vaughan St., in two parts)
Gilleney Gro. Whis—1A 86
Gillmoss. —3C 38
Gillmoss Clo. Liv—4C 38
Gillmoss La. Liv—3C 38
Gillmoss La. Ind. Est. Liv —2B 38
Gills La. Wir—3A 138
Gill St. Liv—4E 77 (4J 5)
(in two parts)
Gilman St. Liv—4A 56
Gilmour Mt. Pren—5B 96
Gilpin Av. Liv—5E 7
Gilroy Nature Pk. —2C 112
Gilroy Rd. Liv—3B 78
Gilroy Rd. Wir—3C 112
Giltbrook Clo. Wid—1F 131
Gilwell Av. Wir—2E 93
Gilwell Clo. Wir—2E 93
Ginnel, The. Wir—2B 142
Gipsy Gro. Liv—4E 103
Gipsy La. Liv—4E 103
Girton Av. Boot—1E 55
Girtrell Clo. Wir—4D 93
Girtrell Rd. Wir—4D 93
Givenchy Clo. Liv—1E 103
Glade Rd. Liv—2E 83
Gladeswood Rd. Know N —3B 24
Glade, The. Wir—2D 91
Gladeville Rd. Liv—1E 123
Gladica Clo. Liv—4B 84
Gladstone Av. Liv—1A 104
(L16)
Gladstone Av. Liv—1A 34
(L21)
Gladstone Clo. Birk—3C 96
Gladstone Ct. Liv—2A 34
(off Elm Rd.)
Gladstone Hall Rd. Wir—2B 142
Gladstone Rd. Edg H—5B 78
Gladstone Rd. Gars—1C 144
Gladstone Rd. S'frth—1F 33
Gladstone Rd. Wall—3D 75
Gladstone Rd. Walt—5F 35
Gladstone St. Birk—3C 96
Gladstone St. Liv—3C 76 (2D 4)
Gladstone St. St H—5D 45
Gladstone St. Wid—4B 132
Gladstone St. Wltn—2F 125
Gladstone Ter. Will—5A 170
(off Neston Rd.)
Glaisher St. Liv—5A 56
Glamis Gro. St H—4C 66
Glamis Rd. Liv—5D 57
Glamorgan Clo. St H—1F 65
Glanaber Pk. Liv—3E 59
Glasgow St. Birk—2F 119
Glasier Rd. Wir—5C 70
Glaslyn Way. Liv—5A 36
Glassonby Cres. Liv—2A 58
Glassonby Way. Liv—2A 58
Glastonbury Clo. Liv—4D 57
Glastonbury Clo. Run—4F 155
Glasven Rd. Liv—2F 23
Gleadmere. Wid—2C 130
Gleaston Clo. Wir—1C 162
Gleave Clo. Btnwd—5F 69
Gleave Cres. Liv—2F 77
Gleave St. St H—4A 46
Glebe Clo. Liv—1B 12
Glebe End. Liv—3E 11
Glebe Hey. Liv—4E 105
Glebe Hey Rd. Wir—1A 116
Glebelands Rd. Wir—1E 93
Glebe La. Wid—4A 110
Glebe Rd. Wall—5A 52
Glebe, The. Halt B—1E 167
Gleggside. Wir—4C 112
Glegg St. Liv—2B 76
Glegside Rd. Liv—3A 24
Glenacres. Liv—1A 126
Glenalmond Rd. Wall—2D 75
Glenathol Rd. Liv—2C 124
Glenavon Rd. Liv—5C 80
Glenavon Rd. Pren—3A 118
Glenbank. Liv—3C 16
Glenbank Clo. Liv—3A 36
Glenburn Av. Wir—1E 171
Glenburn Rd. Wall—3D 75
Glenby Av. Liv—3F 17
Glencairn Rd. Liv—3F 79
Glencoe Rd. Wall—5B 52
Glenconner Rd. Liv—5E 81
Glencourse Rd. Wid—4A 110
Glencroft Clo. Liv—1C 82
Glendale Clo. Liv—1F 121
Glendale Gro. Liv—5F 15
(off Dorchester Dri.)
Glendale Gro. Wir—5B 142

Glendale Rd.—Green, The

Glendale Rd. St H —1A 46
Glendevon Rd. Child —5C 80
Glendevon Rd. Huy —5E 83
Glendower Rd. Liv —4E 17
Glendower St. Boot —2C 54
Glendyke Rd. Liv —2C 124
Gleneagles Clo. Liv —4D 15
Gleneagles Clo. Wir —4F 137
Gleneagles Dri. Hay —3A 48
Gleneagles Dri. Wid —4A 110
Gleneagles Rd. Liv —5D 81
Glenfield Clo. Pren —1C 94
Glenfield Clo. Wir —5B 70
Glenfield Rd. Liv —3F 101
Glengariff St. Liv —4D 57
Glenham Clo. Wir —3E 91
Glenhead Rd. Liv —4B 124
Glenholm Rd. Liv —3C 12
Glenista Clo. Liv —5A 36
Glenluce Rd. Liv —3A 124
Glenlyon Rd. Liv —1C 102
Glenmarsh Clo. Liv —5C 58
Glenmarsh Clo. Wir —2D 141
Glenmaye Clo. Liv —1E 59
Glenmore Av. Liv —1F 123
Glenmore Rd. Pren —5A 96
Glenn Pl. Wid —3E 131
Glen Pk. Rd. Wall —4A 52
Glen Rd. Liv —4B 80
Glen Ronald Dri. Wir —4D 93
Glenrose Rd. Liv —5A 104
Glenside. Liv —2C 124
Glen, The. Liv —1C 124
Glen, The. Pal —4F 167
Glen, The. Wir —4C 142
Glentree Clo. Wir —4D 93
Glentrees Rd. Liv —3B 58
Glentworth Clo. Liv —2D 13
Glenville Clo. Liv —5B 104
Glenville Clo. Run —4B 166
Glen Vine Clo. Liv —1E 103
Glen Way. Liv —4F 15
Glenway Clo. Liv —4F 39
Glenwood. Run —2C 168
Glenwood Clo. Whis —4F 85
Glenwood Dri. Wir —5E 115
Glenwyllin Rd. Liv —3E 17
Globe Rd. Boot —4B 34
Globe St. Liv —4E 55
Gloucester Ct. Liv —3A 78
Gloucester Pl. Liv —3A 78
Gloucester Rd. Anf —1D 79
Gloucester Rd. Boot —4D 35
Gloucester Rd. Huy —3A 84
Gloucester Rd. Wall —5E 51
Gloucester Rd. Wid —1B 132
Gloucester Rd. N. Liv —5D 57
Gloucester St. Liv —4D 77 (4F 5)
Gloucester St. St H —1D 67
Glover Pl. Boot —4B 34
Glover's Brow. Liv —1C 22
Glover's La. Boot —1E 19
Glover St. Birk —5C 96
Glover St. Liv —3D 99
Glover St. St H —1F 65
Glyn Av. Brom —3E 163
Glynne Gro. Liv —1A 104
Glynne St. Boot —2D 35
Glyn St. Liv —2F 101
Glyn Rd. Wall —1B 74
Goddard Rd. Ast I —4E 153
Godetia Clo. Liv —4F 37
Godstow. Run —3E 155
Goldcrest Clo. Beech —1F 173
Goldcrest Clo. Liv —4F 39
Goldcrest M. Liv —3E 127
Golden Gro. Liv —2A 56
Golden Triangle Ind. Est. Wid —2B 150
Goldfinch Clo. Liv —3E 127
Goldfinch Farm Rd. Liv —4C 146
Goldie St. Liv —4F 55
Goldsmith Rd. Pren —3F 117
Goldsmith St. Boot —4A 34
Goldsmith St. Liv —3B 78
Goldsmith Way. Pren —3F 117
Goldsworth Fold. Rain —3B 86
Golf Links Rd. Birk —3B 118
Gondover Av. Liv —2F 35
Gonville Rd. Boot —1D 55
Goodacre Rd. Liv —1B 36
Goodakers Ct. Wir —2A 116 (off Goodakers Mdw.)
Goodakers Mdw. Wir —2A 116
Goodall Pl. Liv —2E 55
Goodall St. Liv —2E 55
Goodban St. St H —3E 67
Goodison Av. Liv —3F 55
Goodison Pk. —2F 55
Goodison Pl. Liv —2F 55
Goodison Rd. Liv —2F 55
Goodlass Rd. Liv —1A 146
Goodleigh Pl. Sut L —1C 88
Good Shepherd Clo. Liv —1B 58
Goodwood Clo. Liv —5D 83
Goodwood Ct. St H —5D 65
Goodwood Dri. Wir —3F 71
Goodwood St. Liv —1D 77
Gooseberry Hollow. Wind H —1D 169
Gooseberry La. Nort —1D 169
Goose Grn., The. Wir —2D 91
Goostrey Clo. Wir —1B 162
Gordon Av. Brom —3E 163
Gordon Av. Grea —1E 115
Gordon Av. Hay —1F 49
Gordon Av. Mag —4C 6
Gordon Av. Wat —3C 16
Gordon Ct. Wir —1E 115
Gordon Dri. Aig —5A 124
Gordon Dri. Dove —3E 81
Gordon Pl. Liv —1A 124
Gordon Rd. Liv —2F 33
Gordon Rd. Wall —4B 52
Gordon St. Birk —3C 96
Gordon St. W'tree —2E 101
Gordon Ter. Will —5A 170 (off Neston Rd.)
Goree. Liv —5B 76 (5B 4)
Gore's La. Crank —1A 30
Gores Rd. Know I —4B 24
Gore St. Liv —3E 99
Gorran Haven. Brook —5C 168
Gorse Av. Liv —2B 58
Gorsebank Rd. Liv —4E 101
Gorsebank St. Wall —3C 74
Gorseburn Rd. Liv —5E 57
Gorse Cres. Wall —4C 74
Gorsedale Pk. Wall —4D 75
Gorsedale Rd. Liv —5A 102
Gorsedale Rd. Wall —4B 74
Gorsefield. St H —4D 65
Gorsefield Av. Liv —5B 10
Gorsefield Av. Wir —5D 163
Gorsefield Clo. Wir —5D 163
Gorsefield Rd. Birk —1C 118
Gorse Hey Ct. Liv —1A 80
Gorsehill Rd. Wall —4A 52
Gorsehill Rd. Wir —1A 158
Gorseland Ct. Liv —2D 123
Gorse La. Wir —5E 113
Gorse Rd. Wir —3D 91
Gorsewood Clo. Liv —4C 104
Gorsewood Gro. Liv —4B 104
Gorsewood Rd. Liv —4B 104
Gorsewood Rd. Murd —4D 169
Gorsey Av. Boot —2C 18
Gorsey Brow. Bil —1D 31
Gorsey Cop Rd. Liv —3A 104
Gorsey Cop Way. Liv —3A 104
Gorsey Cft. Ecc P —4F 63
Gorsey La. Btnwd —5B 68
Gorsey La. Clo F & Bold —3D 89
Gorsey La. High —1A 8
Gorsey La. Liv —3B 18
Gorsey La. Wall —3B 74
Gorsey La. Wid —4E 133
Gorseyville Cres. Wir —2E 141
Gorseyville Rd. Wir —2E 141
Gorsey Well La. Pres B —4F 169
Gorst St. Liv —4F 55
Gorton Rd. Liv —4B 80
Gort Rd. Liv —3E 83
Goschen St. Eve —4F 55
Goschen St. Old S —3F 79
Goschen St. Pren —1F 95
Gosford St. Liv —5F 99
Gosforth Ct. Run —3E 167
Goswell St. Liv —1E 101
Gotham Rd. Wir —5A 142
Gothic St. Birk —2F 119
Gough Rd. Liv —4E 57
Goulders Ct. Brook —5B 168
Gourley Rd. Liv —5A 80
Gourleys La. Wir —5D 113
Government Rd. Wir —4B 90
Govett Rd. St H —4C 64
Gower St. Boot —3A 34
Gower St. Liv —1C 98 (7D 4)
Gower St. St H —2D 67
Gowrie Gro. Liv —1B 34
Goyt Hey Av. Bil —1E 31
Grace Av. Liv —1A 38
Grace Rd. Liv —2A 80
Grace St. Liv —5F 99
Grace St. St H —3C 66
Gradwell St. Liv —5D 77 (6E 5)
Grafton Cres. Liv —3D 99
Grafton Dri. Wir —5B 94
Grafton Gro. Liv —5E 99
Grafton Rd. Wall —4B 52
Grafton St. Liv —1F 121 (Beresford Rd.)
Grafton St. Liv —3D 99 (Grafton Cres.)
Grafton St. Liv —4E 99 (Park St.)
Grafton St. Liv —3D 99 (Parliament St.)
Grafton St. Pren —4B 96
Grafton St. St H —5D 45
Grafton Wlk. Wir —4C 112
Graham Clo. Wid —3C 130
Graham Dri. Liv —4A 128
Graham Rd. Wid —3C 130
Graham Rd. Wir —3A 112
Graham's Rd. Liv —4F 83
Graham St. St H —5C 46
Grainger Av. Pren —2F 117
Grainger Av. Wir —2B 112
Grain Ind. Est. Liv —5E 99
Grain St. Liv —5E 99
Graley Clo. Liv —1F 147
Grammar School La. Wir —5D 113
Grampian Av. Wir —1F 93
Grampian Rd. Liv —4E 79
Grampian Way. East —5E 163
Grampian Way. More —1E 93
Granans Cft. Boot —1D 19
Granard Rd. Liv —3A 102
Granary Way. Liv —3D 99
Granborne Chase. Liv —2B 22
Granby Clo. Brook —5C 168
Granby Cres. Wir —5A 142
Granby St. Liv —2A 100
Grandison Rd. Liv —2B 56
Grange. —4D 113
Grange Av. Wall —5B 52
Grange Av. W Der —1E 81
Grange Av. Wltn —5D 127
Grange Av. N. W Der —1E 81
Grange Ct. Liv —2F 101
Grange Cross Clo. Wir —5E 113
Grange Cross Hey. Wir —5E 113
Grange Cross La. Wir —5E 113
Grange Dri. Hes —1A 158
Grange Dri. St H —3B 64
Grange Dri. Thor H —3A 160
Grange Dri. Wid —3D 131
Grange Farm Cres. Wir —3E 113
Grangehurst Ct. Gate —5B 104
Grange La. Gate —4A 104
Grangemeadow Rd. Liv —4A 104
Grangemoor. Run —3D 167
Grange Mt. Hes —1F 157
Grange Mt. Pren —4C 96
Grange Mt. W Kir —4D 113
Grange Old Rd. Wir —4C 112
Grange Park. —3B 64
Grange Pk. Liv —3E 13
Grange Pk. Av. Run —5C 152
Grange Pk. Golf Course. —1B 64
Grange Pk. Rd. St H —2C 64
Grange Pavement. Birk —3E 97
Grange Pl. Birk —3C 96
Grange Precinct. Birk —3D 97
Granger Av. Boot —2E 35
Grange Rd. Birk —3D 97
Grange Rd. Boot —3B 20
Grange Rd. Hay —2D 49 (in two parts)
Grange Rd. Hes —5F 137
Grange Rd. Run —5C 152
Grange Rd. W Kir —4A 112
Grange Rd. E. Birk —3E 97
Grange Rd. W. Pren & Birk —3B 96
Grange Rd. W. Sports Cen. —3B 96
Grangeside. Liv —4A 104
Grange St. Liv —1C 78
Grange Ter. Liv —2F 101
Grange, The. Wall —2C 74
Grange Va. Birk —3A 120
Grange Valley. Hay —2D 49
Grange Vw. Pren —4C 96
Grangeway. Halt L & Run —2C 166
Grange Way. Liv —4A 104
Grangeway Ct. Run —2C 166
Grange Weint. Liv —5A 104
Grangewood. Liv —5F 81
Granite Ter. Liv —4A 84
Grant Av. Liv —3F 101
Grant Clo. Liv —3A 82
Grant Clo. St H —4E 45
Grant Ct. Boot —5C 34
Grantham Clo. Wir —3E 137
Grantham Cres. St H —3C 46
Grantham Rd. Liv —5E 15
Grantham St. Liv —3B 78
Grantham Way. Boot —1B 20
Grantley Rd. Liv —3A 102
Granton Rd. Liv —5F 55
Grant Rd. Liv —3F 81
Grant Rd. Wir —2B 72
Granville Av. Liv —5C 6
Granville Clo. Wall —5E 51
Granville Rd. Gars —1C 144
Granville Rd. W'tree —2D 101
Granville St. Run —4A 152
Granville St. St H —5D 47
Grappenhall Way. Pren —2C 94
Grasmere Av. Pren —4C 94
Grasmere Av. Prsct —5F 63
Grasmere Av. St H —1B 46
Grasmere Clo. Liv —1D 23
Grasmere Clo. St H —1B 46
Grasmere Ct. Birk —4C 96 (off Penrith St.)
Grasmere Ct. St H —1A 46
Grasmere Dri. Beech —5E 167
Grasmere Dri. Liv —4E 19
Grasmere Dri. Wall —5A 52
Grasmere Fold. St H —1B 46
Grasmere Gdns. Liv —2F 17
Grasmere Rd. Frod —5C 172
Grasmere Rd. Mag —5D 7
Grasmere St. Liv —5A 56
Grassendale. —5A 124
Grassendale Ct. Liv —5A 124
Grassendale Esplanade. Liv —1A 144
Grassendale Grn. Liv —5F 123
Grassendale La. Liv —5A 124
Grassendale Park. —5F 123
Grassendale Rd. Liv —5A 124
Grassington Cres. Liv —2C 126
Grassmoor Clo. Wir —2E 163
Grass Wood Rd. Wir —2B 116
Grasville Rd. Birk —1E 119
Gratrix Rd. Wir —2D 163
Gray Av. Hay —2D 49
Gray Gro. Liv —1F 105
Graylag Clo. Beech —5F 167
Graylands Pl. Liv —2C 56
Graylands Rd. Liv —2B 56
Graylands Rd. Wir —1C 142
Graylaw Ind. Est. Liv —2C 36
Grayling Dri. Liv —5D 39
Gray's Av. Prsct —5F 63
Grayson St. Liv —1C 98
Grayston Av. St H —5D 67
Gray St. Boot —3A 34
Greasby. —1D 115
Greasby Coronation Pk. —1E 115
Greasby Hill Rd. Wir —5C 112
Greasby Rd. Grea —1C 114
Greasby Rd. Wall —2A 74
Gt. Ashfield. Wid —1D 131
Great Beech. Beech —1F 173
Gt. Charlotte St. Liv (in two parts) —5D 77 (5F 5)
Great Crosby. —1E 17
Gt. Crosshall St. Liv —4C 76 (3D 4)
Gt. Delph. Hay —1D 49
Gt. George Pl. Liv —2E 99
Gt. George Sq. Liv —1D 99
Gt. George's Rd. Liv —5D 17
Gt. George St. Liv —2E 99
Great Hey. Boot —5D 11
Gt. Homer St. Liv —5D 55
Gt. Homer St. Shop. Cen. Liv —1E 77
Gt. Howard St. Liv —3B 76 (1B 4)
Great Meols. —2F 91
Gt. Mersey St. Liv —5C 54 (in two parts)
Gt. Nelson St. Liv —2D 77
Gt. Newton St. Liv —4F 77 (4J 5)
Gt. Orford St. Liv —5F 77 (6J 5)
Gt. Richmond St. Liv —3D 77 (1F 5)
Great Riding. Nort —3B 168
Gt. Western Ho. Birk —2F 97
Greaves St. Liv —4F 99
Grebe Av. St H —4B 64
Grecian St. Liv —5F 17
Grecian Ter. Liv —5E 55
Gredington St. Liv —5A 100
Greek St. Liv —4E 77 (4H 5)
Greek St. Run —4F 151
Greenacre Clo. Liv —4C 126
Greenacre Dri. Wir —3C 162
Greenacre Rd. Liv —4C 126
Greenacres Clo. Pren —1C 94
Greenacres Ct. Pren —1C 94
Green Acres Est. Wir —2C 114
Greenall Ct. Prsct —5D 63
Greenall St. St H —4D 45
Green Av. Wall —3B 52
Green Bank. —1E 65
Greenbank. Liv —5E 17
Green Bank. Wir —5A 140
Greenbank Av. Liv —4C 6
Greenbank Av. Wall —4B 52
Greenbank Cres. St H —5F 45
Greenbank Dri. Faz —1B 38
Greenbank Dri. Seft P —4E 101
Greenbank Dri. Wir —4A 138
Greenbank La. Liv —5E 101
Greenbank Rd. Birk —1C 118
Greenbank Rd. Liv —4E 101
Greenbank Rd. Wir —2B 112
Greenbridge Clo. Cas —5A 154
Greenbridge Rd. Wind H —5B 154
Greenburn Av. St H —4C 30
Green Coppice. Nort —2C 168
Green Cft. Liv —5B 10
Greencroft Rd. Wall —3C 74
Greendale Rd. Liv —5F 103
Greendale Rd. Wir —1A 142
Grn. End La. St H —3B 66
Grn. End Pk. Liv —4A 58
Greenes Rd. Whis —4D 85
Greenfield Ct. Liv —3B 124
Greenfield Dri. Liv —5F 83
Greenfield Gro. Liv —5F 83
Greenfield La. Frod —4B 172
Greenfield La. Liv —4A 18
Greenfield La. Wir —5D 137
Greenfield Rd. Dent G —3D 45
Greenfield Rd. Liv —3A 80
Greenfields. —1C 94
Greenfields Av. Wir —3C 162
Greenfields Cres. Wir —3C 162
Greenfield Vw. Bil —1D 31
Greenfield Wlk. Liv —5F 83
Greenfield Way. Liv —3B 124
Greenfield Way. Wall —2B 74
Greenfinch Clo. Liv —5F 39
Greenfinch Gro. Liv —3E 127
Greengables Clo. Liv —4A 100
Greengate. St H —3A 66
Green Gates. Liv —5E 61
Greenham Av. Liv —4F 15
Green Haven. Pren —4D 95
Greenhaven Clo. Liv —1F 37
Greenheath Way. Wir —3F 71
Greenhey Clo. Pren —5E 117
Greenhey Dri. Boot —3C 18
Green Heys Dri. Liv —1F 13
Greenheys Gdns. Liv —3B 100
Greenheys Rd. Liv —3B 100
Greenheys Rd. Wall —2B 74
Greenheys Rd. Wir —2C 136
Greenhill Av. Liv —4C 102
Greenhill Clo. Liv —2B 124
Greenhill Pl. Liv —5E 83
Greenhill Rd. Aller & Moss H —1B 124
Greenhill Rd. Gars —4C 124
Greenholme Clo. Liv —5A 38
Greenhouse Farm Rd. Run —4B 168
Greenhow Av. Wir —3B 112
Green Jones Brow. Btnwd —5F 69
Greenlake Rd. Liv —2B 124
Greenlands. Liv —5E 83
Greenland St. Liv —2D 99
Green La. Beb —2F 141
Green La. Birk —5E 97
Green La. Brom & East —2E 163
Green La. Btnwd —4E 69
Green La. Cros —4B 10
Green La. Ecc —2E 43
Green La. Ford —3B 18
Green La. Liv —5E 77 (6H 5) (L3)
Green La. Liv —5A 6 (L31)
Green La. Mag —1C 12
Green La. Moss H —5B 102 (in two parts)
Green La. Old S & Ston —1E 79
Green La. S'frth —1A 34 (in two parts)
Green La. Wall —1B 72 (in two parts)
Green La. Wat —3B 16
Green La. Wid —3E 131
Green La. N. Liv —3C 102
Green Lawn. Birk —3F 119
Green Lawn. Liv —2A 84
Green Lawn Gro. Birk —3F 119
Green Leach. —1A 46
Green Leach Av. St H —1B 46
Green Leach Ct. St H —1B 46
Green Leach La. St H —1B 46
Greenlea Clo. Beb —1F 141
Greenleaf St. Liv —2C 100
Greenleas Rd. Wall —5D 51
Greenleigh Rd. Liv —2B 124
Green Link. Liv —5B 6
Green Mt. Wir —4A 94
Grn. Oaks Path. Wid —4C 132
Greenoaks Shop. Cen. Wid (in two parts) —3B 132
Grn. Oaks Way. Wid —4B 132
Greenock St. Liv —3B 76 (2A 4)
Greenodd Av. Liv —2C 58
Greenore Dri. Hale V —5D 149
Greenough Av. Rain —1C 86
Greenough St. Liv —2F 125
Green Pk. Boot —5F 11
Green Pk. Dri. Liv —1B 12
Green Rd. Prsct —4C 62
Greensbridge La. Tarb G & Liv —3A 128
Greenside. Liv —3F 77
Greenside Av. Ain —3D 21
Greenside Av. W'tree —2A 102
Greenside Clo. Liv —4F 15
Green St. Liv —2C 76
Greens Wlk. Liv —1E 123
Green, The. Brom P —2D 143

Harrow Dri.—Highville Rd.

Harrow Dri. *Run* —5E **153**
Harrow Gro. *Wir* —2E **163**
Harrow Rd. *Liv* —5B **56**
Harrow Rd. *Wall* —1F **73**
Hartdale Rd. *Moss H* —5A **102**
Hartdale Rd. *Thor* —4A **10**
Hartford Clo. *Pren* —1F **117**
Harthill Av. *Liv* —5B **102**
Harthill M. *Pren* —5C **72**
Harthill Rd. *Liv* —4C **102**
Hartington Av. *Birk* —2B **96**
Hartington Rd. *Dent G* —3C **44**
Hartington Rd. *Gars* —1C **144**
Hartington Rd. *Tox* —3C **100**
Hartington Rd. *Wall* —2B **74**
Hartington Rd. *W Der* —5B **58**
Hartismere Rd. *Wall* —3D **75**
Hartland Clo. *Wid* —4A **110**
Hartland Gdns. *St H* —5D **65**
Hartland Rd. *Liv* —1E **57**
Hartley Av. *Liv* —3B **36**
Hartley Clo. *Liv* —4F **55**
Hartley Gro. *Liv* —5F **15**
Hartley Gro. *St H* —3C **64**
Hartley Quay. *Liv* —1B **98** (7C **4**)
Hartley St. *Run* —4B **152**
Hartley's Village. —3B 36
Hartnup St. *Liv* —5F **55**
(in two parts)
Hartopp Rd. *Liv* —2A **104**
Hartopp Wlk. *Liv* —2A **104**
Hartsbourne Av. *Liv* —1F **103**
(in two parts)
Hartsbourne Clo. *Liv* —2F **103**
Hart St. *Liv* —4E **77** (4H **5**)
Hartwell St. *Liv* —2B **34**
Hartwood Clo. *Liv* —1F **39**
Hartwood Rd. *Liv* —1F **39**
Hartwood Sq. *Liv* —1F **39**
Harty Rd. *Hay* —3F **47**
Harvard Clo. *Wind H* —5D **155**
Harvard Gro. *Prsct* —4E **63**
Harvester Way. *Boot* —1A **20**
Harvester Way. *Wir* —5C **92**
Harvest La. *Wir* —5D **71**
Harvest Way. *Clo F* —2C **88**
Harvey Av. *Newt W* —5F **49**
Harvey Av. *Wir* —1D **115**
Harvey Rd. *Wall* —5A **52**
Harwich Gro. *Liv* —1F **103**
Harwood Rd. *Liv* —1D **145**
Haselbeech Clo. *Liv* —5F **37**
Haselbeech Cres. *Liv* —5F **37**
Hasfield Rd. *Liv* —1B **58**
Haslemere. *Whis* —3F **85**
Haslemere Rd. *Liv* —3A **104**
Haslemere Way. *Liv* —3A **104**
Haslingden Clo. *Liv* —4B **80**
Haslington Gro. *Liv* —1A **148**
Hassal Rd. *Birk* —4A **120**
Hastings Dri. *Liv* —1A **106**
Hastings Rd. *Liv* —3B **16**
Haswell Dri. *Liv* —3A **60**
Haswell St. *St H* —4F **45**
Hatchmere Clo. *Pren* —1F **117**
Hatfield Clo. *Liv* —5F **39**
Hatfield Clo. *St H* —4F **65**
Hatfield Gdns. *Liv* —5F **83**
Hatfield Rd. *Boot* —5E **35**
Hathaway. *Liv* —3B **12**
Hathaway Clo. *Liv* —3A **104**
Hathaway Rd. *Liv* —3A **104**
Hatherley Av. *Liv* —3E **17**
Hatherley Clo. *Liv* —2A **100**
(in two parts)
Hatherley St. *Liv* —2A **100**
Hatherley St. *Wall* —4E **75**
Hathersage Rd. *Liv* —1E **83**
Hatherton Gro. *Liv* —1A **148**
Hatton Av. *Wir* —2E **171**
Hatton Clo. *Wir* —1D **157**
Hatton Garden. *Liv* —4C **76** (3D **4**)
Hatton Garden Ind. Est. Liv —*4C* ***76*** *(3D* ***4****)*
(off Johnson St.)
Hatton Hill Rd. *Liv* —4A **18**
Hatton's La. *Liv* —3C **102**
Hauxwell Gro. *St H* —2B **46**
Havannah La. *St H* —5B **48**
Havelock Clo. *St H* —5F **45**
Haven Rd. *Liv* —5F **21**
Haven Wlk. *Liv* —3C **6**
Havergal St. *Run* —1F **165**
Haverstock Rd. *Liv* —3D **79**
Haverton Wlk. *Liv* —5E **39**
Hawarden Av. *Liv* —3D **101**
Hawarden Av. *Pren* —3B **96**
Hawarden Av. *Wall* —2C **74**
Hawarden Ct. *Wir* —3F **141**
Hawarden Gro. *Liv* —2A **34**
Hawdon Ct. *Liv* —1C **100**
Hawes Av. *St H* —5C **30**
Haweswater Av. *Hay* —2A **48**
Haweswater Clo. *Beech* —5A **168**
Haweswater Clo. *Liv* —5D **15**
Haweswater Gro. *Liv* —5F **7**
Hawgreen Rd. *Liv* —4B **22**
Hawick Clo. *Liv* —4D **15**
Hawke Grn. *Tarb G* —2A **106**
Hawke St. *Liv* —5E **77** (5G **5**)
Hawkesworth St. *Liv* —5A **56**
Hawkhurst Clo. *Liv* —5F **99**
Hawkins St. *Liv* —3B **78**
Hawks Ct. *Hall P* —4E **167**
Hawkshead Av. *Liv* —2C **58**
Hawkshead Clo. *Beech* —1A **174**
Hawkshead Clo. *Liv* —5E **7**
Hawkshead Dri. *Liv* —5D **19**
Hawkshead Rd. *Btnwd* —5E **69**
Hawkshead Rd. *Croft B* —1E **163**
Hawksmoor Clo. *Liv* —1A **38**
Hawksmoor Rd. *Liv* —2F **37**
Hawksmore Clo. *Wir* —3D **93**
Hawkstone St. *Liv* —4A **100**
(Clevedon St.)
Hawkstone St. *Liv* —5A **100**
(Peel St.)
Hawkstone Wlk. *Liv* —5A **100**
Hawks Way. *Wir* —2E **157**
Haworth Dri. *Boot* —1D **35**
Hawthorn Av. *Run* —1A **166**
Hawthorn Av. *Wid* —2B **132**
Hawthorn Clo. *Bil* —1D **31**
Hawthorn Clo. *Hay* —3A **48**
Hawthorn Dri. *Ecc* —4B **44**
Hawthorn Dri. *Hes* —5F **137**
Hawthorn Dri. *W Kir* —4E **113**
Hawthorne Av. *Liv* —1E **147**
Hawthorne Ct. *Liv* —5B **18**
Hawthorne Dri. *Will* —4B **170**
Hawthorne Gro. *Wall* —4E **75**
Hawthorne Rd. *Birk* —1D **119**
Hawthorne Rd. *Frod* —4B **172**
Hawthorne Rd. *Lith & Boot* —5B **18**
Hawthorne Rd. *Sut L* —5D **67**
Hawthorn Gro. *Liv* —5B **78**
Hawthorn Gro. *W Der* —5B **58**
Hawthorn La. *Wir* —2D **163**
Hawthorn Rd. *Huy* —4C **82**
Hawthorn Rd. *Prsct* —5E **63**
Haxted Gdns. *Liv* —1D **145**
Haydn Rd. *Liv* —5F **59**
Haydock. —2C 48
Haydock Community Leisure Cen. —2B 48
Haydock La. *Hay* —2C **48**
Haydock La. *Hay I* —1D **49**
Haydock Pk. Rd. *Liv* —2E **21**
Haydock Rd. *Wall* —4C **52**
Haydock St. *Newt W* —4F **49**
Haydock St. *St H* —5A **46**
Hayes Av. *Prsct* —1E **85**
Hayes Cres. *Frod* —4C **172**
Hayes Dri. *Liv* —2A **22**
Hayes St. *St H* —3C **64**
Hayfield Clo. *Liv* —3A **128**
Hayfield Pl. *Wir* —1A **94**
Hayfield St. *Liv* —4F **55**
Hayfield Way. *Clo F* —2C **88**
Hayles Clo. *Liv* —3A **104**
Hayles Grn. *Liv* —3A **104**
Hayles Gro. *Liv* —3A **104**
Haylock Clo. *Liv* —5F **99**
Hayman's Clo. *Liv* —4A **58**
Haymans Grn. *Mag* —1E **13**
Hayman's Grn. *W Der* —4A **58**
Hayman's Gro. *Liv* —4A **58**
Hay M. *Rain* —4B **86**
Haywood Cres. *Wind H* —5D **155**
Haywood Gdns. *St H* —1D **65**
Hazel Av. *Liv* —2C **22**
Hazel Av. *Run* —2E **165**
Hazel Av. *Whis* —3E **85**
Hazel Ct. Liv —*5A* ***100***
(off Byles St.)
Hazeldale Rd. *Liv* —4A **36**
Hazeldene Av. *Wall* —1A **74**
Hazeldene Av. *Wir* —1B **138**
Hazeldene Way. *Wir* —1B **138**
Hazelfield Ct. *Clo F* —2C **88**
Hazel Gro. *Beb* —3E **141**
Hazel Gro. *Cros* —2F **17**
Hazel Gro. *Irby* —5D **115**
Hazel Gro. *St H* —5C **44**
Hazel Gro. *Walt* —2B **36**
Hazelhurst Rd. *Liv* —4B **56**
Hazel M. *Liv* —2B **22**
Hazel Rd. *Birk* —4D **97**
Hazel Rd. *Liv* —1F **83**
Hazel Rd. *Wir* —4C **90**
Hazelslack Rd. *Liv* —1A **58**
Hazelwood. *Wir* —4D **93**
Hazelwood Clo. *Sut M* —3B **88**
Hazelwood Gro. *Liv* —2D **127**
Hazleton Rd. *Liv* —3C **80**
Headbolt La. *Kirkby* —1E **23**
Headbourne Clo. *Liv* —2F **103**
Headingley Clo. *Liv* —5C **82**
Headingley Clo. *St H* —5C **66**
Headington Rd. *Wir* —4D **93**
Headland Clo. *Wir* —1B **134**
Headley Clo. *St H* —5F **45**
Head St. *Liv* —3E **99**
Heald St. *Liv* —1C **144**
Heald St. *Newt W* —5F **49**
Healy Clo. *Liv* —5A **106**
Hearne Rd. *St H* —4D **45**
Heartwood Clo. *Liv* —1A **36**
Heathbank Av. *Wall* —3A **74**
Heathbank Av. *Wir* —5C **114**
Heathbank Rd. *Birk* —1D **119**
Heathcliff Ho. *Liv* —2B **56**
Heath Clo. *Ecc P* —4F **63**
Heath Clo. *Liv* —4F **103**
Heath Clo. *Wir* —1B **134**
Heathcote Clo. *Liv* —1B **100**
Heathcote Gdns. *Wir* —2F **141**
Heathcote Rd. *Liv* —1F **55**
Heath Dale. *Wir* —4F **141**
Heath Dri. *Hes* —1F **157**
Heath Dri. *Upt* —4A **94**
Heath Dri. *West* —3A **166**
Heather Bank. *Wir* —1D **141**
Heather Brae. *Newt W* —4F **49**
Heather Brae. *Prsct* —1A **84**
Heather Brow. *Pren* —2F **95**
Heather Clo. *Kirkby* —1E **23**
Heather Clo. *Kirk* —3F **55**
Heather Clo. *Padd M* —5E **167**
Heather Ct. *Liv* —3F **55**
Heatherdale Clo. *Birk* —1B **118**
Heatherdale Rd. *Liv* —5A **102**
Heather Dene. *Wir* —4D **143**
Heatherdene Rd. *Wir* —3B **112**
Heatherland. *Wir* —5B **94**
Heatherleigh. *St H* —5D **65**
Heatherleigh. *Wir* —3E **135**
Heatherleigh Clo. *Liv* —1A **36**
Heather Rd. *Beb* —3D **141**
Heather Rd. *Hes* —1A **158**
Heathers Cft. *Boot* —2E **19**
Heather Way. *Liv* —4C **10**
Heathfield. *Wir* —5D **143**
Heathfield Av. *St H* —3E **65**
Heathfield Clo. *Lith* —2C **34**
Heathfield Dri. *Liv* —1E **23**
Heathfield Ho. *Wir* —1A **138**
Heathfield Pk. *Wid* —1D **131**
Heathfield Rd. *Beb* —2F **141**
Heathfield Rd. *Mag* —3F **13**
Heathfield Rd. *Pren* —5C **96**
Heathfield Rd. *Wat* —3C **16**
Heathfield Rd. *W'tree* —3A **102**
Heathfield St. *Liv* —5E **77** (6G **5**)
Heathgate Av. *Liv* —5F **147**
Heath Hey. *Liv* —4F **103**
Heathland Rd. *Clo F* —2C **88**
Heathlands, The. *Wir* —3E **71**
Heath La. *Will* —4C **170**
Heath Moor Rd. *Wir* —5D **71**
Heath Pk. Gro. *Run* —2F **165**
Heath Rd. *Liv* —4C **124**
(L19)
Heath Rd. *Liv* —1B **82**
(L36)
Heath Rd. *Run* —3F **165**
Heath Rd. *Wid* —2D **131**
Heath Rd. *Wir* —2E **141**
Heath Rd. Cres. *Run* —2B **166**
Heath Rd. S. *West* —4F **165**
Heathside. *Wir* —1D **157**
Heath St. *St H* —4D **65**
Heath Vw. *Liv* —2B **18**
Heathview Clo. *Wid* —2A **150**
Heathview Rd. *Wid* —2A **150**
Heathwaite Cres. *Liv* —2A **58**
Heathway. *Wir* —3B **158**
Heathwood. *Liv* —1B **80**
Heatley Clo. *Pren* —2C **94**
Heaton Clo. *Liv* —4F **147**
Heatwaves Leisure Cen. (Stockbridge) —3B 60
Hebburn Way. *Liv* —5A **40**
Hebden Pde. *Liv* —5C **38**
Hebden Rd. *Liv* —5B **38**
Hector Pl. *Liv* —2D **55**
Hedgebank Clo. *Liv* —5D **21**
Hedgecote. *Liv* —1E **39**
Hedgecroft. *Liv* —4C **10**
Hedgefield Rd. *Liv* —3B **104**
Hedge Hey. *Cas* —1A **168**
Hedges Cres. *Liv* —4E **57**
Hedingham Clo. *Liv* —3A **128**
Hedworth Gdns. *St H* —5D **65**
Helena Rd. *St H* —4F **67**
Helena St. *Birk* —4E **97**
Helena St. *Liv* —5B **78**
Helena St. *Walt* —5F **35**
Helford Clo. *Whis* —5A **64**
Helford Rd. *Liv* —3D **39**
Heliers Rd. *Liv* —4B **80**
Helmdon Clo. *Liv* —2A **58**
Helmingham Gro. *Birk* —5E **97**
Helmsley Rd. *Liv* —5F **127**
Helsby Av. *Wir* —2F **171**
Helsby Rd. *Liv* —1B **36**
Helsby St. *Liv* —5A **78**
Helsby St. *St H* —2D **67**
Helston Av. *Liv* —3F **127**
Helston Av. *St H* —1D **47**
Helston Clo. *Brook* —5B **168**
Helston Grn. *Liv* —3B **84**
Helston Rd. *Liv* —3D **39**
Helton Clo. *Pren* —1E **117**
Hemans St. *Boot* —4A **34**
Hemer Ter. *Boot* —3A **34**
Hemingford St. *Birk* —3D **97**
Hemlock Clo. *Liv* —5D **39**
Hempstead Clo. *St H* —4F **65**
Henbury Pl. *Run* —4B **166**
Henderson Clo. *Wir* —3D **93**
Henderson Rd. *Liv* —3A **84**
Henderson Rd. *Wid* —4F **131**
Hendon Rd. *Liv* —2D **79**
Hendon Wlk. *Wir* —1C **114**
Hengest Clo. *Liv* —4E **15**
Henglers Clo. *Liv* —3F **77**
Henley Av. *Liv* —5A **18**
Henley Clo. *Wir* —5A **142**
Henley Ct. *Run* —5D **153**
Henley Ct. *St H* —2D **65**
Henley Rd. *Liv* —4B **102**
Henllan Gdns. *St H* —5E **67**
Henlow Av. *Liv* —5F **23**
Hennawood Clo. *Liv* —1B **78**
Henry Edward St. *Liv* —3D **77** (2E **4**)
Henry Hickman Clo. *Boot* —1F **19**
Henry St. *Birk* —3E **97**
Henry St. *Liv* —1D **99** (7E **5**)
(L1)
Henry St. *Liv* —4E **79**
(L13)
Henry St. *St H* —4F **45**
Henry St. *Wid* —3C **132**
Henthorne Rd. *Wir* —4B **120**
Henthorne St. *Pren* —4C **96**
Herald Clo. *Liv* —5C **38**
Heralds Clo. *Wid* —4B **130**
Herbarth Clo. *Liv* —5F **35**
Herberts La. *Wir* —3F **157**
Herbert St. *Btnwd* —5E **69**
Herbert St. *St H* —4E **67**
Herbert Taylor Clo. *Liv* —1C **78**
Herculaneum Ct. *Liv* —1F **121**
Herculaneum Rd. *Liv* —5E **99**
Herdman Clo. *Liv* —4B **104**
Hereford Av. *Wir* —3F **93**
Hereford Clo. *St H* —1F **65**
Hereford Dri. *Boot* —4F **19**
Hereford Rd. *S'frth* —1E **33**
Hereford Rd. *W'tree* —3A **102**
Heriot St. *Liv* —5D **55**
Heriot Wlk. *Liv* —5D **55**
Hermes Clo. *Boot* —5E **19**
Hermes Rd. *Gil I* —2B **38**
Hermitage Gro. *Boot* —1D **35**
Herm Rd. *Liv* —1C **76**
Heron Clo. *Nort* —2D **169**
Heron Ct. *Liv* —3E **127**
Herondale Rd. *Liv* —5F **101**
Heronhall Rd. *Liv* —4F **37**
Heronpark Way. *Wir* —5B **142**
Heron Rd. *Meol & W Kir* —4F **91**
Herons Ct. *Liv* —3B **6**
Herons Way. *Run* —3F **155**
Hero St. *Boot* —1D **55**
Herrick St. *Liv* —3F **79**
Herschell St. *Liv* —5F **55**
Hertford Clo. *Liv* —5F **127**
Hertford Dri. *Wall* —5C **52**
Hertford Rd. *Boot* —1C **54**
Hertford St. *St H* —1D **67**
Hesketh Av. *Birk* —3D **119**
Hesketh Dri. *Liv* —1F **13**
Hesketh Dri. *Wir* —1A **158**
Hesketh Rd. *Hale V* —5E **149**
Hesketh St. *Liv* —5C **100**
Heskin Clo. *Kirkby* —1E **39**
Heskin Clo. *Lyd* —3D **7**
Heskin Clo. *Rain* —3B **86**
Heskin Rd. *Liv* —1E **39**
Heskin Wlk. *Liv* —1E **39**
Hessle Dri. *Wir* —3F **157**
Hesslewell Ct. *Wir* —1A **158**
Heswall. —2F 157
Heswall Av. *Clo F* —2B **88**
Heswall Av. *Wir* —4C **118**
Heswall Golf Course. —5A 158
Heswall Mt. *Wir* —2A **138**
Heswall Rd. *Liv* —1B **36**
Hetherlow Towers. *Liv* —5A **36**
Hever Dri. *Liv* —3F **127**
Heward Av. *St H* —5C **66**
Hewitson Av. *Liv* —5F **57**
Hewitson Rd. *Liv* —5F **57**
Hewitt Av. *St H* —4C **44**
Hewitt's La. *Know & Liv* —2D **41**
Hewitts Pl. *Liv* —4C **76** (4D **4**)
Hexagon, The. *Boot* —5C **34**
Hexham Clo. *St H* —5D **65**
Heyburn Rd. *Liv* —5E **57**
Heydale Rd. *Liv* —5A **102**
Heydean Rd. *Liv* —3C **124**
Heydean Wlk. *Liv* —3C **124**
Heyes Dri. *Wall* —2C **72**
Heyes Mt. *Rain* —4C **86**
Heyes Rd. *Wid* —4C **130**
Heyes St. *Liv* —1A **78**
Heyes, The. *Halt B* —1E **167**
Heyes, The. *Liv* —2B **126**
Heygarth Dri. *Wir* —5D **93**
Heygarth Rd. *Wir* —5E **163**
Hey Grn. Rd. *Liv* —1E **101**
Hey Pk. *Liv* —4F **83**
Hey Rd. *Liv* —4F **83**
Heys Av. *Wir* —2D **163**
Heyscroft Rd. *Liv* —2B **126**
Heysham Clo. *Murd* —4C **168**
Heysham Lawn. *Liv* —5A **106**
Heysham Rd. *Boot* —3A **20**
Heysham Rd. *Liv* —5A **106**
Heysmoor Heights. *Liv* —3B **100**
Heysome Clo. *Crank* —1E **29**
Heys, The. *Wir* —5F **163**
Heythrop Dri. *Wir* —2D **159**
Heyville Rd. *Wir* —1E **141**
Heywood Boulevd. *Wir* —1A **138**
Heywood Clo. *Wir* —1A **138**
Heywood Ct. *Liv* —5C **80**
Heywood Gdns. *Whis* —4E **85**
Heywood Rd. *Liv* —1C **102**
Heyworth St. *Liv* —1F **77**
Hibbert St. *Wid* —4B **132**
Hickmans Rd. *Birk* —5B **74**
Hickory Gro. *Liv* —3A **22**
Hickson Av. *Liv* —4C **6**
Hicks Rd. *S'frth* —1A **34**
Hicks Rd. *Wat* —3E **17**
Highacre Rd. *Wall* —4A **52**
Higham Av. *Ecc* —5F **43**
Higham Sq. *Liv* —2E **77**
High Bank Clo. *Pren* —4D **95**
Highbank Dri. *Liv* —1D **145**
Highbanks. *Liv* —4C **6**
High Beeches. *Liv* —5F **81**
High Carrs. *Liv* —4B **82**
High Clere Cres. *Liv* —1E **83**
Highcroft Av. *Wir* —2F **141**
Highcroft Grn. *Wir* —2A **142**
Highcroft, The. *Wir* —2F **141**
Higher Ashton. *Wid* —1F **131**
Higher Bebington Rd. *Wir* —1D **141**
Higher End Pk. *Boot* —5E **11**
Higher Heys. *Beech* —5F **167**
Higher La. *Crank & Rainf* —1C **28**
Higher La. *Liv* —1C **36**
Higher Parr St. *St H* —5C **46**
Higher Rd. *Halew & Wid* —1B **148**
Higher Rd. *Liv* —5D **127**
Higher Runcorn. —1F 165
Highfield. *Liv* —4F **15**
Highfield Clo. *Wall* —2A **74**
Highfield Ct. *Birk* —3F **119**
Highfield Cres. *Birk* —3F **119**
Highfield Cres. *Wid* —2A **132**
Highfield Dri. *Crank* —1E **29**
Highfield Dri. *Wir* —5D **93**
Highfield Gro. *Birk* —3F **119**
Highfield Gro. *Liv* —5F **9**
Highfield Pk. *Liv* —1F **13**
Highfield Pl. *Prsct* —5D **63**
Highfield Rd. *Birk* —2F **119**
Highfield Rd. *Lith* —5A **18**
Highfield Rd. *Old S* —2A **80**
Highfield Rd. *Walt* —4F **35**
Highfield Rd. *Wid* —3F **131**
Highfields. *Hes* —1F **157**
Highfields. *Prsct* —5C **62**
Highfield S. *Birk* —4F **119**
Highfield Sq. *Liv* —2F **79**
Highfield St. *Liv* —3C **76** (2C **4**)
(in two parts)
Highfield St. *St H* —3D **67**
Highfield Vw. *Liv* —2F **79**
Highgate Clo. *Nort* —1D **169**
Highgate Clo. *Wir* —5F **137**
Highgate Ct. *Liv* —5A **78**
Highgate Rd. *Liv* —4D **7**
Highgate St. *Liv* —5A **78**
Highgreen Rd. *Birk* —1C **118**
Highgrove Pk. *Liv* —4A **124**
Highlands Rd. *Run* —1F **165**
Highoaks Rd. *Liv* —3B **126**
Highpark Rd. *Birk* —1C **118**
High Pk. St. *Liv* —4F **99**
Highsted Gro. *Liv* —5F **15**
High St. *Brom* —1E **163**
High St. *Frod & Norl* —5B **172**
High St. *Hale V* —5D **149**
High St. *Liv* —4C **76** (4C **4**)
High St. *Prsct* —5D **63**
High St. *Run* —5A **152**
High St. *W'tree* —1F **101**
High St. *Wltn* —2A **126**
Hightor Rd. *Liv* —1F **125**
Highville Rd. *Liv* —3D **103**

Highwood Ct.—Ilford Av.

Highwood Ct. Liv —1F 23
Hignett Av. St H —1A 68
Higson Ct. Liv —1A 122
Hilary Av. Liv —4E 81
Hilary Clo. Liv —3C 56
Hilary Clo. Prsct —4E 63
Hilary Clo. Wid —1E 133
Hilary Dri. Wir —3A 94
Hilary Rd. Liv —3C 56
Hilberry Av. Liv —1E 79
Hilbre Av. Wall —2A 74
Hilbre Av. Wir —4E 157
Hilbre Ct. Wir —5A 112
Hilbre Rd. Wir —5B 112
Hilbre St. Birk —1D 97
Hilbre St. Liv —5E 77 (5G 5)
Hilbre Vw. Wir —4C 112
Hilcrest Rd. Liv —2D 57
Hilda Rd. Liv —1D 81
Hildebrand Clo. Liv —3C 56
Hildebrand Rd. Liv —3C 56
Hillaby Clo. Liv —3F 99
Hillam Rd. Wall —5D 51
Hillary Cres. Liv —1D 13
Hillary Dri. Liv —1A 18
Hillary Rd. Wir —5D 163
Hillary Wlk. Liv —1A 18
Hill Bark Rd. Wir —2B 114
Hillbrae Av. St H —5A 30
Hillburn Dri. Birk —5E 73
Hill Crest. Boot —1E 55
Hillcrest. Halt B —1D 167
Hillcrest. Liv —2F 13
Hillcrest Av. Liv —4A 84
Hillcrest Dri. Upt —1C 114
Hillcrest Pde. Liv —4A 84
Hillcrest Rd. Cros —1A 18
Hillcroft Rd. Liv —5F 103
Hillcroft Rd. Wall —3C 74
Hillerton Clo. Liv —1B 58
Hillfield. Frod —5B 172
Hillfield. Nort —2D 169
Hillfield Dri. Wir —5F 137
Hillfoot Av. Liv —1B 146
Hillfoot Clo. Pren —1C 94
Hillfoot Grn. Liv —5A 126
Hillfoot Rd. Liv —3F 125
Hill Gro. Wir —2E 93
Hillhead Rd. Boot —1E 55
Hillingden Av. Liv —5F 127
Hillingdon Av. Wir —5A 138
Hillingdon Rd. Liv —3A 102
Hill Ridge. Pren —4D 95
Hill Rd. Pren —2E 95
Hill School Rd. St H —3A 64
Hillside. Liv —5A 104
Hillside Av. Liv —5C 60
Hillside Av. Newt W —1F 69
Hillside Av. Run —2E 165
Hillside Av. St H —2E 45
Hillside Clo. Bil —1D 31
Hillside Clo. Birk —5E 97
Hillside Clo. Boot —1E 55
Hillside Ct. Birk —5E 97
Hillside Ct. Liv —1A 126
Hillside Cres. Liv —5C 60
Hillside Dri. Liv —1A 126
Hillside Rd. Birk —5E 97
Hillside Rd. Hes —3A 158
Hillside Rd. Huy —1E 83
Hillside Rd. Moss H —4B 102
Hillside Rd. Pren —1D 95
Hillside Rd. Wall —2F 73
Hillside Rd. W Kir —4D 113
Hillside St. Liv —3F 77
Hillside Vw. Pren —1A 118
Hills Moss Rd. St H —4F 67
Hills Pl. Liv —2A 102
Hill St. Liv —3D 99
(in two parts)
Hill St. Prsct —5D 63
Hill St. Run —5A 152
Hill St. St H —3A 46
Hill St. Bus. Cen. Liv —3D 99
(off Hill St.)
Hilltop. Nort —3C 168
Hilltop La. Hes —2B 158
Hill Top Rd. Dut —4F 169
Hilltop Rd. Liv —2C 102
Hill Top Rd. Rainf —3B 28
Hillview. Liv —2E 123
Hill Vw. Wid —4F 109
Hillview Av. Wir —3B 112
Hillview Ct. Pren —1C 94
Hill Vw. Dri. Wir —3A 94
Hillview Gdns. Liv —1E 125
Hillview Mans. Wir —3B 112
(off Lang La.)
Hill Vw. Rd. Wir —5C 114
Hillwood Clo. Wir —1F 161
Hilton Clo. Birk —3C 96
Hilton Ct. Boot —1D 19
Hilton Gro. Wir —3A 112
Hinchley Grn. Liv —1B 12
Hinckley Rd. St H —3C 46
Hindburn Av. Liv —5F 7
Hinderton Clo. Birk —5E 97
Hinderton Dri. Hes —4F 157
Hinderton Dri. W Kir —5E 113
Hinderton Rd. Birk —4E 97
Hindley Beech. Liv —5C 6
Hindley Wlk. Liv —5D 147
Hindlip St. Liv —1A 122
Hind St. Birk —4E 97
Hinson St. Birk —3E 97
Hinton Rd. Run —1A 166
Hinton St. Fair —3C 78
Hinton St. Lith —2B 34
Historic Warships. —5D 75
Hitchens Clo. Murd —3D 169
Hitchin Ct. Gars —1C 144
H.M. Customs & Excise Mus. —1C 98 (7C 4)
Hobart Dri. Liv —4E 15
Hobart St. That H —3E 65
Hobby Ct. Hall P —4E 167
Hobhouse Ct. Pren —3B 96
Hob La. Wlk. Liv —3B 22
Hoblyn Rd. Pren —1E 95
Hockenhall All. Liv —4C 76 (4D 4)
Hockenhull Clo. Wir —5A 142
Hodder Av. Liv —5F 7
Hodder Clo. St H —1B 46
Hodder Pl. Liv —5F 55
Hodder Rd. Liv —5F 55
Hodder St. Liv —5E 55
Hodson Pl. Liv —2F 77
Hogarth St. Liv —2A 34
Hogarth Wlk. Liv —3D 55
Hoghton Clo. St H —3F 67
Hoghton Rd. Hale V —5E 149
Hoghton Rd. St H —3F 67
Holbeck. Nort —3C 168
Holbeck St. Liv —5B 56
Holborn Ct. Wid —1E 131
Holborn Hill. Birk —5E 97
Holborn Sq. Birk —5E 97
Holborn St. Liv —4A 78
Holbrook Clo. St H —5C 66
Holcombe Clo. Wir —5D 93
Holden Gro. Liv —3C 16
Holden Rd. Liv —3B 16
Holden Rd. Prsct —2C 84
Holden Rd. E. Liv —3C 16
Holden St. Liv —1A 100
Holden Ter. Liv —3C 16
Holdsworth St. Liv —4B 78
Holgate. Liv —3B 10
Holgate Pk. Liv —3B 10
Holin Ct. Pren —2F 95
Holingsworth Ct. St H —4B 46
Holkham Clo. Wid —3F 131
Holkham Gdns. St H —5D 65
Holland Ct. Boot —1D 19
Holland Gro. Wir —1F 157
Holland Pl. Liv —5B 78
Holland Rd. Halew —1E 147
Holland Rd. Speke —5E 147
Holland Rd. Wall —4C 52
Holland St. Liv —3D 79
Holland Way. Liv —1E 147
Holley Ct. Rain —3C 86
Holliers Clo. Liv —1D 13
Hollies Rd. Liv —5F 127
Hollies, The. Halt B —2D 167
Hollies, The. Liv —1E 125
Hollingbourne Pl. Liv —5A 38
Hollingbourne Rd. Liv —5A 38
Hollinghurst Rd. Liv —5F 15
Hollingworth Clo. Liv —5A 36
Hollin Hey Clo. Bil —2D 31
Hollinhey Clo. Boot —5A 12
Hollins Clo. Liv —1A 102
Hollins Way. Wid —2B 150
Hollocombe Rd. Liv —1B 58
Holloway. Run —1F 165
Hollow Cft. Liv —2A 60
Holly Av. Wir —4F 141
Hollybank Ct. Birk —4D 97
Holly Bank Gro. St H —4C 46
Hollybank Rd. Birk —4D 97
Hollybank Rd. Halt —1F 167
Hollybank Rd. Liv —4E 101
Holly Bank St. St H —4C 46
Holly Clo. Ecc —4B 44
Holly Clo. Hale V —5D 149
Holly Ct. Boot —3B 34
Holly Ct. Liv —5A 56
Hollydale Rd. Liv —4A 102
Holly Farm Rd. Liv —1D 145
Hollyfield Rd. Liv —3F 35
Holly Gro. Birk —5E 97
Holly Gro. Huy —4B 82
Holly Gro. S'frth —2F 33
Holly Hey. Whis —5D 85
Hollymead Clo. Liv —5B 104
Holly Mt. W Der —5A 58
Holly Pl. Wir —2F 93
Holly Rd. Hay —3F 47
Holly Rd. Liv —4C 78
Hollyrood. Prsct —1A 84
Holly St. Boot —4C 34
Hollytree Rd. Liv —1A 126
Hollywood Rd. Liv —1E 123
Holman Rd. Liv —1D 145
Holm Cotts. Pren —2F 117
Holme Clo. Ecc P —4A 64
Holmefield Av. Liv —3A 124
Holmefield Rd. Liv —4F 123
Holme Rd. Ecc —1B 64
Holmes La. Liv —1A 34
(off Seaforth Rd.)
Holmes St. Liv —2C 100
Holme St. Liv —4B 54
Holmesway. Wir —3F 137
Holmfield. Pren —2F 117
Holmfield Av. Run —5C 152
Holmfield Gro. Liv —1F 105
Holm Hey Rd. Pren —2F 117
Holm Hill. Wir —5C 112
Holmlands Cres. Pren —2E 117
Holmlands Dri. Pren —2E 117
Holmlands Way. Pren —2F 117
Holm La. Pren —2F 117
Holmleigh Rd. Liv —3A 104
Holmrook Rd. Liv —1F 57
Holmside Clo. Wir —1F 93
Holmside La. Pren —2F 117
Holmstead, The. Liv —1F 123
Holm Vw. Clo. Pren —1A 118
Holmville Rd. Wir —1E 141
Holmway. Wir —2F 141
Holmwood Av. Wir —2C 138
Holmwood Dri. Hes —2C 138
Holt. —2A 86
Holt Av. Bil —1D 31
Holt Av. Wir —1E 93
Holt Coppice. Augh —1F 7
Holt Cres. Bil —1D 31
Holt Hill. Birk —5E 97
Holt Hill Ter. Birk —4D 97
Holt La. Halt —2F 167
Holt La. Liv —3D 105
(in two parts)
Holt La. Rain —2A 86
Holt Rd. Birk —5E 97
Holt Rd. Liv —4B 78
Holt Way. Liv —3D 23
Holy Cross Clo. Liv —3D 77 (2E 5)
Holyrood. Cros —1A 16
Holyrood Av. Wid —5A 110
Holywell Clo. St H —5D 67
Home Farm Clo. Wir —2C 116
Home Farm Rd. Know —1C 60
Home Farm Rd. Wir —2B 116
Homefield Gro. Liv —1C 12
Homer Green. —1C 10
Homer Rd. Know —5C 40
Homerton Rd. Liv —3D 79
Homestall Rd. Liv —1A 58
Homestead Av. Boot —2B 20
Homestead Av. Hay —1E 49
Homestead Clo. Liv —3A 84
Homestead M. Wir —3B 112
Honeybourne Dri. Whis —5A 64
Honey Hall Rd. Liv —1E 147
Honeys Grn. Clo. Liv —1D 81
Honey's Grn. La. Liv —1D 81
Honeys Grn. Precinct. Liv —1D 81
Honey St. St H —4C 64
Honeysuckle Clo. Liv —2D 127
Honeysuckle Clo. Wid —5B 110
Honeysuckle Dri. Liv —5B 36
Honister Av. St H —5C 30
Honister Clo. Liv —1A 128
Honister Gro. Beech —5E 167
Honister Wlk. Liv —1A 128
Honiston Av. Rain —2B 86
Honiton Rd. Liv —3E 123
Hood Rd. Wid —3F 131
Hood St. Wall —3D 75
Hoole Rd. Wir —1B 116
Hoose Ct. Wir —4C 90
Hooton Rd. Liv —1B 36
Hooton Rd. Will & Hoot —5A 170
Hooton Way. Hoot —3F 171
Hooton Works Ind. Est. Hoot —4E 171
Hope Clo. St H —4E 45
Hope Pl. Liv —1E 99 (7H 5)
Hope St. Birk —2D 97
Hope St. Liv —2E 99 (7J 5)
Hope St. Prsct —5D 63
Hope St. Wall —3B 52
Hope Ter. Birk —1D 119
Hope Way. Liv —1F 99
Hopfield Rd. Wir —1F 93
Hopkins Clo. St H —4D 45
Hopwood Cres. Rainf —1A 28
Hopwood St. Liv —1C 76
(in two parts)
Horace St. St H —4D 45
Horatio St. Birk —3D 97
Hornbeam Clo. Hay —2F 47
Hornbeam Clo. Wind H —1C 168
Hornbeam Clo. Wir —1B 92
Hornbeam Rd. Halew —5A 128
Hornbeam Rd. Walt —5C 36
Hornby Av. Boot —3B 34
Hornby Av. Wir —1C 162
Hornby Boulevd. Liv & Boot —2B 34
Hornby Chase. Liv —3D 13
Hornby Clo. Liv —4F 35
Hornby Ct. Wir —1C 162
Hornby Cres. Clo F —2D 89
Hornby Flats. Liv —2B 34
Hornby La. Liv —4D 103
Hornby Pk. Liv —4D 103
Hornby Pl. Liv —3A 36
Hornby Rd. Boot —3B 34
(Knowsley Rd.)
Hornby Rd. Boot —4C 34
(Stanley Rd.)
Hornby Rd. Liv —4F 35
Hornby Rd. Wir —1C 162
Hornby St. Birk —3F 97
Hornby St. Cros —1E 17
Hornby St. Liv —2D 77
Hornby St. S'frth —2A 34
Hornby Wlk. Liv —2C 76
Horne St. Liv —2B 78
Hornet Clo. Liv —1A 78
Hornhouse La. Know I —5B 24
Hornsey Rd. Liv —4B 56
Hornspit La. Liv —3A 58
Horringford Rd. Liv —4F 123
Horrocks Av. Liv —1D 145
Horrocks Clo. Liv —2D 83
Horrocks Rd. Liv —3D 83
Horseman Pl. Wall —4E 75
Horseshoe Dri. Liv —1B 38
Horsfall Gro. Liv —5E 99
Horsfall St. Liv —5E 99
Horwood Av. Rain —2B 86
Horwood Clo. Liv —1C 58
Hoscar Ct. Wid —5D 131
Hoscote Pk. Wir —4A 112
Hose Side Rd. Wall —4F 51
Hospital Rd. Wir —1B 142
Hospital St. St H —4A 46
Hospital Way. Run —3F 167
(in two parts)
Hosta Clo. Liv —5D 15
Hostock Clo. Whis —4D 85
Hotham St. Liv —4E 77 (4G 5)
Hothfield Rd. Wall —3D 75
Hotspur St. Boot —2C 54
Hough Green. —3A 130
Hough Green Pk. —3B 130
Hough Grn. Rd. Wid —2A 130
Houghton Clo. Wid —2C 132
Houghton Cft. Wid —4C 108
Houghton La. Liv —5D 77 (5F 5)
Houghton Rd. Hale V —5E 149
Houghton Rd. Wir —5B 94
Houghton's La. Ecc & St H —1F 43
Houghton St. Liv —5D 77 (5F 5)
Houghton St. Prsct —5D 63
Houghton St. Rain —3C 86
Houghton St. Wid —2D 133
Houghton Way. Liv —5F 5
Hougoumont Av. Liv —4E 17
Hougoumont Gro. Liv —4E 17
Houlding St. Liv —5A 56
Houlgrave Rd. Liv —1C 76
Houlston Rd. Liv —3B 22
Houlston Wlk. Liv —3B 22
Houlton St. Liv —4B 78
House La. Wid —5F 131
Hove, The. Murd —4D 169
(in two parts)
Howard Av. Wir —2D 163
Howard Clo. Mag —1F 13
Howard Clo. S'frth —3C 18
Howard Ct. Mnr P —3C 154
Howard Dri. Liv —5A 124
Howard Florey Av. Boot —1F 19
Howard's La. Ecc & St H —4E 43
Howards Rd. Wir —1B 138
Howard St. St H —3C 64
Howarth Ct. Run —5B 152
Howbeck Clo. Pren —3F 95
Howbeck Ct. Pren —4F 95
Howbeck Dri. Pren —3F 95
Howbeck Rd. Pren —4F 95
Howden Dri. Liv —3A 82
Howell Dri. Wir —2D 115
Howell Rd. Wir —5A 120
Howells Clo. Liv —5D 7
Howe St. Boot —2B 54
Howey La. Frod —5B 172
(in two parts)
Howson St. Birk —2F 119
Hoylake. —5B 90
Hoylake Clo. Murd —3C 168
(in two parts)
Hoylake Gro. Clo F —2C 88
Hoylake Municipal Golf Course. —1B 112
Hoylake Rd. Birk —4D 73
Hoylake Rd. Wir —2B 92
Hoyle Rd. Wir —3B 90
Huddleston Clo. Wir —1C 116
Hudleston Rd. Liv —5B 80
Hudson Rd. Liv —3D 13
Hudson Rd. Wir —2A 72
Hudson St. St H —5C 46
Hudswell Clo. Boot —4B 20
Hughenden Rd. Liv —1F 79
Hughes Av. Prsct —2D 85
Hughes Clo. Liv —5C 78
Hughes Dri. Boot —2E 35
Hughes La. Pren —1B 118
Hughes St. Eve —2A 78
(in two parts)
Hughes St. Gars —2C 144
Hughes St. St H —3D 67
Hughestead Gro. Liv —1B 144
Hughson St. Liv —4E 99
Hulmewood. Wir —5A 120
Hulton Av. Whis —2F 85
Humber Clo. Liv —3E 55
Humber Clo. Wid —1F 133
Humber Cres. St H —5C 66
Humber St. Birk —5F 73
Hume Ct. Wir —3C 90
Humphrey's Clo. Murd —3D 169
Humphreys Hey. Liv —5B 10
Humphrey St. Boot —2D 35
Huncote Av. St H —2D 47
Hunslet Rd. Liv —2B 36
Hunstanton Clo. Wir —2A 94
Hunter Ct. Prsct —5E 63
Hunters Ct. Hall P —4E 167
Hunters La. Liv —2A 102
Hunter St. Liv —4D 77 (3F 5)
Hunter St. St H —1C 66
Huntingdon Clo. Wir —1B 92
Huntingdon Gro. Liv —3C 6
Huntley Av. St H —4C 66
Huntley Gro. St H —4C 66
Huntly Rd. Liv —3C 78
Hunt Rd. Hay —2E 49
Hunt Rd. Liv —5D 7
Hunt's Cross. —5C 126
Hunts Cross Av. Liv —1B 126
(in two parts)
Hunts Cross Shop. Pk. Liv —1A 146
Huntsman Wood. Liv —3E 59
Hurlingham Rd. Liv —1C 56
Hurrell Rd. Birk —5D 73
Hursley Rd. Liv —4E 37
Hurst Bank. Birk —4F 119
Hurst Gdns. Liv —4A 80
Hurstlyn Rd. Liv —3C 124
Hurst Pk. Clo. Liv —2A 84
Hurst Pk. Dri. Liv —2A 84
Hurst Rd. Liv —3E 13
Hurst St. Liv —1C 98 (7D 4)
(L1, in two parts)
Hurst St. Liv —4A 80
(L13)
Hurst St. Wid —3A 152
Huskisson St. Liv —2F 99
Hutchinson St. Liv —3A 78
Hutchinson St. Wid —1F 151
Hutchinson Wlk. Liv —3A 78
Huxley Clo. Wir —1B 92
Huxley St. Liv —4D 57
Huyton. —4E 83
Huyton & Prescot Golf Course. —2B 84
Huyton Av. St H —2E 45
Huyton Brook. Liv —1F 105
Huyton Bus. Pk. Huy —5A 84
Huyton Chu. Rd. Liv —4E 83
Huyton Hall Cres. Liv —4E 83
Huyton Hey Rd. Liv —4E 83
Huyton Ho. Clo. Liv —2B 82
Huyton Ho. Rd. Liv —2B 82
Huyton La. Liv & Prsct —3E 83
Huyton Leisure Cen. —5D 83
Huyton-with-Roby. —3C 82
Hyacinth Av. Liv —5D 15
Hyacinth Clo. Hay —2F 49
Hyacinth Gro. Wir —4B 72
Hyde Clo. Beech —4D 167
Hyde Rd. Liv —4D 17
Hydrangea Way. St H —4A 68
Hydro Av. Wir —5B 112
Hygeia St. Liv —2A 78
Hylton Av. Wall —2A 74
Hylton Rd. Liv —4D 125
Hyslop St. Liv —3E 99
Hythe Av. Liv —5C 18
Hythedale Clo. Liv —2C 122

Ibbotson's La. Liv —5E 101
Iberis Gdns. St H —4A 68
Ibstock Rd. Boot —3B 34
Iffley Clo. Wir —4D 93
Ikin Clo. Pren —5C 72
Ilchester Rd. Birk —5F 73
Ilchester Rd. Liv —5E 81
Ilchester Rd. Wall —3D 75
Ilford Av. Liv —5D 9
Ilford Av. Wall —3B 74

Ilford St.—King Edward Rd.

Ilford St. Liv —4E 77 (3J 5)
Ilfracombe Rd. Sut L —1C 88
Iliad St. Liv —2E 77
Ilkley Wlk. Liv —3D 147
Ilsley Clo. Wir —5F 93
Imber Rd. Liv —5F 23
Imison St. Liv —5E 35
Imison Way. Liv —5E 35
Imperial Av. Wall —5C 52
Imperial Bldgs. Liv —4C 4
Imrie St. Liv —1F 55
Ince Av. Anf —3B 56
Ince Av. Cros —5C 8
Ince Av. Lith —1B 34
Ince Av. Wir —2E 171
Ince Blundell Pk. —1A 10
Ince Clo. Pren —5F 95
Ince Gro. Pren —1F 117
Ince La. Liv —1F 9
Incemore Rd. Liv —3A 124
Ince Rd. Liv —3A 10
Inchcape Rd. Liv —5E 81
Inchcape Rd. Wall —1D 73
Index St. Liv —2F 55
Ingestre Rd. Pren —1A 118
Ingham Rd. Wid —5F 109
Ingleborough Rd. Birk —2D 119
Ingleby Rd. Wall —3A 74
Ingleby Rd. Wir —4B 120
Ingledene Rd. Liv —4D 103
Ingle Grn. Liv —5A 8
Inglegreen. Wir —2B 158
Ingleholme Gdns. Ecc P —4A 64
Ingleholme Rd. Liv —3A 124
Inglemere Rd. Birk —2E 119
Inglemoss Dri. Rainf —4B 28
Ingleside Ct. Cros —2C 16
Ingleton Clo. Wir —5D 93
Ingleton Dri. St H —4B 30
Ingleton Grn. Liv —5F 23
Ingleton Gro. Beech —5D 167
Ingleton Rd. Kirkby —5F 23
Ingleton Rd. Moss H —4F 101
Inglewood. Liv —5A 40
Inglewood. Wir —2D 93
Inglewood Av. Wir —2D 93
Inglewood Rd. Rainf —4C 28
Inglis Rd. Liv —1B 36
Ingoe Clo. Liv —4B 22
Ingoe La. Liv —5B 22
Ingrave Rd. Liv —1C 56
Ingrow Rd. Liv —3B 78
Inigo Rd. Liv —2A 80
Inley Clo. Wir —5A 142
Inley Rd. Wir —5F 141
Inman Av. St H —1B 68
Inman Rd. Liv —1B 34
Inman Rd. Wir —3E 93
Inner Central Rd. Liv —2F 147
Inner Forum. Liv —1E 57
Inner S. Rd. Liv —3E 147
Inner W. Rd. Liv —2E 147
Insall Rd. Liv —5B 80
Intake Clo. Will —5A 170
Interchange Motorway Ind. Est. Liv —5A 84
Inveresk Ct. Pren —3E 95
Invincible Clo. Boot —5E 19
Invincible Way. Gil I —2C 38
Inwood Rd. Liv —5C 124
Iona Clo. Liv —5A 40
Ionic Rd. Liv —2A 80
Ionic St. Birk —2F 119
Ionic St. Liv —1F 33
Irby. —1D 137
Irby Av. Wall —2A 74
Irby Cricket Club Ground. —4C 114
Irby Heath. —1C 136
Irby Hill. —4C 114
Irbymill Hill. —3C 114
Irby Rd. Liv —3B 56
Irby Rd. Wir —2D 137
Irbyside Rd. Wir —3B 114
Ireland Rd. Hale V —5E 149
Ireland Rd. Hay —2C 48
Ireland St. Wid —2D 133
Irene Av. St H —1C 46
Irene Rd. Liv —3C 102
Ireton St. Liv —1F 55
Iris Av. Birk —1F 95
Iris Clo. Wid —2C 130
Iris Gro. Liv —5D 15
Irlam Dri. Liv —3E 23
Irlam Pl. Boot —4B 34
Irlam Rd. Boot —4B 34
Ironbridge Vw. Liv —5E 99
Ironside Rd. Liv —2D 83
Irvine Rd. Birk —2D 119
Irvine St. Liv —5A 78
Irvine Ter. Wir —4B 120
Irving Clo. Liv —5C 20
Irwell Chambers. Liv —4C 4
Irwell Clo. Liv —1E 123
Irwell Ho. Liv —1E 123
Irwell La. Liv —1E 123
Irwell La. Run —4B 152
Irwell St. Liv —5B 76 (6C 4)
Irwell St. Wid —3A 152
Irwin Rd. St H —4C 66
Isaac St. Liv —5F 99
Isabel Gro. Liv —4E 57
Island Pl. Liv —1C 144
Island Rd. Liv —1C 144
Island Rd. S. Liv —1D 145
Islands Brow. St H —2B 46
Isleham Clo. Liv —4C 124
Islington. Cros —5D 9
Islington. Liv —4E 77 (3G 5)
Islington Sq. Liv —3F 77 (3J 5)
Islip Clo. Wir —5D 115
Ismay Dri. Wall —1D 75
Ismay Rd. Liv —1B 34
Ismay St. Liv —2F 55
Ivanhoe Rd. Aig —5C 100
Ivanhoe Rd. Cros —1C 16
Ivanhoe St. Boot —5B 34
Iveagh Clo. Pal —3A 168
Iver Clo. Cron —3C 108
Ivernia Rd. Liv —1B 56
Ivor Rd. Wall —1C 74
Ivory Dri. Liv —5E 15
Ivy Av. Liv —5A 124
Ivy Av. Whis —2A 86
Ivy Av. Wir —2E 141
Ivychurch M. Run —5D 153
Ivydale Rd. Birk —1E 119
Ivydale Rd. Liv —5F 101
Ivydale Rd. Walt —4B 36
Ivy Farm Ct. Hale V —5D 149
Ivyfarm Rd. Rain —2B 86
Ivyhurst Clo. Liv —4F 123
Ivy La. Wir —4E 71
Ivy Leigh. Liv —1E 79
Ivy St. Birk —3F 97
Ivy St. Run —1A 166

Jack McBain Ct. Liv —2C 76
Jack's Brow. Know P —1E 61
Jacksfield Way. Liv —5F 123
Jackson Clo. Rain —5D 87
Jackson Clo. Wir —4F 119
Jacksons Pond Dri. Liv —2F 103
Jackson St. Birk —4E 97
Jackson St. Btnwd —5E 69
Jackson St. Hay —1A 48
Jackson St. Liv —1C 144
Jackson St. St H —5C 46
Jacobs Clo. Liv —2B 34
Jacob St. Liv —5F 99
Jacqueline Ct. Liv —4C 82
Jacqueline Dri. Liv —2A 84
Jade Clo. Liv —2F 23
Jade Rd. Liv —2B 78
Jamaica St. Liv —2D 99
Jamesbrook Clo. Birk —1A 96
James Clarke St. Liv —2C 76
James Clo. Wid —3A 152
James Ct. Liv —2B 126
James Ct. Apartments. Liv —2A 126
James Gro. St H —1E 65
James Holt Av. Liv —4C 22
James Hopkins Way. Liv —4D 55
James Horrigan Ct. Boot —2C 18
James Larkin Way. Liv —4D 55
James Rd. Hay —1F 49
James Rd. Liv —2B 126
James Simpson Way. Boot —1F 19
James St. Clo F —3D 89
James St. Gars —1C 144
James St. Liv —5C 76 (6C 4)
James St. Pren —5C 96
James St. Wall —4E 75
Jamieson Av. Liv —1A 18
Jamieson Rd. Liv —2E 101
Jane St. St H —4F 67
Janet St. Liv —5B 78
Japonica Gdns. St H —4A 68
Jarrett Rd. Liv —1A 24
Jarrett Wlk. Liv —1A 24
Jarrow Clo. Pren —5B 96
Jasmine Clo. Liv —1F 77
Jasmine Clo. Wir —2D 93
Jasmine Ct. Liv —1F 83
Jasmine Gdns. St H —4A 68
Jasmine Gro. Wid —4D 131
Jasmine M. Liv —1A 122
Jason St. Liv —5E 55
Jason Wlk. Liv —5E 55
Java Rd. Liv —1D 57
Jay's Clo. Murd —3E 169
Jean Wlk. Liv —2B 38
Jedburgh Dri. Liv —4D 15
Jeffereys Cres. Liv —4B 82
Jeffreys Dri. Liv —3A 82
Jeffreys Dri. Wir —4D 93
Jellicoe Clo. Wir —3D 135
Jenkinson St. Liv —3E 77 (1H 5)
Jensen Ct. Ast I —4C 152
Jericho Clo. Liv —2D 123
Jericho Ct. Liv —2D 123
Jericho Farm Clo. Liv —3D 123
Jericho Farm Wlk. Liv —3D 123
Jericho La. Liv —3D 123
Jermyn St. Liv —3A 100
Jerningham Rd. Liv —5D 37
Jersey Av. Liv —4B 18
Jersey Clo. Boot —5C 34
Jersey St. Boot —5C 34
Jersey St. Clo F —3C 88
Jesmond St. Liv —1D 101
Jessamine Rd. Birk —1E 119
Jessica Ho. Liv —2D 55
Jet Clo. Liv —2B 78
Jeudwine Clo. Liv —3B 126
Joan Av. Grea —5E 93
Joan Av. More —1D 93
Jocelyn Clo. Wir —4A 142
John Bagot Clo. Liv —1E 77
John F. Kennedy Heights. Liv —2E 77 (1H 5)
John Hunter Way. Boot —2F 19
John Lennon Dri. Liv —3B 78
John Middleton Clo. Hale V —5D 149
John Moores Clo. Liv —1A 100
Johns Av. Hay —1E 49
Johns Av. Run —1F 165
Johnson Av. Prsct —2D 85
Johnson Gro. Liv —1E 81
Johnson Rd. Pren —3F 117
Johnson's La. Wid —3E 133
Johnson St. Liv —4C 76 (3E 4)
Johnson St. St H —4C 46
Johnson Wlk. Liv —5C 78
(off Deeley Clo.)
Johnston Av. Boot —2E 35
John St. Birk —2F 97
John St. Liv —3E 77 (1H 5)
John Willis Ho. Birk —2A 120
Jones Farm Rd. Liv —4C 104
Jones St. Liv —5E 77 (5H 5)
Jonville Rd. Liv —1C 36
Jordan St. Liv —2D 99
Joseph Gardner Way. Boot —3B 34
Joseph Lister Clo. Boot —2F 19
Joseph Morgan Heights. Liv —5A 22
Joseph St. St H —4E 67
Joseph St. Wid —2C 132
Joshua Clo. Liv —5E 55
Joyce Wlk. Liv —1C 38
Joy La. Clo F —4E 89
Joy Wlk. Clo F —3E 89
Jubilee Av. Liv —5D 81
Jubilee Ct. Hay —1B 48
Jubilee Cres. Hay —1F 49
Jubilee Cres. Wir —2B 142
Jubilee Dri. Boot —4A 20
Jubilee Dri. Liv —4B 78
Jubilee Dri. Whis —4D 85
Jubilee Dri. Wir —2B 112
Jubilee Ho. Run —2C 166
Jubilee Pk. —2C 82
Jubilee Rd. Cros —2C 16
Jubilee Rd. Liv —1B 34
Jubilee Way. Wid —3E 131
Jubits La. Sut M —1A 110
Juddfield St. Hay —2A 48
Judges Dri. Liv —2C 78
Judges Way. Liv —2C 78
Julian Way. Wid —5F 109
Julie Gro. Liv —1E 81
Juliet Av. Wir —5E 119
Juliet Gdns. Wir —5E 119
July Rd. Liv —1C 78
July St. Boot —3C 34
Junction La. Newt W —1F 69
Junction La. St H —4E 67
Junct. One Retail Pk. Wall —3D 73
June Av. Wir —2E 163
June Rd. Liv —1D 79
June St. Boot —4C 34
Juniper Clo. Liv —3B 60
Juniper Clo. St H —4D 45
Juniper Clo. Wir —2C 114
Juniper Cres. Liv —2F 59
Juniper Gdns. Liv —4B 10
Juniper St. Liv —3C 54
Justan Way. Rain —1B 86
Juvenal Pl. Liv —2E 77 (1G 5)
Juvenal St. Liv —2D 77 (1F 5)

Kaigh Av. Liv —5D 9
Kale Clo. Wir —5B 112
Kale Gro. Liv —5F 15
Kara Clo. Boot —5C 34
Karan Way. Liv —2A 22
Karen Clo. Btnwd —5F 69
Karonga Rd. Liv —1E 37
Karonga Way. Liv —1F 37
Karslake Rd. Liv —4F 101
Karslake Rd. Wall —3D 75
Katherine Wlk. Liv —1C 38
Kearsley Clo. Liv —4E 55
Kearsley St. Liv —4E 55
Keats Av. Whis —3F 85
Keats Clo. Wid —4F 131
Keats Gro. Liv —5F 83
Keats St. St H —3F 67
Keble Dri. Liv —2C 20
Keble Dri. Wall —5D 51
Keble Rd. Boot —2C 54
Keble St. Liv —3A 78
Keble St. Wid —5B 132
Keckwick. —3F 155
Keckwick La. Dar —3F 155
Kedleston St. Liv —5A 100
Keegan Dri. Wall —4E 75
Keele Clo. Pren —4C 72
Keenan Dri. Boot —3E 35
Keene Ct. Boot —1D 19
Keepers La. Wir —2B 140
Keepers Wlk. Cas —5F 153
Keighley Av. Wall —1E 73
Keightley St. Birk —2C 96
Keir Hardie Av. Boot —3E 35
Keith Av. Liv —2F 55
Keith Dri. Wir —5C 162
Keithley Wlk. Liv —3E 147
Kelbrook Clo. St H —5D 67
Kelby Clo. Liv —5A 100
Kelday Clo. Liv —3E 23
Kelkbeck Clo. Liv —5F 7
Kellet's Pl. Birk —1F 119
Kellett Rd. Wir —3B 72
Kellitt Rd. Liv —2E 101
Kelly Dri. Boot —3E 35
Kelly St. Prsct —5E 63
Kelmscott Dri. Wall —2E 73
Kelsall Av. Sut M —2B 88
Kelsall Av. Wir —2E 171
Kelsall Clo. Pren —1F 117
Kelsall Clo. Wid —2D 131
Kelsall Clo. Wir —2E 171
Kelsey Clo. St H —4D 45
Kelso Clo. Liv —4D 15
Kelso Rd. Liv —3C 78
Kelton Gro. Liv —2E 123
Kelvin Gro. Liv —3A 100
Kelvin Pk. Wall —5D 75
Kelvin Rd. Birk —5E 97
Kelvin Rd. Wall —5E 75
Kelvinside. Liv —3F 17
Kelvinside. Wall —5D 75
Kemberton Dri. Wid —4A 110
Kemble St. Liv —3B 78
Kemble St. Prsct —5D 63
Kempsell Wlk. Liv —5A 128
Kempsell Way. Liv —5A 128
Kempsey Gro. That H —4E 65
Kempson Ter. Wir —3F 141
Kempston St. Liv —4E 77 (3H 5)
Kempton Clo. Liv —5C 82
Kempton Clo. Run —4C 166
Kempton Pk. Rd. Liv —2E 21
Kempton Rd. Liv —1D 101
Kempton Rd. Wir —4B 120
Kemsley Rd. Liv —3F 81
Kenbury Clo. Liv —1A 24
Kenbury Rd. Liv —1A 24
Kendal Clo. Beb —1F 141
Kendal Dri. Liv —5D 7
Kendal Dri. Rain —2A 86
Kendal Dri. St H —5B 30
Kendal Pk. Liv —5D 59
Kendal Ri. Beech —5D 167
Kendal Rd. Liv —2E 103
Kendal Rd. Wall —4A 74
Kendal Rd. Wid —3C 130
Kendal St. Birk —3E 97
Kendricks Fold. Rain —3B 86
Kenilworth Av. Run —2B 166
Kenilworth Clo. Liv —1E 125
Kenilworth Dri. Wir —2F 137
Kenilworth Gdns. Wir —3E 93
Kenilworth Rd. Child —2D 103
Kenilworth Rd. Cros —1C 16
Kenilworth Rd. Wall —3D 75
Kenilworth St. Boot —5B 34
Kenilworth Way. Liv —1E 125
Kenley Av. Wid —4D 109
Kenmare Rd. Liv —3E 101
Kenmay Wlk. Liv —2A 24
Kenmore Rd. Pren —3E 117
Kennelwood Av. Liv —2F 23
Kennessee Clo. Liv —2E 13
Kennesse Green. —2D 13
Kenneth Clo. Boot —2E 19
Kenneth Rd. Wid —4C 130
Kennet Rd. Hay —2C 48
Kennet Rd. Wir —2D 141
Kennford Rd. Liv —3C 38
Kensington. —4B 78
Kensington. Liv —4A 78
Kensington Av. St H —4C 66
Kensington Dri. Prsct —1A 84
Kensington Gdns. Wir —1F 93
Kensington St. Liv —3A 78
Kent Av. Lith —5C 18
Kent Clo. Boot —4D 35
Kent Clo. Wir —2B 162
Kent Gdns. Liv —1D 99 (7F 5)
Kent Gro. Run —1B 166
Kentmere Av. St H —5C 30
Kentmere Dri. Wir —4F 137
Kent M. Pren —5A 96
Kenton Clo. B Vale —2B 104
Kenton Rd. Liv —5F 127
Kent Pl. Birk —3D 97
Kent Rd. St H —3C 66
Kent Rd. Wall —3A 74
Kents Bank. Liv —2C 58
Kent St. Liv —1D 99 (7F 5)
(in two parts)
Kent St. Pren —5A 96
Kent St. Wid —3B 132
Kenview Clo. Wid —2A 150
Kenwood Clo. Liv —4F 105
Kenwright Cres. St H —3C 66
Kenwyn Rd. Wall —1B 74
Kenyon Clo. Liv —4F 15
Kenyon Rd. Liv —4A 102
Kenyons La. Lyd & Mag —3D 7
Kenyons La. N. Hay —1F 49
Kenyons La. S. Hay —1F 49
Kenyon's Lodge. Liv —4E 7
Kenyon Ter. Pren —4B 96
Kepler St. Liv —2A 34
Keppel St. Boot —2B 54
Kerr Gro. St H —5E 47
Kerris Clo. Liv —2B 122
Kerrysdale Clo. St H —4D 67
Kersey Rd. Liv —5F 23
Kersey Wlk. Liv —5F 23
Kershaw Av. Liv —2F 17
Kershaw St. Wid —3D 131
Kerswell Clo. St H —5D 67
Keston Wlk. Liv —1F 147
Kestrel Av. Wir —3D 93
Kestrel Clo. St H —2B 46
Kestrel Clo. Wir —3D 93
Kestrel Dene. Liv —2A 38
Kestrel Gro. Liv —3D 127
Kestrel Rd. Hes —3C 158
Kestrel Rd. More —1C 92
Kestrels Way. Hall P —4F 167
Keswick Av. Wir —1C 170
Keswick Clo. Liv —5E 7
Keswick Clo. Wid —3C 130
Keswick Dri. Frod —5C 172
Keswick Dri. Liv —5D 19
Keswick Gdns. Wir —5C 162
Keswick Pl. Pren —5D 73
Keswick Rd. Liv —2C 124
Keswick Rd. St H —3E 45
Keswick Rd. Wall —4F 51
Keswick Way. Liv —1A 104
Kevelioc Clo. Wir —4F 141
Kew St. Liv —1D 77
Keybank Rd. Liv —3A 58
Kiddman St. Liv —5F 35
Kidstone Clo. St H —4D 67
Kilburn Av. Wir —4E 163
Kilburn Gro. St H —4E 65
Kilburn St. Liv —2B 34
Kildale Clo. Liv —5C 6
Kildare Clo. Hale V —5D 149
Kildonan Rd. Liv —2D 123
Kilgraston Gdns. Liv —3E 123
Killarney Gro. Wall —3A 74
Killarney Rd. Liv —3A 80
Killester Rd. Liv —5B 104
Killington Way. Liv —3E 55
Kilmalcolm Clo. Pren —5F 95
Kilmore Clo. Liv —5C 20
Kilmory Av. Liv —2C 126
Kiln Clo. Ecc —3C 44
Kilncroft. Brook —5B 168
(in two parts)
Kiln La. Dent G & Ecc —3B 44
Kiln Rd. Wir —1A 116
Kilnyard Rd. Liv —1D 17
Kilrea Clo. Liv —3F 57
Kilrea Rd. Liv —3E 57
(Ferguson Rd.)
Kilrea Rd. Liv —3F 57
(Muirhead Av.)
Kilsail Rd. Liv —1A 40
Kilsby Dri. Wid —2E 133
Kilshaw Rd. Btnwd —5F 69
Kilshaw St. Liv —2A 78
(in two parts)
Kimberley Av. Liv —2D 17
Kimberley Av. That H —4E 65
Kimberley Clo. Liv —2A 100
Kimberley Dri. Liv —1D 17
Kimberley Rd. Wall —5B 52
Kimberley St. Pren —1F 95
Kindale Rd. Pren —3E 117
Kinder St. Liv —3F 77
King Arthurs Wlk. Cas —2A 168
King Av. Boot —2E 35
King Edward Clo. Rain —2B 86
King Edward Dri. Wir —1B 142
King Edward Rd. Dent G —2D 45
King Edward Rd. Rain —2B 86

King Edward St.—Lawrence Clo.

King Edward St. Liv —4B 76 (3B 4)
Kingfield Rd. Liv —3F 35
Kingfisher Bus. Pk. Boot —1C 34
Kingfisher Clo. Beech —5F 167
Kingfisher Clo. Kirkby —3E 15
Kingfisher Clo. N'ley —4F 105
Kingfisher Dri. St H —2B 46
Kingfisher Gro. Liv —2F 59
Kingfisher Way. Wir —3D 93
King George Dri. Wall —5C 52
King George Rd. Hay —1F 49
King George's Dri. Wir —1B 142
King George's Way. Pren —2E 95
Kingham Clo. Liv —2C 126
Kingham Clo. Wid —3D 133
King James Ct. Hall P —4E 167
Kinglake Rd. Wall —1D 75
Kinglake St. Liv —5A 78
Kinglass Rd. Wir —4B 142
King's Av. Wir —3D 91
Kingsbrook Way. Wir —4D 119
King's Brow. Wir —1D 141
Kingsbury. Wir —4D 113
Kings Clo. Aig —1C 122
Kings Clo. Wir —5D 119
Kings Ct. Hoy —4A 90
Kings Ct. Run —3D 155
Kings Ct. S'frth —1F 33
Kings Ct. Wir —1D 141
Kingscourt Rd. Liv —1C 80
Kingsdale Av. Birk —2D 119
Kingsdale Av. Rain —3D 87
Kingsdale Rd. Liv —4A 102
Kings Dock Rd. Liv —2D 99
Kingsdown Rd. Liv —2A 58
Kingsdown St. Birk —5E 97
King's Dri. Cald —2C 134
Kings Dri. Liv —5C 104
King's Dri. Thing —2F 137
Kings Dri. Wltn —2B 126
King's Dri. N. Wir —5E 113
Kingsfield Rd. Liv —3C 12
King's Gap, The. Wir —4A 90
Kingshead Clo. Cas —5A 154
Kingsheath Av. Liv —2E 81
Kingsland Cres. Liv —5E 37
Kingsland Rd. Birk —5C 96
Kingsland Rd. Liv —5D 37
King's La. Wir —5D 119
Kingsley Av. Wir —2E 171
Kingsley Clo. Liv —2C 6
Kingsley Clo. Wir —4A 138
Kingsley Cres. Run —1A 166
Kingsley Rd. Dent G —2D 45
Kingsley Rd. Liv —2A 100
Kingsley Rd. Run —1A 166
Kingsley Rd. Wall —3B 74
Kingsley St. Birk —1A 96
Kingsmead Dri. Liv —5B 126
Kingsmead Gro. Pren —4F 95
Kings Mdw. Nort —2C 168
Kingsmead Rd. Pren —4F 95
Kingsmead Rd. Wir —4F 71
Kingsmead Rd. N. Pren —4F 95
Kingsmead Rd. S. Pren —4F 95
Kings Mt. Pren —5B 96
Kingsnorth. Whis —4F 85
Kings Pde. Liv —1C 98
King's Pde. Wall —3D 51
Kings Pk. Liv —1F 33
King's Rd. Beb —4D 119
King's Rd. Boot —1C 54
Kings Rd. Cros —1D 17
Kings Rd. St H —1C 64
Kings Sq. Birk —3E 97
Kings Ter. Boot —2C 54
Kingsthorne Pk. Liv —1C 146
Kingsthorne Rd. Liv —1C 146
Kingston Clo. Liv —1E 81
Kingston Clo. Run —5E 153
Kingston Clo. Wir —1E 93
King St. Birk —3A 120
King St. Gars —3C 144
King St. Prsct —5D 63
King St. Run —4A 152
King St. St H —5F 45
King St. Wall —1D 75
King St. Wat —4D 17
Kingsville Rd. Wir —2E 141
Kings Wlk. Birk —3A 120
Kings Wlk. Wir —4C 112
Kingsway. Beb —5D 119
Kingsway. Frod —5B 172
Kingsway. Hes —4C 158
Kingsway. Huy —2D 83
Kingsway. Prsct —1D 85
Kingsway. St H —5A 30
Kingsway. Wall —5A 52
Kingsway. Wall & Liv —3F 75
Kingsway. Wat —3E 17
Kingsway. Wid —5A 132
Kingsway Ho. Wid —5A 132
Kingsway Leisure Cen. —5A 132
Kingsway Pde. Liv —2C 82
Kingsway Pk. Liv —2D 77 (1F 5)
Kingsway Tunnel App. Wall —2E 73
Kingswell Clo. Liv —1B 100
Kings Wharf. Birk —5E 75
Kingswood Av. Walt —1B 36
Kingswood Av. Wat —3F 17
Kingswood Boulevd. Wir —4E 119
Kingswood Bus. Pk. Prsct —1A 84
Kingswood Ct. Liv —1F 23
Kingswood Dri. Liv —2D 17
Kingswood Rd. Wall —1C 74
Kington Rd. Wir —3A 112
Kinley Gdns. Boot —3E 35
Kinloch Clo. Liv —5F 127
Kinloss Rd. Wir —1C 114
Kinmel Clo. Birk —2D 97
Kinmel Clo. Liv —3D 57
Kinmel St. Liv —4A 100
Kinmel St. St H —3C 66
Kinnaird Rd. Wall —5A 52
Kinnaird St. Liv —1A 122
Kinnerton Clo. Wir —1B 92
Kinnock Pk. Btnwd —5E 69
Kinross Rd. Faz —1E 37
Kinross Rd. Wall —5D 51
Kinross Rd. Wat —5E 17
Kintore Clo. Wir —1C 170
Kintore Rd. Liv —5B 124
Kipling Av. Birk —3F 119
Kipling Av. Liv —5A 84
Kipling Cres. Wid —3F 131
Kipling Gro. Sut M —3A 88
Kipling St. Boot —2A 34
Kirby Clo. Wir —5C 112
Kirby Mt. Wir —1C 134
Kirby Pk. Wir —5C 112
Kirby Pk. Mans. Wir —5B 112
Kirby Rd. Boot —2D 35
Kirkbride Clo. Liv —5A 106
Kirkbride Lawn. Liv —5A 106
Kirkbride Wlk. Liv —5A 106 (off Kirkbride Clo.)
Kirkburn Clo. Liv —5F 99
Kirkby. —2C 22
Kirkby Bank Rd. Know I —3B 24
Kirkby Park. —2C 22
Kirkby Pool. —3E 23
Kirkby Rank La. Kirkby —4E 25
Kirkby Row. Liv —2C 22
Kirkby Sports Cen. —5C 22
Kirkby Stadium. —4C 22
Kirk Cotts. Wall —4B 52
Kirkdale. —3E 55
Kirkdale Rd. Liv —5D 55
Kirkdale Va. Liv —4E 55
Kirket Clo. Wir —3A 142
Kirket La. Wir —3F 141
Kirkfield Gro. Birk —3A 120
Kirkham Rd. Wid —2C 132
Kirkland Av. Birk —2D 119
Kirkland Clo. Liv —1F 35
Kirkland Rd. Wall —3C 52
Kirklands, The. Wir —5C 112
Kirkland St. St H —4E 45
Kirkmaiden Rd. Liv —4B 124
Kirkman Fold. Rain —3B 86
Kirkmore Rd. Liv —2A 124
Kirkmount. Wir —4A 94
Kirk Rd. Liv —2C 34
Kirkside Clo. Liv —5D 39
Kirkstone Av. St H —5C 30
Kirkstone Cres. Beech —1A 174
Kirkstone Rd. N. Liv —4C 18
Kirkstone Rd. S. Liv —5D 19
Kirkstone Rd. W. Liv —3B 18
Kirkston Rd. N. Liv —3C 18
Kirk St. Liv —5E 55
Kirkway. Beb —5D 119
Kirkway. Grea —5E 93
Kirkway. Wall —4B 52
Kirkway. Wir —4F 93
Kirstead Wlk. Liv —2B 22
Kitchener Dri. Liv —2F 35
Kitchener St. St H —4D 45
Kitchen St. Liv —2D 99
Kitling Rd. Know B —3B 40
Kiverley Clo. Liv —1E 125
Knap, The. Wir —4A 158
Knaresborough Rd. Wall —2F 73
Knightbridge Wlk. Liv —3D 15
Knighton Rd. Liv —2D 57
Knight Rd. Btnwd —5F 69
Knight St. Liv —1E 99 (7G 5)
Knightsway. Liv —3F 17
Knoclaid Rd. Liv —4E 57
Knoll, The. Pal —3F 167
Knoll, The. Pren —1A 118
Knotty Ash. —3C 80
Knotty M. Liv —1B 126
Knowe, The. Will —5A 170
Knowle Clo. Liv —1C 58
Knowles Ho. Av. Ecc —5F 43
Knowles St. Birk —2C 96
Knowles St. Wid —2C 132
Knowl Hey Rd. Liv —1A 148
Knowsley. —4C 40
Knowsley Bus. Pk. Know B —2B 40
Knowsley Clo. Birk —3A 120
Knowsley Ct. Birk —3A 120
Knowsley Heights. Liv —1E 83
Knowsley Ind. Pk. Know I (Abercrombie Rd.) —5B 24
Knowsley Ind. Pk. Know I (Kirkby Bank Rd.) —3B 24
Knowsley La. Know & Know P —2C 60
Knowsley La. Know P —4D 61
Knowsley Outdoor Education Cen. & Watersports. —1F 61
Knowsley Park. —3F 41
Knowsley Pk. La. Prsct —4C 62
Knowsley Rd. Birk —3A 120
Knowsley Rd. Boot —3A 34
Knowsley Rd. Ecc & St H —5C 44
Knowsley Rd. Liv —1A 144
Knowsley Rd. Rain —4D 87
Knowsley Rd. Wall —5A 52
Knowsley Safari Pk. —2C 62
Knowsley Sports Club. —5B 22
Knowsley St. Liv —1F 55
Knowsley United F.C. —1D 83
Knox Clo. Wir —1B 142
Knox St. Birk —3F 97
Knutsford Clo. Ecc —1B 64
Knutsford Grn. Wir —5F 71
Knutsford Rd. Wir —5E 71
Knutsford Wlk. Liv —3D 7
Kramar Wlk. Liv —3F 23
Kremlin Dri. Liv —1F 79
Kylemore Av. Liv —1F 123
Kylemore Clo. Wir —4E 137
Kylemore Dri. Wir —4E 137
Kylemore Rd. Pren —5A 96
Kylemore Way. Liv —5E 127
Kylemore Way. Wir —4E 137
Kynance Rd. Liv —3D 39

Laburnum Av. Liv —1E 105
Laburnum Av. St H —1D 47
Laburnum Ct. Liv —5A 100 (off Weller Way)
Laburnum Cres. Liv —2D 23
Laburnum Gro. Irby —1D 137
Laburnum Gro. Mag —1E 13
Laburnum Gro. Run —2B 166
Laburnum Gro. W'tree —1A 102
Laburnum Pl. Boot —5D 35
Laburnum Rd. Liv —3D 79
Laburnum Rd. Pren —5B 96
Laburnum Rd. Wall —4B 52
Lace St. Liv —3D 77 (3E 4)
Lacey Ct. Wid —5A 132
Lacey Rd. Prsct —5E 63
Lacey St. St H —3D 65
Lacey St. Wid —5A 132
Lad La. Liv —4B 76 (3B 4)
Ladybower Clo. Liv —1B 100
Lady Chapel Clo. Liv —2E 99
Ladyewood Rd. Wall —3C 74
Ladyfield. Pren —2F 94
Ladyfields. Liv —1B 80
Lady Lever Art Gallery. —1A 142
Lady Mountford Ho. Liv —1F 123
Ladypool. Hale V —5C 148
Ladysmith Rd. Liv —1F 37
Laffak. —1D 47
Laffak Rd. St H —5C 30
Laggan St. Liv —4B 78
Lagrange Arc. St H —5A 46
Laird Clo. Birk —1F 95
Lairdside Technical Pk. Birk —5F 97
Lairds Pl. Liv —2D 77
Laird St. Birk —1F 95
Laithwaite Clo. Sut M —3B 88
Lakeland Clo. St H —1D 99 (7E 4)
Lakemoor Clo. St H —4D 67
Lakenheath Rd. Liv —1E 147
Lake Pl. Wir —4B 90
Lake Rd. Liv —2A 102
Lake Rd. Wir —4B 90
Lakeside Clo. Wid —4A 130
Lakeside Ct. Wall —3C 52
Lakeside Lawn. Liv —5A 106
Lakeside Vw. Liv —5D 17
Lakes Rd. Faz —1D 37
Lake St. Liv —4A 56
Lake Vw. Hals P —1E 107
Laleston Clo. Wid —4E 131
Lambert Ct. Wid —4B 132
Lambert St. Liv —3H 5
Lambert Way. Liv —4E 77 (3H 5)
Lambeth Rd. Liv —4D 55
Lambeth Wlk. Liv —4D 55
Lambourn Av. Wid —4C 108
Lambourne Gro. St H —5A 48
Lambourne Rd. Liv —2D 57
Lambshear La. Liv —3C 6
Lambsickle Clo. West —4F 165
Lambsickle La. West —4F 165
Lambton Rd. Liv —1A 122
Lammermoor Rd. Liv —2A 124
Lampeter Rd. Liv —5C 56
Lamport Clo. Wid —1E 133
Lamport St. Liv —3E 99
Lanark Clo. St H —1F 65
Lancashire Gdns. St H —1F 65
Lancaster Av. Cros —2D 17
Lancaster Av. Run —2E 165
Lancaster Av. Seft P —3C 100
Lancaster Av. Wall —1B 74
Lancaster Av. Whis —3D 85
Lancaster Av. Wid —2A 130
Lancaster Clo. Kirk —5D 55
Lancaster Clo. Mag —1F 13
Lancaster Clo. Newt W —4F 49
Lancaster Clo. Wir —1B 142
Lancaster Rd. Huy —2A 84
Lancaster Rd. Wid —1A 132
Lancaster St. Kirk —5D 55
Lancaster St. Walt —5F 35
Lancaster Wlk. Huy —2A 84
Lancaster Wlk. Kirk —5D 55
Lance Clo. Liv —1F 77
Lancefield Rd. Liv —3F 35
Lance Gro. Liv —2A 102
Lance La. Liv —2A 102
Lancelots Hey. Liv —4B 76 (4B 4)
Lancelyn Ct. Wir —4A 142
Lancelyn Precinct. Wir —4A 142 (off Spital Rd.)
Lancelyn Ter. Wir —3F 141
Lancer Ct. Ast I —4E 153
Lancing Clo. Liv —3D 127 (in two parts)
Lancing Dri. Liv —3D 21
Lancing Rd. Liv —3D 127
Lancing Way. Liv —3D 127
Lancots La. St H —3D 67
Lander Rd. Liv —2B 34
Landford Av. Liv —4E 37
Landford Pl. Liv —4E 37
Landican. —4C 116
Landican La. Upt & High B —3C 116
Landican Rd. Wir —5B 116
Landmark, The. Liv —1E 77
Landor Clo. Liv —1C 76
Landseer Rd. Liv —1F 77
Lanfranc Clo. Liv —1E 103
Lanfranc Way. Liv —1E 103
Langbar. Whis —4E 85
Langdale Av. Wir —3F 137
Langdale Clo. Kirkby —4F 23
Langdale Clo. Wid —4C 130
Langdale Dri. Liv —5E 7
Langdale Gro. St H —1B 46
Langdale Rd. Liv —3E 101
Langdale Rd. Run —5B 152
Langdale Rd. Wall —4F 51
Langdale Rd. Wir —3E 141
Langdale St. Boot —5D 35
Langdale Way. Frod —4C 172
Langfield Gro. Wir —5D 163
Langford. Hale V —5C 148
Langford Rd. Liv —4F 123
Langham Av. Liv —1C 122
Langham Ct. Liv —3F 55
Langham St. Liv —3F 55
Langholme Heights. Liv —4F 37
Langland Clo. Liv —3D 57
Lang La. Wir —3B 112
Lang La. S. Wir —4C 112
Langley Clo. W Der —5F 39
Langley Clo. Wir —5A 142
Langley Clo. Shop. Cen. W Der —5F 39
Langley Rd. Wir —5A 142
Langley St. Liv —3E 99
Langrove St. Liv —1E 77
Langsdale St. Liv —3E 77 (2H 5) (in two parts)
Langshaw Lea. Liv —5F 105
Langstone Av. Wir —2C 114
Langton Clo. Wid —1B 130
Langton Rd. Kirkby —5F 15
Langton Rd. W'tree —2D 101
Langtree St. St H —5C 46
Langtry Clo. Liv —2D 55
Langtry Rd. Liv —3D 55
Lansbury Av. St H —1E 67
Lansbury Rd. Liv —4A 84
Lansdowne. Liv —5A 58
Lansdowne Clo. Birk —1A 96
Lansdowne Ct. Pren —1F 95
Lansdowne Pl. Liv —5F 55
Lansdowne Pl. Pren —1F 95
Lansdowne Rd. Pren & Birk —1F 95
Lansdowne Rd. Wall —4F 51
Lansdowne Way. Liv —4E 83
Lanville Rd. Liv —3A 124
Lanyork Rd. Liv —3B 76 (2B 4)
Lapford Cres. Liv —1A 24
Lapford Wlk. Liv —1A 24
Lapwing Clo. Liv —2F 59
Lapwing Ct. Liv —3E 127
Lapwing Gro. Pal —4A 168
Lapwing La. Moore —1F 155
Lapworth Clo. Wir —1B 92
Lapworth St. Liv —5D 55
Larch Av. Wid —2B 132
Larch Clo. Cress —5F 123
Larch Clo. Run —3C 166
Larch Ct. Liv —5A 100 (off Weller Way)
Larchdale Gro. Liv —4A 36
Larchfield Rd. Liv —5B 10
Larch Gro. Liv —5A 80
Larch Gro. Pren —1E 95
Larch Lea. Liv —1B 78 (in two parts)
Larch Rd. Birk —4C 96
Larch Rd. Hay —1E 49
Larch Rd. Liv —4C 82
Larch Rd. Run —3C 166
Larch Towers. Liv —2F 23
Larchwood Av. Liv —3C 12
Larchwood Clo. Liv —4B 104
Larchwood Clo. Wir —4F 137
Larchwood Dri. Wir —5E 119
Larcombe Av. Wir —4F 93
Larkfield Clo. Liv —2C 122
Larkfield Gro. Liv —2C 122
Larkfield Rd. Liv —2C 122
Larkfield Vw. Liv —1E 101
Larkhill Av. Wir —2A 94
Larkhill Clo. Liv —4E 57
Larkhill La. Club —4E 57
Larkhill Pl. Liv —4E 57
Larkhill Vw. Liv —4F 57
Larkhill Way. Wir —2A 94
Larkin Clo. Wir —5A 120
Lark La. Liv —1B 122
Larkspur Clo. Beech —1F 173
Larksway. Wir —2B 158
Lark Way. Liv —1B 122
Larton Rd. Wir —3E 113
Lascelles Rd. Liv —5D 125
Lascelles St. St H —5C 46
Latchford Rd. Wir —4B 158
Late Moffatt Rd. W. Liv —1B 36
Latham Av. Run —5B 152
Latham St. Liv —5D 55 (in two parts)
Latham St. St H —4D 47
Latham St. Wid —3C 132
Latham Way. Wir —5B 142
Lathbury La. Liv —4E 101
Lathom Av. Liv —2F 33
Lathom Av. Wall —2B 74
Lathom Clo. Liv —2F 33
Lathom Dri. Liv —4E 7
Lathom Rd. Boot —3C 34
Lathom Rd. Huy & Liv —3E 83
Lathum Clo. Prsct —1E 85
Latimer St. Liv —5D 55
Latrigg Rd. Liv —2E 123
Lauder Clo. Liv —4D 15
Launceston Clo. Brook —4C 168
Laund, The. Wall —1F 73
Laurel Av. Beb —3E 141
Laurel Av. Hes —1F 157
Laurel Bank. Wid —1A 132
Laurelbanks. Wir —1E 157
Laurel Ct. St H —1B 46
Laurel Dri. Ecc —4F 43
Laurel Dri. Will —4B 170
Laurel Gro. Huy —1E 105
Laurel Gro. Tox —3C 100
Laurel Gro. Wat —3D 17
Laurelhurst Av. Wir —3A 138
Laurel Rd. Birk —5D 97
Laurel Rd. Hay —3F 47
Laurel Rd. Liv —3D 79
Laurel Rd. Prsct —5E 63
Laurel Rd. St H —1D 65
Laurels, The. Wir —3E 71
Laurence Deacon Ct. Birk —2C 96
Lauren Clo. Liv —4B 84
Lauriston Rd. Liv —2C 56
Laurus Clo. Liv —4F 105
Lavan Clo. Liv —3A 78
Lavan St. Liv —3A 78
Lavan St. St H —4E 65
Lavender Clo. Run —1C 166
Lavender Cres. Prsct —5E 63
Lavender Gdns. Liv —4B 10
Lavender Gdns. St H —4A 68
Lavender Way. Liv —4B 36
Lavrock Bank. Liv —5E 99
Lawford Dri. Wir —2C 158
Lawler Gro. Prsct —4E 63
Lawler St. Liv —2B 34
Lawns Av. Wir —4B 162
Lawnside Clo. Birk —3F 119
Lawns, The. Pren —2D 95
Lawrence Clo. Liv —5A 124

Longfield Av.—Maplewood

Longfield Av. Liv—4E 9
Longfield Clo. Wir—5D 93
Longfield Pk. Clo F—2D 89
Longfield Rd. Liv—2B 34
Longfield Wlk. Liv—4E 9
Longfold. Liv—1E 13
Longford St. Liv—1A 122
Long Hey. Whis—4D 85
Long Hey Rd. Wir—2E 135
Longland Rd. Wall—5B 52
Long La. Gars—5C 124
Long La. Thor—2A 10
Long La. Walt—2B 36
Long La. W'tree—1E 101
Long Mdw. Ecc—4B 44
Long Mdw. Wir—4F 157
Longmeadow Rd. Know—4D 41
Longmoor Clo. Liv—1E 37
Longmoor Gro. Liv—2B 36
Longmoor La. Liv—2B 36
Long Moss. Boot—3C 18
Longreach Rd. Liv—2F 81
Longridge Av. St H—3D 47
Longridge Av. Wir—3E 93
Longridge Wlk. Liv—3E 55
Longsight Clo. Pren—5E 117
Long Spinney. Nort—2C 168
Longstone Wlk. Liv—1B 100
Longton La. Rain—1A 86
Longview. —1F 83
Long Vw. Av. Rain—2A 86
Longview Av. Wall—1A 74
Longview Cres. Liv—3F 83
Longview Dri. Liv—2F 83
Longview La. Liv—1F 83
Longview Rd. Liv—2F 83
Long Vw. Rd. Rain—2A 86
Longville St. Liv—4E 99
Longwood Clo. Rainf—4B 28
Longworth Way. Liv—1A 126
Lonie Gro. St H—3C 64
Lonsborough Rd. Wall—3C 74
Lonsdale Av. St H—4B 64
Lonsdale Av. Wall—5A 52
Lonsdale Clo. Ford—3B 18
Lonsdale Clo. Wid—3C 130
Lonsdale M. Ford—3B 18
Lonsdale Rd. Ford—3B 18
Lonsdale Rd. Halew—1E 147
Looe Clo. Wid—2E 131
Looe Rd. Liv—3D 39
Loomsway. Wir—1D 137
Loraine St. Liv—5F 55
Lordens Clo. Liv—1A 82
Lordens Rd. Liv—1A 82
Lord Nelson St. Liv—4D 77 (4G 5)
Lords Av. Pren—1C 94
Lord St. Birk—2E 97
Lord St. Gars—2C 144
Lord St. Liv—5C 76 (5D 4)
Lord St. Run—4F 151
Lord St. St H—3F 45
(in two parts)
Loreburn Rd. Liv—3A 102
Lorenzo Dri. Liv—2E 57
Loretto Dri. Wir—3A 94
Loretto Rd. Wall—1F 73
Lorne Ct. Pren—5B 96
Lorne Rd. Liv—4D 17
Lorne Rd. Pren—5A 96
Lorne St. Liv—3E 79
Lorn St. Birk—3E 97
Lorton Av. St H—4A 30
Lorton St. Liv—2B 100
Lostock Clo. Bil—1E 31
Lothair Rd. Liv—4A 56
Lothian St. Liv—3A 100
Lotus Gdns. St H—4A 68
Loudon Gro. Liv—3A 100
Lough Grn. Wir—5A 142
Loughlin Dri. Liv—5F 15
Loughrigg Av. St H—4B 30
Louis Braille Clo. Boot—1F 19
Louis Pasteur Av. Boot—1F 19
Lovelace Rd. Liv—5B 124
Love La. Liv—2B 76 (1B 4)
Love La. Wall—3A 74
Lovel Rd. Liv—5D 147
Lovel Ter. Wid—2B 150
Lovel Way. Liv—4D 147
Lovett Dri. Prsct—1E 85
Lowden Av. Liv—3B 18
Lowell St. Liv—2F 55
Lwr. Appleton Rd. Wid—3B 132
Lwr. Bank Vw. Liv—2B 54
Lower Bebington. —2A 142
Lwr. Breck Rd. Liv—5C 56
Lwr. Castle St. Liv—5C 76 (5C 4)
Lwr. Church St. Wid—2A 152
Lower Clo. Liv—4A 128
Lwr. Farm Rd. Liv—2F 103
Lwr. Flaybrick Rd. Pren—1E 95
Lower Grn. Wir—1A 116
Lower Hey. Liv—5B 10
Lwr. House La. Liv—4F 37
Lwr. House La. Wid—5F 131
Lower La. Liv—1E 37
Lwr. Mersey Vw. Liv—2B 54
Lwr. Milk St. Liv—4C 76 (3D 4)
Lower Rd. Liv & Wid—4B 128
Lower Rd. Wir—1B 142
Lwr. Sandfield Rd. Liv—5B 104
Lowerson Cres. Liv—3E 57
Lowerson Rd. Liv—3E 57
Lwr. Thingwall La. Wir—1C 138
Lowe St. St H—4F 45
Lowe St. S. St H—5F 45
Loweswater. Hay—2A 48
Loweswater Cres. Hay—2A 48
Loweswater Way. Liv—1D 23
Lowfield La. St H—5F 65
Lowfield Rd. Liv—3C 80
Lowfield Rd. Ind. Est. St H—1E 87
Lowfields Av. Wir—2D 171
Lowfields Clo. Wir—2E 171
Low Hill. Liv—3A 78
Lowlands Rd. Run—5F 151
Lowndes Rd. Liv—5D 57
Lowry Bank. Wall—3E 75
Lowther Av. Ain—3D 21
Lowther Av. Mag—5E 7
Lowther Cres. St H—3B 64
Lowther Dri. Rain—3B 86
Lowther St. Liv—2A 100
Lowwood Gro. Birk—4D 97
Low Wood Gro. Wir—3C 138
Lowwood Rd. Birk—4D 97
Low Wood St. Liv—3A 78
Loxdale Clo. Liv—5F 99
Loxwood Clo. Liv—2B 104
Loyola Hey. Rain—1E 109
Lucania St. Liv—2C 144
Lucan Rd. Liv—2D 123
Lucerne Rd. Wall—4D 75
Lucerne St. Liv—1C 122
Lucius Clo. Liv—1F 35
Luck St. Liv—5C 100
Ludlow Ct. Wir—5B 112
Ludlow Cres. Run—2B 166
Ludlow Dri. W Kir—5B 112
Ludlow Gro. Wir—1D 163
Ludlow St. Liv—2F 55
Ludwig Rd. Liv—5B 56
Lugard Rd. Liv—2E 123
Lugsdale. —5C 132
Lugsdale Rd. Wid—5B 132
Lugsmore La. St H—2C 64
Luke St. Liv—3F 99
Luke St. Wall—4E 75
Lully St. Liv—1A 100
Lulworth Av. Liv—3C 16
Lulworth Rd. Liv—4C 104
Lumber La. Btnwd—3E 69
Lumby Av. Huy—3E 83
Lumley Rd. Wall—3D 75
Lumley St. Liv—5B 124
Lumley Wlk. Hale V—5E 149
Lunar Dri. Boot—5F 11
Lunar Rd. Liv—2B 36
Lune Av. Liv—5E 7
Lunesdale Av. Liv—1B 36
Lune St. Liv—1E 17
Luneway. Wid—3C 130
Lunsford Rd. Liv—2F 81
Lunt. —2D 11
Lunt Av. Boot—3A 20
Lunt Av. Whis—3E 85
Lunt La. Liv—2D 11
Lunt Rd. Boot—2C 34
Lunt Rd. Liv—1C 10
Lunts Heath. —5B 110
Lunt's Heath Rd. Wid—4A 110
Lupin Dri. Hay—2F 49
Lupin Way. Liv—1A 82
Lupton Dri. Liv—1A 18
Luscombe Clo. Liv—4A 128
Lusitania Rd. Liv—1A 56
Luther Gro. St H—1B 68
Luton Gro. Liv—3E 55
Luton St. Liv—5B 54
Luton St. Wid—5A 132
Lutyens Clo. Liv—3F 55
Luxmore Rd. Liv—2A 56
Lycett Rd. Liv—4B 56
Lycett Rd. Wall—1E 73
Lyceum Pl. Liv—5D 77 (6F 5)
Lycroft Clo. Run—4B 166
Lydbrook Clo. Birk—1F 119
Lydbury Cres. Liv—5F 23
Lydford Rd. Liv—3B 58
Lydia Ann St. Liv—1D 99 (7E 5)
Lydiate. —2B 6
Lydiate La. Thor—4B 10
Lydiate La. West P—3D 165
Lydiate La. Wltn & Halew—2C 126
Lydiate Pk. Liv—4B 10
Lydiate Rd. Boot—3C 34
Lydiate, The. Wir—3F 157
Lydia Wlk. Liv—1B 38
Lydieth Lea. Liv—3E 105
Lydney Rd. Liv—2B 82
Lyelake Clo. Liv—4F 23
Lyelake Rd. Liv—4F 23
Lyle St. Liv—1C 76
Lyme Clo. Liv—5F 61
Lymecroft. Liv—2F 125
Lyme Cross Rd. Liv—5E 61
Lyme Gro. Liv—1F 83
Lyme Rd. St H—2C 64
Lyme St. Hay—2E 49
Lyme St. Newt W—4E 49
Lyme Tree Ct. Wid—3C 108
Lymewood Ct. Hay—1D 49
Lymington Gro. Boot—2F 19
Lymington Rd. Wall—2F 73
Lymm Rd. Pren—2C 94
Lynas Gdns. Liv—4B 124
Lynas St. Birk—1D 97
Lyncot Rd. Liv—5B 20
Lyncroft Rd. Wall—4C 74
Lyndale Av. Wir—1E 171
Lyndene Rd. Liv—2A 104
Lyndhurst. Liv—1D 13
Lyndhurst. Wir—3A 112
Lyndhurst Av. Liv—1F 123
Lyndhurst Av. Wir—4A 138
Lyndhurst Clo. Wir—2A 138
Lyndhurst Rd. Cros—1A 18
Lyndhurst Rd. Hes—2C 136
Lyndhurst Rd. Hoy—2F 91
Lyndhurst Rd. Moss H—5F 101
Lyndhurst Rd. Wall—5F 51
Lyndon Dri. Liv—5B 102
Lyndon Gro. Run—2B 166
Lyndor Clo. Liv—3B 126
Lyndor Rd. Liv—3B 126
Lyneham. Whis—4F 85
Lynholme Rd. Liv—4B 56
Lynmouth Rd. Liv—4E 123
Lynnbank. Pren—5B 96
Lynnbank Rd. Liv—4D 103
Lynn Clo. Run—3C 166
Lynn Clo. St H—4C 44
Lynscot Pl. Liv—1D 103
Lynsted Rd. Liv—3F 81
Lynton Clo. Liv—4B 124
Lynton Clo. Wir—4B 158
Lynton Ct. Liv—1B 16
Lynton Cres. Wid—2E 131
Lynton Dri. Wir—4A 142
Lynton Grn. Liv—5F 103
Lynton Gro. Sut L—1C 88
Lynton Rd. Liv—3B 84
Lynton Rd. Wall—5E 51
Lynton Way. Wind—2B 44
Lynwood Av. Wall—3A 74
Lynwood Dri. Wir—1E 137
Lynwood Gdns. Liv—3F 35
Lynwood Rd. Liv—3F 35
Lynxway, The. Liv—2D 81
Lyon Clo. St H—5F 45
Lyon Rd. Liv—5B 56
Lyons Clo. Wir—5E 71
Lyons Rd. Wir—5E 71
Lyon St. Liv—3C 144
Lyon St. St H—5E 45
Lyra Rd. Liv—4D 17
Lyster Rd. Boot—5A 34
Lytham Clo. Liv—4F 21
(L10)
Lytham Clo. Liv—5E 59
(L12)
Lytham Ct. Liv—1C 22
Lytham Rd. Wid—2B 132
Lyttelton Rd. Liv—2E 123
Lytton Av. Birk—3F 119
Lytton Gro. Liv—2A 34
Lytton St. Liv—3F 77

Mab La. Liv—3F 59
MacAlpine Clo. Wir—3A 94
Macbeth St. Liv—2C 54
McBride St. Liv—1C 144
McClellan Pl. Wid—3B 132
McCormack Av. St H—4E 47
McCulloch St. St H—5C 46
Macdermott Rd. Wid—2F 151
MacDona Dri. Wir—1B 134
Macdonald Av. St H—3E 47
Macdonald Dri. Wir—1D 115
Macdonald Rd. Wir—1C 92
MacDonald St. Liv—1E 101
Mace Rd. Liv—5C 38
McFarlane Av. St H—4C 44
Macfarren St. Liv—3A 80
McGoldrick Pk. —5F 83
McGough Clo. Sut M—3A 88
McGregor St. Liv—1E 77
MacKenzie Rd. Wir—3B 72
McKeown Clo. Liv—1D 77
Mackets Clo. Liv—3C 126
Macket's La. Liv—2C 126
Mack Gro. Boot—3D 19
McMinnis Av. St H—1A 68
McNair Hall. Liv—1F 123
MacQueen St. Liv—4A 80
McVinnie Rd. Prsct—5F 63
Maddock Rd. Wall—1D 75
Maddocks St. Liv—4A 80
Maddock St. Birk—1C 96
Maddrell St. Liv—2B 76
Madeira Dri. Liv—3B 104
Madelaine St. Liv—3A 100
Madeleine McKenna Ct. Wid—1B 130
Madeley Clo. Wir—5B 112
Madeley Dri. Wir—5B 112
Madeley St. Liv—2C 78
Madryn Av. Liv—3A 24
Madryn St. Liv—4A 100
Maelor Clo. Wir—4C 162
Mafeking Clo. Liv—1F 101
Magazine Av. Wall—4B 52
Magazine Brow. Wall—4C 52
Magazine La. Wall—4B 52
Magazine Rd. Wir—4D 143
Magazines Promenade. Wall—3C 52
Magdala St. Liv—2B 100
Magdalen Ho. Boot—1C 54
Magdalen Sq. Boot—1F 19
Maghull. —5D 7
Maghull La. Liv—1B 14
(in two parts)
Maghull Smallholdings Est. Liv—4F 7
Maghull St. Liv—7D 4
Magnolia Clo. Hay—3F 47
Magnolia Clo. Liv—2D 127
Magnolia Dri. Beech—1F 173
Magnolia Wlk. Wir—2C 114
Magnum St. Liv—1F 77
Maguire Av. Boot—4E 35
Mahon Av. Boot—2D 35
Mahon Ct. Liv—2F 99
Maiden La. Liv—4D 57
Maidford Rd. Liv—1E 81
Main Av. St H—3C 64
Main Clo. Hay—2A 48
Main Dri. Hals P—5D 85
Main Front. Hals P—5E 85
Main Rd. Wir—3B 142
Mainside Rd. Liv—4F 23
Main St. Bil—1D 31
Main St. Frod—5A 172
Main St. Halt—1F 167
Maintree Cres. Liv—3A 148
Mainwaring Rd. Wall—3D 75
Mainwaring Rd. Wir—2D 163
Maitland Clo. Liv—2B 100
Maitland Rd. Wall—3C 52
Maitland St. Liv—2B 100
Major Cross St. Wid—5A 132
Major St. Liv—5D 55
Makepeace Wlk. Liv—3F 99
Makin St. Liv—1F 55
Malcolm Cres. Wir—4C 162
Malcolm Gro. Liv—2D 55
Malcolm Pl. Liv—5F 79
Malcolm St. Run—5B 152
Malden Rd. Liv—3B 78
Maldon Clo. Liv—1F 147
Maldwyn Rd. Wall—1B 74
Maley Clo. Liv—5A 100
Malhamdale Av. Rain—4D 87
Malin Clo. Hale V—5D 149
Mallaby St. Birk—1A 96
Mallard Clo, Beech—5F 167
Mallard Clo. Halew—3E 127
Mallard Clo. W Der—5F 39
Mallard Gdns. St H—5E 65
Mallard Ho. Liv—3B 6
Mallard Way. St H—2B 46
Mallard Way. Wid—5C 70
Malleson Rd. Liv—4E 57
Mallins Clo. Liv—5A 100
Mallory Av. Liv—3B 6
Mallory Gro. St H—2D 47
Mallory Rd. Birk—2C 118
Mallowdale Clo. Wir—5E 163
Mallow Rd. Liv—3C 78
Mallow Way. Liv—1F 105
Mall, The. Liv—1A 78
Malmesbury Clo. Wir—5C 92
Malmesbury Pk. Run—5D 155
Malmesbury Rd. Liv—1D 57
Malpas Av. Pren—2A 118
Malpas Dri. Wir—5E 119
Malpas Gro. Wall—5A 52
Malpas Rd. Liv—3D 39
Malpas Rd. Run—3B 166
Malpas Rd. Wall—5F 51
Malta Clo. Liv—3D 83
Malta St. Liv—4F 99
Malta Wlk. Liv—4F 99
Malt Ho. Ct. Wind—2C 44
Malton Clo. Wid—4C 108
Malton Rd. Liv—3B 126
Malt St. Liv—1B 100
Malvern Av. Liv—4F 81
Malvern Clo. Kirkby—1C 22
Malvern Clo. Liv—4D 57
Malvern Cres. Liv—4F 81
Malvern Gro. Birk—2D 119
Malvern Gro. Liv—3C 20
Malvern Rd. Boot—3C 34
Malvern Rd. Liv—3C 78
Malvern Rd. St H—5F 47
Malvern Rd. Wall—1D 73
Malwood St. Liv—5F 99
Manchester Rd. Prsct—5C 62
Manchester St. Liv—4D 77 (4E 5)
Mandela Ct. Liv—4B 100
Mandeville St. Liv—1F 55
Manesty's La. Liv—5D 77 (6E 4)
Manfred St. Ersk—4F 77
Manhattan Sq. Liv—5B 20
Manica Cres. Liv—1F 37
Manion Av. Liv—2B 6
Manion Clo. Liv—2B 6
Manley Clo. Pren—1F 117
Manley Pl. St H—4E 65
Manley Rd. Huy—1A 106
Manley Rd. Wat—3C 16
Mannering Ct. Liv—5C 100
Mannering Rd. Liv—5B 100
Manners La. Wir—4E 157
Manningham Rd. Liv—5B 56
Manning St. St H—5F 45
Mannington Clo. Wir—3E 91
Mann Island. Liv—5B 76 (6B 4)
Mann St. Liv—3D 99
Manor Av. Liv—5D 9
Manor Av. Newt W—4F 49
Manor Av. Rain—4C 86
Manorbier Cres. Liv—5A 36
Manor Clo. Boot—1E 55
Manor Clo. Liv—5D 39
Manor Ct. Sut L—2D 89
Manor Cres. Liv—3B 126
Manor Dri. Boot—2B 20
Manor Dri. Liv—5D 9
Manor Dri. Wir—2F 93
Mnr. Farm Rd. Liv—5F 83
Mnr. Farm Rd. Run—3D 155
Manor Fell. Run—3B 168
Manor Green. —2C 94
Manor Gro. Liv—3B 22
Manor Hill. Pren—3A 96
Manor Ho. Liv—1B 122
Manor Ho. Clo. Liv—1C 12
Manor Ho. Clo. St H—4A 30
Manor Ho. Flats. Wir—1D 163
Manor Ho., The. Wir—2F 93
Manor La. Birk—2A 120
Manor La. Wall—1C 74
Manor M. Wall—1C 74
Mnr. Park Av. Mnr P—3C 154
Manor Pk. Bus. Pk. Mnr P—3B 154
Manor Pl. Wid—3B 130
Manor Pl. Wir—2D 143
Manor Rd. Cros—4C 8
Manor Rd. East—4D 163
Manor Rd. Frod—4C 172
Manor Rd. Hay—1F 49
Manor Rd. Hoy—3C 90
Manor Rd. Irby—1D 137
Manor Rd. Run—5D 153
Manor Rd. Thor H—1F 159
Manor Rd. Wall—1B 74
Manor Rd. Wid—3B 130
Manor Rd. Wltn—3B 126
Manorside Clo. Wir—3F 93
Manor St. St H—1C 66
Manor Vw. Liv—2F 59
Manor Way. Liv—3B 126
Manor Way. Pren—2C 94
Manorwood Dri. Whis—4E 85
Mansell Clo. Wid—4B 110
Mansell Dri. Liv—1E 147
Mansell Rd. Liv—3B 78
Mansfield St. Liv—3E 77 (2G 5)
Mansion Dri. Liv—4B 38
Manton Rd. Liv—3C 78
Manvers Rd. Liv—1E 103
Manville Rd. Wall—4B 52
Manville St. St H—2C 66
Maori Dri. Frod—5A 172
Maple Av. Hay—1B 48
Maple Av. Run—2C 166
Maple Av. Sut W—1A 174
Maple Av. Wid—3B 132
Maple Clo. S'frth—2A 34
Maple Clo. W Der—5D 39
Maple Clo. Whis—3E 85
Maple Cres. Liv—4D 83
Mapledale Rd. Liv—4A 102
Maple Gro. Brom—2C 162
Maple Gro. Liv—3C 100
Maple Gro. Prsct—1E 85
Maple Gro. St H—5C 44
Maples Ct. Pren—1A 118
Maple St. Birk—4D 97
Mapleton Clo. Pren—3E 117
Mapleton Dri. Sut W—2F 173
Maple Towers. Liv—2F 23
Maple Tree Gro. Wir—1C 158
Maplewood. Liv—5F 23

Mersey Valley Golf Course—Moss St.

Mersey Valley Golf Course. —2F 111
Mersey Vw. Liv —1C 144
Mersey Vw. Wat —3C 16
Mersey Vw. West —4F 165
Mersey Vw. West P —2D 165
Mersey Vw. Wid —3A 152
Mersey Vw. Wir —1D 141
Mersey Vw. Cotts. West —4F 165
Mersey Vw. Rd. Wid —3B 150
Mersham Ct. Wid —5F 109
Merstone Clo. Liv —5F 127
Merthyr Gro. Liv —5E 81
Merton Bank Rd. St H —3C 46
Merton Clo. Liv —4B 82
Merton Cres. Liv —4B 82
Merton Dri. Liv —4A 82
Merton Dri. Wir —1A 116
Merton Gro. Boot —5C 34
Merton Gro. Liv —2C 16
Merton Ho. Boot —5C 34
Merton Pl. Pren —3C 96
Merton Rd. Boot —5C 34
Merton Rd. Wall —1A 74
Merton St. St H —3C 46
Merton Towers. Boot —5D 35
Mesham Clo. Wir —4E 93
Methuen St. Birk —1A 96
Methuen St. Liv —1E 101
Mevagissey Rd. Brook —5C 168
Mews Ct. Liv —3B 60
Mews Ct. Will —5A 170
Mews, The. Aig —3F 123
Mews, The. Liv —4C 60
Meyrick Rd. Liv —1E 57
Micawber Clo. Liv —4F 99
Michael Dragonette Ct. Liv —2C 76
Micklefield Rd. Liv —3F 101
Micklegate. Murd —3D 169
Micklehead Green. —3A 88
Middlefield Rd. Liv —1E 125
Middleham Clo. Liv —4C 22
Middlehey Av. Know —4D 41
Middlehurst Av. St H —4F 45
Middlehurst Clo. Ecc P —4A 64
Middlemass Hey. Liv —4E 105
Middle Rd. Liv —2F 147
(in two parts)
Middle Rd. Wir —1B 142
Middlesex Rd. Boot —4D 35
Middleton Rd. Fair —4E 79
Middleton Rd. Wat —3F 17
Middle Way. Liv —4D 39
Middlewood. Liv —5F 23
Midghall St. Liv —3C 76 (2D 4)
Midgley Ct. Wir —1B 116
Midhurst Rd. Liv —5F 39
Midland St. Pren —4C 96
Midland St. Wid —3B 132
Midland Ter. Liv —4D 17
Midlothian Dri. Liv —1C 16
Midway Rd. Liv —2E 83
Milbrook Cres. Liv —2E 23
Milbrook Dri. Liv —2E 23
Milbrook Wlk. Liv —2E 23
Mildenhall Rd. Liv —3A 104
Mildenhall Way. Liv —2A 104
Mildmay Rd. Boot —3B 34
Mildmay Rd. Liv —1E 57
Mile End. Liv —2D 77
Miles Clo. Wir —2C 114
Miles La. Wir —2C 114
Miles St. Liv —4A 100
Milestone Hey. Liv —3B 60
Milford Dri. Liv —5E 39
Milford St. Liv —5B 54
Milk St. St H —5A 46
Millachip Ct. Liv —1B 78
Milland Clo. Liv —5C 38
Millar Cres. Wid —5A 132
Mill Bank. Liv —5F 57
Millbank Cotts. Frod —5A 172
Millbank Cotts. Liv —4E 7
Millbank Ct. Frod —5A 172
Millbank Ct. Liv —5D 21
Millbank La. Liv —4F 7
Mill Bank Rd. Wall —3A 74
Millbeck Gro. St H —3B 30
Millbrook Bus. Pk. Rainf —2C 28
Millbrook La. Ecc —4B 44
Mill Brow. Ecc —5B 44
Mill Brow. St H —1D 89
Mill Brow. Wid —2C 132
Mill Brow. Wir —1D 141
Mill Brow Clo. St H —1D 89
Millburn Heights. Liv —1E 77
Millbutt Clo. Wir —1D 141
Mill Clo. Birk —5D 97
Mill Clo. Liv —4E 9
Mill Ct. Boot —5D 11
Millcroft. Liv —5A 10
Millcroft Rd. Liv —3C 126
Miller Av. Liv —5D 9
Millers Bri. Boot —1B 54
Millers Bri. Ind. Est. Mil B —1B 54
Millers Clo. Wir —1B 92
Millerscroft. Liv —2C 22
Millersdale. Clo F —2C 88
Millersdale Av. Liv —1B 36
Millersdale Clo. Wir —5F 163
Millersdale Gro. Beech —4D 167
Millersdale Rd. Liv —5A 102
Millers Fold. Ecc —4B 44
Millers Way. Wir —1C 92
Millfield Clo. Liv —1A 80
Millfield Clo. Wir —2D 141
Millfield Rd. Wid —2C 132
Millfields. Ecc —5A 44
Mill Grn. Will —5A 170
Millgreen Clo. Liv —5E 39
Mill Grn. La. Wid —4D 111
Mill Gro. Liv —5B 18
Mill Hey. Rain —5E 87
Mill Hey Rd. Wir —3D 135
Mill Hill. Pren —1A 118
Mill Hill Rd. Wir —4C 114
Millhouse Clo. Wir —5B 70
Millhouse La. Wir —5B 70
Millington Clo. Pren —3E 117
Millington Clo. Sut W —1F 173
Millington Clo. Wid —4F 131
Mill La. Boot —5D 35
Mill La. Cron —4D 109
Mill La. Frod & K'ley —3D 173
Mill La. Grea —1C 114
Mill La. Hes —2B 158
Mill La. Kirkby —2C 22
Mill La. Know —3D 41
Mill La. Liv —4D 77 (3F 5)
(in two parts)
Mill La. Old S & W'tree —4A 80
Mill La. Rainf —2B 28
Mill La. Rain —4C 86
Mill La. St H —1C 88
Mill La. Wall —3A 74
Mill La. W Der —5A 58
Mill La. Wid —5C 110
Mill La. Will —4A 170
Millom Av. Rain —2B 86
Millom Gro. Liv —2C 58
Millom Gro. St H —3C 64
Mill Pk. Dri. Wir —2E 171
Mill Rd. Brom —4D 143
Mill Rd. High B —5D 119
Mill Rd. Liv —2F 77
(in two parts)
Mill Rd. Thing —1B 138
Mill Spring Ct. Boot —5D 35
Mill Sq. Liv —3E 21
Millstead Rd. Liv —1A 102
Millstead Wlk. Liv —1A 102
Mill Stile. Liv —2F 125
Mill St. Birk —5D 97
Mill St. Liv —3E 99
(L8)
Mill St. Liv —2A 126
(L25)
Mill St. Prsct —5D 63
Mill St. St H —4F 45
Mill Ter. Wir —2D 141
Millthwaite Ct. Wall —2F 73
Millthwaite Rd. Wall —2F 73
Millvale St. Liv —3B 78
Mill Vw. Kirkby —1C 22
Mill Vw. Liv —4E 99
Mill Vw. Dri. Wir —1C 140
Millway Rd. Liv —3A 148
Millwood. Run —1C 168
Millwood. Wir —1D 141
Millwood Av. Ecc —5F 43
Millwood Est. Liv —4A 148
Millwood Gdns. Whis —4F 85
Millwood Rd. Liv —3E 147
Mill Yard. —1D 81
Milman Clo. Wir —4F 93
Milman Ct. Liv —1E 125
Milman Rd. Liv —2F 55
Milner Cop. Wir —2A 158
Milne Rd. Liv —3E 57
Milner Rd. Liv —3E 123
Milner Rd. Wir —2A 158
Milner St. Birk —1A 96
Milner St. Liv —1B 100
Milnthorpe Clo. Liv —3E 55
Milnthorpe Rd. Btnwd —5E 69
Milnthorpe St. Liv —1C 144
Milroy St. Liv —5B 78
Milton Av. Liv —4F 81
Milton Av. Whis —3E 85
Milton Av. Wid —4F 131
Milton Clo. Whis —3E 85
Milton Cres. Wir —1A 158
Milton Grn. Wir —1B 138
Milton Pavement. Birk —3D 97
Milton Rd. Birk —5C 96
Milton Rd. Liv —4E 79
Milton Rd. Walt —1E 55
Milton Rd. Wat —3E 17
Milton Rd. W Kir —3A 112
Milton Rd. Wid —4F 131
Milton Rd. E. Birk —5D 97
Milton St. Boot —4B 34
Milton St. Sut M —4A 88
Milton St. Wid —2A 152
Milton Way. Liv —5B 6
Milverney Way. St H —1A 66
Milverton St. Liv —2C 78
Milwood Ct. Liv —3A 148
Mimosa Rd. Liv —2A 102
Mindale Rd. Liv —1F 101
Minehead Gro. Sut L —1D 89
Minehead Rd. Liv —3E 123
Miners Way. Liv —4A 148
Miners Way. Wid —5A 132
Mines Av. Liv —5F 123
Mine's Av. Prsct —5E 63
Mine Way. Hay —1F 49
Minshull St. Liv —5A 78
Minstead Av. Liv —3F 23
Minster Ct. Liv —1A 100
Minster Ct. Run —2E 165
Minto Clo. Liv —4B 78
Minton Clo. Liv —5F 39
Minton Way. Wid —4B 110
Mintor Rd. Liv —3A 24
Minto St. Liv —4B 78
Minver Rd. Liv —4D 59
Miranda Av. Wir —5E 119
Miranda Pl. Liv —2D 55
Miranda Rd. Boot & Liv —1D 55
Mirfield Clo. Liv —1F 147
Mirfield St. Liv —3B 78
Miriam Pl. Birk —1F 95
Miriam Rd. Liv —5A 56
Miskelly St. Liv —3C 54
Missouri Rd. Liv —4D 57
Mistle Thrush Way. Liv —4F 39
Miston St. Liv —3C 54
Misty Clo. Wid —2C 130
Mitchell Av. Btnwd —5E 69
Mitchell Cres. Liv —4B 18
Mitchell Rd. Bil —1E 31
Mitchell Rd. Prsct —5C 62
Mitchell Rd. St H —2C 64
Mithril Clo. Wid —1E 133
Mitre Clo. Whis —5D 85
Mitylene St. Liv —5E 55
Mobberley Way. Wir —4A 142
Mockbeggar Dri. Wall —4E 51
Mockbeggar Wharf. Wall —4E 51
Modred St. Liv —4F 99
Moel Famau Vw. Liv —2B 122
Moffatdale Rd. Liv —3C 56
Moffatt Rd. Liv —1B 36
Moira St. Liv —4F 77
Molesworth Gro. Liv —5E 81
Molineux Av. Liv —5D 81
Molland Clo. Liv —3D 59
Mollington Av. Liv —1F 57
Mollington Rd. Liv —3C 22
Mollington Rd. Wall —3C 74
Mollington St. Birk —4E 97
Molly's La. Know —1D 41
Molton Rd. Liv —1C 102
Molyneux Clo. Liv —4F 83
Molyneux Clo. Prsct —2D 85
Molyneux Clo. Wir —4F 93
Molyneux Ct. B'grn —5D 81
Molyneux Ct. Liv —5B 38
Molyneux Dri. Prsct —2D 85
Molyneux Dri. Wall —3B 52
Molyneux Rd. Kens —3B 78
Molyneux Rd. Mag —3F 13
Molyneux Rd. Moss H —5F 101
Molyneux Rd. Wat —3E 17
Molyneux Way. Liv —2C 20
Monaghan Clo. Liv —1A 36
Monash Clo. Liv —4E 15
Monash Rd. Liv —3E 57
Monastery La. St H —4D 67
Monastery Rd. Liv —5C 56
Monastery Rd. St H —4E 67
Mona St. Birk —2F 95
Mona St. Boot —2D 35
Mona St. St H —5D 45
Mond Rd. Liv —1F 37
Mond Rd. Wid —4A 132
Monfa Rd. Boot —2D 35
Monica Dri. Wid —4A 110
Monica Rd. Liv —3B 126
Monkfield Way. Liv —3D 145
Monk Rd. Wall —2B 74
Monksdown Rd. Liv —2A 58
Monks Ferry. Birk —3F 97
Monksferry Wlk. Liv —5F 123
Monk St. Birk —3F 97
Monk St. Liv —5F 55
Monks Way. Beb —3F 141
Monks Way. Liv —2B 126
Monks Way. W Kir —4C 112
Monkswell Dri. Liv —1A 102
Monkswell St. Liv —1A 122
Monmouth Dri. Liv —4F 21
Monmouth Gro. St H —1D 67
Monmouth Rd. Wall —2F 73
Monro Clo. Liv —5F 99
Monro St. Liv —5F 99
Mons Sq. Boot —5C 34
Montague Rd. Old S —4A 80
Montclair Dri. Liv —3B 102
Monterey Rd. Liv —4B 80
Montfort Dri. Liv —5A 124
Montgomery Clo. Whis —4D 85
Montgomery Hill. Wir —1F 135
Montgomery Rd. Huy —2D 83
Montgomery Rd. Walt —1A 36
Montgomery Rd. Wid —4D 131
Montgomery Way. Liv —2B 78
Montpelier Av. West —4F 165
Montpellier Cres. Wall —3A 52
Montpellier Ho. Wall —3A 52
Montrose Av. Wall —5E 75
Montrose Bus. Pk. Liv —4E 79
Montrose Ct. Liv —4F 59
Montrose Ct. Wir —5B 90
Montrose Pl. Liv —1F 147
Montrose Rd. Liv —5D 57
Montrose Way. Liv —4F 79
Montrovia Cres. Liv —1F 37
Monument Pl. Liv —4E 77 (4H 5)
Monville Rd. Liv —1C 36
Moorbridge Clo. Boot —1A 20
Moor Clo. Liv —5F 9
Moor Coppice. Liv —5F 9
Moor Ct. Liv —1A 38
Moorcroft Rd. Liv —3C 124
Moorcroft Rd. Wall —1D 73
Moorditch La. Frod —4A 172
Moor Dri. Liv —5E 9
Moore Av. Birk —2E 119
Moore Av. St H —5A 48
Moore Clo. Wid —2D 133
Moore Dri. Hay —1F 49
Moore St. Boot —3B 34
Mooreway. Rain —5E 87
Moorfield. Liv —5F 15
Moorfield Rd. Dent G —3C 44
Moorfield Rd. Liv —5A 10
Moorfield Rd. Wid —5D 111
Moorfields. Liv —4C 76 (4D 4)
Moorfields Av. Pren —5D 95
Moorfield Shop. Cen. Liv —4F 15
Moorfoot Rd. St H —5F 47
Moorfoot Rd. Ind. Est. St H —4F 47
Moorfoot Way. Liv —4D 15
Moorgate Av. Liv —2F 17
Moorgate La. Liv —5A 24
Moorgate Rd. Know I —2F 39
Moorgate Rd. S. Know —2F 39
Moorgate St. Liv —5B 78
Moorhey Rd. Liv —4C 12
Moor Ho. Liv —5E 9
Mooring Clo. Murd —4D 169
Moorings, The. Birk —4D 97
Moorings, The. Liv —3B 6
Moorings, The. Wir —2C 156
Moorland Av. Liv —5E 9
Moorland Clo. Wir —3A 158
Moorland Dri. Murd —3E 169
Moorland Pk. Wir —3A 158
Moorland Rd. Birk —1E 119
Moorland Rd. Liv —4C 12
Moorlands Rd. Liv —4B 10
Moor La. Cros —5E 9
Moor La. Faz —5B 22
Moor La. Frod —5B 172
Moor La. Ince B —1F 9
Moor La. Liv —2D 11
Moor La. Walt —5F 35
Moor La. Wid —5F 131
(in two parts)
Moor La. Wir —2A 158
Moor La. Ind. Est. Wid —5A 132
Moor La. S. Wid —5F 131
Moor Park. —4E 9
Moor Pl. Liv —4E 77 (4H 5)
Moorside Clo. Liv —1F 17
Moorside Ct. Wid —5F 131
Moorside Rd. Liv —1F 17
Moor St. Liv —5C 76 (6C 4)
Moorway. Wir —2B 158
Moorwood Cres. Clo F —2C 88
Moray Clo. St H —3E 45
Morcroft Rd. Liv —1E 83
Morden St. Liv —2C 78
Morecambe St. Liv —1C 78
Morecroft Rd. Birk —2A 120
Morella Rd. Liv —3C 56
Morello Clo. St H —3F 45
Morello Dri. Wir —5B 142
Moresby Clo. Murd —3E 169
Moret Clo. Liv —5A 10
Moreton. —5D 71
Moreton Av. Clo F —2C 88
Moreton Common. —2D 71
Moreton Gro. Wall —5E 51
Moreton Rd. Wir —2F 93
Moreton Ter. Frod —5A 172
Morgan M. Boot —2D 19
Morgan St. St H —1D 67
Morland Av. Brom —4D 163
Morley Av. Birk —1B 96
Morley Ct. Liv —2E 81
Morley La. Liv —4E 55
Morley Rd. Run —1A 166
Morley Rd. Wall —3A 74
Morley St. Liv —4E 55
Morley St. St H —3F 45
(in two parts)
Morley Way. St H —4F 45
Morningside. Liv —2F 17
Morningside Pl. Liv —2F 57
Morningside Rd. Liv —2E 57
Morningside Vw. Liv —3F 57
Morningside Way. Liv —3F 57
Mornington Av. Liv —3E 17
Mornington Rd. Wall —4B 52
Mornington St. Liv —4E 99
Morpeth Clo. Wir —1B 92
Morpeth Rd. Wir —1A 112
Morpeth St. Liv —2F 99
Morpeth Wharf. Birk —1E 97
Morris Clo. Hay —3F 47
Morris Ct. Pren —4F 95
Morrissey Clo. St H —4D 45
Morris St. St H —2E 67
Morston Av. Liv —5E 23
Morston Cres. Liv —5E 23
Morston Wlk. Liv —5E 23
Mortimer St. Birk —2F 97
Mortlake Clo. Wid —1C 130
Morton Ho. Liv —1F 123
Morton Rd. Wind H —2D 169
Morton St. Liv —4F 99
(in two parts)
Mortuary Rd. Wall —5B 52
Morvah Clo. Liv —1C 58
Morval Cres. Liv —1E 55
Morval Cres. Run —1D 167
Moscow Dri. Liv —1F 79
Mosedale Av. St H —4B 30
Mosedale Gro. Beech —5E 167
Mosedale Rd. Croft B —5E 143
Mosedale Rd. Liv —3A 36
Moseley Av. Wall —2A 74
Moseley Rd. Wir —1A 162
Moses St. Liv —5F 99
Moss Bank. —4A 30
(nr. St Helens)
Moss Bank. —5D 133
(nr. Widnes)
Moss Bank Pk. Liv —5A 18
Moss Bank Rd. St H —5F 29
Moss Bank Rd. Wid —5D 133
Mossborough Hall La. Rainf —3B 26
Mossborough Rd. Rainf —3D 27
Mossbrow Rd. Liv —1E 83
Moss Clo. Will —5A 170
Mosscraig. Liv —4C 60
Mosscroft Clo. Liv —2A 84
Mossdale Dri. Rain —3D 87
Mossdale Rd. Liv —5F 15
Mossdene Rd. Wall —2F 73
Moss End Way. Know —2D 25
Mossfield Rd. Liv —2F 35
Moss Ga. Gro. Liv —3A 82
Moss Ga. Rd. Liv —3A 82
Moss Grn. Way. St H —2A 68
Moss Gro. Birk —2B 118
Moss Gro. Liv —3B 100
Mosshill Clo. Liv —4C 6
Mosslands. Ecc —4A 44
Mosslands Dri. Wall —1E 73
Moss La. Birk —2B 118
Moss La. Boot & Orr P —2E 35
Moss La. Crank —1E 29
Moss La. High & Cros —1C 8
Moss La. Kirkby —2B 24
Moss La. Lith —5B 18
Moss La. Lyd —2B 6
Moss La. Mag —5E 7
Moss La. St H —2A 68
Moss La. Sim —2F 15
(in two parts)
Moss La. Wid —5E 133
Moss La. Wind —5F 27
Mosslawn Rd. Liv —4A 24
Mosslea Pk. Liv —5F 101
Mossley Av. Liv —4E 101
Mossley Av. Wir —2D 163
Mossley Ct. Liv —1F 123
Mossley Hill. —1F 123
Mossley Hill Dri. Liv —4D 101
Mossley Hill Rd. Liv —2F 123
Mossley Rd. Birk —1E 119
Moss Nook. —2F 67
Moss Nook La. Liv —2A 14
Moss Nook La. Rainf —1F 27
Moss Pits Clo. Liv —1E 37
Moss Pits La. Faz —1E 37
Moss Pits La. W'tree —3B 102
Moss Side. —5E 7
Moss Side. K Ash —3A 82
Moss Side La. Moore —1E 155
Moss St. Gars —1C 144
Moss St. Low H —4F 77 (3J 5)
Moss St. Prsct —4D 63

Moss St.—N. Mount Rd.

Moss St. Wid —5D 133
Moss Vw. Lith —5C 18
Moss Vw. Mag —1F 13
Mossville Clo. Liv —2A 124
Mossville Rd. Liv —2A 124
Moss Way. Liv —3C 38
Mossy Bank Rd. Wall —2D 75
Mostyn Av. Gars —4D 125
Mostyn Av. Hes —2D 157
Mostyn Av. Old R —2C 20
Mostyn Av. W Kir —5B 112
Mostyn Clo. Liv —4E 55
Mostyn St. Wall —3B 74
Mottershead Clo. Wid —4A 132
Mottershead Rd. Wid —4A 132
Mottram Clo. Liv —3F 23
Moughland La. Run —1F 165
Mould St. Liv —5D 55
Moulton Clo. Sut W —1F 173
Mounsey Rd. Birk —4D 97
Mount Av. Beb —5D 119
Mount Av. Boot —1D 35
Mount Av. Hes —2F 157
Mount Clo. Liv —1C 22
Mount Ct. Wall —3A 52
Mount Cres. Liv —1B 22
Mount Dri. Wir —5D 119
Mount Gro. Birk —4C 96
Mt. Grove Pl. Birk —4C 96
Mt. Haven Clo. Wir —4A 94
Mt. Merrion. Liv —5A 104
Mt. Olive. Pren —1A 118
Mount Pk. Liv —1A 126
Mount Pk. Wir —5D 119
Mount Pk. Ct. Liv —1A 126
Mt. Pleasant. Liv —5E 77 (6G 5)
Mt. Pleasant. Pren —1B 118
Mt. Pleasant. Wat —4D 17
Mt. Pleasant. Wid —2B 132
Mt. Pleasant Av. St H —1A 68
Mt. Pleasant Rd. Wall —5A 52
Mount Rd. Beb & High B —5E 141
Mount Rd. Birk —3C 118
Mount Rd. Halt —1F 167
Mount Rd. Liv —2B 22
(in two parts)
Mount Rd. Upt —4A 94
Mount Rd. Wall —3A 52
Mount Rd. W Kir —5C 112
Mount St. Liv —1E 99 (7H 5)
Mount St. Wat —4D 17
Mount St. Wid —2B 132
Mount St. Wltn —2A 126
Mount, The. Hes —2F 157
Mount, The. Wall —2C 74
Mount, The. Wir —2A 142
Mt. Vernon. Liv —5A 78
Mt. Vernon Grn. Liv —4A 78
Mt. Vernon Rd. Liv —4A 78
Mt. Vernon St. Liv —4F 77
Mt. Vernon Vw. Liv —4A 78
Mountview Clo. Liv —4A 100
Mountway. Wir —5D 119
Mt. Wood Rd. Birk —4C 118
Mowbray Av. St H —3C 46
Mowbray Ct. Liv —2C 54
Mowbray Gro. Liv —5A 80
Mowcroft La. Cuer —1F 133
Moxon St. St H —1C 64
Moyles Clo. Wid —1D 131
Moyles Ct. Wid —2D 131
(off Moyles Clo.)
Mozart Clo. Liv —3B 100
Muirfield Clo. Liv —5E 59
Muirfield Rd. Liv —5C 82
Muirhead Av. Liv —2C 78
(L6)
Muirhead Av. Liv —5E 57
(L13)
Muirhead Av. E. Liv —3A 58
Mulberry Av. St H —5C 44
Mulberry Clo. Liv —4F 15
Mulberry Gro. Wall —3D 75
Mulberry Pl. Liv —1F 99 (7J 5)
Mulberry Rd. Birk —2F 119
Mulberry St. Liv —1F 99 (7J 5)
(in two parts)
Mulcrow Clo. Parr & St H —4D 47
Mulgrave St. Liv —2A 100
Mulliner St. Liv —2C 100
Mullion Clo. Brook —4B 168
Mullion Clo. Liv —3E 127
Mullion Rd. Liv —3C 38
Mullion Wlk. Liv —3C 38
Mullrea Clo. Liv —3C 104
Mulveton Rd. Wir —4F 141
Mulwood Clo. Liv —5F 39
Mumfords Gro. Wir —2E 91
Mumfords La. Wir —2D 91
Muncaster Clo. Wir —1D 163
Munster Rd. Liv —3B 80
Murat Gro. Liv —4C 16
Murat St. Liv —4C 16
Murcote Rd. Liv —1F 81
Murdishaw. —4E 169
Murdishaw Av. Murd —5C 168
Murdishaw Av. S. Murd —4D 169
Muriel St. Liv —3F 55
Murphy Gro. St H —4E 47
Murrayfield Dri. Wir —2F 71
Murrayfield Rd. Liv —3A 104
Murrayfield Wlk. Liv —3A 104
Murray Gro. Wir —3A 112
Museum of Liverpool Life. —1B 98 (7B 4)
Musker Dri. Boot —2C 18
Musker Gdns. Liv —2F 17
Musker St. Liv —2F 17
Muspratt Rd. Liv —2A 34
Muttocks Rake. Boot —5D 11
Myers Av. Whis —1A 86
Myerscough Av. Boot —3E 35
Myers Rd. E. Liv —2E 17
Myers Rd. W. Cros —2D 17
Mynsule Rd. Wir —4F 141
Myrtle Av. Hay —1B 48
Myrtle Gro. Bil —1D 31
Myrtle Gro. Liv —3D 17
Myrtle Gro. Wall —3D 75
Myrtle Gro. Wid —4D 131
Myrtle Pde. Liv —1F 99
Myrtle St. Liv —1F 99 (7J 5)
Nairn Clo. Wir —1D 171
Nairn M. Liv —5E 7
Nansen Gro. Liv —2A 56
Nant Pk. Ct. Wall —3C 52
Nantwich Clo. Wir —2A 116
Napier Clo. St H —5E 45
Napier Dri. Wir —1F 93
Napier Rd. Wir —4B 120
Napier St. St H —5E 45
Naples Rd. Wall —3D 75
Napps Clo. Liv —2F 103
Napps Wlk. Liv —2F 103
(off Napps Clo.)
Napps Way. Liv —1F 103
Napps Way. Wir —5A 138
Naseby Clo. Pren —5C 94
Naseby St. Liv —1F 55
Nash Gro. Liv —3D 77 (1F 5)
Natal Rd. Liv —2B 36
Nathan Dri. Hay —2E 49
Nathan Gro. Liv —1F 23
National Wildflower Cen. —1F 103
Naughton Lea. Wid —1D 131
Naughton Rd. Wid —4A 132
Navigation Clo. Boot —1A 20
Navigation Clo. Murd —4D 169
Navigation Wharf. Liv —3D 99
Naylor Rd. Pren —1E 95
Naylor Rd. Wid —3D 133
Naylorsfield Dri. Liv —2C 104
Naylor's Rd. Liv —2D 105
Naylor St. Liv —3C 76 (2D 4)
Nazeby Av. Liv —2F 17
Neale Dri. Wir —1E 115
Neasham Clo. Liv —4F 127
Nedens Gro. Liv —4C 6
Nedens La. Liv —4C 6
Needham Clo. Run —5D 153
Needham Cres. Pren —5D 95
Needham Rd. Liv —4C 78
Needwood Dri. Wir —4F 141
Neills Rd. Bold —5B 68
Neilson Rd. Liv —1B 122
Neil St. Wid —2B 132
Nell's La. Augh —2F 7
Nelson Av. Whis —4E 85
Nelson Ct. Birk —3A 120
Nelson Dri. West —4F 165
Nelson Dri. Wir —3E 137
Nelson Pl. Whis —4E 85
Nelson Rd. Birk —3A 120
Nelson Rd. Liv —5B 78
(L7)
Nelson Rd. Liv —1B 34
(L21)
Nelson's Cft. Wir —4A 142
Nelson St. Boot —1B 54
Nelson St. Liv —2D 99
Nelson St. Newt W —5F 49
(in two parts)
Nelson St. Run —4A 152
Nelson St. St H —4D 67
Nelson St. Wall —4C 52
Nelson St. W'tree —2E 101
Nelson St. Wid —1A 152
Nelville Rd. Liv —1C 36
Neptune Clo. Murd —3D 169
Neptune St. Birk —1D 97
Neptune Theatre. —5D 77 (6F 5)
Ness Gro. Liv —3C 22
Neston Av. Clo F —2B 88
Neston Rd. Thor H & Nest —5F 159
Neston Rd. Will —5A 170
Neston St. Liv —2F 55
Netherby St. Liv —1F 121
Netherfield. Wid —4D 131
Netherfield Clo. Pren —5C 94
Netherfield Rd. N. Liv —5E 55
Netherfield Rd. S. Liv —2E 77
Netherley Rd. Liv & Tarb G —4F 105
Netherley Rd. Wid —2E 129
Netherton. —5F 11
Netherton Dri. Frod —5A 172
Netherton Grange. Boot —2B 20
Netherton Grn. Boot —5F 11
Netherton Ind. Est. Boot —4F 19
Netherton La. Boot —5E 11
(in two parts)
Netherton Pk. Rd. Liv —5D 19
Netherton Rd. Boot —2D 35
Netherton Rd. Liv —3F 123
Netherton Rd. Wir —1E 93
Netherton Way. Boot —4E 19
(in two parts)
Netherwood Rd. Liv —1E 57
Netley St. Liv —3E 55
Nettlestead Rd. Liv —3A 58
Neva Av. Wir —1D 93
Neville Av. St H —1B 68
Neville Clo. Pren —5C 94
Neville Rd. Liv —4E 17
Neville Rd. Wall —2A 74
Neville Rd. Wir —3E 163
Neville St. Newt W —4F 49
Nevin St. Liv —3A 78
Nevison St. Liv —5B 78
Nevitte Clo. Liv —3A 60
New Acres Clo. Pren —1C 94
New Albert Ter. Run —4B 152
(off Bold St.)
Newark Clo. Boot —5B 12
Newark Clo. Liv —5D 61
Newark Clo. Pren —5C 94
Newark St. Liv —2E 55
New Bank Pl. Wid —3B 130
New Bank Rd. Wid —3B 130
New Barnet. Wid —5F 109
New Bird St. Liv —2D 99
Newbold Cres. Wir —3E 113
Newbold Gro. Liv —1F 59
Newborough Av. Cros —1A 18
Newborough Av. Moss H —4F 101
New Boston. —1F 49
Newbridge Clo. Brook —4C 168
Newbridge Clo. Wir —1B 116
New Brighton. —2B 52
New Brighton Cricket & Bowling Club Ground. —5B 52
Newburgh Clo. Wind H —1D 169
Newburn. Pren —4B 96
Newburns La. Pren —1B 118
Newburn St. Liv —1F 55
Newbury Clo. Liv —5D 83
Newbury Clo. Wid —5A 110
Newbury Way. Liv —1E 81
Newbury Way. Wir —3F 71
Newby Av. Rain —2A 86
Newby Dri. Liv —3C 82
Newby Gro. Liv —1C 58
Newby Pl. St H —5A 30
Newby St. Liv —3F 55
Newcastle Rd. Liv —3A 102
New Chester Rd. Birk & Wir —4F 97
New Chester Rd. Hoot —3F 171
New Chester Rd. Wir & Hoot —1F 171
Newcombe St. Liv —1B 78
Newcroft Rd. Liv —5F 103
New Cross St. Prsct —4D 63
New Cross St. St H —4F 45
(Duke St.)
New Cross St. St H —5F 45
(Westfield St.)
New Cut La. Liv —1A 42
Newdales Clo. Pren —1C 94
Newdown Rd. Liv —3C 38
Newdown Wlk. Liv —3D 39
Newell Rd. Wall —1B 74
Newenham Cres. Liv —2E 81
New Ferry. —4B 120
New Ferry By-Pass. Wir —4B 120
New Ferry Rd. Wir —5B 120
Newfield Clo. Liv —4C 10
Newfields. St H —4C 44
Newfort Way. Boot —2A 34
New Glade Hill. St H —2E 47
New Grey Rock Clo. Liv —2B 78
New Hall. Liv —5F 21
New Hall La. Liv —3E 57
New Hall La. Wir —5B 90
Newhall St. Liv —2D 99
Newhall Swimming Pool. —5F 21
Newhaven Rd. Wall —4C 52
New Hedley Gro. Liv —1C 76
New Henderson St. Liv —3E 99
New Hey. Sand P —1A 80
New Hey Rd. Wir —5B 94
Newholme Clo. Liv —5E 39
Newhope Rd. Birk —2C 96
Newhouse Rd. Liv —2D 101
New Hutte La. Liv —1F 147
Newick Rd. Liv —4C 22
Newington. Liv —5D 77 (6G 5)
Newington Way. Wid —1E 131
New Islington. Liv —3E 77 (3G 5)
Newland Clo. Wid —1C 130
Newland Ct. Liv —1C 122
Newland Dri. Wall —2A 74
Newlands Rd. St H —1C 46
Newlands Rd. Wir —3B 142
Newling St. Birk —2C 96
Newlyn Av. Lith —4A 18
Newlyn Av. Mag —1E 13
Newlyn Clo. Brook —4B 168
Newlyn Clo. Wir —1E 91
Newlyn Gro. St H —1D 47
Newlyn Rd. Liv —3C 38
Newlyn Rd. Wir —2E 91
Newman St. Liv —3D 55
New Mill Stile. Liv —1A 126
Newmoore La. Run —4E 155
Newmorn Ct. Liv —2C 122
Newport Av. Wall —4D 51
Newport Clo. Pren —5C 94
Newport Ct. Liv —5C 54
New Quay. Liv —4B 76 (4B 4)
Newquay Clo. Brook —4C 168
Newquay Ter. Liv —4B 76 (4B 4)
New Red Rock Vw. Liv —2B 78
New Rd. Ecc L —4E 63
New Rd. Old S & Tue —1D 79
New Rd. Ct. Liv —1E 79
Newsham Clo. Wid —5B 108
Newsham Dri. Liv —2C 78
Newsham Pk. —2D 79
Newsham Rd. Liv —1B 106
Newsham St. Liv —1D 77
New Sta. Rd. Liv —3A 146
Newstead Av. Liv —2B 16
Newstead Rd. Liv —2B 100
Newstet Rd. Know I —3B 24
New St. Run —5A 152
New St. St H —1C 88
New St. Wall —4E 75
New St. Wid —4B 132
Newton. —4E 113
Newton Clo. Liv —3B 58
Newton Common. —5E 49
Newton Ct. Liv —5E 79
Newton Cross La. Wir —4E 113
Newton Dri. Wir —4E 113
Newton Pk. Rd. Wir —4E 113
Newton Rd. Hoy —4C 90
Newton Rd. Liv —3E 79
Newton Rd. St H —5F 47
Newton Rd. Wall —2A 74
Newton St. Birk —2C 96
Newton Wlk. Boot —4B 34
Newton Way. Liv —5F 77 (5J 5)
Newton Way. Wir —4F 93
New Tower Ct. Wall —3C 52
Newtown. —4D 173
Newtown Gdns. Liv —3E 23
New Way. Liv —1A 82
New Way Bus. Cen. Wall —4D 75
Nicander Rd. Liv —4F 101
Nicholas Rd. Liv —1B 16
Nicholas Rd. Wid —4C 130
Nicholas St. Liv —3D 77 (1E 5)
Nicholl Rd. Ecc —2A 44
Nicholls Dri. Wir —4F 137
Nichol's Gro. Liv —2C 124
Nicholson St. Liv —5E 55
Nicholson St. St H —4E 47
Nickleby Clo. Liv —4F 99
Nickleby St. Liv —3F 99
Nicola Ct. Wall —5C 52
Nidderdale Av. Rain —3D 87
Nigel Rd. Wir —2C 158
Nigel Wlk. Cas —5A 154
Nightingale Clo. Beech —5F 167
Nightingale Clo. Kirkby —2B 22
Nightingale Clo. N'ley —4F 105
Nightingale Rd. Liv —5F 39
Nimrod St. Liv —2F 55
Ninth Av. Faz —1D 37
Nithsdale Rd. Liv —3E 101
Nixon St. Liv —1F 55
Noctorum. —5D 95
Noctorum Av. Pren —4C 94
Noctorum Dell. Pren —5D 95
Noctorum La. Pren —3D 95
Noctorum Rd. Pren —4D 95
Noctorum Way. Pren —5D 95
Noel St. Liv —2B 100
Nook La. St H —2F 67
Nook Ri. Liv —1B 102
Nook, The. Liv —1B 126
Nook, The. Pren —4B 96
Nook, The. Wind —2B 44
Nook, The. Wir —2B 114
Norbreck Av. Liv —4E 81
Norbury Av. Liv —4F 101
Norbury Av. Wir —2E 141
Norbury Clo. Liv —3D 23
Norbury Clo. Wid —3D 133
Norbury Clo. Wir —2F 141
Norbury Fold. Rain —5E 87
Norbury Gdns. Birk —5E 97
Norbury Rd. Liv —3D 23
Norbury Wlk. Liv —3D 23
Norcliffe Rd. Rain —2B 86
Norcott Dri. Btnwd —5F 69
Norfolk Clo. Boot —4D 35
Norfolk Clo. Pren —5C 94
Norfolk Dri. Wir —5C 112
Norfolk Pl. Liv —1A 34
Norfolk Pl. Wid —4C 130
Norfolk Rd. Liv —3C 12
Norfolk Rd. St H —2D 65
Norfolk St. Liv —2D 99
Norfolk St. Run —4B 152
Norgate St. Liv —4F 55
Norgrove Clo. Murd —2D 169
Norlands Ct. Birk —3E 119
Norland's La. Rain —1E 109
Norland's La. Wid —1E 109
Norlands, The. Wid —3F 109
Norland St. Wid —3D 133
Norleane Cres. Run —2B 166
Norley Av. East —2E 171
Norley Dri. Ecc —5A 44
Norley Pl. Liv —1E 147
Norman Av. Hay —1F 49
Normandale Rd. Liv —2D 57
Normandy Rd. Liv —3D 83
Norman Rd. Boot —1C 34
Norman Rd. Liv —2D 17
Norman Rd. Run —1A 166
Norman Rd. Wall —4E 75
Norman Salisbury Ct. St H —4F 45
Normans Rd. St H —4F 67
Normanston Clo. Pren —5B 96
Normanston Rd. Pren —5B 96
Norman St. Birk —1F 95
Norman St. Liv —4F 77 (4J 5)
Normanton Av. Liv —1C 122
Norma Rd. Liv —4E 17
Normington Clo. Liv —3C 6
Norris Clo. Pren —5C 94
Norris Green. —1F 57
Norris Grn. Cres. Liv —2F 57
Norris Grn. Rd. Liv —5B 58
Norris Grn. Way. Liv —2A 58
Norris Rd. Prsct —5C 62
Norseman Clo. Liv —3B 58
N. Atlantic Clo. Liv —2D 83
North Av. Ain —3E 21
North Av. Liv —1A 146
N. Barcombe Rd. Liv —2D 103
Northbrook Clo. Liv —2A 100
Northbrooke Way. Wir —1A 116
Northbrook Rd. Wall —3D 75
Northbrook St. Liv —2A 100
(Granby St.)
Northbrook St. Liv —2F 99
(Park Way)
N. Cantril Av. Liv —3E 59
(in two parts)
N. Cheshire Trad. Est. Nor C —4E 117
North Clo. Wir —5C 142
Northcote Clo. Liv —2F 77
Northcote Rd. Wall —5D 51
Northdale Rd. Liv —1F 101
N. Dingle. Liv —3D 55
North Dri. Sand P —1A 80
North Dri. Wall —3F 51
North Dri. W'tree —1F 101
North Dri. Wir —3A 158
North End. —1E 127
N. End La. Halew —1E 127
Northern La. Wid —1A 130
Northern Perimeter Rd. Boot —5E 11
Northern Rd. Liv —3E 147
Northern Rd., The. Liv —5E 9
Northfield Clo. Clo F —3D 89
Northfield Clo. Liv —1A 24
Northfield Rd. Boot & Liv —2E 35
North Florida. —1C 48
N. Florida Rd. Hay —1D 49
North Front. Hals P —5E 85
Northgate Rd. Liv —1F 79
North Gro. Liv —3C 124
N. Hill St. Liv —4F 99
N. John St. Liv —4C 76 (4D 4)
N. John St. St H —5F 45
N. Linkside Rd. Liv —3C 126
N. Manor Way. Liv —3C 126
North Meade. Liv —5B 6
Northmead Rd. Liv —5E 125
N. Mersey Bus. Cen. Know I —1C 24
N. Mossley Hill Rd. Liv —5F 101
N. Mount Rd. Liv —1B 22

A-Z Liverpool Deluxe 201

Northop Rd.—Oxford St.

Northop Rd. Wall —5F 51
North Pde. Hoy —4A 90
North Pde. Kirkby —3E 23
North Pde. Liv —4E 147
N. Park Ct. Wall —3E 75
N. Park Rd. Liv —1B 22
N. Parkside Wlk. Liv —3A 58
N. Perimeter Rd. Liv —1C 24
Northridge Rd. Wir —2A 138
North Rd. Birk —1C 118
North Rd. Grass P —5F 123
North Rd. Liv —4C 80
(L14)
North Rd. Liv —2D 147
(L24)
North Rd. St H —3F 45
North Rd. W Kir —4A 112
North St. Hay —2E 49
North St. Liv —4D 77 (3E 4)
N. Sudley Rd. Liv —2E 123
North Ter. Wir —2E 91
Northumberland Gro. Liv —4D 99
Northumberland St. Liv —4D 99
Northumberland Ter. Liv —5E 55
Northumberland Way. Boot —2C 18
North Vw. Edg H —5A 78
North Vw. Huy —4A 84
N. Wallasey App. Wall —1C 72
Northway. Mag & Augh —3C 12
(in three parts)
Northway. Run —2F 167
Northway. W'tree —5B 80
Northway. Wid —3D 131
Northway. Wir —1D 159
Northways. Wir —4D 143
Northwich Clo. Liv —4B 10
Northwich Rd. Brook —5B 168
Northwich Rd. White I —1D 175
N. William St. Wall —4E 75
Northwood. —2F 23
Northwood Rd. Liv —2F 83
Northwood Rd. Pren —2F 117
Northwood Rd. Run —5E 153
Norton. —2D 169
Norton Dri. Wir —5C 114
Norton Ga. Nort —2C 168
Norton Gro. Liv —4D 13
Norton Gro. That H —4D 65
Norton Hill. Wind H —1C 168
Norton La. Halt —2A 168
(in two parts)
Norton La. Nort —1D 169
Norton Priory Mus. & Gardens. —4B 154
Norton Recreation Cen. —5B 154
Norton Rd. Wir —3A 112
Norton Sta. Rd. Nort —2D 169
Norton St. Boot —3B 34
Norton St. Liv —4E 77 (3G 5)
Norton Vw. Halt —2A 168
Norton Village. Nort —2D 169
Nortonwood La. Wind H —2C 168
Norville Rd. Liv —4C 80
Norwich Dri. Wir —2A 94
Norwich Rd. Liv —3A 102
Norwich Way. Kirkby —3E 23
Norwood Av. Liv —4B 18
Norwood Ct. Wir —1D 115
Norwood Gro. Liv —2B 78
Norwood Rd. Wall —4B 74
Norwood Rd. Wir —5E 93
Norwyn Rd. Liv —1E 57
Nottingham Clo. Rain —1C 86
Nottingham Rd. Liv —5C 82
Nowshera Av. Wir —2F 137
Nuffield Clo. Wir —5F 93
Nun Clo. Pren —1B 118
Nunn St. St H —5D 47
Nunsford Clo. Liv —3D 19
Nunthorpe Av. Know —3B 40
Nurse Rd. Wir —1B 138
Nursery Clo. Liv —4C 126
Nursery Clo. Pren —1B 118
Nursery Clo. Wid —1D 133
Nursery La. Liv —5C 124
Nursery Rd. Liv —3C 6
Nursery Rd. St H —4D 65
Nursery St. Liv —5D 55
Nutfield Rd. Liv —3A 148
Nutgrove. —5C 64
Nutgrove Av. St H —4D 65
Nutgrove Hall Dri. St H —4D 65
Nutgrove Rd. St H —5C 64
Nut St. That H —4D 65
Nuttall St. Liv —5B 78
Nuttall St. St H —2F 65
Nyland Rd. Liv —1D 83

Oak Av. Hay —1E 49
Oak Av. Liv —2B 36
Oak Av. Wir —3D 93
Oak Bank. Birk —4C 96
Oak Bank. Wir —2A 142
Oakbank Rd. Liv —4E 101
Oakbank St. Wall —3C 74
Oakbourne Clo. Liv —2C 122
Oak Clo. Liv —2F 59
Oak Clo. Whis —3E 85
Oak Clo. Wir —2D 93
Oak Ct. Liv —5A 100
(off Weller Way)
Oakdale Av. Wall —4D 75
Oakdale Dri. Wir —2C 114
Oakdale Rd. Moss H —4A 102
Oakdale Rd. Wall —4D 75
Oakdale Rd. Wat —3D 17
Oakdene Clo. Wir —5D 163
Oakdene Ct. Rain —4C 86
Oakdene Rd. Birk —1C 118
Oakdene Rd. Liv —4B 56
Oak Dri. Run —3C 166
Oakenholt Rd. Wir —5E 71
Oakes St. Liv —4F 77 (4J 5)
Oakfield. Liv —5B 56
Oakfield Av. Liv —5A 104
Oakfield Clo. That H —4D 65
Oakfield Dri. Huy —1F 105
Oakfield Dri. Wid —4A 130
Oakfield Gro. Liv —5F 83
Oakfield Rd. Brom —2C 162
Oakfield Rd. Chil T —5E 171
Oakfield Rd. Walt —5A 56
Oakfield Ter. Chil T —5E 171
Oakham Dri. Liv —4F 21
Oakham Dri. Wir —5B 70
Oakham St. Liv —3D 99
Oakhill Clo. Mag —5D 7
Oakhill Clo. W Der —5D 39
Oakhill Cottage La. Liv —3D 7
Oakhill Dri. Liv —3D 7
Oak Hill Park. —4B 80
Oakhill Pk. Liv —4B 80
Oakhill Rd. Mag —5D 7
Oakhill Rd. Old S —4B 80
Oakhurst Clo. Liv —4B 104
Oakland Clo. Liv —2C 34
Oakland Dri. Wir —3A 94
Oakland Rd. Liv —4F 123
Oaklands. Rain —4C 86
Oaklands. Wir —4D 163
Oaklands Av. Liv —4D 9
Oaklands Ct. Clo F —2C 88
Oaklands Dri. Beb —1F 141
Oaklands Dri. Hes —1A 158
Oaklands Ter. Wir —1A 158
Oakland St. Wid —3A 152
Oakland Va. Wall —3C 52
Oak La. Liv —2B 58
Oakleaf M. Pren —4D 95
Oaklea Rd. Wir —1F 137
Oaklee Gro. Liv —1A 24
Oak Leigh. Liv —1E 79
Oakleigh Gro. Wir —1F 141
Oakley Clo. Liv —5E 39
Oak Meadows. Rain —5E 87
Oakmere Clo. Liv —1A 36
Oakmere Clo. Wir —3E 71
Oakmere Dri. Wir —5C 92
Oakmere St. Run —5A 152
Oakridge Clo. Wir —5C 142
Oakridge Rd. Wir —5C 142
Oak Rd. Beb —5F 119
Oak Rd. Hoot —4E 171
Oak Rd. Liv —5D 83
Oak Rd. Whis —3E 85
Oaks Clo. Clo F —3D 89
Oaks La. Wir —3A 138
Oaksmeade Clo. Liv —1F 59
Oaks Pl. Wid —5A 132
Oaks, The. Liv —5F 39
Oaks, The. St H —2D 89
Oaks, The. Wir —2C 162
Oakston Av. Rain —4D 87
Oak St. Boot —4C 34
Oak St. St H —3E 67
Oaksway. Hes —4B 158
Oak Ter. Liv —4C 78
Oakthorn Gro. Hay —2C 48
Oak Towers. Liv —2F 23
Oaktree Pl. Birk —1F 119
Oaktree Rd. Ecc —3A 44
Oak Va. Liv —4B 80
Oak Vale Park. —4B 80
Oak Vw. Liv —4A 148
Oakwood Clo. B Vale —4B 104
Oakwood Dri. Liv —5F 83
Oakwood Dri. Pren —1E 95
Oakwood Pk. Wir —5D 163
Oakwood Rd. Liv —5E 127
Oakworth Clo. Liv —1E 23
Oakworth Dri. Tarb G —2A 106
Oakworth Dri. Wir —5C 120
Oarside Dri. Wall —5A 52
Oatfield La. Liv —3B 18
Oatlands Rd. Liv —3C 22
Oatlands, The. Wir —5C 112
Oban Dri. Wir —2A 158
Oban Rd. Liv —5B 56
Oberon St. Liv —2C 54
O'Brien Gro. St H —4E 47
Observatory Rd. Pren —1E 95
Oceanic Rd. Liv —4F 79
Ocean Rd. Liv —1B 34
O'Connell Clo. St H —2C 48
O'Connell Rd. Liv —2D 77
Octavia Ct. Huy —5F 83
Octavia Hill Rd. Liv —4C 18
Odsey St. Liv —4C 78
Odyssey Cen. Birk —1C 96
Ogden Clo. Liv —3F 57
Ogle Clo. Prsct —1E 85
Oglet La. Liv —5C 146
Oil St. Liv —2B 76 (1A 4)
O'Keefe Rd. St H —4C 46
Okehampton Rd. Liv —1D 103
Okell Dri. Liv —2D 127
Okell St. Run —5A 152
Old Albert Ter. Run —4B 152
(off Thomas St.)
Old Barn Rd. Liv —5B 56
Old Barn Rd. Wall —3A 74
Old Bidston Rd. Birk —1B 96
Old Boston. —1F 49
Oldbridge Rd. Liv —5F 147
Old Chester Rd. Birk & Beb —5E 97
Old Church Yd. Liv —4B 76 (5C 4)
Old Clatterbridge Rd. Wir —5E 141
Old Colliery Rd. Whis —3D 85
Old Distillery Rd. Liv —2C 146
Old Dover Rd. Liv —1C 104
Old Eccleston La. St H —5C 44
Old Farm Clo. Will —5A 170
Old Farm Rd. Cros —5F 9
Old Farm Rd. Kirkby —2F 39
Old Field. Whis —2F 85
Oldfield Clo. Wir —5E 137
Oldfield Cotts. Wir —5D 137
Oldfield Dri. Hes —1D 157
Oldfield Farm La. Hes —5D 137
Oldfield Gdns. Wir —1D 157
Oldfield La. Wir —5A 92
Oldfield Rd. Hes —5D 137
Oldfield Rd. Liv —4A 124
Oldfield Rd. Wall —5F 51
Oldfield St. St H —3F 45
Oldfield Way. Wir —5D 137
Oldgate. Wid —5C 130
Old Gorsey La. Wall —4B 74
Old Greasby Rd. Wir —4F 93
Old Hall Clo. Liv —3D 13
Old Hall La. Liv —3D 23
Old Hall Rd. Brom —1E 163
Old Hall Rd. Liv —3D 13
Old Hall St. Liv —4B 76 (3B 4)
Oldham Pl. Liv —5E 77 (6H 5)
Oldham St. Liv —5E 77 (7G 5)
Old Haymarket. Liv —4D 77 (4F 5)
Old Higher Rd. Wid —2D 149
Old Hute La. Liv —2A 148
Old Kennel Clo. Liv —3F 59
Old La. Ecc P —4E 63
Old La. Hes —2D 159
Old La. Liv —3E 7
Old La. Rain —3B 86
Old Leeds St. Liv —4B 76 (3B 4)
Old Marylands La. Wir —5E 71
Old Mdw. Know —4D 41
Old Mdw. Rd. Wir —4E 137
Old Mill Av. St H —1D 89
Old Mill Clo. Liv —1A 102
Old Mill Clo. Wir —3B 158
Old Mill La. Know —4E 41
Old Mill La. W'tree —1A 102
Old Nook La. St H —2E 47
Old Orchard. Hals P —5E 85
Old Post Office Pl. Liv —6E 5
Old Pump La. Wir —1C 114
Old Quarry, The. Liv —2A 126
Old Quay St. Run —4B 152
Old Racecourse Rd. Liv —2B 12
Old Rectory Grn. Augh —1F 7
Old Rectory Grn. Liv —3E 11
Old Riding. Liv —1F 81
Old Rockerrians R.F.C. Ground. —4F 117
Old Ropery. Liv —5C 76 (5C 4)
Old Rough La. Liv —2E 23
Old School Way. Birk —2E 95
Old Swan. —3A 80
Old Thomas La. Liv —5D 81
Old Upton La. Wid —5E 109
Old Vicarage Rd. Will —5A 170
Old Whint Rd. Hay —2A 48
Old Wood La. Liv —5F 105
Old Wood Rd. Wir —3F 137
Oleander Dri. St H —4C 44
Olga Rd. St H —4C 66
Olinda St. Wir —5B 120
Olive Clo. Liv —3A 22
Olive Cres. Birk —5E 97
Olivedale Rd. Liv —4F 101
Olive Gro. Boot —4A 20
Olive Gro. Huy —4D 83
Olive Gro. W'tree —5A 80
Olive La. Liv —5A 80
Olive Mt. Birk —5E 97
Olive Mt. Heights. Liv —1B 102
Olive Mt. Rd. Liv —1A 102
Olive Mt. Vs. Liv —5A 80
Olive Mt. Wlk. Liv —1A 102
Oliver Lyme Ho. Prsct —5E 63
Oliver Lyme Rd. Prsct —5E 63
Olive Rd. Liv —5E 17
Oliver Rd. St H —2C 64
Oliver St. Birk —3D 97
Oliver St. E. Birk —3E 97
Olivetree Rd. Liv —5B 80
Olive Va. Liv —1F 101
Olivia Clo. Pren —5C 94
Olivia M. Pren —5C 94
Olivia St. Boot —2D 55
Ollerton Clo. Pren —5C 94
Ollery Grn. Boot —1B 20
Ollier St. Wid —5A 132
Olney St. Liv —1F 55
Olton St. Liv —1E 101
Olympia St. Liv —3A 78
Olympic Way. Boot —5B 20
O' Neill St. Boot —4B 34
(in two parts)
Onslow Rd. Liv —3C 78
Onslow Rd. Wall —3B 52
Onslow Rd. Wir —3B 120
Opal Clo. Eve —2B 78
Opal Clo. Liv —5C 18
Open Eye Gallery. —5D 77 (6F 5)
Openfields Clo. Liv —2E 127
Oppenheim Av. St H —3C 64
Orange Gro. Liv —3B 100
Orange Tree Clo. Liv —3B 60
Oran Way. Liv —3D 83
Orb Clo. Liv —4C 38
Orb Wlk. Liv —5C 38
Orchard Av. Liv —5D 81
Orchard Clo. Ecc P —4A 64
Orchard Clo. Hals P —5E 85
Orchard Clo. St H —1D 47
Orchard Ct. Birk —1F 119
Orchard Ct. Liv —1E 13
Orchard Dale. Liv —1F 17
Orchard Dene. Rain —3C 86
Orchard Gdns. Hals P —1E 107
Orchard Grange. Wir —2C 92
Orchard Hey. Boot —1B 20
Orchard Hey. Ecc —5A 44
Orchard Hey. Liv —2E 13
Orchard Rd. Wir —5E 71
Orchard, The. Huy —4E 83
Orchard, The. Liv —3F 123
Orchard, The. Rain —1C 86
Orchard, The. Wall —4A 52
Orchard Way. Wid —1A 130
Orchard Way. Wir —1D 141
Orchid Gro. Liv —1F 121
Orchid Way. St H —4B 68
O'Reilly Ct. Liv —2C 76
Orford Clo. Hale V —5D 149
Orford St. Liv —1F 101
Oriel Clo. Liv —5B 76 (5C 4)
Oriel Clo. Old R —2D 21
Oriel Cres. Liv —2C 54
Oriel Dri. Liv —2C 20
Oriel Lodge. Boot —1C 54
Oriel Rd. Birk —1E 119
Oriel Rd. Boot —5B 34
Oriel Rd. Liv —2C 54
Oriel St. Liv —3C 76 (1D 4)
Orient Dri. Liv —1B 126
Origen Rd. Liv —5D 81
Oriole Clo. St H —4B 64
Orith Av. Ecc —5F 43
Orkney Clo. St H —1D 47
Orkney Clo. Wid —1E 133
Orlando Clo. Pren —5C 94
Orlando St. Boot —2C 54
Orleans Rd. Liv —3A 80
Ormande St. Sher I —2B 66
Ormesby Gro. Wir —4B 162
Ormiston Rd. Wall —4B 52
Ormond Clo. Wid —2C 130
Ormonde Av. Liv —3C 12
Ormonde Cres. Liv —3A 24
Ormonde Dri. Liv —2C 12
Ormond M. Pren —5C 94
Ormond St. Liv —4C 76 (4C 4)
Ormond St. Wall —1B 74
Ormond Way. Pren —5C 94
Ormsby St. Liv —2E 101
Ormside Gro. St H —4D 67
Ormskirk Rd. Know —2D 41
Ormskirk Rd. Liv —5B 20
Ormskirk St. St H —4F 45
Orphan Dri. Liv —1D 79
Orphan St. Liv —1A 100
Orrell. —2D 35
Orrell Hey. Boot —1D 35
Orrell La. Boot & Liv —1E 35
Orrell Mt. Boot —1C 34
Orrell Mt. Ind. Est. Boot —1C 34
Orrell Rd. Liv & Boot —5C 18
Orrell Rd. Wall —4C 52
Orrell St. St H —5C 46
Orret's Mdw. Rd. Wir —1B 116
Orrysdale Rd. Wir —3A 112
Orry St. Liv —1D 77
Orsett Rd. Liv —5F 23
Orston Cres. Wir —5A 142
Ortega Clo. Wir —5C 120
Orthes St. Liv —5F 77 (6J 5)
Orton Rd. Liv —1C 102
Orville St. St H —4E 67
Orwell Clo. Sut M —3A 88
Orwell Rd. Liv —3D 55
Osbert Rd. Liv —1B 16
Osborne Av. Wall —4B 52
Osborne Gro. Prsct —1A 84
Osborne Gro. Wall —5B 52
Osborne Rd. Ecc —3A 44
Osborne Rd. Lith —4C 18
Osborne Rd. Pren —4B 96
Osborne Rd. Tue —5E 57
Osborne Rd. Wall —4C 52
Osborne Va. Wall —4B 52
Osborne Wood. Liv —3C 122
Osbourne Clo. Wir —3E 163
Osmaston Rd. Birk —2A 118
Osprey Clo. Beech —5F 167
Osprey Clo. Liv —4F 105
Ossett Clo. Nort —2D 169
Ossett Clo. Pren —5C 94
Osterley Gdns. Liv —2F 35
O'Sullivan Cres. St H —3E 47
Oswald Clo. Liv —4E 15
Oteley Av. Wir —2D 163
Othello Clo. Liv —2C 54
Otterburn Clo. Wir —1B 92
Otterspool. —3C 122
Otterspool Dri. Liv —4D 123
Otterspool Rd. Liv —3D 123
Otterton Rd. Liv —3C 38
Ottley St. Liv —3C 78
Otway St. Liv —3C 144
Oulton Clo. Liv —3B 6
Oulton Clo. Pren —1E 117
Oulton La. Liv —1D 105
Oulton Rd. Liv —3D 103
Oulton Way. Pren —2E 117
Oundle Dri. Liv —2C 20
Oundle Pl. Liv —5B 126
Oundle Rd. Wir —5E 71
Outer Central Rd. Liv —2E 147
Outer Forum. Liv —1E 57
Out La. Liv —2A 126
Outlet La. Liv & Bic —1E 15
Oval Sports Cen., The. —5F 119
Oval, The. Wall —5F 51
Overbrook La. Know B —3C 40
Overbury St. Liv —1B 100
Overchurch Rd. Wir —3E 93
Overdale Av. Wir —2D 139
Overdale Rd. Will —4A 170
Overdene Wlk. Liv —4F 23
Overgreen Gro. Wir —5D 71
Overton Av. Liv —4B 18
Overton Clo. Liv —4D 23
Overton Clo. Pren —1F 117
Overton Grn. Liv —4D 23
Overton Rd. Wall —2B 74
Overton St. Liv —5B 78
Overton Way. Pren —1F 117
Ovington Clo. Sut W —1F 173
Ovolo Rd. Liv —2A 80
Owdale Rd. Liv —4A 36
Owen Clo. St H —2D 65
Owen Dri. Liv —4B 146
Owen Rd. Kirk —3D 55
Owen Rd. Know I —1C 40
Owen Rd. Rain —4C 86
Owen St. St H —2C 64
Oxborough Clo. Wid —5F 109
Oxbow Rd. Liv —3E 59
Oxendale Clo. Liv —2B 100
Oxenholme Cres. Liv —2A 58
Oxford Av. Boot —5D 35
Oxford Av. Liv —5B 18
Oxford Clo. Liv —2C 122
Oxford Dri. Halew —4F 127
Oxford Dri. Wat —3C 16
Oxford Dri. Wir —4F 159
Oxford Ho. Boot —5E 35
(off Fernhill Rd.)
Oxford Rd. Boot —5D 35
Oxford Rd. Huy —2A 84
Oxford Rd. Run —1A 166
Oxford Rd. Wall —2C 74
Oxford Rd. Walt —5B 20
Oxford Rd. Wat —3C 16
Oxford St. Liv —5F 77 (6J 5)
(in two parts)
Oxford St. St H —4F 45
(Cooper St.)
Oxford St. St H —3F 45
(Rutland St.)
Oxford St. Wid —5B 132

202 A-Z Liverpool Deluxe

Oxford St. E.—Philip Rd.

Oxford St. E. *Liv* —5A **78**
Oxheys. *Nort* —2C **168**
Ox La. *Tarb G* —2C **106**
Oxley Av. *Wir* —3B **72**
Oxley St. *St H* —4D **67**
Oxmoor Clo. *Brook* —5A **168**
Oxton. —5F 95
Oxton Clo. *Aig* —2C **122**
Oxton Clo. *Kirkby* —5B **22**
Oxton Clo. *Wid* —5C **108**
Oxton Cricket Club Ground. —5F 95
Oxton Rd. *Birk* —4C **96**
Oxton Rd. *Wall* —3B **74**
Oxton St. *Liv* —3F **55**

Pacific Rd. *Birk* —2F **97**
Pacific Rd. *Boot* —5B **34** (Atlantic Rd.)
Pacific Rd. *Boot* —4B **34** (Sea Vw. Rd.)
Packenham Rd. *Liv* —5F **57**
Paddington. *Liv* —5A **78** (in two parts)
Paddock Clo. *Liv* —4B **8**
Paddock Gro. *Clo F* —3D **89**
Paddock Ri. *Padd M* —1E **173**
Paddock Rd. *Know P* —5A **62**
Paddock, The. *Hes* —2C **158**
Paddock, The. *Kirkby* —1D **39**
Paddock, The. *More* —2C **92**
Paddock, The. *Prsct* —4A **64**
Paddock, The. *Upt* —4B **94**
Paddock, The. *Wltn* —5B **104**
Padeswood Clo. *St H* —5C **66**
Padstow Clo. *Liv* —3E **127**
Padstow Dri. *Wind* —2B **44**
Padstow Rd. *Liv* —1D **103**
Padstow Rd. *Wir* —1C **114**
Padstow Sq. *Brook* —5B **168**
Pagebank Rd. *Liv* —3A **82**
Pagefield Rd. *Liv* —3F **101**
Page Grn. *Liv* —3C **82**
Page La. *Wid* —3C **132**
Page Moss. —4B 82
Page Moss Av. *Liv* —2B **82**
Page Moss La. *Liv* —3A **82**
Page Moss Pde. *Liv* —2B **82**
Page Wlk. *Liv* —3E **77** (2H **5**)
Pagewood Clo. *Pren* —5D **95**
Paignton Clo. *Liv* —3B **84**
Paignton Rd. *Liv* —1D **103**
Paignton Rd. *Wall* —5F **51**
Paisley Av. *St H* —1D **47**
Paisley Av. *Wir* —1E **171**
Paisley Ct. *Liv* —2F **81**
Paisley St. *Liv* —3B **76** (2A **4**)
Palace Fields. —4B 168
Palace Fields Av. *Brook & Pal* —4F **167**
Palace Rd. *Liv* —2A **36**
Palatine Arc. *St H* —5A **46**
Palatine Rd. *Wall* —4D **75**
Palatine Rd. *Wir* —1C **162**
Palatine, The. *Boot* —5C **34**
Palermo Clo. *Wall* —4D **75**
Paley Clo. *Liv* —4F **55**
Palladio Rd. *Liv* —2A **80**
Pallard Av. *Frod* —5D **173**
Pall Mall. *Liv* —3B **76** (1C **4**)
Pall Mall Cen. *Liv* —3B **76** (2C **4**)
Palm Clo. *Liv* —5C **36**
*Palm Ct. Liv —5A **100** (off Weller Way)*
Palmer Clo. *St H* —4F **45**
Palmerston Av. *Liv* —1A **34**
Palmerston Clo. *Liv* —1F **123**
Palmerston Ct. *Liv* —1F **123**
Palmerston Dri. *Liv* —1B **34**
Palmerston Rd. *Gars* —1C **144**
Palmerston Rd. *Moss H* —1F **123**
Palmerston Rd. *Wall* —2F **73**
Palmerston St. *Birk* —2F **119**
Palm Gro. *Liv* —3B **126**
Palm Gro. *Pren* —3A **96**
Palm Hill. *Pren* —5B **96**
Palmwood Av. *Rain* —4D **87**
Palmwood Clo. *Pren* —3E **117**
Paltridge Way. *Wir* —3F **137**
Pamela Clo. *Liv* —1B **38**
Pampas Gro. *Liv* —4B **36**
Pankhurst Rd. *Liv* —3C **18**
Pansy St. *Liv* —4D **55**
Parade. *Liv* —1B **98** (7C **4**)
Parade Cres. *Liv* —5E **147**
Parade St. *St H* —4A **46**
Parade, The. *W'tree* —5B **80**
Paradise Gdns. *Liv* —2F **101**
Paradise La. *Whis* —4D **85**
Paradise St. *Liv* —1C **98** (6E **4**)
Paragon Clo. *Wid* —4B **110**
Parbold Av. *St H* —3D **47**
Parbold Ct. *Wid* —4D **131**
Parbrook Clo. *Liv* —5D **61**
Parbrook Rd. *Liv* —5D **61**
Park Av. *Cros* —5E **9**
Park Av. *Ecc P* —4F **63**
Park Av. *Faz* —1C **36**
Park Av. *Hay* —2A **48**
Park Av. *Lyd* —4D **7**
Park Av. *Moss H* —1E **123**
Park Av. *Rain* —2C **86**
Park Av. *Wall* —3D **75**
Park Av. *Wid* —2B **132**
Parkbourn Dri. *Liv* —5F **7**
Parkbourn Sq. *Liv* —5F **7**
Parkbridge Rd. *Birk* —1C **118**
Pk. Brow Dri. *Liv* —5F **23**
Parkbury Ct. *Pren* —1A **118**
Park Clo. *Birk* —3C **96**
Park Clo. *Kirkby* —1B **22**
Park Ct. *Frod* —5A **172**
Park Ct. *Kirkby* —2C **22**
Park Ct. *Liv* —5E **17**
Park Ct. *Run* —2A **166**
Parkdale Av. *Liv* —1A **36**
Park Dri. *Cros* —5A **8**
Park Dri. *Pren* —2A **96**
Park Dri. *Thor* —3A **10**
Parkend Rd. *Birk* —1C **118**
Parker Av. *Liv* —1F **33**
Parker Clo. *Boot* —4B **20**
Parkers Ct. *Hall P* —4E **167**
Parker St. *Liv* —5D **77** (5F **5**)
Parker St. *Run* —4B **152**
Parkfield Av. *Birk* —3D **97**
Parkfield Av. *Boot* —5A **20**
Parkfield Dri. *Wall* —2B **74**
Parkfield Gro. *Liv* —1C **12**
Parkfield Pl. *Birk* —3D **97**
Parkfield Rd. *Aig* —5B **100**
Parkfield Rd. *Wat* —3E **17**
Parkfield Rd. *Wir* —4A **142**
Parkgate La. *Nest* —5E **159**
Parkgate Way. *Murd* —4C **168**
Park Gro. *Birk* —4D **97**
Pk. Hill Ct. *Liv* —5F **99**
Parkhill Rd. *Birk* —1C **118**
Pk. Hill Rd. *Liv* —5F **99**
Parkholme. *Liv* —4E **17**
Park Ho. St. *St H* —4C **46**
Parkhurst Rd. *Birk* —2C **118**
Parkhurst Rd. *Liv* —2F **57**
Parkinson Rd. *Liv* —4A **36**
Parkland Clo. *Liv* —4F **99**
Parkland Ct. *Pren* —1C **94**
Parklands. *Know* —5D **41**
Parklands. *Wid* —1C **130**
*Parklands Ct. Wir —2A **116** (off Childwall Grn.)*
Parklands Dri. *Wir* —4B **158**
Parklands Way. *Liv* —4E **17**
Park La. *Boot* —1E **35** (L20)
Park La. *Boot* —3F **19** (L30)
Park La. *Frod* —5B **172**
Park La. *Liv* —1C **98** (7D **4**)
Park La. *Mag* —4F **7**
Park La. *Wir* —5A **70**
Park La. W. *Boot* —2F **19**
Park Pl. *Boot* —5C **34**
Park Pl. *Liv* —3E **99**
Park Rd. *Birk* —1E **119**
Park Rd. *East* —4F **163**
Park Rd. *Hes* —1B **158**
Park Rd. *Kirkby* —2B **22**
Park Rd. *Meol* —2E **91**
Park Rd. *Port S* —2B **142**
Park Rd. *Prsct* —4C **62**
Park Rd. *Run* —2F **165**
Park Rd. *St H* —4C **46**
Park Rd. *Tox* —4F **99**
Park Rd. *Wall* —3C **74**
Park Rd. *Wat* —4E **17**
Park Rd. *W Kir* —4A **112**
Park Rd. *Wid* —3B **132**
Park Rd. *Will* —5B **170**
Park Rd. E. *Birk* —3C **96**
Park Rd. N. *Birk* —2F **95**
Park Rd. S. *Pren* —3B **96**
Park Rd. Sports Cen. —4F 99
Park Rd. W. *Pren* —2F **95**
Parkside. *Boot* —4C **34**
Parkside. *Wall* —3C **74**
Parkside Av. *Sut M* —3B **88**
Parkside Clo. *Liv* —5E **105**
Parkside Clo. *Wir* —1A **142**
Parkside Dri. *Liv* —3A **58**
Parkside Rd. *Birk* —1E **119**
Parkside Rd. *Wir* —1A **142**
Parkside St. *Liv* —3F **77**
Parkstile La. *Liv* —4C **38**
Parkstone Rd. *Birk* —1C **118**
Park St. *Birk* —2D **97** (in two parts)
Park St. *Boot* —5C **34**
Park St. *Hay* —2F **47**
Park St. *Liv* —4D **99**
Park St. *St H* —4C **46**
Park St. *Wall* —2C **74**
Park Ter. *Liv* —5E **17**
Park, The. *Liv* —5E **83**
Parkvale Av. *Nor C* —4E **117**
Pk. Vale Rd. *Liv* —2A **36**
Park Vw. *Huy* —2C **82**
Park Vw. *Liv* —1D **79** (L6)
Park Vw. *Liv* —5A **18** (L21)
Park Vw. *Thor* —3B **10**
Park Vw. *Walt* —4A **36**
Park Vw. *Wat* —3D **17**
Park Vw. *Wir* —2C **162**
Parkview Clo. *Birk* —2C **96**
Parkview Ct. *Hes* —2F **157**
Parkview Dri. *Liv* —5E **105**
Parkview Rd. *Liv* —2D **39**
Pk. Wall Rd. *Liv* —1A **10**
Parkway. *Boot* —5F **11**
Parkway. *Cros* —3F **17**
Park Way. *Huy* —4D **61**
Parkway. *Irby* —5F **115**
Park Way. *Meol* —3E **91**
Park Way. *Tox* —2F **99** (in two parts)
Parkway. *Wall* —4E **51**
Parkway Clo. *Wir* —5F **115**
Parkway E. *Liv* —2B **22**
Parkway W. *Liv* —2B **22**
Park W. *Wir* —3D **157**
Parkwood Clo. *Wir* —1D **163**
Parkwood Rd. *Liv* —5A **104**
Parkwood Rd. *Whis* —4E **85**
Parlane St. *St H* —4C **46** (in two parts)
Parliament Clo. *Liv* —2E **99**
Parliament Pl. *Liv* —2F **99**
Parliament St. *Liv* —2D **99**
Parliament St. *That H* —4D **65**
Parlington Clo. *Wid* —5C **130**
Parlow Rd. *Liv* —3E **57**
Parnell Rd. *Wir* —4A **142**
Parr. —5D 47
Parr Community Swimming Pool. —5C 46
Parren Av. *Whis* —5C **84**
Parr Gro. *Hay* —2A **48**
Parr Gro. *Wir* —5C **92**
Parr Ind. Est. *St H* —1E **67**
Parr Mt. Ct. *St H* —5C **46**
Parr Mt. St. *St H* —5C **46**
Parr's Rd. *Pren* —1B **118**
Parr Stocks. —1D 67
Parr Stocks Rd. *Parr & St H* —5D **47**
Parr St. *Liv* —1D **99** (7F **5**) (L1)
Parr St. *Liv* —4B **18** (L21)
Parr St. *St H* —5B **46**
Parr St. *Wid* —3C **132**
Parry's La. *Run* —1A **166**
Parry St. *Wall* —4D **75**
Parsonage Rd. *Wid* —3A **152**
Parthenon Dri. *Liv* —5D **37**
Partington Av. *Boot* —4E **35**
Parton St. *Liv* —3C **78**
Partridge Clo. *Liv* —5F **39**
Partridge Rd. *Cros* —1B **16**
Partridge Rd. *Kirkby* —2B **22**
Passport Office. —5C 76 (5C 4)
Passway. *St H* —5C **30**
Pasture Av. *Wir* —4E **71**
Pasture Clo. *Clo F* —2C **88**
Pasture Clo. *Liv* —3B **126**
Pasture Cres. *Wir* —5E **71**
Pasture La. *Rainf* —1A **28**
Pasture Rd. *Wir* —3D **71**
Pastures, The. *St H* —4A **68**
Pastures, The. *Wir* —4F **113**
Pateley Clo. *Liv* —4C **22**
Pateley Wlk. *Liv* —3F **147**
Paterson St. *Birk* —3C **96**
Patmos Clo. *Liv* —5E **55**
Paton Clo. *Wir* —3D **113**
Patricia Av. *Birk* —5F **73**
Patricia Gro. *Boot* —2D **35**
Patrick Av. *Boot* —1D **35**
Pattens Clo. *Boot* —1D **19**
Patten St. *Birk* —1A **96**
Patten's Wlk. *Know* —3D **41**
Patterdale Cres. *Liv* —5E **7**
Patterdale Dri. *St H* —3B **64**
Patterdale Rd. *Liv* —3E **101**
Patterdale Rd. *Wir* —4F **141**
Pauldings La. *Liv* —5A **18**
Pauline Wlk. *Liv* —1B **38**
Paul McCartney Way. *Liv* —3B **78**
Paul Orr Ct. *Liv* —2C **76**
Paulsfield Dri. *Wir* —2E **93**
Paul St. *Liv* —3C **76** (1D **4**)
Paulton Clo. *Liv* —5F **99**
Paverley Bank. *Liv* —3D **105**
Pavilion Clo. *Liv* —2B **100**
Pavilion Sports Cen. —5A 58
Paxton Rd. *Liv* —2E **83**
Peacehaven Clo. *Liv* —1F **103**
Peach Gro. *Hay* —1E **49**
Peach Gro. *Liv* —1B **22**
Peach St. *Liv* —5F **77**
Peach Tree Clo. *Hale V* —5E **149**
Pearce Clo. *Liv* —3F **103**
Pear Gro. *Liv* —3B **78**
Pearl Way. *Liv* —2B **78**
Pearson Dri. *Boot* —1E **35**
Pearson Rd. *Birk* —5E **97**
Pearson St. *Liv* —2F **101**
Pear Tree Av. *Liv* —2F **59**
Pear Tree Av. *Run* —3C **166**
Peartree Clo. *Frod* —4D **173**
Pear Tree Clo. *Hale V* —5E **149**
Pear Tree Clo. *Wir* —1C **158**
Pear Tree Rd. *Liv* —1E **105**
Peasefield Rd. *Liv* —2A **82**
Peasley Cross. —2C 66
Peasley Cross La. *St H* —5B **46**
Peatwood Av. *Liv* —1F **39**
Peckers Hill Rd. *St H* —4E **67**
Peckfield Clo. *Brook* —5A **168**
Peckforton Dri. *Sut W* —1F **173**
Peckmill Grn. *Liv* —5F **105**
Pecksniff Clo. *Liv* —4F **99**
Peebles Av. *St H* —1D **47**
Peebles Clo. *Liv* —4D **15**
Peel Av. *Birk* —1F **119**
Peel Clo. *Whis* —3E **85**
Peel Cottage. *Liv* —5B **6**
Peel Ho. La. *Wid* —1B **132**
Peel Pl. *Liv* —2F **99**
Peel Pl. *St H* —3A **46**
Peel Rd. *Boot* —3A **34**
Peel St. *Liv* —5A **100**
Peel St. *Run* —4F **151**
Peel Wlk. *Liv* —5B **6**
Peet Av. *Ecc* —4C **44**
Peet St. *Liv* —5B **78**
Pelham Gro. *Liv* —5C **100**
Pelham Rd. *Wall* —3A **74**
Pemberton Clo. *Will* —5A **170**
Pemberton Rd. *Liv* —3A **80**
Pemberton Rd. *Wir* —1B **116**
Pemberton St. *St H* —5E **45**
Pembrey Way. *Liv* —4D **127**
Pembroke Av. *Wir* —2E **93**
Pembroke Clo. *St H* —1E **65**
Pembroke Ct. *Birk* —5E **97**
Pembroke Ct. *Mnr P* —2C **154**
Pembroke Gdns. *Liv* —4F **77** (4J **5**)
Pembroke Pl. *Liv* —4E **77** (4J **5**)
Pembroke Rd. *Boot & Liv* —5C **34**
Pembroke St. *Liv* —4F **77** (4J **5**)
Pembury Clo. *Liv* —5E **39**
Penare. *Brook* —5C **168**
Penarth Clo. *Liv* —1B **100**
Pencombe Rd. *Liv* —2B **82**
Penda Dri. *Liv* —4E **15**
Pendennis Rd. *Wall* —3C **74**
Pendennis St. *Liv* —1B **78**
Pendine Clo. *Liv* —2C **78**
Pendle Av. *St H* —3D **47**
Pendlebury St. *Clo F* —2C **88**
Pendle Clo. *Wir* —3E **93**
Pendle Dri. *Liv* —1C **18**
Pendleton Grn. *Liv* —5E **127** (in two parts)
Pendleton Rd. *Liv* —1A **56**
Pendle Vw. *Liv* —1C **18**
Pendle Vs. *Liv* —2C **18**
Penfold. *Liv* —1E **13**
Penfold Clo. *Liv* —4D **103**
Penfolds. *Halt B* —1D **167**
Pengwern Gro. *Liv* —1D **101**
Pengwern St. *Liv* —4A **100**
Pengwern Ter. *Wall* —4C **52**
Penhale Clo. *Liv* —2B **122**
Peninsula Clo. *Wall* —3E **51**
Penketh Ct. *Run* —4B **152**
Penketh Grn. *Liv* —3E **147**
Penketh's La. *Run* —4A **152**
Penkett Ct. *Wall* —5C **52**
Penkett Gdns. *Wall* —5C **52**
Penkett Gro. *Wall* —5C **52**
Penkett Rd. *Wall* —5B **52**
Penkford La. *C Grn* —2D **69**
Penkford St. *Newt W* —5E **49**
Penlake Ind. Est. *St H* —4E **67**
Penlake La. *St H* —4E **67**
Penley Cres. *Liv* —3B **22**
Penlinken Dri. *Liv* —2B **78**
Penmann Clo. *Liv* —4F **127**
Penmann Cres. *Liv* —4F **127**
Penmon Dri. *Wir* —4F **137**
Pennant Av. *Liv* —2C **58**
Pennard Av. *Liv* —5D **61**
Pennine Clo. *St H* —5E **47**
Pennine Dri. *St H* —5F **47**
Pennine Rd. *Birk* —3C **118**
Pennine Rd. *Wall* —2F **73**
Pennine Way. *Liv* —1C **22**
Pennington Av. *Boot* —1E **35**
Pennington Clo. *Frod* —3D **173**
Pennington La. *St H* —5B **48**
Pennington Rd. *Liv* —2C **34**
Pennington St. *Liv* —1F **55**
Penn La. *Run* —5F **151**
Pennsylvania Rd. *Liv* —4D **57**
Penny La. *C Grn* —3D **69**
Penny La. *Hay* —1F **49**
Penny La. *Liv* —5F **101**
Penny La. *Wid* —2F **107**
Penny La. Neighbourhood Cen. *Liv* —3F **101**
Pennystone Clo. *Wir* —3D **93**
Penpoll Ind. Est. *Boot* —2C **34**
Penrhos Rd. *Wir* —5A **90**
Penrhyd Rd. *Wir* —2D **137**
Penrhyn Av. *Liv* —1B **34**
Penrhyn Av. *Wir* —1A **138**
Penrhyn Cres. *Run* —3A **166**
Penrhyn Rd. *Know B* —3B **40**
Penrhyn St. *Liv* —1D **77**
Penrith Clo. *Frod* —4D **173**
Penrith Cres. *Liv* —5E **7**
Penrith Rd. *St H* —3B **64**
Penrith St. *Birk* —4C **96**
Penrose Av. E. *Liv* —4E **81**
Penrose Av. W. *Liv* —4E **81**
Penrose St. *Liv* —5E **55**
Penryn Av. *St H* —1D **47**
Pensall Dri. *Wir* —5F **137**
Pensarn Rd. *Liv* —4F **79**
Pensby. —3A 138
Pensby Clo. *Wir* —2A **138**
Pensby Hall La. *Wir* —5F **137**
Pensby Rd. *Hes* —1A **158**
Pensby Rd. *Thing* —2A **138**
Pensby St. *Birk* —1B **96**
Penshaw Ct. *Run* —3E **167**
Pentire Av. *Wind* —2B **44**
Pentire Clo. *Liv* —2B **38**
Pentland Av. *Liv* —2A **56**
Pentland Av. *St H* —5F **47**
Pentland Rd. *Liv* —1A **24**
Penuel Rd. *Liv* —1F **55**
Penvalley Cres. *Liv* —2C **78**
Peony Gdns. *St H* —4B **68**
Peover St. *Liv* —3D **77** (1F **5**)
Peploe Rd. *Walt* —1D **57**
Peplow Rd. *Kirkby* —3B **22**
Pepper St. *Hale V* —5D **149**
Pera Clo. *Liv* —3A **78**
Perch Rock Fort. —1B 52
Percival La. *Run* —5E **151**
Percival Way. *St H* —3C **44**
Percy Rd. *Wall* —4D **75**
Percy St. *Boot* —3B **34**
Percy St. *Liv* —2F **99**
Percy St. *St H* —4F **67**
Peregrine Way. *Liv* —3E **127**
Perimeter Rd. *Know I & Liv* —5D **25**
Perriam Rd. *Liv* —4D **125**
Perrin Av. *Run* —2E **165**
Perrin Rd. *Wall* —1E **73**
Perrins Rd. *Btnwd* —5F **69**
Perrygate Clo. *Liv* —1B **100**
Perry St. *Liv* —3D **99**
Perry St. *Run* —5B **152**
Pershore Rd. *Liv* —5E **23**
Perth Av. *That H* —4E **65**
Perth Clo. *Liv* —4D **15**
Perth St. *Liv* —3A **78**
Peterborough Dri. *Boot* —1E **19**
Peterborough Rd. *Liv* —3A **102**
Peterlee Clo. *St H* —4F **65**
Peterlee Way. *Boot* —4A **20**
Peter Lloyd Leisure Cen. —1F 79
Peter Mahon Way. *Boot* —4B **34**
Peter Price's La. *Wir* —3E **141**
Peter Rd. *Liv* —1E **55** (in two parts)
Petersfield Clo. *Boot* —4A **20**
Petersgate. *Murd* —3D **169**
Peter's La. *Liv* —5D **77** (6E **5**)
Peter St. *Liv* —4D **77** (4E **4**)
Peter St. *St H* —4E **45**
Peter St. *Wall* —4E **75**
Peterwood. *Birk* —3A **120**
Petham Ct. *Wid* —5E **109**
Petherick Rd. *Liv* —3C **38**
Petton St. *Liv* —5F **55**
Petunia Clo. *Liv* —2A **82**
Petunia Clo. *St H* —4A **68**
Petworth Clo. *Liv* —3B **146**
Peveril St. *Liv* —5F **35**
Pex Hill Country Pk. & Vis. Cen. —3E 109
Pharmacy Rd. *Liv* —3C **146**
Pheasant Fields. *Hale V* —5C **148**
Pheasant Gro. *Liv* —3E **127**
Philbeach Rd. *Liv* —1D **57**
Philharmonic Hall. —1F 99 (7J 5)
Philip Gro. *St H* —4C **66**
Philip Rd. *Wid* —4B **130**

Sandon Promenade—Sherwyn Rd.

Sandon Promenade. *Wall* (in two parts) —2D 75
Sandon Rd. *Wall* —2D 75
Sandon St. *St H* —3D 65
Sandon St. *Tox* —1F 99
Sandon St. *Wat* —4D 17
Sandon Way. *Liv* —5B 54
Sandown Clo. *Run* —4B 166
Sandown Ct. *Liv* —1F 101
Sandown La. *Liv* —1F 101
Sandown Park. —5F 79
Sandown Pk. Rd. *Liv* —2E 21
Sandown Rd. *S'frth* —1F 33
Sandown Rd. *W'tree* —5F 79
Sandpiper Clo. *Wir* —3D 93
Sandpiper Gro. *Liv* —3E 127
Sandpipers Ct. *Wir* —4A 90
Sandridge Rd. *Wall* —4B 52
Sandridge Rd. *Wir* —2F 137
Sandringham Av. *Liv* —5E 17
Sandringham Av. *Wir* —3C 90
Sandringham Clo. *Hoy* —3C 90
Sandringham Clo. *Liv* —5E 15
Sandringham Clo. *New F* —5A 120
Sandringham Dri. *Liv* —5B 100
Sandringham Dri. *St H* —5C 66
Sandringham Dri. *Wall* —3A 52
Sandringham Rd. *Liv* —2C 12
Sandringham Rd. *Tue* —5D 57
Sandringham Rd. *Wat* —5E 17
Sandringham Rd. *Wid* —5F 109
Sandrock Rd. *Wall* —4B 52
Sands Rd. *Liv* —5F 101
Sandstone. *Wall* —1C 74
Sandstone Clo. *Rain* —5C 86
Sandstone Dri. *Whis* —1A 86
Sandstone Dri. *Wir* —4E 113
Sandstone Rd. E. *Liv* —2F 79
Sandstone Rd. W. *Liv* —2F 79
Sandstone Wlk. *Wir* —3A 158
Sandwash Clo. *Rainf* —1B 28
Sandway Cres. *Liv* —1A 58
Sandy Brow La. *Liv* —1E 41
Sandy Grn. *Liv* —2C 36
Sandy Gro. *Liv* —5F 57
Sandy Knowle. *Liv* —1A 102
Sandy La. *Crank & St H* —4E 29
Sandy La. *Cron* —4D 109
Sandy La. *Hes* —1A 158
Sandy La. *Irby* —5C 114
Sandy La. *Lyd* —1B 6
Sandy La. *Mell* —5F 13
Sandy La. *Old S* —5F 57
Sandy La. *Pres B* —4E 169
Sandy La. *Wall* —5E 51
Sandy La. *Walt* —2B 36
Sandy La. *W Kir* —1B 134
Sandy La. *West P* —3D 165
Sandy La. *Wid* —3F 111
Sandy La. N. *Wir* —5C 114
Sandymoor La. *Run* —4D 155
Sandy Moor La. *Run* —5D 155
Sandymount Dri. *Wall* —4A 52
Sandymount Dri. *Wir* —3F 141
Sandy Rd. *Liv* —5F 17
Sandyville Gro. *Liv* —3E 57
Sandyville Rd. *Liv* —3D 57
Sandy Way. *Pren* —4A 96
Sankey Rd. *Hay* —3F 47
Sankey Rd. *Liv* —3D 13
Sankey St. *Liv* —1E 99
Sankey St. *Newt W* —5F 49
Sankey St. *St H* —1D 67
Sankey St. *Wid* —1A 152
Sankey Valley Ind. Est. *Newt W* —1F 69
Sankey Valley Pk. *Newt W* —1F 69
Santon Av. *Liv* —1E 79
Sapphire Dri. *Liv* —5E 15
Sapphire St. *Liv* —5F 79
Sarah's Cft. *Boot* —2E 19
Sark Rd. *Liv* —2F 79
Sartfield Clo. *Liv* —1E 103
Sarum Rd. *Liv* —2A 104
Satinwood Cres. *Liv* —2A 22
Saughall Massie. —3C 92
Saughall Massie La. *Wir* —4E 93
Saughall Massie Rd. *Upt* —3C 92
Saughall Massie Rd. *W Kir* —3D 113
Saughall Rd. *Wir* —2C 92
Saunby St. *Liv* —3C 144
Saunders Av. *Prsct* —2D 85
Saunderton Clo. *Hay* —1C 48
Saville Rd. *Liv* —4C 6
Saville Rd. *Old S* —4B 80
Savoy Ct. *Liv* —5D 17
Savoylands Clo. *Liv* —2C 122
Sawley Clo. *Murd* —3E 169
Sawpit La. *Huy* —4F 83
Saxby Rd. *Liv* —1A 82
Saxon Clo. *Liv* —1B 78
Saxon Ct. *St H* —3E 45
Saxonia Rd. *Liv* —1A 56
Saxon Rd. *Hoy* —3C 90
Saxon Rd. *Liv* —2D 17
Saxon Rd. *More* —5F 71
Saxon Rd. *Run* —5C 152
Saxon Ter. *Wid* —3B 132
Saxon Way. *Liv* —4E 15
Saxony Rd. *Liv* —4A 78
Sayce St. *Wid* —3B 132
Scafell Clo. *Liv* —1A 128
Scafell Clo. *Wir* —2D 171
Scafell Lawn. *Liv* —1A 128
Scafell Rd. *St H* —5A 30
Scafell Wlk. *Liv* —5A 106
Scape La. *Liv* —5E 9
Scargreen Av. *Liv* —5F 37
Scarisbrick Av. *Liv* —1B 34
Scarisbrick Clo. *Liv* —4E 7
Scarisbrick Cres. *Liv* —5D 37
Scarisbrick Dri. *Liv* —5D 37
Scarisbrick Pl. *Liv* —1D 57
Scarisbrick Rd. *Liv* —5D 37
Scarsdale Rd. *Liv* —2F 57
Sceptre Clo. *Newt W* —5F 49
Sceptre Rd. *Liv* —4C 38
Sceptre Tower. *Liv* —5C 38
Sceptre Wlk. *Liv* —5C 38
Scholar St. *Liv* —2C 100
Scholes La. *St H* —4A 64
Scholes Pk. *St H* —4B 64
Schomberg St. *Liv* —3A 78
School Clo. *Liv* —2C 104
School Clo. *Wir* —4F 71
Schoolfield Clo. *Wir* —2B 116
Schoolfield Rd. *Wir* —2B 116
School Hill. *Wir* —3F 157
School La. *Ain* —3D 21
School La. *Chil T* —4F 171
School La. *Halt* —2F 167
School La. *High B* —1D 141
School La. *Hoy* —4B 90 (in two parts)
School La. *Huy* —4A 84
School La. *Know & Know B* —2A 40
School La. *Lith* —5B 18
School La. *Liv* —5D 77 (6E 4)
School La. *Mag* —5F 7
School La. *Mell* —5A 14
School La. *Meol* —2D 91
School La. *New F* —5B 120
School La. *Pren* —5C 72
School La. *Rain* —5E 87 (in two parts)
School La. *S'frth* —1A 34
School La. *Thur* —1B 136
School La. *Wall* —2E 73 (in two parts)
School La. *Wid* —2E 111
School La. *Wltn* —5A 126
School Pl. *Birk* —2D 97
School St. *Hay* —2F 47
School Way. *Liv* —4B 146
School Way. *Wid* —1D 133
Schooner Clo. *Murd* —4D 169
Science Rd. *Liv* —3C 146
Scone Clo. *Liv* —5C 38
Scorecross. *St H* —3B 66
Score La. *Liv* —5C 80
Scoresby Rd. *Wir* —3C 72
Score, The. *St H* —5A 66 (in two parts)
Scorpio Clo. *Liv* —1A 82
Scorton St. *Liv* —1C 78
Scotchbarn La. *Prsct* —5E 63
Scotchbarn Pool. —5E 63
Scoter Rd. *Liv* —3F 23
Scotia Av. *Wir* —5C 120
Scotia Rd. *Liv* —2A 80
Scotland Rd. *Liv* —3D 77 (2F 5)
Scots Pl. *Birk* —2F 95
Scott Av. *Liv* —5A 84
Scott Av. *Sut M* —3A 88
Scott Av. *Whis* —3F 85
Scott Av. *Wid* —4F 131
Scott Clo. *Kirk* —4F 55
Scott Clo. *Mag* —1D 13
Scotts Quays. *Birk* —5E 75
Scott St. *Boot* —3B 34
Scott St. *Wall* —1B 74
Scythes, The. *Boot* —1B 20
Scythes, The. *Wir* —5C 92
Scythia Clo. *Wir* —4C 120
Seabank Av. *Wall* —1C 74
Seabank Cotts. *Wir* —1F 91
Seabank Rd. *Wall* —3B 52
Seabank Rd. *Wir* —4E 157
Sea Brow. *Liv* —5C 76 (6C 4)
Seacombe Promenade. *Wall* —2E 75
Seacombe Tower. *Liv* —5E 55
Seacombe Vw. *Wall* —4E 75
Sea Ct. Flats. *Wall* —4F 51
Seacroft Clo. *Liv* —5A 60
Seacroft Rd. *Liv* —5A 60
Seafield Av. *Liv* —2E 17
Seafield Av. *Wir* —4E 157
Seafield Dri. *Wall* —4F 51
Seafield Rd. *Boot* —4B 34
Seafield Rd. *Liv* —3F 35
Seafield Rd. *Wir* —4B 120
Seaford Clo. *Wind H* —1D 169
Seafore Clo. *Liv* —3B 6
Seaforth. —1E 33
Seaforth Dri. *Wir* —2E 93
Seaforth Nature Reserve. —1D 33
Seaforth Rd. *Liv* —3A 34
Seaforth Va. N. *Liv* —1A 34
Seaforth Va. W. *Liv* —2A 34
Seagram Clo. *Liv* —5C 20
Sea La. *Run* —5D 153
Sealy Clo. *Wir* —1A 162
Seaman Rd. *Liv* —2E 101
Seaport Rd. *Liv* —3A 100
Sea Rd. *Wall* —3F 51
Seascale Av. *St H* —3B 64
Seath Av. *St H* —4E 47
Seathwaite Clo. *Beech* —5E 167
Seathwaite Clo. *Liv* —2B 16
Seathwaite Cres. *Liv* —1D 23
Seaton Clo. *Liv* —5A 40
Seaton Gro. *St H* —5D 65
Seaton Pk. *Run* —4E 155
Seaton Rd. *Birk* —5C 96
Seaton Rd. *Wall* —5A 52
Sea Vw. *Wir* —4B 90
Seaview Av. *Irby* —1D 137
Seaview Av. *Wall* —1A 74
Seaview La. *Wir* —1D 137
Sea Vw. Rd. *Boot* —4A 34
Seaview Rd. *Wall* —5A 52
Seaview Ter. *Liv* —4C 16
Seawood Gro. *Wir* —2D 93
Second Av. *Cros* —1D 17
Second Av. *Faz* —2E 37
Second Av. *Liv* —1C 36
Second Av. *Pren* —3B 94
Second Av. *Rain* —2B 86
Second Av. *Run* —2F 167
Sedbergh Av. *Liv* —2C 20
Sedbergh Gro. *Beech* —5E 167
Sedbergh Rd. *Wall* —1F 73
Sedburgh Gro. *Liv* —3B 82
Sedburn Rd. *Liv* —1A 40
Seddon Clo. *Ecc* —5F 43
Seddon Rd. *Liv* —1B 144
Seddon Rd. *St H* —2B 64
Seddons Ct. *Ecc L* —4D 63
Seddon St. *Liv* —1D 99 (7E 4)
Seddon St. *St H* —1F 45
Sedgefield Clo. *Wir* —1A 94
Sedgefield Rd. *Wir* —1A 94
Sedgeley Wlk. *Liv* —1F 83
Sedgemoor Rd. *Liv* —5E 37
Sedgewick Cres. *Btnwd* —5E 69
Sedley St. *Liv* —5B 56
Sedum Gro. *Liv* —5D 15
Seeds La. *Liv* —5C 20
Seeley Av. *Birk* —2A 96
Seel Rd. *Liv* —4F 83
Seel St. *Liv* —5D 77 (6E 5)
Sefton. —3F 11
Sefton Av. *Liv* —1B 34
Sefton Av. *Wid* —1A 132
Sefton Bus. Pk. *Boot* —5A 20
Sefton Clo. *Liv* —2B 22 (in three parts)
Sefton Cricket Club Ground. —4D 101
Sefton Dri. *Ain* —3D 21
Sefton Dri. *Kirkby* —2C 22
Sefton Dri. *Mag* —2B 12
Sefton Dri. *Seft P* —4B 100
Sefton Dri. *Thor* —3A 10
Sefton Fold Dri. *Bil* —1D 31
Sefton Fold Gdns. *Bil* —1D 31
Sefton Gro. *Liv* —5C 100
Sefton La. *Liv* —2A 12
Sefton La. Ind. Est. *Liv* —2A 12
Sefton Mill Ct. *Liv* —3F 11
Sefton Mill La. *Liv* —3F 11
Sefton Moss La. *Boot* —2D 19
Sefton Moss Vs. *Liv* —5B 18
Sefton Park. —5D 101
Sefton Pk. —5D 101
Sefton Pk. Rd. *Liv* —3B 100
Sefton Retail Pk. *Boot* —2A 20
Sefton Rd. *Birk* —3A 120
Sefton Rd. *Boot* —3D 35
Sefton Rd. *Faz* —1D 37
Sefton Rd. *Lith* —5B 18
Sefton Rd. *Wall* —4B 52
Sefton Rd. *Walt* —3A 36
Sefton Rd. *Wir* —4A 120
Sefton R.U.F.C. Ground. —5D 59
Sefton St. *Brun B* —5E 99
Sefton St. *Lith* —5B 18 (in two parts)
Sefton St. *Liv & Tox* —3D 99
Sefton St. *Newt W* —5F 49
Sefton Town. —5D 11
Sefton Vw. *Cros* —1A 18
Sefton Vw. *S'frth* —5B 18
Selborne. *Whis* —4F 85
Selborne Clo. *Liv* —2A 100
Selborne St. *Liv* —2F 99
Selbourne Clo. *Wir* —1C 116
Selby Clo. *Run* —3F 155
Selby Clo. *St H* —1D 65
Selby Gro. *Liv* —3B 84
Selby Rd. *Liv* —2A 36
Selby St. *Wall* —1B 74
Seldon St. *Liv* —3A 78
Selina Rd. *Liv* —1E 55
Selkirk Av. *Wir* —1E 171
Selkirk Dri. *Ecc* —3B 44
Selkirk Rd. *Liv* —4F 79
Sellar St. *Liv* —4E 55
Selsdon Rd. *Liv* —3C 16
Selsey Clo. *Liv* —1B 100
Selside Lawn. *Liv* —5A 106
Selside Rd. *Liv* —1A 128
Selside Wlk. *Liv* —5F 105
Selston Clo. *Wir* —5A 142
Selworthy Grn. *Liv* —3D 103
Selwyn Clo. *Wid* —1D 133
Selwyn St. *Liv* —2E 55
Seneschal Ct. *Hall P* —4E 167
Sennen Clo. *Brook* —5B 168
Sennen Rd. *Liv* —5F 23
Sentinel Way. *Boot* —5B 20
September Rd. *Liv* —1C 78
Serenade Rd. *Liv* —4F 15
Sergrim Rd. *Liv* —3C 82
Serpentine N., The. *Liv* —5A 8
Serpentine Rd. *Wall* —1C 74
Serpentine S., The. *Liv* —1B 16
Serpentine, The. *Cros* —5A 8
Serpentine, The. *Gars* —4A 124
Servia Rd. *Liv* —1B 34
Servite Clo. *Liv* —3C 16
Servite Ct. *Liv* —3C 126
Servite Ho. *Liv* —5B 100
Sessions Rd. *Liv* —3D 55
Seth Powell Way. *Liv* —5C 60
Settrington Rd. *Liv* —2F 57
Seven Acre Rd. *Liv* —5B 10
Seven Acres La. *Wir* —2A 138
Sevenoaks Clo. *Liv* —1E 77
Seventh Av. *Faz* —1D 37
Seventh Av. *Liv* —1D 37
Severn Clo. *Bil* —2D 31
Severn Clo. *St H* —5C 66
Severn Clo. *Wid* —2E 133
Severn Rd. *Liv* —4F 15
Severn Rd. *Rain* —3B 86
Severn St. *Birk* —5A 74
Severn St. *Liv* —5F 55
Severs St. *Liv* —2A 78
Sewell St. *Prsct* —5D 63
Sewell St. *Run* —5B 152
Sextant Clo. *Murd* —5D 169
Sexton Av. *St H* —1B 68
Sexton Way. *Liv* —4E 81
Seymour Ct. *Birk* —5E 97
Seymour Ct. *Mnr P & Run* —3C 154
Seymour Dri. *Liv* —4E 7
Seymour Pl. E. *Wall* —3B 52
Seymour Pl. W. *Wall* —3B 52
Seymour Rd. *B'grn* —4D 81
Seymour Rd. *Liv* —1B 34
Seymour St. *Birk* —5D 97
Seymour St. *Liv* —4E 77 (4H 5)
Seymour St. *Mil B* —1B 54
Seymour St. *St H* —4D 67
Seymour St. *Wall* —3B 52
Shacklady Rd. *Liv* —1A 24
Shackleton Rd. *Wir* —2B 72
Shadwell Clo. *Liv* —5B 54
Shadwell St. *Liv* —1B 76
Shaftesbury Rd. *Cros* —1D 17
Shaftesbury St. *Liv* —3E 99
Shaftesbury Ter. *Liv* —3A 80
Shaftesbury Way. *Btnwd* —4F 69
Shaftsbury Av. *Liv* —5E 15
Shaftway Clo. *Hay* —1F 49
Shakespeare Av. *Birk* —3F 119
Shakespeare Clo. *Liv* —2A 78
Shakespeare Rd. *Sut M* —4A 88
Shakespeare Rd. *Wall* —4D 75
Shakespeare Rd. *Wid* —3A 132
Shakespeare St. *Boot* —3A 34
Shakespeare St. *Liv* —2C 144 (in two parts)
Shalcombe Clo. *Liv* —5A 128
Shaldon Clo. *Liv* —5A 24
Shaldon Gro. *Liv* —5A 24
Shaldon Rd. *Liv* —1A 40
Shaldon Wlk. *Liv* —5A 24
Shalem Ct. *Wir* —1D 141
Shalford Gro. *Wir* —4D 113
Shallcross Ct. *Liv* —2A 78
Shallcross Pl. *Liv* —2A 78
Shallmarsh Clo. *Wir* —2D 141
Shallmarsh Ct. *Wir* —2D 141
Shallmarsh Rd. *Wir* —2D 141
Shalom Ct. *Liv* —4E 101
Shamrock Rd. *Birk* —2F 95
Shand St. *Liv* —3C 144
Shanklin Rd. *Liv* —5F 79
Shannon St. *Birk* —5F 73
Shard Clo. *Liv* —3B 38
Shard St. *St H* —4E 67
Sharpeville Clo. *Liv* —4D 55
Sharples Cres. *Liv* —2F 17
Sharp St. *Wid* —4A 132
Sharwood Rd. *Liv* —5F 105
Shavington Av. *Pren* —1F 117
Shawbury Av. *Wir* —5D 119
Shawell Ct. *Wid* —2E 133
Shaw Entry. *Prsct* —1F 107
Shaw Gdns. *St H* —5E 65
Shaw Hill St. *Liv* —4D 77 (4E 5)
Shaw La. *Prsct & Whis* —2D 85
Shaw La. *Wir* —2C 114
Shaw Rd. *Liv* —2C 146
Shaws All. *Liv* —1C 98 (7D 4) (in two parts)
Shaws Dri. *Wir* —3D 91
Shaw St. *Birk* —4C 96
Shaw St. *Hay* —2E 49
Shaw St. *Liv* —2F 77 (1J 5)
Shaw St. *Run* —5F 151 (in two parts)
Shaw St. *St H* —5B 46
Shaw St. *Wall* —3E 75
Shaw St. *Wir* —4B 90
Shawton Rd. *Liv* —1C 102
Shearman Clo. *Wir* —3A 138
Shearman Rd. *Wir* —3A 138
Shearwater Clo. *Liv* —5F 105
Sheehan Heights. *Liv* —5C 54
Sheen Rd. *Wall* —5C 52
Sheila Wlk. *Liv* —2B 38
Sheil Pl. *Liv* —3C 78
Sheil Rd. *Liv* —2C 78
Shelagh Av. *Wid* —3A 132
Sheldon Clo. *Wir* —1A 162
Sheldon Rd. *Liv* —3D 59
Shelley Clo. *Liv* —5F 83
Shelley Gro. *Liv* —2C 144
Shelley Pl. *Whis* —3F 85
Shelley Rd. *Wid* —3A 132
Shelley St. *Boot* —4B 34 (in two parts)
Shelley St. *Sut M* —4B 88
Shelley Way. *Wir* —1B 134
Shell Green. —3E 133
Shell Grn. Ho. *Wid* —3E 133
Shellingford Rd. *Liv* —2A 82
Shelmore Dri. *Liv* —5E 99
Shelton Clo. *Liv* —4A 80
Shelton Clo. *Wid* —1E 133
Shelton Rd. *Wall* —5A 52
Shenley Clo. *Wir* —1F 141
Shenley Rd. *Liv* —1C 102
Shenstone St. *Liv* —5B 78
Shenton Av. *St H* —2D 47
Shepherd Clo. *Wir* —5C 92
Shepherds Row. *Cas* —5F 153
Shepherd St. *Liv* —4F 77
Sheppard Av. *Liv* —1A 104
Shepston Av. *Liv* —2A 56
Shepton Rd. *Liv* —5D 61
Sherborne Av. *Boot* —1E 19
Sherborne Av. *Liv* —4D 127
Sherborne Clo. *Run* —4F 155
Sherborne Rd. *Wall* —1F 73
Sherborne Sq. *Liv* —4E 83
Sherbourne Way. *Btnwd* —5F 69
Sherbrooke Clo. *Liv* —2E 81
Sherburn Clo. *Liv* —5D 21
Sherdley Ct. *Rain* —2C 86
Sherdley Pk. —4B 66
Sherdley Pk. Dri. *St H* —5C 66
Sherdley Pk. Golf Course. —4A 66
Sherdley Rd. *St H* —5F 65 (in two parts)
Sherdley Rd. *Sher I* —2B 66
Sherford Clo. *Liv* —5F 105
Sheridan Way. *Run* —5D 155
Sheriff Clo. *Liv* —2E 77
Sheringham Clo. *St H* —5D 47
Sheringham Clo. *Wir* —2A 94
Sherlock Av. *Hay* —1E 49
Sherlock La. *Wall* —4A 74
Sherlock St. *Liv* —4F 55
Sherman Dri. *Rain* —5D 87
Sherry Ct. *Liv* —4D 101
Sherry La. *Wir* —2A 116
Sherwell Clo. *Liv* —5A 80
Sherwood Av. *Liv* —5D 9
Sherwood Av. *Wir* —1D 137
Sherwood Clo. *Rain* —1C 86
Sherwood Clo. *Wid* —3C 130
Sherwood Ct. *Huy* —4F 83
Sherwood Ct. *W Der* —5F 39
Sherwood Cres. *Btnwd* —5E 69
Sherwood Dri. *Wir* —5E 119
Sherwood Gro. *Wir* —3F 91
Sherwood Rd. *Cros* —5C 8
Sherwood Rd. *Wall* —3C 74
Sherwood Rd. *Wir* —4F 91
Sherwood's La. *Liv* —5F 21
Sherwood St. *Liv* —1B 76
Sherwyn Rd. *Liv* —3C 56

Shetland Clo.—Stanhope Dri.

Shetland Clo. Wid —1E 133
Shetland Dri. Wir —2E 163
Shevington Clo. St H —4C 66
Shevington Clo. Wid —1E 133
Shevington's La. Liv —5D 15
Shevington Wlk. Wid —1E 133
Shewell Clo. Birk —5D 97
Shiel Rd. Wall —4B 52
Shimmin St. Liv —5A 78
Shipley Wlk. Liv —3D 147
Ship St. Frod —4B 172
Shipton Clo. Liv —3B 124
Shipton Clo. Pren —3E 117
Shipton Clo. Wid —1D 131
Shirdley Av. Liv —1F 39
Shirdley Wlk. Liv —1F 39
Shirebourne Av. St H —1B 46
Shiregreen. St H —5C 66
Shires, The. St H —1E 65
Shirley Rd. Liv —4C 124
Shirley St. Wall —3E 75
Shirwell Gro. Sut L —2C 88
Shobdon Clo. Liv —4F 39
Shop La. Liv —1C 12
Shop Rd. Know —4C 40
Shore Bank. Wir —4C 120
Shore Dri. Wir —1C 142
Shorefields. Wir —4B 120
Shorefields Ho. Wir —5C 120
Shorefields Village. Liv —1F 121
Shore La. Wir —2C 134
Shore Rd. Birk —2E 97
Shore Rd. Boot —3F 33
Shore Rd. Cald —2C 134
Short Clo. Newt W —5E 49
Shortfield Rd. Wir —5A 94
Shortfield Way. Wir —5A 94
Short St. Hay —2E 49
Short St. Newt W —5E 49
Short St. Wid —2A 152
Shortwood Rd. Liv —3F 81
Shottesbrook Grn. Liv —5F 37
Shrewsbury Av. Old R —2C 20
Shrewsbury Av. Wat —2D 17
Shrewsbury Clo. Pren —3F 95
Shrewsbury Dri. Wir —3A 94
Shrewsbury Pl. Liv —1C 144
Shrewsbury Rd. Hes —1A 158
Shrewsbury Rd. Liv —1C 144
Shrewsbury Rd. Pren —2F 95
Shrewsbury Rd. Wall —1F 73
Shrewsbury Rd. W Kir —5A 112
Shrewton Rd. Liv —2A 104
Shropshire Clo. Boot —1A 20
Shropshire Gdns. St H —1F 65
Shuttleworth Clo. Wir —3E 93
Sibford Rd. Liv —1D 81
Siddall St. St H —1F 45
Siddeley Dri. Newt W —5F 49
Siddeley St. Liv —1C 122
Sidewell St. Gars —2C 144
Sidgreave St. St H —5E 45
Sidings, The. Birk —2F 119
Sidlaw Av. St H —5F 47
Sidney Av. Wall —3A 52
Sidney Gdns. Birk —5E 97
Sidney Pl. Liv —1A 100
Sidney Powell Av. Liv —3C 22
Sidney Rd. Birk —5E 97
Sidney Rd. Boot —1D 55
Sidney St. Birk —2E 97
Sidney St. St H —4D 45
Sidney Ter. Birk —1E 119
Sienna Clo. Liv —3C 104
Signal Works Rd. Liv —5E 21
Silcroft Rd. Liv —5E 23
Silkhouse La. Liv —4C 76 (4C 4)
Silkstone Clo. Liv —1B 100
Silkstone Clo. St H —5D 45
Silkstone Cres. Pal —3B 168
Silkstone St. St H —5D 45
(in two parts)
Silver Av. Hay —3A 48
Silverbeech Av. Liv —5B 102
Silverbeech Rd. Wall —3C 74
Silverbirch Gdns. Wall —1E 73
Silver Birch Way. Liv —2B 6
Silverbrook Rd. Liv —3C 104
Silverburn Av. Wir —5E 71
Silverdale Av. Liv —1E 79
Silverdale Clo. Frod —5C 172
Silverdale Clo. Liv —1E 105
Silverdale Dri. Liv —5D 19
Silverdale Gro. St H —5A 30
Silverdale Rd. Pren —5A 96
Silverdale Rd. Wir —5F 119
Silverlea Av. Wall —1A 74
Silver Leigh. Liv —3D 123
Silverlime Gdns. St H —4C 64
Silverstone Dri. Liv —1D 105
Silverstone Gro. Liv —2B 6
Silverton Rd. Liv —4E 123
Silverwell Rd. Liv —3D 39
Silverwell Wlk. Liv —3D 39
Silvester St. Liv —1C 76
Simms Av. St H —5E 47
Simm's Cross. —4B 132
Simm's Rd. Liv —5D 57
Simnel Clo. Liv —3B 104
Simon Ct. Liv —5E 15
Simonsbridge. Wir —3D 135
Simons Clo. Whis —1D 107
Simon's Cft. Boot —2C 18
Simonside. Wid —2C 130
Simonstone Gro. St H —4D 67
Simonswood La. Liv —4A 24
Simonswood Wlk. Liv —3A 24
Simpson St. Birk —3D 97
Simpson St. Liv —2D 99
Sim St. Liv —3E 77 (2H 5)
Sinclair Av. Prsct —1F 85
Sinclair Av. Wid —4F 131
Sinclair Clo. Prsct —5F 63
Sinclair Dri. Liv —3B 102
Sinclair St. Liv —2C 144
Singleton Av. Birk —1C 118
Singleton Av. St H —3D 47
Singleton Dri. Know —5D 41
Sirdar Clo. Liv —1B 100
Sir Howard St. Liv —1F 99
Sir Howard Way. Liv —1F 99
Sir Thomas St. Liv —4C 76 (4D 4)
Siskin Grn. Liv —4A 104
Sisters Way. Birk —3D 97
Six Acre La. Moore —2F 155
Sixth Av. Faz —1D 37
Sixth Av. Liv —1D 37
Skeffington. Whis —4E 85
Skellington Fold. Liv —4E 105
Skelthorne St. Liv —5D 77 (5G 5)
Skelton Clo. St H —1A 46
Skerries Rd. Liv —4A 56
Skiddaw Clo. Beech —1A 174
Skiddaw Rd. Wir —5E 143
Skipton Rd. Anf —4B 56
Skipton Rd. Huy —3B 84
Skirving Pl. Liv —5D 55
Skirving St. Liv —5D 55
Skye Clo. Wid —1E 133
Sky Pk. Ind. Est. Liv —4B 146
Slag La. Hay —1B 48
(in two parts)
Slater Pl. Liv —1D 99 (7F 5)
Slater St. Liv —1D 99 (7F 5)
Slatey Rd. Pren —3B 96
Sleaford Rd. Liv —1B 82
Sleepers Hill. Liv —4F 55
Slessor Av. Wir —3D 113
Slim Rd. Liv —2E 83
Slingsby Dri. Wir —5A 94
Smallridge Clo. Wir —3E 137
Smallwoods M. Wir —5E 137
Smeaton St. Liv —2E 55
(in two parts)
Smeaton St. S. Liv —2E 55
Smethick Wlk. Boot —1A 20
Smilie Av. Wir —5C 70
Smith Av. Birk —1B 96
Smithdown Gro. Liv —1A 100
Smithdown La. Liv —5A 78
(in two parts)
Smithdown Pl. Liv —4A 102
Smithdown Rd. Liv —2B 100
Smith Dri. Boot —3E 35
Smithfield St. Liv —4C 76 (3D 4)
Smithfield St. St H —1D 67
Smith Pl. Liv —5D 55
Smith Rd. Wid —5F 131
Smith St. Liv —4D 55
Smith St. Prsct —5E 63
Smith St. St H —4E 67
Smithy Clo. Wid —4C 108
Smithy Hey. Wir —4C 112
Smithy Hill. Wir —4A 160
Smithy La. Augh —1F 7
Smithy La. Cron —3C 108
Smithy La. Liv —1F 55
Smithy La. Will —5A 170
Smollett St. Boot —2A 34
Smollett St. Liv —3B 78
Smugglers Way. Wall —3E 51
Smyth Rd. Wid —2D 133
Snaefell Av. Liv —1E 79
Snaefell Gro. Liv —1E 79
Snave Clo. Liv —2B 34
Snowberry Clo. Wid —5E 111
Snowberry Rd. Liv —4A 60
Snowden Rd. Wir —1C 92
Snowdon Gro. St H —4C 66
Snowdon La. Liv —1C 76
Snowdon Rd. Birk —2D 119
Snowdrop Av. Birk —1F 95
Snowdrop Clo. Beech —1F 173
Snowdrop St. Liv —4D 55
Soho Pl. Liv —3E 77 (2H 5)
Soho Sq. Liv —3E 77 (2H 5)
Soho St. Liv —3E 77 (1H 5)
(in two parts)
Solar Rd. Liv —2B 36
Solly Av. Birk —2E 119
Solomon St. Liv —4B 78
Solway Gro. Beech —5D 167
Solway St. Birk —5A 74
Solway St. Liv —2B 100
(in two parts)
Solway St. W. Liv —2B 100
(in two parts)
Soma Av. Liv —5C 18
Somerford Ho. Liv —2B 16
Somerford Rd. Liv —2F 81
Somerford Wlk. Wid —1E 133
(off Barneston Rd.)
Somerset Pl. Liv —1D 79
Somerset Rd. Boot —4D 35
Somerset Rd. Hes —3E 137
Somerset Rd. Liv —3C 16
Somerset Rd. Wall —1E 73
Somerset Rd. W Kir —3C 112
Somerset St. St H —1D 67
Somerton St. Liv —1E 101
Somerville Clo. Brom —4B 162
Somerville Gro. Liv —3D 17
Somerville Rd. Liv —3D 17
Somerville Rd. Wid —4D 131
Somerville St. Clo. Liv —5E 55
Sommer Av. Liv —4A 58
Sonning Av. Liv —4A 18
Sonning Rd. Liv —1D 57
Sorany Clo. Liv —4A 10
Sorogold St. St H —5C 46
Sorrel Clo. Pren —4D 95
S. Albert Rd. Liv —5B 100
Southampton Way. Murd —4E 169
South Av. Prsct —5B 62
South Bank. Pren —1B 118
S. Bank Rd. Edg H —4D 79
S. Bank Rd. Gars —5B 124
S. Bank Ter. Run —4F 151
S. Barcombe Rd. Liv —2E 103
S. Boundary Rd. Know I —5B 24
Southbourne Rd. Wall —1D 73
Southbrook Rd. Liv —3C 104
Southbrook Way. Liv —3C 104
S. Cantril Av. Liv —4F 59
S. Chester St. Liv —3E 99
Southcroft Rd. Wall —1D 73
Southdale Rd. Birk —2E 119
Southdale Rd. Liv —1F 101
Southdean Rd. Liv —5B 60
Southdene. —5A 24
South Dri. Hes —3A 158
South Dri. Irby —2C 136
South Dri. Sand P —1A 80
South Dri. Upt —4A 94
South Dri. W'tree —1F 101
Southern Cres. Liv —4D 99
Southern Expressway. Hall P —4E 167
Southern Rd. Liv —5E 147
Southey Clo. Wid —4F 131
Southey Gro. Liv —4D 13
Southey Rd. St H —3C 64
Southey St. Boot —4B 34
(in two parts)
Southey St. Liv —2D 101
S. Ferry Quay. Liv —3C 98
Southfield Rd. Liv —2E 35
South Front. Hals P —1E 107
Southgate Clo. Liv —5E 39
Southgate Rd. Liv —3A 80
South Gro. Ding —5A 100
South Gro. Moss H —3C 124
S. Hey Rd. Wir —3D 137
S. Highville Rd. Liv —3D 103
S. Hill Gro. Liv —5A 100
S. Hill Gro. Pren —1B 118
S. Hill Rd. Liv —1F 121
S. Hill Rd. Pren —5B 96
S. Hunter St. Liv —1E 99 (7J 5)
S. John St. Liv —5C 76 (5D 4)
S. John St. St H —5C 46
Southlands M. Run —1F 165
South La. Wid —4E 111
South La. Entry. Wid —5F 111
S. Manor Way. Liv —3C 126
South Meade. Liv —1B 12
Southmead Gdns. Liv —5E 125
Southmead Rd. Liv —5E 125
S. Moor Dri. Liv —1E 17
S. Mossley Hill Rd. Liv —3A 124
Southney Clo. Liv —3B 22
South Pde. Cros —2F 17
South Pde. Kirkby —3E 23
South Pde. Speke —4E 147
South Pde. W Kir —4A 112
South Pde. West P —3D 165
S. Park Ct. Liv —2C 22
S. Park Ct. Wall —3E 75
S. Park Rd. Liv —2B 22
S. Parkside Dri. Liv —4B 58
S. Parkside Wlk. Liv —3B 58
S. Park Way. Boot —1D 55
Southport Rd. Boot —2E 35
Southport Rd. Lyd —1A 6
Southport Rd. Thor —3A 10
Southport St. St H —5A 48
South Quay. Liv —1C 98
Southridge Rd. Wir —2A 138
South Rd. Birk —1C 118
South Rd. Grass P —1A 144
South Rd. Liv —2D 37
(L9)
South Rd. Liv —3C 80
(L14)
South Rd. Liv —3E 147
(L24)
South Rd. Wat —5D 17
South Rd. W Kir —5B 112
South Rd. West P —3D 165
S. Sefton Bus. Cen. Boot —1B 54
South Sta. Rd. Liv —4B 104
South St. Liv —4A 100
South St. That H —4D 65
South St. Wid —4B 132
S. Sudley Rd. Liv —3F 123
South Vw. Huy —4B 84
South Vw. Wat —5E 17
South Vw. Wir —2D 143
S. View Ter. Cuer —2F 133
South Vs. Wall —4B 52
Southward Rd. Hay —1F 49
Southwark Gro. Boot —4F 19
South Way. Liv —1B 102
Southway. Run —3F 167
(in two parts)
Southway. Wid —4D 131
Southwell Pl. Liv —4E 99
Southwell St. Liv —4E 99
Southwick Rd. Birk —1E 119
S. Wirral Retail Pk. Wir —4D 143
Southwood Av. Wind H —5C 154
Southwood Clo. Liv —5A 24
Southwood Rd. Liv —2B 122
Sovereign Clo. Murd —3D 169
Sovereign Hey. Liv —5C 38
Sovereign Rd. Liv —5C 38
Sovereign Way. Liv —5C 38
Spark La. Halt —1F 167
Sparks La. Hes —1B 138
Sparling St. Liv —2D 99
Sparrow Hall Clo. Liv —4E 37
Sparrow Hall Rd. Liv —4E 37
Sparrowhawk Clo. Liv —3E 127
Sparrowhawk Clo. Pal —3A 168
Speakman Rd. Dent G —2D 45
Speakman St. Run —4F 151
Speedwell Clo. Wir —2C 158
Speedwell Dri. Wir —2C 158
Speedwell Rd. Birk —2F 95
Speke. —4B 146
Speke Boulevd. Liv —3B 146
Speke Chu. Rd. Liv —4B 146
Speke Hall. —5F 145
Speke Hall Av. Liv & Liv A —4A 146
Speke Hall Ind. Est. Liv —4A 146
Speke Hall Rd. Liv —5A 126
Speke Ind. Pk. Liv —2E 145
Spekeland Rd. Liv —1C 100
Speke Rd. Gars & Speke
(in two parts) —2C 144
Speke Rd. Hunts X & Wltn —2B 126
Speke Town La. Liv —3B 146
Spellow La. Liv —3F 55
Spellow Pl. Liv —4B 4
Spence Av. Boot —3D 35
Spencer Av. Wir —5A 72
Spencer Clo. Liv —1F 105
Spencer Gdns. St H —3D 67
Spencer Pl. Boot —1D 35
Spencer's La. Liv —3E 21
Spencer St. Liv —2F 77
Spennymoor Ct. Run —3E 167
Spenser Av. Birk —3F 119
Spenser Clo. Wid —3F 131
Spenser St. Boot —4B 34
Spicer Gro. Liv —3E 23
Spice St. Liv —2B 36
Spike Islands Visitors Cen. —2A 152
Spindle Clo. Liv —2F 77
Spindrift Ct. W Kir —5A 112
Spindus Rd. Liv —4A 146
Spinnaker Clo. Murd —4D 169
Spinney Av. Wid —3A 130
Spinney Clo. Clo F —2C 88
Spinney Clo. Liv —5C 24
Spinney Cres. Liv —4B 8
Spinney Grn. Ecc —1A 64
Spinney Rd. Liv —5C 24
Spinney, The. Beb —4B 142
Spinney, The. Hes —5C 158
Spinney, The. Prsct —4C 62
Spinney, The. Stock V —4A 60
Spinney, The. W Kir —4E 113
Spinney, The. Wir —3A 94
Spinney Vw. Liv —5D 25
Spinney Wlk. Cas —1A 168
Spinney Way. Liv —3C 82
Spital. —4B 142
Spital Heyes. Wir —4B 142
Spital Rd. Wir —4A 142
Spofforth Rd. Liv —1D 101
Spooner Av. Liv —5C 18
Sprainger St. Liv —2B 76
Sprakeling Pl. Boot —1E 35
Spray St. St H —4E 45
Spreyton Clo. Liv —1C 58
Sprig Clo. Liv —5D 21
Springbank Clo. Run —4B 166
Spring Bank Rd. Liv —1B 78
Springbourne Rd. Liv —2B 122
Springbrook Clo. Ecc —4A 44
Spring Clo. Liv —5F 15
Spring Ct. Run —5B 152
Springdale Clo. Liv —5C 58
Springfield. Liv —3E 77 (2G 5)
(in two parts)
Springfield Av. Liv —5C 18
Springfield Av. Wir —3E 113
Springfield Clo. St H —3C 64
Springfield Clo. Wir —2C 116
Springfield La. Ecc —3A 44
Springfield Pk. Hay —1C 48
Springfield Rd. Augh —2F 7
Springfield Rd. St H —3C 64
Springfield Rd. Wid —4A 130
Springfield Sq. Liv —3F 55
Springfield Way. Liv —3E 59
Spring Gdns. Liv —2E 13
Spring Gro. Liv —5C 58
Springhill Av. Wir —4D 163
Springmeadow Rd. Liv —4A 104
Springpool. St H —4D 67
Springs Clo. Boot —4D 35
Spring St. Birk —1F 119
Spring St. Wid —1A 152
Spring Va. Wall —4E 51
Springville Rd. Liv —1C 36
Springwell Rd. Boot —1D 35
Springwood Av. Gars & Wltn —4D 125
Springwood Ct. Liv —4D 125
(off Ramsey Rd.)
Springwood Gro. Liv —1F 39
Springwood Way. Wir —4A 120
Spruce Clo. Birk —5D 97
Spruce Gro. Liv —4B 60
(in two parts)
Sprucewood Clo. Liv —1B 78
Spur Clo. Liv —5C 38
Spurgeon Clo. Liv —1F 77
Spurling Rd. Btnwd —5F 69
Spurriers La. Liv —2C 14
Spurstow Clo. Pren —1F 117
Spur, The. Liv —2D 17
Squires Av. Wid —3F 131
Squires Clo. Hay —2B 48
Squires St. Liv —1A 100
Stable Clo. Wir —5D 93
Stables, The. Liv —5A 10
Stackfield, The. Wir —3F 113
Stadium Rd. Wir —4E 143
Stadtmoers Pk. —4B 84
Stadtmoers Vis. Cen. —4C 84
Stafford Clo. Liv —2A 84
Stafford Moreton Way. Liv —1C 12
Stafford Rd. St H —2D 65
Stafford St. Liv —4E 77 (3H 5)
Stag La. Boot —3B 20
Stainburn Av. Liv —5E 37
Stainer Clo. Liv —1F 81
Stainton Clo. Liv —4E 127
Stainton Clo. St H —5B 30
Stairhaven Rd. Liv —3B 124
Stakes, The. Wir —3E 71
Stalbridge Av. Liv —4F 101
Staley Av. Liv —2F 17
Staley St. Boot —2C 34
Stalisfield Av. Liv —1A 58
Stalisfield Gro. Liv —1A 58
Stalisfield Pl. Liv —1A 58
Stalmine Rd. Liv —4A 36
Stamford Ct. Boot —5D 35
Stamfordham Dri. Liv —4C 124
Stamfordham Gro. Liv —5D 125
Stamfordham Pl. Liv —5C 124
Stamford St. Liv —4C 78
Stanbury Av. Wir —1A 142
Standale Rd. Liv —1F 101
Standard Pl. Birk —1F 119
Standard Rd. Liv —4C 38
Standen Clo. St H —4E 45
Stand Farm Rd. Liv —5E 39
Standish Av. Bil —1E 31
Standish Ct. Wid —4D 131
Standish St. Liv —3C 76 (3E 4)
Standish St. St H —4A 46
Stand Pk. Av. Boot —3F 19
Stand Pk. Clo. Boot —3F 19
Stand Pk. Rd. Liv —3D 103
Stand Pk. Way. Boot —2E 19
Standring Gdns. St H —3B 64
Stanfield Av. Liv —1F 77
Stanfield Dri. Wir —4F 141
Stanford Av. Wall —4B 52
Stanford Cres. Liv —3D 127
Stangate. Liv —5B 6
Stanhope Dri. Liv —3C 82

Talton Rd.—Trinity Rd.

Talton Rd. Liv —2D 101
Tamar Clo. Liv —2A 78
Tamarisk Gdns. St H —5C 64
Tamar Rd. Hay —2C 48
Tamerton Clo. Liv —2E 125
Tamworth St. Liv —4E 99
Tamworth St. Newt W —5F 49
Tamworth St. St H —4E 45
Tanar Clo. Wir —4B 142
Tanat Dri. Liv —5B 102
Tancred Rd. Liv —4F 55
Tancred Rd. Wall —1A 74
Tanhouse. Halt —1E 167
Tanhouse Ind. Est. Wid —5D 133
Tan Ho. La. Btnwd —5F 69
Tanhouse La. Wid —4C 132
Tanhouse Rd. Liv —5B 10
Tansley Clo. Wir —4E 113
Tanworth Gro. Wir —5B 70
Tapley Pl. Liv —4F 79
Taplow St. Liv —5B 56
Tarbock Green. —5D 107
Tarbock Rd. Huy —5D 83
Tarbock Rd. Speke —3D 147
Tarbot Hey. Wir —1C 92
Tarbrock Ct. Boot —5D 11
Target Rd. Wir —2C 156
Tariff St. Liv —1C 76
Tarleton Clo. Liv —5E 127
Tarleton St. Liv —5D 77 (5E 5)
Tarlton Clo. Rain —1A 86
Tarnbeck. Nort —2C 168
Tarncliff. Liv —3C 60
Tarn Gro. St H —5B 30
Tarporley Clo. Pren —1F 117
Tarran Dri. Tarr I —4D 71
Tarran Rd. Tarr I —4D 71
Tarran Way E. Tarr I —3D 71
Tarran Way Ind. Est. Tarr I —4D 71
Tarran Way N. Tarr I —4D 71
Tarran Way S. Tarr I —4D 71
Tarran Way W. Tarr I —4D 71
Tarves Wlk. Liv —3F 23
Tarvin Clo. Run —4C 166
Tarvin Clo. Sut M —2B 88
Tarvin Rd. Wir —1F 171
Tasker Ter. Rain —2C 86
Tasman Gro. That H —4E 65
Tate Clo. Wid —1D 131
Tate Gallery. —1B 98 (7B 4)
Tate St. Liv —3F 55
Tatlock Clo. Bil —1E 31
Tatlock St. Liv —2C 76 (in two parts)
Tattersall Pl. Boot —1B 54
Tattersall Rd. Liv —1A 34
Tattersall Way. Liv —4E 79
Tatton Rd. Birk —4D 97
Tatton Rd. Liv —2F 35
Taunton Av. Sut L —1D 89
Taunton Dri. Liv —3E 21
Taunton Rd. Liv —4B 84
Taunton Rd. Wall —5E 51
Taunton St. Liv —1E 101
Taurus Rd. Liv —2A 82
Tavener Clo. Wir —5C 162
Tavistock Rd. Wall —5F 51
Tavy Rd. Liv —2A 78
Tawd St. Liv —3E 55
Tawny Ct. Hall P —3E 167
Taylor Clo. St H —3E 67
Taylor Pk. —1C 64
Taylor Rd. Hay —2E 49
Taylors Clo. Liv —5E 35
Taylor's La. Cuer —2F 133 (in two parts)
Taylors La. Liv —5E 35
Taylors Row. Run —5C 152
Taylor St. Birk —2E 97
Taylor St. Liv —1D 77
Taylor St. St H —4E 67
Taylor St. Wid —3C 132
Taylor St. Ind. Est. Liv —1D 77 (off Taylor St.)
Teakwood Clo. Liv —1A 78
Teal Clo. St H —2B 46
Teal Gro. Liv —3E 127
Teals Way. Wir —2E 157
Teasville Rd. Liv —5E 103
Tebay Clo. Liv —5F 7
Tebay Rd. Wir —2E 163
Teck St. Liv —4A 78
Tedburn Clo. Liv —5C 104
Tedbury Clo. Liv —5E 23
Tedbury Wlk. Liv —5E 23
Tedder Sq. Wid —4D 131
Teehey Clo. Wir —1D 141
Teehey Gdns. Wir —1D 141
Teehey La. Wir —1D 141
Tees Clo. Liv —2D 55
Teesdale Rd. Hay —1C 48
Teesdale Rd. Wir —3E 141
Teesdale Way. Rain —1C 86
Tees Pl. Liv —2E 55
Tees St. Birk —5F 73
Tees St. Liv —2D 55
Teign Clo. Liv —2A 78
Teilo St. Liv —4F 99
Telary Clo. Liv —1C 76
Telegraph La. Wall —1C 72
Telegraph Rd. Hes —4D 137
Telegraph Rd. W Kir & Thur —2F 135
Telegraph Way. Liv —3E 23
Telford Clo. Pren —5B 96
Telford Clo. Wid —5D 109
Tempest Hey. Liv —4C 76 (4C 4)
Temple Ct. Liv —5C 76 (5D 4)
Temple La. Liv —4C 76 (4D 4)
Templemore Av. Liv —1A 124
Templemore Rd. Pren —5A 96
Temple Rd. Birk —2C 118
Temple St. Liv —4C 76 (4D 4)
Templeton Cres. Liv —2B 58
Tenby Av. Liv —4A 18
Tenby Dri. Run —5D 153
Tenby Dri. Wir —1F 93
Tenby St. Liv —5A 56
Tennis St. Dent G —3D 45
Tennis St. N. Dent G & St H —3E 45
Tennyson Av. Birk —3F 119
Tennyson Rd. Liv —1A 106
Tennyson Rd. Wid —3A 132
Tennyson St. Boot —3B 34
Tennyson St. Sut M —4A 88
Tennyson Wlk. Liv —3F 99
Tensing Rd. Liv —1D 13
Tenterden St. Liv —2D 77
Tenth Av. Faz —1D 37
Terence Rd. Liv —3D 103
Terminus Rd. Liv —1C 82
Terminus Rd. Wir —4D 143
Tern Clo. Liv —3E 15
Tern Clo. Wid —5B 110
Ternhall Rd. Liv —4F 37
Ternhall Way. Liv —4F 37
Tern Way. St H —4A 64
Tern Way. Wir —5B 70
Terrace Rd. Wid —2A 152
Terret Cft. Liv —4B 60
Tetbury St. Birk —4C 96
Tetchill Clo. Nort —2D 169
Tetlow St. Liv —3F 55
Tetlow Way. Liv —3F 55
Teulon Clo. Liv —3F 55
Tewit Hall Clo. Liv —4C 146
Tewit Hall Rd. Liv —4C 146
Tewkesbury Clo. W Der —4F 39
Tewkesbury Clo. Wltn —3C 126
Teynham Av. Know —4D 41
Teynham Cres. Liv —1F 57
Thackeray Gdns. Boot —5D 19
Thackray Rd. St H —3D 65
Thames Rd. St H —5C 66
Thames St. Liv —3B 100
Thatcher's Mt. C Grn —2D 69
Thatto Heath. —3D 65
Thatto Heath Pk. —3D 65
Thatto Heath Rd. St H —3D 65
Thermal Rd. Wir —3D 143
Thermopylae Ct. Pren —3D 95 (off Vyner Rd. S.)
Thermopylae Pas. Pren —3C 94 (in two parts)
Thingwall. —1A 138
Thingwall Av. Liv —4D 81
Thingwall Dri. Wir —1A 138
Thingwall Hall Dri. Liv —4D 81
Thingwall La. Liv —3D 81
Thingwall Recreation Cen. —1B 138
Thingwall Rd. Liv —2B 102
Thingwall Rd. Wir —1D 137
Thingwall Rd. E. Wir —1A 138
Third Av. Cros —1D 17
Third Av. Faz —1E 37
Third Av. Liv —1D 37
Third Av. Pren —3B 94
Third Av. Run —2F 167
Thirlmere Av. Lith —5D 19
Thirlmere Av. Pren —3C 94
Thirlmere Av. St H —5A 30
Thirlmere Clo. Frod —5D 173
Thirlmere Clo. Liv —5E 7
Thirlmere Dri. Liv —5D 19
Thirlmere Dri. Wall —1B 74
Thirlmere Grn. Liv —1A 78
Thirlmere Rd. Eve —1A 78
Thirlmere Wlk. Liv —1D 23
Thirlmere Way. Wid —4C 130
Thirlstane St. Liv —1B 122
Thirsk Clo. Run —4C 166
Thistledown Clo. Liv —1F 121
Thistleton Av. Birk —1F 95
Thistlewood Rd. Liv —4E 79
Thistley Hey Rd. Liv —3F 23
Thomas Clo. Liv —2C 144
Thomas Ct. Hall P —3F 167
Thomas Dri. Liv —4C 80
Thomas Dri. Prsct —2C 84
Thomas La. Liv —2D 81
Thomas St. Birk —4E 97 (in two parts)
Thomas St. Run —4B 152
Thomas St. Wid —5A 132
Thomaston St. Liv —5E 55 (in two parts)
Thomas Winder Ct. Liv —5D 55
Thompson Rd. Liv —1F 33 (in two parts)
Thompson St. Birk —5E 97
Thompson St. St H —2D 65
Thomson St. Liv —2B 78
Thorburn Clo. Wir —4B 120
Thorburn Ct. Wir —3B 120
Thorburn Cres. Wir —4B 120
Thorburn Rd. Wir —4B 120
Thorburn St. Liv —5B 78
Thorley Clo. Liv —5A 80
Thornaby Gro. St H —5D 65
Thornbeck Clo. Liv —5E 39
Thornbridge Av. Liv —5D 19
Thornbrook Clo. Liv —4D 59
Thornbury Rd. Liv —4C 56
Thorncliffe Rd. Wall —3A 74
Thorn Clo. Run —3C 166
Thorncroft Dri. Wir —3B 138
Thorndale Rd. Liv —3D 17
Thorndale St. Liv —4E 55
Thorndyke Clo. Rain —5E 87
Thorne La. Wall —1F 73
Thornes Rd. Liv —3B 78
Thorness Clo. Wir —2C 114
Thorneycroft St. Birk —1A 96
Thornfield Hey. Wir —5A 142
Thornfield Rd. Cros —4A 10
Thornfield Rd. Walt —3F 35
Thornham Av. St H —3C 66
Thornham Clo. Wir —2A 94
Thornhead La. Liv —5D 59
Thornhill Rd. Liv —2A 102
Thornholme Cres. Liv —2F 57
Thornhurst. Liv —1E 39
Thornleigh Av. Wir —1F 171
Thornley Rd. Wir —2C 92
Thornridge. Wir —1A 94
Thorn Rd. Run —3C 166
Thorn Rd. St H —5C 44
Thorns Dri. Wir —2C 114
Thornside Wlk. Liv —5B 104
Thorns, The. Liv —5B 6
Thornton. —4B 10
Thornton. Wid —4E 131
Thornton Av. Boot —1D 35
Thornton Av. Wir —4D 119
Thornton Comn. Rd. Wir —4B 160
Thornton Cres. Wir —4B 158
Thornton Gro. Liv —3C 82
Thornton Gro. Wir —4D 119
Thornton Hough. —4B 160
Thornton Rd. Beb —4C 118
Thornton Rd. Boot —3C 34
Thornton Rd. Liv —5E 81
Thornton Rd. Wall —5A 52
Thornton St. Birk —1A 96
Thornton St. Liv —2B 34
Thorntree Clo. Aig —1F 121
Thorn Tree Clo. Hale V —5E 149
Thornwood Clo. Liv —1B 78
Thornycroft Rd. Liv —2D 101
Thorpe Bank. Birk —4F 119
Thorstone Dri. Wir —5C 114
Thorsway. Birk —2F 119
Thorsway. Wir —1D 135
Three Butt La. Liv —5F 57
Three Lanes End. —4B 92
Threlfall St. Liv —5A 100
Thresher Av. Wir —5C 92
Threshers, The. Boot —1B 20
Throne Rd. Liv —5C 38
Throne Wlk. Liv —4C 38
Thurne Way. Liv —3A 104
Thurnham St. Liv —1C 78
Thursby Clo. Liv —5F 23
Thursby Cres. Liv —4F 23
Thursby Rd. Croft B —5E 143
Thursby Wlk. Liv —5F 23
Thurstaston. —2B 136
Thurstaston Rd. Hes —1E 157
Thurstaston Rd. Irby & Thur —2B 136
Thurston Rd. Liv —5B 56
Tibb's Cross La. Wid —2C 110
Tichbourne Way. Liv —3F 77
Tickle Av. St H —5D 47
Tideswell Clo. Liv —1B 100
Tideway. Wall —3E 51
Tilbrook Dri. St H —4D 67
Tilbury Pl. Murd —4E 169
Tildsley Cres. West —4F 165
Tillotson Clo. Liv —4E 99
Tilney St. Liv —2A 36
Tilstock Av. Wir —4B 120
Tilstock Clo. Liv —2A 128
Tilstock Cres. Pren —3F 117
Tilston Clo. Liv —5D 37
Tilston Rd. Kirkby —3C 22
Tilston Rd. Wall —5A 52
Tilston Rd. Walt —4D 37
Time Pk. Whis —1F 85
Timmis Cres. Wid —3A 132
Timon Av. Boot —3E 35
Timor Av. That H —3E 65
Timperley St. Wid —4B 132
Timpron St. Liv —1B 100
Timway Dri. Liv —3E 59
Tinas Way. Wir —4A 94
Tinling Clo. Prsct —5E 63
Tinsley Clo. Liv —2E 127
Tinsley St. Liv —4A 56
Tintagel Clo. Brook —5C 168
Tintagel Rd. Liv —3D 39
Tintern Dri. Wir —1E 93
Tiptree Clo. Liv —4F 39
Titchfield St. Liv —2C 76
Tithebarn Clo. Wir —3F 157
Tithebarn Gro. Liv —2A 102
Tithe Barn La. Kirkby —4D 23
Tithe Barn La. Liv —5C 22
Tithebarn La. Mag —5A 14
Tithebarn Rd. Know —4D 41
Tithebarn Rd. Liv —1F 17
Tithebarn St. Liv —4C 76 (4C 4)
Tithings, The. Halt B —1E 167
Tiverton Av. Wall —2A 74
Tiverton Clo. Liv —3B 84
Tiverton Clo. Wid —1C 130
Tiverton Rd. Liv —1E 147
Tiverton St. Liv —1E 101
Tobermory Clo. Hay —3A 48
Tobin Clo. Liv —2C 76
Tobin St. Wall —2D 75
Tobruk Rd. Liv —2D 83
Todd Rd. St H —5B 46
Toft Clo. Wid —3F 131
Toft St. Liv —4C 78
Toftwood Av. Rain —5D 87
Toftwood Gdns. Rain —5D 87
Toleman Av. Wir —2A 142
Tollemache Rd. Birk & Pren —2E 95
Tollemache St. Wall —3B 52
Tollerton Rd. Liv —5F 57
Tolpuddle Rd. Liv —1F 125
Tolpuddle Way. Liv —3D 55
Tolver St. St H —4A 46
Tom Mann Clo. Liv —3D 77 (3F 5)
Tonbridge Clo. Liv —3B 146
Tonbridge Dri. Liv —2D 21
Tonge Hey. Liv —4F 23
Tontine Mkt. St H —5A 46
Topaz Clo. Liv —1E 55
Topcliffe Gro. Liv —5A 40
Topgate Clo. Hes —2B 158
Topham Dri. Ain R —3B 20
Topham Ter. Liv —5B 20
Topsham Clo. Liv —5C 104
Torcross Way. Halew —3E 127
Torcross Way. Wltn —5C 104
Tordelow Clo. Liv —2A 78
Toronto Clo. Liv —4D 61
Toronto St. Wall —3E 75
Torrington Dri. Liv —5E 127
Torrington Dri. Wir —1B 138
Torrington Gdns. Wir —5B 116
Torrington Rd. Liv —5B 124
Torrington Rd. Wall —2A 74
Torrisholme Rd. Liv —5D 37
Torr St. Liv —5E 55 (in two parts)
Torus Rd. Liv —2A 80
Torview. Liv —3A 102
Torwood. Pren —3D 95
Tothale Turn. Liv —5F 105
Totnes Av. Liv —3F 127
Totnes Rd. Liv —3C 38
Tourist Info. Cen. (Albert Dock) —1C 98 (7C 4)
Tourist Info. Cen. —2F 97 (Birkenhead)
Tourist Info. Cen. —2C 52 (New Brighton)
Tourist Info. Cen. (Queen Sq.) —5D 77 (5F 5)
Tourist Info. Cen. —4A 152 (Runcorn)
Towcester St. Liv —2B 34
Tower Gdns. Liv —5B 76 (5C 4)
Tower Hill. —5F 15
Tower Hill. Birk —1D 119
Towerlands St. Liv —5A 78
Tower La. Nort —3C 168
Tower Promenade. Wall —2C 52
Tower Quays. Birk —1E 97
Tower Rd. Birk —1E 97
Tower Rd. Pren —3B 118
Tower Rd. Tran —1D 119
Tower Rd. N. Wir —5E 137
Tower Rd. S. Wir —1F 157
Towers Av. Liv —5C 6
Tower's Rd. Liv —3C 102
Towers, The. Birk —2E 119
Tower St. Brun B —4D 99
Tower Way. Liv —1A 126
Tower Wharf. Birk —1E 97
Town End. —3C 108
Townfield Clo. Pren —1E 117
Townfield Gdns. Wir —5F 119
Townfield La. Frod —5C 172
Townfield La. Pren —1E 117
Townfield La. Wir —5F 119
Townfield Rd. Wind H —5C 154
Townfield Rd. Wir —4B 112
Town Fields. Wall —5E 51
Townfield Vw. Wind H —5C 154
Townfield Way. Wall —2B 74
Town Hall Dri. Run —1B 166
Town La. Beb —1D 141
Town La. Hale V —5D 149
Townley Ct. Wir —4B 90 (off Marmion Rd.)
Town Mdw. La. Wir —5B 70
Town Pk. Info. Cen. —2B 168
Town Rd. Birk —1D 119
Town Row. Liv —4B 58
Townsend Av. Club & Nor G (in two parts) —3E 57
Townsend La. Anf & Club —5C 56
Townsend St. Birk —5E 73
Townsend St. Liv —5B 54
Townsend Vw. Ford —3B 18
Townsend Vw. Nor G —5E 37
Townshend Av. Wir —2D 137
Town Vw. Pren —4C 96
Town Vw. M. Pren —4C 96
Towson St. Liv —5F 55 (in two parts)
Toxteth. —4F 99
Toxteth Gro. Liv —5A 100
Toxteth Sports Cen. —3F 99
Toxteth St. Liv —4E 99
Trafalgar. —3A 142
Trafalgar Av. Wall —1D 75
Trafalgar Ct. Wid —1A 152
Trafalgar Dri. Wir —3A 142
Trafalgar Rd. Wall —1C 74
Trafalgar St. Dent G —4E 45
Trafalgar Way. Ersk —3F 77
Trafford Cres. Run —4C 166
Tramway & Mus. —2F 97
Tramway Rd. Liv —1C 122
Tranmere. —5F 97
Tranmere Rovers F.C. —2C 118
Trapwood Clo. Ecc —5A 44
Travanson Clo. Liv —2B 38
Travers' Entry. St H —4A 68
Traverse St. St H —5C 46
Travis Dri. Liv —5F 15
Travis St. Wid —4B 132
Trawden Way. Liv —1C 18
Treborth St. Liv —4A 100
Trecastle Rd. Liv —1A 24
Treebank Clo. Run —2A 166
Treetop Ct. Liv —2B 78
Treetops Dri. Birk —5D 73
Tree Vw. Ct. Liv —2E 13
Treforris Rd. Wall —4F 51
Trefula Pk. Liv —5A 58
Trelawney Clo. Liv —3B 104
Tremore Clo. Liv —2B 58
Trenance Clo. Brook —5B 168
Trendeal Rd. Liv —3D 39
Trent Av. Bow P —3F 81
Trent Av. Mag —5F 7
Trent Clo. Liv —5D 39
Trent Clo. Rain —3B 86
Trent Clo. St H —1C 88
Trent Clo. Wid —5B 110
Trentham Av. Liv —4F 101
Trentham Clo. Wid —5B 110
Trentham Rd. Liv —4C 22
Trentham Rd. Wall —3C 74
Trentham St. Run —4F 151
Trentham Wlk. Liv —4C 22
Trent Pl. Rain —3B 86 (in two parts)
Trent Rd. Bil —1C 30
Trent Rd. Rain —3B 86
Trent St. Birk —5F 73
Trent St. Liv —5C 54
Trent Way. Wir —4C 158
Tressel Dri. Sut M —3A 88
Tressell St. Liv —5F 35
Trevelyan St. Liv —5F 35
Treviot Clo. Liv —4D 15
Trevor Dri. Liv —1F 17
Trevor Rd. Liv —2A 36
Triad, The. Boot —4C 34
Trigg M. Liv —3C 54
Trimley Clo. Wir —4E 93
Tring Clo. Wir —2A 94
Trinity Ct. Wir —4B 90
Trinity Gro. Liv —2B 16
Trinity La. Birk —2E 97
Trinity Pl. Boot —5D 35
Trinity Pl. Wid —5B 132
Trinity Rd. Boot & Liv —1C 54
Trinity Rd. Wall —1B 74
Trinity Rd. Wir —4B 90

Trinity St.—Waller Clo.

Trinity St. Birk —2C 96
Trinity St. Run —4B 152
Trinity St. St H —4C 46
Trinity Wlk. Liv —3E 77 (2H 5)
Trispen Clo. Liv —4E 127
Trispen Rd. Liv —4D 39
Trispen Wlk. Liv —4D 39
Tristram's Cft. Boot —2D 19
Troon Clo. Hay —3A 48
Troon Clo. Liv —5E 59
Troon Clo. Wir —5C 162
Trotwood Clo. Liv —5D 21
Troutbeck Av. Liv —5E 7
Troutbeck Av. Newt W —4E 49
Trout Beck Clo. Beech —5A 168
Troutbeck Clo. Wir —2A 116
Troutbeck Gro. St H —3B 30
Troutbeck Rd. Liv —4D 103
Trouville Rd. Liv —4C 56
Trowbridge St. Liv —5E 77 (5H 5)
Trueman Clo. Pren —1C 94
Trueman St. Liv —4D 77 (3E 4)
Truro Av. Boot —1F 19
Truro Clo. Brook —4C 168
Truro Clo. St H —1D 47
Truro Rd. Liv —3A 102
Tudor Av. Wall —4E 75
Tudor Av. Wir —4A 142
Tudor Clo. Liv —5F 77 (6J 5)
Tudor Clo. Wid —2D 133
Tudor Ct. Liv —5A 124
Tudor Grange. Wir —1D 115
Tudor Ho. Liv —5F 105
Tudor Rd. Birk —1E 119
Tudor Rd. Cros —2D 17
Tudor Rd. Hunts X —5C 126
Tudor Rd. Mnr P —4B 154
Tudor St. Liv —3B 78
Tudor Vw. Liv —5E 15
(in two parts)
Tudorville Rd. Wir —2F 141
Tudorway. Wir —2B 158
Tue Brook. —1E 79
Tue La. Wid —3B 108
Tuffins Corner. Liv —4D 105
Tulip Av. Birk —1F 95
Tulip Rd. Hay —2F 49
Tulip Rd. Liv —2A 102
Tullimore Rd. Liv —3F 123
Tullis St. St H —1E 65
Tulloch St. Liv —3B 78
Tully Av. Newt W —5E 49
Tumilty Av. Boot —4E 35
Tunnel Rd. Birk —4E 97
Tunnel Rd. Liv —1B 100
Tunstall Clo. Wir —4E 93
Tunstall St. Liv —2C 100
Tunstalls Way. Clo F —2D 89
Tupelo Clo. Liv —4F 39
Tupman St. Liv —4F 99
Turmar Av. Wir —1B 138
Turnacre. K Ash —3E 81
Turnall Rd. Wid —5B 130
Turnberry Clo. Huy —5C 82
Turnberry Clo. W Der —5F 59
Turnberry Clo. Wir —5B 70
Turnbridge Rd. Liv —4C 6
Turner Av. Boot —1E 35
Turner Clo. Liv —1A 122
Turner Clo. Wid —1D 131
Turner Home, The. Liv —5A 100
Turners Ct. Liv —1B 126
Turner St. Birk —4C 96
Turney Rd. Wall —2A 74
Turnstone Clo. Liv —5E 39
Turnstone Dri. Liv —3E 127
Turret Rd. Wall —5A 52
Turriff Dri. Wir —1C 170
Turriff Rd. Liv —2A 82
Turton Clo. Hale V —5D 149
Turton St. Liv —5D 55
Tuscan Clo. Wid —4B 110
Tuson Dri. Wid —5F 109
Tweed Clo. Liv —2B 78
Tweed St. Birk —5A 74
Twickenham Dri. Liv —5C 82
Twickenham Dri. Wir —3F 71
Twickenham St. Liv —5B 56
Twigden Clo. Liv —5F 21
Twig La. Liv —1E 13
(L31)
Twig La. Liv —3C 82
(L36)
Two Butt La. Rain & Whis —1A 86
Twomey Clo. Liv —2C 76
Twyford Av. Liv —4B 18
Twyford Clo. Liv —1E 13
Twyford Clo. Wid —4B 110
Twyford La. Wid —2C 110
Twyford Pl. St H —5C 46
Twyford St. Liv —5B 56
Tyberton Pl. Liv —1C 146
Tyburn Clo. Wir —5F 141
Tyburn Rd. Wir —5F 141
Tyndall Av. Liv —5F 17
Tyne Clo. Liv —3E 55
Tyne Clo. That H —5D 65
Tynemouth Clo. Liv —1A 78
Tynemouth Rd. Murd —4C 168
Tyne St. Birk —5F 73
Tynron Gro. Pren —5D 95
Tynville Rd. Liv —1C 36
Tynwald Clo. Liv —1F 79
Tynwald Cres. Wid —4F 109
Tynwald Hill. Liv —2F 79
Tynwald Pl. Liv —2F 79
Tynwald Rd. Wir —4A 112
Tyrer Gro. Prsct —4E 63
Tyrers Av. Liv —2B 6
Tyrer St. Birk —5F 73
Tyrer St. Liv —5D 77 (5F 5)

Uldale Clo. Liv —1A 58
Uldale Way. Liv —1A 58
Ullet Rd. Liv —5B 100
Ullet Wlk. Liv —4D 101
Ullswater Av. Pren —3D 95
Ullswater Av. St H —5A 30
Ullswater Clo. Liv —1D 23
Ullswater Gro. Beech —5D 167
Ullswater St. Liv —5A 56
Ulster Rd. Liv —3B 80
Ultonia St. Liv —3C 144
Ulverscroft. Pren —5F 95
Ulverston Clo. Hay —2A 48
Ulverston Clo. Liv —5E 7
Ulverston Lawn. Liv —5F 105
Umbria St. Liv —3C 144
Undercliffe Rd. Liv —2A 80
Underhill Rd. St H —1D 65
Underley St. Liv —2C 100
Underley Ter. Wir —5B 120
Underway, The. Halt —2F 167
Unicorn Rd. Liv —4C 38
Unicorn Way. Birk —4F 97
Union Bank La. Bold H & Wid —5B 88
Union Ct. Liv —5C 76 (5D 4)
Union St. Birk —1E 119
Union St. Liv —4B 76 (4B 4)
Union St. Run —5B 152
Union St. St H —3A 46
Union St. Wall —2D 75
Union Ter. Wall —2B 52
Unity Gro. Know B —2A 40
Unity Theatre. —1E 99 (7H 5)
University of Liverpool Art Gallery. —1F 99
University Rd. Boot —1D 55
Upavon Av. Wir —1B 114
Upchurch Clo. Liv —5F 99
Upland Clo. St H —3B 64
Upland Rd. St H —3B 64
Upland Rd. Upt —3F 93
Uplands Rd. Brom —1C 162
Uplands, The. Pal —3F 167
Up. Baker St. Liv —3A 78
Up. Beau St. Liv —2E 77 (1G 5)
Up. Beckwith St. Birk —1B 96
Upper Bidston Village. —5C 72
Up. Brassey St. Birk —1F 95
Up. Bute St. Liv —2E 77
Up. Duke St. Liv —1E 99 (7G 5)
Up. Essex St. Liv —4F 99
Up. Flatbrick Rd. Birk —2E 95
Up. Frederick St. Liv
(in two parts) —1D 99 (7E 5)
Up. Hampton St. Liv —2F 99
Up. Harrington St. Liv —3E 99
Up. Hill St. Liv —3E 99
(in three parts)
Up. Hope Pl. Liv —1F 99 (7J 5)
Up. Huskisson St. Liv —2A 100
Up. Mann St. Liv —3E 99
(in two parts)
Up. Mason St. Liv —5A 78
Up. Mersey Rd. Wid —2A 152
Up. Newington. Liv —5E 77 (6G 5)
Up. Park St. Liv —4F 99
Up. Parliament St. Liv —2E 99
Up. Pitt St. Liv —1D 99
Up. Pownall St. Liv —1D 99
Up. Rice La. Wall —1C 74
Up. Stanhope St. Liv —2E 99
(in two parts)
Up. Warwick St. Liv —3F 99
Up. William St. Liv —2B 76
Uppingham Av. Liv —3E 21
Uppingham Rd. Liv —1F 79
Uppingham Rd. Wall —1F 73
Upton. —4A 94
(nr. Birkenhead)
Upton. —1B 130
(nr. Cronton)
Upton Barn. Liv —5C 6
Upton Bridle Path. Wid —5F 109
Upton By-Pass. Wir —3E 93
Upton Clo. Liv —4E 147
Upton Clo. Wir —4F 93
Upton Ct. Wir —3A 94
Upton Cricket Club Ground. —4F 93
Upton Grange. Wid —1D 131
Upton Grn. Liv —4E 147
Upton La. Wid —5E 109
Upton Pk. Dri. Wir —3A 94
Upton Rd. Pren —4C 94
Upton Rd. Wir —1E 93
Upton Rocks. —5E 109
Urmson Rd. Wall —1B 74
Ursula St. Boot —2D 55
Utkinton Clo. Pren —1F 117
Utting Av. Liv —4B 56
Utting Av. E. Liv —2E 57
UVECO Bus. Cen. Birk —4A 74
Uxbridge St. Liv —1B 100
(in two parts)

Vahler Ter. Run —5C 152
Vale Clo. Liv —2F 125
Vale Ct. Dut —2F 175
Vale Dri. Wall —4C 52
Vale Gro. Liv —4A 24
Vale Lodge. Liv —4F 35
Va. Lodge Clo. Liv —5F 35
Valencia Gro. Ecc P —4F 63
Valencia Rd. Liv —1A 102
Valentia Rd. Wir —5A 90
Valentine Gro. Liv —4E 21
Valentine Rd. Newt W —5F 49
Valentines Way. Ain R —3C 20
Valerian Rd. Birk —2F 95
Valerie Clo. Liv —2B 38
Vale Rd. Cros —1D 17
Vale Rd. Wltn —1E 125
Valescourt Rd. Liv —1C 80
Valeview Towers. Liv —2F 125
Valiant Clo. Liv —5A 40
Valiant Way. Laird T —5F 97
Valkyrie Rd. Wall —1A 74
Vallance Rd. Liv —4C 56
Valleybrook Gro. Wir —5B 142
Valley Clo. Ain —4F 21
Valley Clo. Cros —1B 18
Valley Rd. Birk —4D 73
Valley Rd. Kirkby —5A 22
Valley Rd. Liv —5A 56
Valley Rd. Wir —2D 163
Valley Rd. Bus. Pk. Birk —4E 73
Valley Views. Liv —2A 104
(off Hartsbourne Av.)
Vanbrugh Cres. Liv —4C 56
Vanbrugh Rd. Liv —3C 56
Vanderbilt Av. Liv —5B 20
Vanderbyl Av. Wir —5C 142
Vandries St. Liv —2B 76 (1A 4)
Vandyke St. Liv —2B 100
Vanguard St. Liv —5F 55
Vardon St. Birk —1C 96
Varley Rd. Liv —3A 124
Varley Rd. St H —4C 46
Varthen St. Liv —4F 55
Vatt Way. Liv —5C 78
Vaughan Rd. Wall —4B 52
Vaughan St. Birk —1F 95
Vaux Cres. Boot —3D 35
Vauxhall. —1B 76
Vauxhall Rd. Liv —3C 76 (1D 4)
Vaux Pl. Boot —3D 35
Veitch Rd. Liv —2C 76
Venables Clo. Wir —1B 162
Venables Dri. Wir —5A 142
Venice St. Liv —5F 55
Venmore St. Liv —5F 55
(in two parts)
Ventnor Rd. Liv —1F 101
Venture Ct. Birk —4E 97
(off Clifton Rd.)
Verbena Clo. Beech —1F 173
Verdala Pk. Liv —2C 124
Verdi Av. Liv —2A 34
Verdi St. Liv —2F 33
Verdi Ter. Liv —2F 33
Vere St. Liv —4E 99
(in two parts)
Vermont Av. Liv —1D 17
Vermont Clo. Liv —3D 15
Vermont Rd. Liv —1D 17
Vermont Way. Boot —4C 34
Verney Cres. Liv —4C 124
Verney Cres. S. Liv —4C 124
Vernon Av. Hoot —3F 171
Vernon Av. Wall —4D 75
Vernon Sangster Sports Cen. —4A 56
Vernon St. Liv —4C 76 (3D 4)
Vernon St. St H —4C 46
Verona St. Liv —5F 55
Verulam Clo. Liv —2A 100
Verwood Clo. Wir —5D 115
Verwood Dri. Liv —5A 40
Veryan Clo. Liv —3F 127
Vescock St. Liv —1D 77
Vesta Rd. Liv —3D 145
Vesuvius Pl. Liv —5D 55
Vesuvius St. Liv —5D 55
Vetch Hey. Liv —4E 105
Viaduct St. Newt W —5F 49
Viaduct St. Wid —3A 152
Vicarage Clo. Birk —3B 118
Vicarage Clo. Hale V —5E 149
Vicarage Clo. Moss H —2B 124
Vicarage Dri. Hay —1A 48
Vicarage Gro. Wall —1C 74
Vicarage Lawn. Liv —4C 104
Vicarage Pl. Prsct —5C 62
Vicarage Rd. Hay —1A 48
Vicarage Rd. Wid —5A 132
Vicar Rd. Liv —4C 56
Vicar St. Run —4A 152
Viceroy St. Liv —5F 55
Vickers Rd. Wid —2E 151
Victoria Av. B'grn —4D 81
Victoria Av. Cros —1C 16
Victoria Av. Liv —1F 101
Victoria Av. St H —5A 30
Victoria Av. Wid —1A 132
Victoria Av. Wir —4A 158
Victoria Clo. Liv —1E 123
Victoria Ct. Birk —2D 97
Victoria Ct. Liv —5B 100
Victoria Ct. W'tree —1F 101
Victoria Dri. Birk —3A 120
Victoria Dri. Liv —2F 35
Victoria Dri. Wir —4A 112
Victoria Fields. Birk —5C 96
Victoria Gdns. Pren —5B 96
Victoria Gro. Wid —1A 132
Victoria Ho. Prsct —5D 63
Victoria La. Pren —5B 96
Victoria Mt. Pren —5B 96
Victoria Pde. Wall —2C 52
Victoria Park. —1F 35
(nr. Aintree)
Victoria Park. —1F 101
(nr. Liverpool)
Victoria Pk. —3F 45
(St Helens)
Victoria Pk. —2E 119
(Tranmere)
Victoria Pk. —3D 17
(Waterloo)
Victoria Pk. —2B 132
(Widnes)
Victoria Pk. Rd. Birk —2D 119
Victoria Pl. Rain —3C 86
Victoria Pl. Wall —4E 75
Victoria Promenade. Wid —3A 152
Victoria Rd. Aig —1E 123
Victoria Rd. Beb —1D 141
Victoria Rd. Birk —5C 96
Victoria Rd. Cros —1D 17
Victoria Rd. Huy —4F 83
Victoria Rd. Run —5A 152
(in two parts)
Victoria Rd. Tue —5E 57
Victoria Rd. Wall —3A 52
(in two parts)
Victoria Rd. Wat —5E 17
Victoria Rd. W Kir —5B 112
Victoria Rd. Wid —5A 132
Victoria Rd. W. Cros —1C 16
Victoria Sq. St H —4A 46
Victoria Sq. Wid —5A 132
Victoria St. Liv —5C 76 (5D 4)
Victoria St. Rain —3C 86
Victoria St. St H —3A 46
Victoria St. Wid —5B 132
Victoria St. Wir —2B 142
Victoria Ter. Liv —3A 102
(in two parts)
Victoria Ter. Rain —3C 86
Victor St. Liv —1D 101
Victory Clo. Boot —5E 19
Vienna St. Liv —5F 55
Viennese Rd. Liv —3B 104
Viewpark Clo. Liv —2F 103
View Rd. Rain —4C 86
Viking Clo. Liv —1A 34
Village Clo. Cas —2A 168
Village Clo. Wall —5E 51
Village Ct. Irby —1D 137
Village Ct. Liv —2C 122
Village Courts. Boot —5F 11
Village Grn. Ct. Pren —1C 94
Village Nook. Ain —3E 21
Village Rd. Beb —1D 141
Village Rd. Hes —3F 157
Village Rd. Pren —5A 96
Village Rd. W Kir —4C 112
Village St. Liv —2F 77
Village St. Run —5D 155
Village, The. Beb —1A 142
Village Way. Wall —5E 51
Villa Gloria Clo. Liv —4A 124
Villas Rd. Liv —1B 14
Villiers Cres. Ecc —3F 43
Villiers Rd. Know B —2B 40
Vincent Ct. Liv —1D 99 (7F 5)
Vincent Naughton Ct. Birk —4E 97
Vincent Rd. Liv —4C 18
Vincent Rd. Rain —2B 86
Vincent St. Birk —3D 97
Vincent St. Liv —5F 79
Vincent St. St H —4A 46
Vineries, The. Liv —1E 125
Vineside Rd. Liv —1D 81
Vine St. Birk —2C 96
Vine St. Liv —1F 99
Vine St. Run —5A 152
Vine St. Wid —5A 132
Vine Ter. Wid —2A 130
Vineyard St. Liv —2E 145
Vining Rd. Prsct —5F 63
Vining St. Liv —3F 99
Viola Clo. Liv —5D 15
Viola St. Boot —2C 54
Violet Rd. Birk —2F 95
Violet Rd. Liv —2B 34
Violet St. Wid —5A 132
Virgil St. Liv —2D 77
Virgil St. St H —4E 45
Virginia Av. Liv —4C 6
Virginia Gro. Liv —4C 6
Virginia Rd. Wall —2B 52
Virginia St. Liv —4B 76 (3B 4)
Virgin's La. Liv —3F 9
Vista Rd. Hay —1F 49
Vista Rd. Run —2A 166
Vista Way. Newt W —4F 49
Vittoria Clo. Birk —2D 97
Vittoria St. Birk —2C 96
Vivian Av. Wall —4E 75
Voelas St. Liv —3A 100
Vogan Av. Liv —2A 18
Volunteer St. Frod —4D 173
Volunteer St. St H —4F 45
Vronhill Clo. Liv —3A 100
Vulcan Clo. Birk —1F 95
Vulcan St. Birk —1F 95
Vulcan St. Boot —4A 34
Vulcan St. Gars —3C 144
Vulcan St. Liv —2B 76
Vyner Clo. Pren —3E 95
Vyner Ct. Pren —3E 95
Vyner Rd. Wall —1F 73
Vyner Rd. N. Liv —4A 104
Vyner Rd. N. Pren —2D 95
Vyner Rd. S. Liv —4A 104
Vyner Rd. S. Pren —3D 95
Vyrnwy St. Liv —4F 55

Waddicar. —1A 22
Waddicar La. Liv —2A 22
Wadebridge Rd. Liv —2A 38
Wadeson Rd. Liv —1D 57
Wadham Pk. Boot —1C 54
Wadham Rd. Boot —2C 54
Wagon La. Hay —4A 48
(in two parts)
Waine Gro. Whis —1A 86
Waine St. Hay —2F 47
Waine St. St H —4D 47
Wainwright Clo. Liv —1B 100
Wainwright Gro. Liv —1B 144
Wakefield Dri. Wir —2F 71
Wakefield Rd. Boot —3A 20
Wakefield St. Liv —3E 77 (2G 5)
Walby Clo. Wid —2C 130
Walby Clo. Wir —2C 116
Walden Rd. Liv —3C 80
Waldgrave Pl. Liv —5B 80
Waldgrave Rd. Liv —5A 80
Waldron Clo. Liv —3C 76 (2D 4)
Walford Clo. Wir —5F 141
Walker Art Gallery. —4D 77 (3F 5)
Walker Av. Sut M —3B 88
Walker Dri. Boot —1C 34
Walker M. Birk —1D 119
Walker Pl. Birk —1D 119
Walker Rd. Liv —1A 34
Walker's Cft. Wall —1F 73
Walkers La. Sut M —3A 88
Walker St. Birk —1D 119
Walker St. Liv —3A 78
Walker St. Port S —1B 142
Walker St. Wir —4B 90
Walker Way. Liv —2F 35
Walk, The. Liv —4C 60
Walk, The. Speke —5F 145
Wallace Av. Liv —2A 84
Wallace Dri. Liv —2F 83
Wallace St. Liv —2A 36
Wallace St. Wid —4A 132
Wallacre Rd. Wall —2E 73
Wallasey. —2F 73
Wallasey Bri. Rd. Birk —5F 73
Wallasey Cricket Club Ground. —5F 51
Wallasey Golf Course. —5C 50
Wallasey R.F.C. Ground. —2D 73
Wallasey Rd. Wall —2F 73
Wallasey Village. Wall —5E 51
Wallcroft. Will —5A 170
Waller Clo. Liv —4E 55

212 A-Z Liverpool Deluxe

W. Way Sq.—Woodburn Dri.

W. Way Sq. Wir—5E 71
Westwick Pl. Liv—3B 82
Westwood. Wind H—1C 168
Westwood Ct. Pren—4F 95
Westwood Gro. Wall—2A 74
Westwood Rd. Liv—4C 124
Westwood Rd. Pren—3C 94
Wetherby Av. Wall—1E 73
Wetherby Ct. Liv—1C 82
Wethersfield Rd. Pren—1E 117
Wetstone La. Wir—5C 112
Wexford Av. Hale V—5D 149
Wexford Clo. Pren—5E 95
Wexford Rd. Pren—5F 95
Weybourne Clo. Wir—2A 94
Weyman Av. Whis—3E 85
Weymoor Clo. Wir—5F 141
Weymouth Av. St H—2F 67
Weymouth Clo. Liv—1F 103
Weymouth Clo. Murd—4E 169
Weymouth Rd. Btnwd—5F 69
Whaley La. Wir—1F 137
Whalley Av. St H—1E 45
Whalley Ct. Boot—1D 19
Whalley Gro. Wid—1D 133
Whalley Rd. Birk—4D 97
Whalley St. Liv—5F 99
Wharfedale. Run—4B 168
Wharfedale Av. Birk—2B 118
Wharfedale Dri. Rain—3D 87
Wharfedale Dri. Wir—5F 163
Wharfedale Rd. Wall—5F 51
Wharfedale St. Liv—2E 145
Wharford La. Run—4E 155
Wharf Rd. Birk—5F 73
Wharf Rd. Newt W—5E 49
Wharf St. Wir—2B 142
Wharf, The. Pres B—4F 169
Wharmby Rd. Hay—2E 49
Wharncliffe Rd. Liv—3A 80
Wharton Clo. Wir—3D 93
Wharton St. Sher I—2B 66
Whatcroft Clo. Halt L—4D 167
Wheatcroft Rd. Liv—2C 124
Wheatear Clo. Liv—5E 105
Wheatfield Clo. Boot—2B 20
Wheatfield Clo. Wir—2F 93
Wheatfield Rd. Wid—4C 108
Wheatfield Vw. Liv—3B 18
Wheat Hill Rd. Liv—2E 105
Wheathills Ind. Est. Liv—3E 105
Wheatland Bus. Pk. Wall—4D 75
Wheatland Clo. Clo F—2C 88
Wheatland La. Wall—3D 75
Wheatland Rd. Wir—3C 158
Wheatlands. Halt B—1E 167
Wheatley Av. Boot—3E 35
Wheatsheaf Av. Sut L—5D 67
Wheeler Dri. Liv—2B 22
Whelan Gdns. St H—1E 87
Whernside. Wid—1C 130
Whetstone La. Birk—4D 97
Whickham Clo. Wid—1F 131
Whimbrel Clo. Beech—5F 167
Whimbrel Pk. Liv—3E 127
Whinbury Ct. Clo F—2C 88
Whincraig. Liv—4C 60
Whinfell Gro. Beech—5E 167
Whinfell Rd. Liv—1B 80
Whinfield Rd. Cros—4A 10
Whinfield Rd. Walt—2F 35
Whinhowe Rd. Liv—1A 58
Whinmoor Clo. Pren—3D 95
Whinmoor Rd. Walt—1A 38
Whinmoor Rd. W Der—1C 80
Whinney Gro. E. Liv—4C 12
Whinney Gro. W. Liv—4C 12
Whiston. —3E 85
Whiston Cross. —3D 85
Whiston La. Huy—2A 84
Whiston Lane Ends. —4E 85
Whitburn Rd. Liv—1A 24
Whitby Av. Wall—1E 73
Whitby Rd. Run—1A 166
Whitby St. Liv—5D 57
Whitchurch Way. Halt L—4D 167
Whitcroft Rd. Liv—3D 79
Whitebeam Clo. Liv—4F 15
Whitebeam Clo. Wind H—1C 168
Whitebeam Dri. Liv—5D 39
Whitebeam Gdns. St H—5C 64
Whitebeam Wlk. Wir—2B 114
Whitechapel. Liv—5D 77 (6E 4)
Whitefield Av. Liv—3E 55
Whitefield Clo. Wir—1B 116
Whitefield Dri. Liv—3B 22
Whitefield La. Tarb G—4A 106
Whitefield Rd. Dent G—3D 45
Whitefield Rd. Liv—2A 78
Whitefield Sq. Liv—3C 22
Whitefield Way. Liv—2A 78
Whitegate Clo. Know—4D 41
Whitehall Clo. Liv—2E 55
Whitehall Pl. Frod—5B 172
(in two parts)
Whitehart Clo. Liv—2B 56
Whiteheath Way. Wir—3F 71
Whitehedge Rd. Liv—5B 124
White Ho. Clo. Hay—2B 48
Whitehouse Ind. Est. White I—1E 175
Whitehouse La. Hes—1C 158
Whitehouse Rd. Liv—4B 80
Whitelands Mdw. Wir—4E 93
White Lodge Av. Liv—3D 83
White Lodge Clo. Wir—5D 163
Whitely Gro. Liv—5F 15
White Mdw. Dri. Liv—4A 10
White Oak Lodge. Liv—5F 123
White Rock Ct. Liv—2B 78
White Rock St. Liv—2B 78
Whiteside Av. St H—3E 47
Whiteside Clo. Liv—1D 77
Whiteside Clo. Wir—5A 94
Whiteside Rd. Hay—2B 48
Whitestone Clo. Know—1C 60
White St. Liv—1D 99
White St. Wid—2A 152
Whitethorn Dri. Liv—3B 60
Whitewell Dri. Wir—3F 93
Whitewood Pk. Liv—2D 37
Whitfield Ct. Birk—5D 97
Whitfield Gro. Hay—2A 48
Whitfield La. Wir—1A 158
Whitfield Rd. Walt—3A 36
Whitfields Cross. —2F 133
Whitfield St. Birk—5D 97
(in two parts)
Whitford Rd. Birk—5C 96
Whitham Av. Liv—2F 17
Whithorn St. Liv—1D 101
Whitland Rd. Liv—2D 79
Whitley Clo. Run—2F 165
Whitley Dri. Wall—1C 74
Whitley St. Liv—2B 76
Whitman St. Liv—2E 101
Whitmoor Clo. Rain—5E 87
Whitney Pl. Liv—2C 126
Whitney Rd. Liv—1C 126
Whitstable Pk. Wid—5E 109
Whitstone Clo. Liv—2E 125
Whittaker Clo. Liv—5F 79
Whittaker St. St H—2D 67
Whittier St. Liv—2C 100
Whittle Av. Hay—3A 48
Whittle Clo. Liv—5E 55
Whittle St. Liv—5E 55
Whittle St. St H—2D 65
Whittlewood Ct. Liv—1F 23
Wicket Clo. Liv—3D 39
Wickham Clo. Wall—4D 75
Wicksten Dri. Run—5C 152
Widdale Av. Rain—3D 87
Widgeons Covert. Wir—5F 159
Widmore Rd. Liv—5C 104
Widnes. —4B 132
Widnes Cricket Club Ground. —5B 110
Widnes Eastern By-Pass. Wid—1F 109
Widnes Golf Course. —2E 131
Widnes Rd. Wid & Cuer—2F 133
Widnes Vikings R.L.F.C. (off Sinclair Av.) —4F 131
Wiend, The. Birk—3D 119
Wiend, The. Wir—2A 142
Wightman St. Liv—3B 78
Wignall Clo. Liv—1E 39
Wignall Pk. —1F 39
Wilberforce Rd. Liv—2B 56
Wilbraham Pl. Liv—1D 77
Wilbraham St. Birk—3E 97
Wilbraham St. Clo F—3E 89
Wilbraham St. Liv—1D 77
Wilburn St. Liv—2F 55
Wilbur St. St H—4E 67
Wilcock Clo. Liv—1D 77
Wilcote Clo. Wid—5C 110
Wildbrook Dri. Birk—4D 73
Wildcherry Gdns. St H—4C 64
Wilde St. Liv—4E 77 (3G 5)
Wilding Av. Run—5B 152
Wild Pl. Boot—1E 35
Wilfer Clo. Liv—1C 100
Wilfred Owen Dri. Birk—2E 95
Wilkes Av. Wir—3B 72
Wilkie St. Liv—2D 101
Wilkinson Clo. Wid—2A 152
Wilkinson Ct. Liv—1D 101
Wilkin St. Liv—4E 55
Willan St. Pren—5B 96
Willard St. Boot—2D 35
Willaston. —5A 170
Willaston Dri. Liv—1A 148
Willaston Grn. M. Will—5A 170
Willaston Rd. Liv—2B 56
Willaston Rd. More—5D 71
Willaston Rd. Thor H—5D 161
Willedstan Av. Liv—2E 17
William Brown St. Liv—4D 77 (3F 5)
William Harvey Clo. Boot—2F 19
William Henry St. Boot—1B 54
William Henry St. Liv—3E 77 (1H 5)
William Morris Av. Boot—3E 35
William Moult St. Liv—1D 77
William Rd. Hay—2F 47
William Roberts Av. Liv—3C 22
William Roberts Recreation Cen. —2E 57
Williams Av. Boot—3E 35
Williamson Art Gallery & Mus. —4B 96
Williamson Ct. Liv—3C 126
Williamson Sq. Liv—5D 77 (5E 5)
Williamson St. Liv—5D 77 (5E 4)
Williamson St. St H—4C 46
Williamson Student Village. Liv—5A 78
Williams St. Prsct—5D 63
William St. Birk—3E 97
William St. St H—4A 46
William St. Wall—4E 75
William St. Wid—2C 132
William Wall Rd. Liv—3B 18
Willingdon Rd. Liv—5E 81
Willington Av. Wir—2E 171
Willink Rd. St H—1C 46
Willis Clo. Whis—4D 85
Willis La. Whis—4D 85
Williton Rd. Liv—4E 103
Willmer Rd. Birk—4C 96
Willmer Rd. Liv—4B 56
Willoughby Dri. St H—3B 64
Willoughby Rd. B'grn—4E 81
Willoughby Rd. Wall—2F 73
Willoughby Rd. Wat—4E 17
Willow Av. Huy—1E 105
Willow Av. Kirkby—2C 22
Willow Av. Whis—3E 85
Willow Av. Wid—2B 132
Willowbank Clo. Liv—1C 82
Willowbank Rd. Birk—1D 119
Willowbank Rd. Wir—1B 142
Willow Clo. Run—3B 166
Willowcroft Rd. Wall—3C 74
Willowdale Rd. Moss H—4F 101
Willowdale Rd. Walt—4A 36
Willow Dene. Liv—2D 39
Willow Grn. Liv—5F 103
Willow Gro. Prsct—1E 85
Willow Gro. W'tree—1A 102
Willow Gro. Wir—2D 93
Willowherb Clo. Liv—2D 127
Willow Hey. Liv—3E 13
Willow Ho. Liv—2A 34
Willow Lea. Pren—5A 96
Willowmeade. Liv—5B 38
Willow Moss Clo. Wir—4B 72
Willow Pk. Wir—5C 92
Willow Rd. Hay—1E 49
Willow Rd. Liv—1D 101
Willow Rd. St H—5C 44
Willows, The. Clo F—2C 88
Willows, The. Frod—5C 172
Willows, The. Wall—4E 51
Willow Tree Av. Clo F—2D 89
Willow Way. Cros—5E 9
Willow Way. Crox—3D 39
Wills Av. Liv—5C 6
Willsford Av. Liv—2B 22
Wilmere La. Wid—4A 110
Wilne Rd. Wall—5A 52
Wilsden Rd. Wid—3B 130
Wilson Av. Wall—2E 75
Wilson Bus. Cen. Liv—5A 84
Wilson Clo. St H—5E 45
Wilson Clo. Wid—3D 133
Wilson Gro. Liv—1C 144
Wilson Rd. Liv—4F 83
Wilson Rd. Prsct—2D 85
Wilson Rd. Wall—2E 75
Wilson's La. Liv—5B 18
Wilstan Av. Wir—2D 141
Wilton Grange. Wir—2A 112
Wilton Gro. Liv—4A 80
Wilton Rd. Birk—3A 120
Wilton Rd. Liv—5D 83
Wilton's Dri. Know—5C 40
Wilton St. Liv—3E 77 (2H 5)
Wilton St. Wall—2B 74
Wiltshire Dri. Boot—2D 19
Wiltshire Gdns. St H—1F 65
Wimbledon St. Liv—2E 101
Wimbledon St. Wall—1B 74
Wimborne Av. Wir—2A 138
Wimborne Clo. Liv—5B 60
Wimborne Pl. Liv—1B 82
Wimborne Rd. Liv—5A 60
Wimborne Way. Wir—5D 115
Wimbrick Clo. Wir—1F 93
Wimbrick Hey. Wir—1F 93
Wimpole St. Liv—4B 78
Winchester Av. Ain—2D 21
Winchester Av. Liv—3C 16
Winchester Clo. Wltn—4B 126
Winchester Dri. Wall—2F 73
Winchester Pl. Wid—4C 130
Winchester Rd. Liv—5C 56
Winchester Wlk. Huy—2A 84
Winchfield Rd. Liv—3F 101
Windbourne Rd. Liv—2B 122
Windermere Av. St H—5A 30
Windermere Av. Wid—5B 110
Windermere Ct. Birk—4C 96
(off Penrith St.)
Windermere Dri. Kirkby—1D 23
Windermere Dri. Liv—5E 7
Windermere Dri. W Der—2C 58
Windermere Pl. St H—5A 30
Windermere Rd. Hay—2B 48
Windermere Rd. Pren—4C 94
Windermere St. Liv—5A 56
Windermere St. Wid—5B 110
Windermere Ter. Liv—4B 100
Windfield Clo. Liv—4F 15
Windfield Grn. Liv—4C 144
Windfield Rd. Liv—4C 144
Windle Ash. Liv—5C 6
Windle Av. Liv—1A 18
Windlebrook Cres. Wind—2B 44
Windle City. St H—2F 45
Windle Gro. Wind—2C 44
Windle Hall Dri. St H—1E 45
Windlehurst. —1F 45
Windlehurst Av. St H—2E 45
Windle Pilkington Cen. St H—4F 45
Windles Green. —5C 10
Windleshaw Rd. Dent G—3D 45
Windle St. St H—3F 45
Windle Va. Dent G—3E 45
Windmill Av. Liv—5F 9
Windmill Clo. Liv—5E 15
Windmill Gdns. Pren—1C 94
Windmill Gdns. St H—4D 47
Windmill Hill. —5C 154
Windmill Hill Av. E. Wind H—5D 155
Windmill Hill Av. N. Run—4D 155
Windmill Hill Av. S. Wind H—1C 168
Windmill Hill Av. W. Wind H—5C 154
Windmill La. Pres H—4F 169
Windmill Shop. Cen. Wid—4B 132
Windmill St. Run—5B 152
Window La. Liv—3C 144
Windsor Av. Liv—5A 18
Windsor Clo. Boot—5F 11
Windsor Clo. Grea—1D 115
Windsor Clo. New F—5A 120
Windsor Ct. Boot—3E 35
Windsor Dri. Huy—3A 82
Windsor Gro. Run—2B 166
Windsor M. Wir—5A 120
Windsor Pk. Rd. Liv—2E 21
Windsor Rd. Boot—3E 35
Windsor Rd. Cros—5D 9
Windsor Rd. Huy—4A 82
Windsor Rd. Mag—1C 12
Windsor Rd. Prsct—2F 85
Windsor Rd. St H—5D 45
Windsor Rd. Tue—5D 57
Windsor Rd. Walt—2A 36
Windsor Rd. Wid—5A 110
Windsor St. Liv—2E 99
Windsor St. Pren—4C 96
Windsor St. Wall—2B 52
Windsor Vw. Liv—2B 100
Windus St. St H—5E 45
Windy Arbor. —1C 106
Windy Arbor Brow. Whis—1C 106
Windy Arbor Clo. Whis—5D 85
Windy Arbor Rd. Whis—4D 85
Windy Bank. Port S—1A 142
Wineva Gdns. Liv—2F 17
Winfield Way. Wid—4B 132
Winford St. Wall—3D 75
Winfrith Clo. Wir—4F 141
Winfrith Dri. Wir—5F 141
Winfrith Rd. Liv—5C 104
Wingate Av. St H—5D 65
Wingate Clo. Pren—5E 95
Wingate Rd. Aig—2E 123
Wingate Rd. Kirkby—1F 23
Wingate Rd. Wir—5E 163
Wingate Towers. Liv—2D 83
Wingate Wlk. Liv—2F 23
Wingfield Clo. Liv—2D 11
Wingrave Way. Liv—2B 58
Winhill. Liv—5A 104
Winifred Rd. Liv—1B 38
Winifred St. Liv—5B 78
Winkle St. Liv—4F 99
Winmoss Dri. Liv—5F 15
Winnington Rd. Wir—1A 112
Winnows, The. Halt B—1D 167
Winser St. Wir—1B 142
Winsford Clo. Hay—1F 49
Winsford Dri. Btnwd—4E 69
Winsford Rd. Liv—5E 57
Winsham Clo. Liv—5E 23
Winsham Rd. Liv—5E 23
Winskill Rd. Liv—2A 58
Winslade Ct. Liv—1B 56
Winslade Rd. Liv—2B 56
Winslow Clo. Wind H—2D 169
Winslow St. Liv—2F 55
Winstanley Ho. Wir—5B 120
(off Winstanley Rd.)
Winstanley Rd. Liv—3E 17
Winstanley Rd. Wir—5B 120
Winster Dri. Liv—5A 106
Winston Av. St H—1B 68
Winston Dri. Pren—4C 94
Winstone Rd. Liv—2A 82
Winston Gro. Wir—1E 93
Winterburn Cres. Liv—4C 58
Winterburn Heights. Liv—4D 59
(off Winterburn Cres.)
Winter Gdns., The. Wall—3A 52
(off Atherton St.)
Winter Gro. St H—5B 48
Winterhey Av. Wall—3B 74
Winterley Dri. Liv—1A 148
Winter St. Liv—3A 78
Winthrop Pk. Pren—4E 95
Winton Clo. Wall—3F 51
Winton Gro. Wind H—1D 169
Winwick Vw. C Grn—2D 69
Winwood Hall. Liv—3A 126
Wirral Bus. Cen. Birk—4C 74
Wirral Bus. Pk., The. Wir—1F 115
Wirral Clo. Wir—4F 141
Wirral Country Pk. —5F 135
Wirral Gdns. Wir—4F 141
Wirral Ladies Golf Course, The. —3E 95
Wirral Leisure Pk. Wir—4E 143
Wirral Mt. Wall—1F 73
Wirral Mt. Wir—4D 113
Wirral Tennis Cen. —4D 73
Wirral Vw. Liv—5F 123
Wirral Vs. Wall—5E 51
Wirral Way. Pren—4C 94
Wirral Way. Wir—2D 157
Wisenholme Clo. Beech—1E 173
Wisteria Way. St H—4A 68
Witham Clo. Boot—1A 20
Withburn Clo. Wir—4E 93
Withensfield. Wall—5B 52
Withens La. Wall—5B 52
Withens Rd. Liv—4D 7
Withens, The. Liv—4B 60
Withert Av. Wir—4D 119
Withington Rd. Liv—4F 147
Withington Rd. Wall—3C 74
Withins Rd. Hay—1E 49
Withnell Clo. Liv—4B 80
Withnell Rd. Liv—4B 80
Withy Clo. Frod—5C 172
Witley Av. Wir—5E 71
Witley Clo. Wir—5E 71
Witney Clo. Wir—1C 114
Wittenham Clo. Wir—5F 93
Wittering La. Wir—2D 157
Witton Rd. Liv—5D 57
Witt Rd. Wid—5A 132
Wivern Pl. Run—4B 152
Woburn Clo. Hay—1F 49
Woburn Clo. Liv—1F 79
Woburn Dri. Cron—3D 109
Woburn Grn. Liv—2F 79
Woburn Hill. Liv—2F 79
Woburn Pl. Birk—2F 119
Woburn Rd. Wall—5B 52
Wokefield Way. St H—4C 44
Wokingham Gro. Liv—1E 105
Wolfenden Av. Boot—3E 35
Wolfe Rd. St H—1E 67
Wolferton Clo. Upt—2B 94
Wolfe St. Liv—4E 99
Wolfrick Dri. Wir—1B 162
Wolseley Rd. St H—3F 45
Wolsey St. Liv—2C 54
Wolstenholme Sq. Liv—1D 99 (7F 5)
Wolverton Dri. Wind H—1D 169
Wolverton St. Liv—5B 56
Woodall Dri. Run—1B 166
Wood Av. Boot—3E 35
Woodbank Clo. Liv—1F 103
Woodbank Pk. Pren—5E 95
Woodberry Clo. Liv—4F 15
Woodberry Clo. Pren—5D 95
Woodbine St. Liv—4D 55
Woodbourne Rd. Liv—2D 81
Woodbridge Av. Liv—2D 127
Woodbrook Av. Liv—1F 35
Woodburn Boulevd. Wir—4E 119
Woodburn Dri. Wir—4F 157

HOSPITALS and HOSPICES
covered by this atlas.

N.B. Where Hospitals and Hospices are not named on the map, the reference given is for the road in which they are situated.

ALDER HEY CHILDREN'S HOSPITAL —2C **80**
Eaton Rd., West Derby
LIVERPOOL
L12 2AP
Tel: 0151 2284811

ARROWE PARK HOSPITAL —3A **116**
Arrowe Park Rd.
WIRRAL
Merseyside
CH49 5PE
Tel: 0151 6785111

ASHTON HOUSE HOSPITAL —5B **96**
26 Village Rd., Oxton
BIRKENHEAD
Merseyside
CH43 5SR
Tel: 0151 653 9660

BROADGREEN HOSPITAL —4C **80**
Thomas Dri.
LIVERPOOL
L14 3LB
Tel: 0151 7062000

CARDIOTHORACIC CENTRE (BROADGREEN HOSPITAL)
—4C **80**
Thomas Dri.
LIVERPOOL
L14 3PE
Tel: 0151 2281616

CLAIRE HOUSE CHILDREN'S HOSPICE —1E **161**
Clatterbridge Rd.
WIRRAL
Merseyside
CH63 4JD
Tel: 0151 3344626

CLATTERBRIDGE HOSPITAL —1E **161**
Clatterbridge Rd.
WIRRAL
Merseyside
CH63 4JY
Tel: 0151 3344000

FAIRFIELD HOSPITAL —3E **29**
Crank Rd., Crank
ST HELENS
Merseyside
WA11 7RS
Tel: 01744 739311

HALTON GENERAL HOSPITAL —4F **167**
Hospital Way
RUNCORN
Cheshire
WA7 2DA
Tel: 01928 714567

HALTON HAVEN. —5C **168**
Barnfield Av.
Murdishaw
RUNCORN
Cheshire
WA7 6EP
Tel: 01928 719454

HIGHFIELD HOSPITAL —2A **132**
Highfield Rd.
WIDNES
Cheshire
WA8 7DJ
Tel: 0151 4242103

HOYLAKE COTTAGE HOSPITAL —3C **90**
Birkenhead Rd., Meols
WIRRAL
Merseyside
CH47 5AQ
Tel: 0151 6323381

KEVIN WHITE UNIT —3D **101**
Smithdown Rd.
LIVERPOOL
L9 7JP
Tel: 0151 3308074

LIVERPOOL UNIVERSITY DENTAL HOSPITAL
—4F **77** (4J **5**)
Pembroke Pl.
LIVERPOOL
L3 5PS
Tel: 0151 7062000

LIVERPOOL WOMEN'S HOSPITAL —1A **100**
Crown St.
LIVERPOOL
L8 7SS
Tel: 0151 708 9988

LOURDES HOSPITAL —4F **101**
57 Greenbank Rd.
LIVERPOOL
L18 1HQ
Tel: 0151 7337123

MARIE CURIE CENTRE, LIVERPOOL —2B **126**
Speke Rd.
Woolton
LIVERPOOL
L25 8QA
Tel: 0151 4281395

MARTLEW DAY HOSPITAL —1C **86**
Elton Head Rd.
ST HELENS
Merseyside
WA9 5BZ
Tel: 0151 4263465

MOSSLEY HILL HOSPITAL —5E **101**
Park Av.
Mossley Hill
LIVERPOOL
L18 8BU
Tel: 0151 2503000

MURRAYFIELD BUPA HOSPITAL —2D **139**
Holmwood Dri.
Heswall
WIRRAL
Merseyside
CH61 1AU
Tel: 0151 6487000

PARK LODGE DAY HOSPITAL —1D **79**
Orphan Dri.
LIVERPOOL
L6 7UN
Tel: 0151 2876934

RATHBONE HOSPITAL —4A **80**
Mill La.
Old Swan
LIVERPOOL
L13 4AW
Tel: 0151 2503000

ROYAL LIVERPOOL UNIVERSITY HOSPITAL
—4F **77** (3J **5**)
Prescot St.
LIVERPOOL
L7 8XP
Tel: 0151 7062000

SCOTT CLINIC —1C **86**
Rainhill Rd.
ST HELENS
Merseyside
WA9 5BD
Tel: 0151 4306300

SIR ALFRED JONES MEMORIAL HOSPITAL —1C **144**
Church Rd.
Garston
LIVERPOOL
L19 2LP
Tel: 0151 2503000

ST BARTHOLOMEW'S DAY HOSPITAL —4C **82**
Station Rd.
Huyton
LIVERPOOL
L36 4HU
Tel: 0151 4896241

ST CATHERINE'S HOSPITAL (BIRKENHEAD) —5D **97**
Church Rd.
BIRKENHEAD
Merseyside
CH42 0LQ
Tel: 0151 6787272

ST HELENS HOSPITAL (MERSEYSIDE) —2C **66**
Marshalls Cross Rd.
ST HELENS
Merseyside
WA9 3DA
Tel: 0151 4261600

ST JOHN'S HOSPICE IN WIRRAL —1E **161**
Mount Rd.
Higher Bebington
WIRRAL
Merseyside
CH63 6JE
Tel: 0151 3342778

ST JOSEPH'S HOSPICE. —3A **10**
Ince Rd.
LIVERPOOL
L23 4UE
Tel: 0151 9243812

UNIVERSITY HOSPITAL AINTREE —1E **37**
Longmoor La.
LIVERPOOL
L9 7AL
Tel: 0151 525 5980

VICTORIA CENTRAL HOSPITAL —2B **74**
Mill La.
WALLASEY
Merseyside
CH44 5UF
Tel: 0151 6785111

WALTON HOSPITAL DAY SURGICAL UNIT &
OUTPATIENTS —5F **35**
Rice La.
LIVERPOOL
L9 1AE
Tel: 0151 529 4895

WATERLOO DAY HOSPITAL —4E **17**
Park Rd.
Waterloo
LIVERPOOL
L22 3XR
Tel: 0151 9287243

WHISTON HOSPITAL —2F **85**
Warrington Rd.
PRESCOT
Merseyside
L35 5DR
Tel: 0151 4261600

WILLOWBROOK HOSPICE —4A **64**
Portico La.
PRESCOT
Merseyside
L35 7JS
Tel: 0151 4308736

WILLOW HOUSE RESOURCE CENTRE FOR THE ELDERLY.
—3E **85**
168 Dragon La.
PRESCOT
Merseyside
L35 3QY
Tel: 0151 4306048

WOODLANDS DAY HOSPICE —2D **37**
Longmoor La.
LIVERPOOL
L9 7LA
Tel: 0151 5292299

ZOE'S PLACE - BABY HOSPICE. —1E **81**
Yew Tree La.
LIVERPOOL
L12 9HH
Tel: 0151 2280353